老人のリハビリテーション

第9版

原著 福井圀彦　鹿教湯総合リハビリテーション研究所　名誉所長
著　　前田眞治　国際医療福祉大学大学院リハビリテーション学分野　教授
　　　下堂薗恵　鹿児島大学大学院医歯学総合研究科リハビリテーション医学　教授

医学書院

前田眞治(Masaharu Maeda)

1979 年	北里大学医学部卒業
1984 年	北里大学医学部内科学専任講師
1991 年	北里大学医療衛生学部リハビリテーション学科助教授
2005 年	国際医療福祉大学保健学部・同大学院リハビリテーション学分野教授 リハビリテーション科専門医・指導責任者, 脳卒中専門医・指導医, リウマチ専門医, 温泉療法専門医, 認定内科医, 日本高次脳機能障害学会代議員, 日本温泉気候物理医学会理事, 人工炭酸泉研究会会長, 日本温泉科学会会長

下堂薗恵(Megumi Shimodozono)

1990 年	鹿児島大学医学部卒業
2006 年	鹿児島大学病院霧島リハビリテーションセンター講師
2007 年	鹿児島大学大学院医歯学総合研究科リハビリテーション医学准教授
2014 年	鹿児島大学大学院医歯学総合研究科リハビリテーション医学教授, 鹿児島大学病院リハビリテーションセンターセンター長を兼務 リハビリテーション科専門医・指導責任者, 日本リハビリテーション医学会理事, 日本義肢装具学会理事, 日本ニューロリハビリテーション学会理事

歴代執筆者
第 1 版〜第 3 版：福井圀彦 著
第 4 版：福井圀彦, 前田眞治 共著
第 5 版〜第 7 版：福井圀彦 監修, 前田眞治 著
第 8 版：福井圀彦 原著, 前田眞治 著

老人のリハビリテーション

発　行		
	1975 年 7 月 15 日	第 1 版第 1 刷
	1978 年 11 月 1 日	第 1 版第 3 刷
	1980 年 5 月 1 日	第 2 版第 1 刷
	1983 年 9 月 15 日	第 2 版第 4 刷
	1984 年 12 月 1 日	第 3 版第 1 刷
	1990 年 9 月 15 日	第 3 版第 3 刷
	1992 年 7 月 15 日	第 4 版第 1 刷
	1998 年 7 月 1 日	第 4 版第 6 刷
	1999 年 5 月 15 日	第 5 版第 1 刷
	2002 年 2 月 1 日	第 5 版第 3 刷
	2003 年 4 月 15 日	第 6 版第 1 刷
	2006 年 9 月 1 日	第 6 版第 4 刷
	2008 年 4 月 1 日	第 7 版第 1 刷
	2014 年 5 月 15 日	第 7 版第 8 刷
	2016 年 1 月 1 日	第 8 版第 1 刷
	2018 年 3 月 15 日	第 8 版第 2 刷
	2022 年 2 月 1 日	第 9 版第 1 刷Ⓒ

原　著　福井圀彦
著　者　前田眞治, 下堂薗恵
発行者　株式会社　医学書院
　　　　代表取締役　金原　俊
　　　　〒113-8719　東京都文京区本郷 1-28-23
　　　　電話　03-3817-5600(社内案内)
印刷・製本　三報社印刷

本書の複製権・翻訳権・上映権・譲渡権・貸与権・公衆送信権(送信可能化権を含む)は株式会社医学書院が保有します.

ISBN978-4-260-04805-7

本書を無断で複製する行為(複写, スキャン, デジタルデータ化など)は,「私的使用のための複製」など著作権法上の限られた例外を除き禁じられています. 大学, 病院, 診療所, 企業などにおいて, 業務上使用する目的(診療, 研究活動を含む)で上記の行為を行うことは, その使用範囲が内部的であっても, 私的使用には該当せず, 違法です. また私的使用に該当する場合であっても, 代行業者等の第三者に依頼して上記の行為を行うことは違法となります.

JCOPY 〈出版者著作権管理機構　委託出版物〉
本書の無断複製は著作権法上での例外を除き禁じられています. 複製される場合は, そのつど事前に, 出版者著作権管理機構(電話 03-5244-5088, FAX 03-5244-5089, info@jcopy.or.jp)の許諾を得てください.

第9版の序

　2019年11月に発生した新型コロナウイルスで，日本をはじめ世界は感染症のパンデミックとなり，人々は恐怖と不安に襲われた。高齢者の感染による死亡率も高く，医療職をはじめ多くの関係者は多大な感染への配慮と医療の供給を余儀なくされた。社会の情勢も在宅勤務のようにコンピュータなどを用いたリモートで仕事をするような情報・働き方改革が進み，高齢者や障害者の仕事や生活のあり方も変貌した。

　本書は1975年に初版が発行され，50年近く経過している。その間，脳卒中などによる死亡率は減少し，がんや心臓疾患で亡くなる人が増える疾病構造となった。それに加えての特徴は，天寿をまっとうし老衰で亡くなる人が死亡原因の3位になっていることである。目を見張るのは，平均寿命（2020年は男性81.6歳，女性87.7歳）の延びとともに健康寿命の顕著な延びで，より健康な状態で長生きするようになっている。

　このような疾病構造の変化の中で，高齢者のリハビリテーションも変化し，以前は治す手立てがなく死亡することの多かったがんも医療の進歩により，予防するだけでなくその治療が格段に進歩している。そのためがんに罹患したとしても死に至る頻度が年々低くなり，がんを患いながら生活し，がんではなく老衰で亡くなる人が増えてきている。第9版ではこのことから生活習慣病やがんのリハビリテーションについても触れているが，その後の人生最後のリハビリテーションと考えている「終末期のリハビリテーション」を新たに執筆している。また，脳卒中リハビリテーションの最先端としての川平法についても詳細に解説している。

　本書の「老人」という言葉は，一般的に「老いる」ととらえがちであるが，江戸時代の「老中」という言葉に代表されるように「老」という崇高で気高い地位の人を示す言葉と考えている。人生を長く生きてきて多くの知識や経験をもつ立派な人として，尊敬の念をもって本書の中ではときに「老人」と表現していることを引き続きご理解していただきたい。

　第9版より，鹿児島大学大学院リハビリテーション医学の川平和美前教授の後継者で，川平法の第一人者である新進気鋭の下堂薗恵教授に加わっていただき，川平法などの新規記載とともに，バトンを次の世代に託し多くの部分を執筆いただいた。今後も，本書がリハビリテーションに関わる多くの医療者の学問と臨床に貢献する書物であり続けることを願うものである。

2021年12月

前田眞治

第 1 版の序

　北欧諸国における人口構成の老人比率増加現象は，わが国でも例外ではなく，人口の増加と共に大きな社会問題となってきている．老人人口増加は必然的に心身障害を伴った老人の増加をもたらし，家族，地域社会の大きな負担となりつつある．

　もう一家の主人でも主婦でもなく，かせぎ手でもなく，消費者に変わってしまった老人達は，家族からさえうとんじられる立場に追いこまれ，農村地帯では裏の暗い寒い部屋にひっそりと寝ていたり，都会の狭い住宅では物置き同然の部屋に雑然とした家具類の間に埋もれていることが多い．

　リハビリテーション病院で何とか歩行や身の回り動作が可能になって退院した老人が，家庭に戻ってからはその環境の悪さや家人の無理解のために寝たきり老人に戻ってしまう例は少なくない．そのような例をみるにつけて社会的リハビリテーションの裏付けのない医学的リハビリテーションがいかに無力であるかを痛感するのである．

　わが国でももちろん老人のための福祉行政が行われていないわけではない．しかし，北欧の徹底した老人福祉のシステムをみるにつけその差のあまりに大きいことを痛感させられる．もちろん社会機構が異なるから全く同じ観点から論ずることはできない．しかし老人人口比率の増加が予測される今日，そしていずれわれわれもその仲間に加わるであろうことを考えるとき，もっともっとこの老人福祉対策を真剣に考え，これと取り組まなければならないのではなかろうか．

　日本リハビリテーション医学会においても第10回(昭48)，第11回(昭49)と2年連続で「老人のリハビリテーション」がシンポジウムに取り上げられている．本学会がこのテーマを取り上げたことは，その重大さを示しているものと思われる．「老人のリハビリテーション」という言葉をその字義通りに解釈すれば矛盾があるので「老人とリハビリテーション」としたほうがよいかと考えたが，本書では学会のそれにならうことにした．

　本書が老人のために働く人達にとってなんらかの役に立ってくれれば幸せである．

1975年5月

福井圀彦

目次

I. 加齢と疾患
前田眞治

- A. 老化の特徴 ……………………… 2
- B. 加齢に伴う変化 ………………… 3
- C. 高齢者の疾患の特徴 …………… 4
- D. 高齢者に比較的特徴的な疾患 … 5
- E. 高齢者の機能低下の特徴 ……… 5

II. 老人の尊厳とその接し方
前田眞治

- A. 老人の尊厳について …………… 8
- B. 接し方 …………………………… 9
- C. 老人の訴えの特徴 ……………… 12

III. 終末期のリハビリテーション
前田眞治

- A. 終末期のリハビリテーションとは …… 16
- B. 終末期医療をめぐる問題 ………… 16
- C. インフォームドコンセントとアドバンス・ケア・プランニング ……… 16
- D. 右肩下がりの終末期のリハビリテーションを考える …… 18

IV. 主な老人性疾患のリハビリテーション

1 神経疾患とそのリハビリテーション
下堂薗恵　22

- A. 脳血管障害のリハビリテーション … 22
  1. 脳血管障害 ……………………… 22
  2. その他 …………………………… 35
- B. 血管内手術 ……………………… 35
- C. 脳卒中発症直後の血圧管理とリハビリテーション ………… 36
  1. 脳出血の血圧管理とリハビリテーション … 37
  2. 脳梗塞の治療とリハビリテーション … 38
- D. 脳卒中治療の未来と展望 ……… 41
- E. 脳血管障害リハビリテーションの骨組み … 41
- F. 医学的リハビリテーションの実際 … 42
  1. 急性期の自然回復機構 ………… 42
  2. 亜急性期から慢性期の回復機構 … 42
- G. 脳卒中リハビリテーションの流れ … 43
  1. 発症直後のリハビリテーション … 43
  2. 発症直後から急性期にかけてのリハビリテーション …… 47
  3. 機能訓練期 ……………………… 50
     - a. 下肢と体幹 ………………… 51
     - b. 上肢 ………………………… 59
     - c. 痙縮に対するリハビリテーション … 63
     - d. 脳卒中にみられる固縮 …… 74
     - e. 神経筋促通法 ……………… 75
     - f. 新たな脳卒中片麻痺の治療法 … 77
     - g. 作業療法 …………………… 80
     - h. リハビリテーション看護 … 81
     - i. 家族側の対応 ……………… 83
     - j. 日常生活動作訓練 ………… 83
     - k. 高齢片麻痺患者のリハビリテーションにおけるリスク管理と事故 …… 93

2 脳血管障害の画像診断
前田眞治　99

- A. 発症後早期の画像診断 ………… 99

- B. 脳卒中の頭部CT所見 …………………… 100
- C. 脳卒中の頭部MRI画像 ………………… 102
- D. 脳画像各レベルの見かた ……………… 104
- E. 脳回の同定法 …………………………… 117

3 脳損傷と高次脳機能障害　前田眞治 120

- A. 前頭葉 ………………………………………… 120
  1. 4野(運動野) ……………………………… 120
  2. 6野(運動前野) …………………………… 121
  3. 6〜8野にかけて(補足運動野) ………… 121
  4. 8野前方〜9, 10, 11, 12野(前頭前野) … 122
  5. 作業記憶(46野) ………………………… 128
  6. 前帯状回〔33, (24)野〕 ………………… 129
  7. 眼窩回(11, 12野) ……………………… 129
  8. 帯状回(24, 32野) ……………………… 129
  9. 25野 ……………………………………… 129
  10. 中心前回下部皮質下と44, 45野
      (下前頭回弁蓋部) ………………………… 129
- B. 頭頂葉 ………………………………………… 130
  1. 3, 1, 2野(1次体性感覚中枢) ………… 130
  2. 43野(1次味覚皮質：中心前回・
      後回の最下部) …………………………… 130
  3. 5, 7, 40野(頭頂連合野) ……………… 130
  4. 7野の中心部の溝(頭頂間溝) ………… 130
  5. 7野 ……………………………………… 130
  6. 39, 40野(角回, 縁上回) ……………… 131
- C. 後頭葉 ………………………………………… 131
  1. 17野(1次視覚中枢) …………………… 131
  2. 18, 19野(2次視覚連合中枢) ………… 131
- D. 側頭葉 ………………………………………… 135
  1. 41, 42野(ヘッシュル回：1次聴覚中枢)
      …………………………………………… 135
  2. 22, 21野(聴覚連合野) ………………… 135
  3. 20野(側頭葉下端) ……………………… 136
  4. 37野(側頭葉後下部) …………………… 136
  5. 38野(側頭葉極) ………………………… 136
  6. 36野(前頭葉-辺縁系との連絡部) …… 137
  7. 26野(海馬回) …………………………… 137
- E. 島回 …………………………………………… 137
- F. 辺縁系 ………………………………………… 138
  1. 34野, 28野の前部(1次嗅覚野) ……… 138
  2. 28野後部と35野(2次嗅覚野) ………… 138
  3. 34野(海馬体) …………………………… 138
  4. 扁桃体 …………………………………… 138
  5. 脳弓 ……………………………………… 138
  6. 視床下部 ………………………………… 138
- G. 脳梁 …………………………………………… 139
  1. 脳梁離断症状 …………………………… 139
- H. 視床 …………………………………………… 139

4 失語症, 失認, 失行と記憶・回復　前田眞治 141

- A. 失語症 ………………………………………… 141
  1. 失語症の定義 …………………………… 141
  2. 失語症の主な原因疾患 ………………… 141
  3. 失語症の発生率 ………………………… 141
  4. 問診から診断へ ………………………… 141
  5. 失語症の診断 …………………………… 142
  6. 言語の脳内処理過程 …………………… 143
  7. 失語症のタイプ分類 …………………… 143
  8. 失語症古典的分類と脳動脈閉塞症候群 … 145
  9. 失語の種類による治療法の相違 ……… 147
  10. 失語症のリハビリテーションの考え方 … 147
  11. 治療法の原則 …………………………… 147
  12. 集団訓練 ………………………………… 148
  13. 発語失行の治療 ………………………… 148
  14. 家庭, その他の環境の人たちへの教育 … 149
  15. 失語症者とのコミュニケーションを
      円滑化するための方策 ………………… 150
  16. 失語の純粋型 …………………………… 150
  17. その他 …………………………………… 151
- B. 失認, 失行 …………………………………… 151
  1. 失認, 失行とは ………………………… 151
  2. 失認の種類 ……………………………… 151
  3. 失行の種類 ……………………………… 152
  4. 失認, 失行の左右半球優位性 ………… 152
- C. リハビリテーションで問題となる失認 … 152
- D. リハビリテーションで問題となる失行 … 168
- E. 失認, 失行のリハビリテーション ……… 174
- F. 記憶 …………………………………………… 175
  1. 記憶の分類 ……………………………… 175
  2. 記憶障害(健忘症候群)とは …………… 176
  3. 記憶の場 ………………………………… 176
  4. 記憶の回路 ……………………………… 176
- G. 回復の機構 …………………………………… 177

5 パーキンソン病のリハビリテーション　下堂薗恵 178

- A. 臨床症状 ……………………………………… 178
- B. 診断, 評価 …………………………………… 179
- C. 治療 …………………………………………… 180
  1. 薬物療法 ………………………………… 180

	2. デバイス補助療法	180
D.	リハビリテーション	183
	1. 理学療法	186
	2. 作業療法	186
	3. 言語聴覚療法	186
	4. その他のアプローチ	188
E.	食事動作に対する対応	188
	1. 食器などの配慮	188
	2. 嚥下障害への配慮	189
F.	排泄に対する対応	189
	1. 排便障害	189
	2. 排尿障害	189

6　心臓疾患のリハビリテーション　前田眞治　190

- A. 高齢者の心臓の生理，病理 — 190
- B. 高齢者の心臓疾患 — 190
  1. うっ血性心不全 — 190
     - a. 原因と症状 — 190
     - b. 心不全の診断 — 191
     - c. うっ血性心不全のリハビリテーション — 191
     - d. 慢性心不全に対する運動療法 — 192
     - e. 在宅における生活指導 — 192
  2. 虚血性心疾患 — 192
     - a. 狭心症 — 193
     - b. 心筋梗塞 — 195
     - c. 不安定狭心症 — 204
     - d. 無痛性虚血性心疾患 — 204

7　呼吸器疾患のリハビリテーション　前田眞治　206

- A. 高齢者に多い慢性呼吸器疾患 — 206
  1. COPD（慢性閉塞性肺疾患） — 206
  2. 気管支拡張症 — 208
  3. 肺線維症 — 208
  4. 無気肺 — 209
- B. 高齢者の慢性呼吸器疾患の治療とリハビリテーション — 209
  1. 感染症の治療 — 210
  2. 喀痰の減少・排出 — 210
  3. 気道に対する刺激の軽減 — 210
  4. 急性呼吸不全に対する治療 — 210
  5. アシドーシスに対する治療 — 210
  6. 肺性心に対する治療 — 211
  7. 理学療法 — 211
  8. 日常生活上の指導，看護 — 215
- C. 呼吸障害患者に対する訓練法 — 216
  1. 口すぼめ呼吸 — 216
  2. 腹式呼吸（横隔膜呼吸） — 216
  3. パニック呼吸 — 218
  4. リラクゼーション — 218
  5. 体力の維持 — 219

8　腎臓・尿路疾患のリハビリテーション　前田眞治　224

- A. 腎臓のリハビリテーション — 224
  1. CKD（慢性腎臓病） — 224
  2. 透析患者の運動療法 — 224
- B. 尿路疾患のリハビリテーション — 225
  1. 高齢者の尿路疾患の種類 — 225
  2. 排尿機構とその神経系 — 226
  3. 神経因性膀胱 — 229
  4. 認知症に伴う尿失禁 — 234
  5. 尿閉，排尿困難 — 235
  6. 尿失禁，特に真性腹圧性尿失禁 — 235
  7. 薬剤の副作用による排尿障害 — 236
  8. 尿失禁に対するリハビリテーション — 236

9　生活習慣病のリハビリテーション　下堂薗恵　241

- A. 生活習慣病 — 241
- B. メタボリックシンドローム — 241
- C. 糖尿病のリハビリテーション — 241
  1. 糖尿病のコントロール — 242
  2. 糖尿病の3大合併症 — 242
  3. 糖尿病のリハビリテーションの実際 — 242
  4. 糖尿病の運動時の安全管理 — 246
- D. 高血圧患者のリハビリテーション — 247
  1. 高血圧の診断基準 — 247
  2. 予後に影響を及ぼす因子 — 248
  3. 生活指導・降圧治療 — 248
  4. 運動療法 — 248
- E. 脂質異常症のリハビリテーション — 249
- F. 肥満・肥満症の運動療法 — 250
- G. 高尿酸血症・痛風の運動療法 — 251
  1. 痛風 — 251
  2. 痛風発作 — 251
  3. 運動内容 — 251

10 肝疾患のリハビリテーション　前田眞治 252

- A. 非アルコール性脂肪性肝疾患，非アルコール性脂肪肝炎 — 252
- B. 肝硬変のリハビリテーション — 253

11 認知症のリハビリテーション　下堂薗恵 255

- A. 高齢者の心理的・精神的変化 — 255
  1. 一般的変化 — 255
- B. 認知症 — 256
  1. 認知症とは — 256
  2. MCI（軽度認知症） — 256
  3. 認知症の分類 — 257
  4. 認知症の診断 — 257
  5. 認知症の鑑別診断 — 258
- C. 主な認知症性疾患の病態と症状 — 261
  1. アルツハイマー型老年認知症 — 261
  2. 脳血管性認知症 — 266
  3. 混合性認知症 — 267
  4. レビー小体型認知症 — 268
  5. 前頭側頭型変性症 — 268
  6. 正常圧水頭症性認知症 — 268
- D. 認知症高齢者のケア — 269
  1. 生きがいをつくる — 269
  2. 認知症高齢者との接し方 — 269
  3. 日常生活に対する注意 — 270
  4. 精神症状や異常行動への対応 — 270
  5. 事故防止 — 271
  6. 介護者の生活と健康維持 — 271
- E. その他の精神障害とリハビリテーション — 272
  1. 器質性精神障害 — 272
  2. 機能性精神障害 — 273
- F. 認知症対策と生活管理 — 273
  1. 認知症対策 — 273
  2. 薬物療法 — 274
  3. 内科的全身管理 — 274
  4. 適度な運動 — 274
  5. 栄養管理 — 275
  6. 入浴による清潔管理 — 275
  7. 心理的・精神的側面の管理 — 275
  8. 社会的側面 — 276

12 運動器疾患のリハビリテーション　下堂薗恵 277

- A. 高齢者の骨折 — 277
  1. 高齢者の骨折の特徴 — 277
  2. 高齢者骨折の骨癒合を妨げる因子 — 278
  3. 高齢者骨折の種類とその治療，リハビリテーション — 280
- B. 高齢者の転倒予防 — 287
  1. 内的要因 — 288
  2. 外的要因 — 289
  3. ADL・QOL低下の防止 — 290
  4. 住居環境整備 — 290
  5. 病棟内，施設での高齢者の転倒 — 292
- C. 骨粗鬆症 — 292
  1. 原因，症状 — 292
  2. 治療およびリハビリテーション — 294
- D. 腰痛のリハビリテーション — 296
  1. 原因 — 296
  2. 症状 — 298
  3. 治療 — 298
  4. 各種腰痛疾患 — 304
- E. 変形性膝関節症 — 306
  1. 症状 — 306
  2. 評価 — 307
  3. 治療 — 309
- F. 肩甲関節周囲炎（四十肩，五十肩） — 314
  1. 原因，症状 — 314
  2. 治療およびリハビリテーション — 315
- G. ロコモティブシンドローム，サルコペニア，フレイルなど高齢による症候群 — 318
  1. ロコモティブシンドローム（運動器症候群） — 318
  2. 運動器不安定症 — 322
  3. サルコペニア — 322
  4. フレイル — 322

13 脊髄損傷のリハビリテーション　前田眞治 325

- A. 脊髄の解剖と脊髄損傷 — 325
- B. 高齢者の脊髄損傷の特徴 — 326
- C. 急性期の合併症と呼吸理学療法 — 327
  1. 急性期の合併症 — 327
  2. 呼吸障害 — 327
  3. 人工呼吸器下のリハビリテーション — 327
  4. 呼吸理学療法 — 327

D. 慢性期の呼吸理学療法 327	4. 急性動脈閉塞症 342
E. 麻痺の評価 328	E. 末梢血管性疾患の予後，治療，
F. 身体的リハビリテーション 329	リハビリテーション 342
G. 脊損高位と到達レベル 329	1. 予後 342
H. 理学療法 331	2. 治療およびリハビリテーション 342
I. 作業療法 332	
J. 自律神経機能障害 332	

15 関節リウマチの リハビリテーション　　前田眞治 349

1. 起立性低血圧 332	
2. 自律神経過緊張反射 333	
3. 体温調節障害 333	
K. 排尿・排便管理 333	A. 年齢分布 349
1. 排尿管理 333	B. 症状 349
2. 尿路管理法 334	C. 診断基準 351
3. 脊髄損傷にみられる尿路合併症 334	D. 治療 353
4. 排便管理 335	1. 基礎療法 353
	2. 薬物療法 353
	3. 外科的治療法 356
	4. 治療目標 356

14 切断者の リハビリテーション　　前田眞治 336

	E. リハビリテーション 357
	1. 評価 357
	2. 目標設定 359
A. 切断部位と義肢の名称 336	3. 具体的なリハビリテーション処方 359
B. 下肢切断 337	F. 生物学的製剤登場以降の
1. 原因 337	リハビリテーション 366
2. 下肢切断者の歩行獲得率 337	
3. 高齢者の義足処方 337	

16 悪性腫瘍（がん）患者の リハビリテーション　　下堂薗恵 368

4. 高齢切断者の経過 338	
C. 上肢切断 338	
1. 原因 338	
D. 切断を生じる主な末梢血管性疾患 339	A. がん患者のリハビリテーション 368
1. 閉塞性動脈硬化症 339	B. がん患者と廃用症候群 371
2. 閉塞性血栓性動脈炎 340	C. 緩和ケアにおけるリハビリテーション 371
3. 糖尿病性細血管障害 342	

V. 知っておくべき多様な問題点　　前田眞治

1 障害者の心理　　374

	6. 心理的到達レベル 379
	7. 具体的な指導法 380
A. 障害者の人権 374	8. 障害者と医療者間のずれと
B. ノーマライゼーション 374	そのアプローチ 380
C. 人間のもつ防衛機制 375	9. 心理的アプローチの開始時期と
D. リハビリテーションと心理 375	その問題点 381
1. 障害者を取り囲む側からの問題点 376	10. 障害をもつ患者への対応 382
2. 障害者側の問題点 376	
3. 年齢別の心理的アプローチ 377	
4. 障害告知とその後の心理的過程 378	
5. 自立と病前性格 379	

2 廃用症候群，誤用症候群，過用症候群　383

- A. 廃用症候群　383
  1. 筋萎縮　383
  2. 拘縮　384
  3. 褥瘡　387
  4. 骨萎縮　389
  5. 起立性低血圧症　390
  6. 静脈血栓症　390
  7. 尿路結石　390
  8. 精神的・知的・心理的障害　390
  9. 肩手症候群　391
- B. 誤用症候群　391
  1. 肩関節　391
  2. 股関節　392
  3. その他　392
- C. 過用症候群　393

3 嚥下障害　394

- A. 嚥下障害とは　394
- B. 病態生理　395
  1. 嚥下第1期　395
  2. 嚥下第2期　395
  3. 嚥下第3期　395
- C. 嚥下障害の原因疾患　396
- D. 嚥下障害の診断　396
- E. 嚥下障害の検査　397
  1. 身体所見　397
  2. 臨床検査　397
- F. 嚥下訓練　398
  1. 嚥下訓練チームによるアプローチ　398
  2. 訓練内容　398
- G. 嚥下障害の治療法　399
  1. 摂取方法　399
  2. 代償的嚥下法　400
  3. 代償的栄養管理法　400
  4. 外科的治療法　400
  5. 半流動物による水分補給　401
- H. 実際の嚥下障害食　401
  1. 栄養基準量　401
  2. 適応　402
  3. 特徴　402
  4. 内容　402
- I. その他の嚥下訓練　402
  1. 訓練姿勢　403
  2. 仮嚥下訓練　403
  3. 固形物の嚥下訓練　403
  4. 半流動物の嚥下訓練　404
  5. 液体の嚥下訓練　404

文献　405

索引　416

I

加齢と疾患

I. 加齢と疾患

わが国の平均寿命は著しく延びて，1935（昭和10）年の時点では，男性46.92歳，女性49.63歳であったが，2020年7月の時点では，男性81.41歳と世界3位，女性87.45歳で世界2位，男女合わせて84.2歳で世界一である[1]。暦年齢だけで「高齢者」を定義することは難しいが，生理的年齢を推定することはさらに困難なので，社会通念として65歳以上を高齢者といっている。

高齢者人口の推移をみると，1940（昭和15）年には345万人に過ぎなかったのが，2020年には3,617万人（28.7％）で4人に1人以上が高齢者の現状となり，80年間に10.5倍以上に増加している。将来予測では2040年には35.3％となり，2060年には38.1％に達しようとしている。なかでも75歳以上の後期高齢者の増加は著しく，2010年では11.1％であったが，2017年には65～74歳人口を上回り，その後も増加し2030年には19.5％で5人に1人が，2060年にはさらに増加し26.9％と4人に1人の割合と予測されている。

また，わが国の総人口も現在減少しており，2008年の1億2,808万人をピークに，2030年には1億1,912万人に，2055年には9,744万人と1億人を切る可能性も高く，高齢者を支える生産年齢人口の負担の増大が問題となり，2010年では2.8人で1人の高齢者を支えればよかったものが，2030年には1.9人，2060年には1.4人と，1人で1人の高齢者を支えなければならない時代がすぐそこまで迫ってきている（図Ⅰ・1）。なお，2045年以降は1.4人程度でそれ以降急激な減少がないのは，高齢者人口も生産年齢人口もともに少なくなり，比率が一定化するためと考えられる。このような背景の中で，リハビリテーションを取り囲む環境は大きく変化している。

また，医療の発展とともに未知のウイルスであった新型コロナウイルスを除いたほかの感染症が激減し，重症疾患でも救命可能となりつつあるが，寿命の延長とともに生活習慣病が増加し，寝たきりや認知症の高齢者が増加している。

2020年における諸外国の老年人口の割合は，米国（16.6％），英国（19.0％），ドイツ（22.2％），フランス（20.7％），スウェーデン（20.3％）となっており，日本の28.9％は最も高いものである。また，主要国の65歳以上の人口割合の推移（表Ⅰ・1）からもわかるように，諸外国に比べ急速に高齢化しているのがわかる。

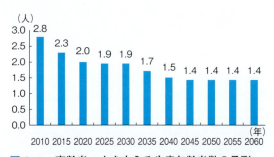

図Ⅰ・1　高齢者1人を支える生産年齢者数の予測
〔文献2）より〕

A　老化の特徴

加齢に伴う老化は，人間も生命をもつものである以上避けられないものであり，自然の生理に伴う進行性の現象である。この現象は，様々な身体

表Ⅰ・1　主要国の65歳以上の人口割合の推移（％）

年次	日本	米国	英国	ドイツ	フランス	スウェーデン
1980	9.1	11.6	15.0	15.7	13.9	16.3
1990	12.1	12.6	15.8	14.9	14.0	17.8
2000	17.4	12.3	15.9	16.5	16.0	17.3
2010	23.0	13.0	16.6	20.5	16.8	18.2
2020	28.9	16.6	19.0	22.2	20.7	20.3
2030	31.2	20.4	22.0	26.8	23.9	22.1
2040	35.4	21.6	24.3	30.0	26.2	24.0

（国立社会保障・人口問題研究所2019より一部改変）

表Ⅰ・2 生理的な老化と病的な老化

	生理的な老化 （正常な老化）	病的な老化 （認知症など）
対象	すべての人	有病者
発生時期	20〜30歳から	罹患時
進行	不可逆的	時に可逆的
速度	ゆっくり	比較的早い
臨床所見	健康人	病人
対処法	日常生活での摂生	老年病の治療

表Ⅰ・3 生理的な老化と病的な老化による物忘れの違い

生理的な老化による物忘れ （健忘）	病的な老化（認知症）による 物忘れ
部分的な物忘れ	体験したこと全体の物忘れ
物忘れしたという自覚がある	忘れたという自覚がない
ゆっくりと進行する	早期に悪化し，進行する
時・人・場所の見当識は保たれる	見当識が障害される
行動・心理的問題はない	行動や心理症状が出現する
日常生活の支障はほとんどない	生活に支障をきたす

機能が障害される結果，体にとって有害となるものである．老化には，生理的な老化と病的な老化があり，生理的な老化は，例えば老眼のように誰にでも起こってくる現象である．

生理的老化（加齢現象）の4原則として，① 体の中から生じる内在性，② 誰もに生じる普遍性，③ 進行性で増悪を阻止できない，④ 有害なものであるとしている（Strehler）．一方，病的な老化は，環境要因や疾病によって，老化現象が著しく促進された状態であり，① 内在性，② 普遍性，③ 病的部分が阻止できれば進行しないなどが異なり，生理的老化と区別している（表Ⅰ・2）．例として生理的老化による物忘れ（健忘）と病的老化（認知症）による物忘れの違いを表Ⅰ・3に示す．

B 加齢に伴う変化

加齢に伴って，あらゆる機能が直線的に低下してくるが，その低下のスピードには様々なものがある．例えば，糸球体濾過率や腎血流量に代表される腎機能，肺活量や最大換気量に代表される肺機能などは加齢に伴い急速に低下し，逆に，神経伝達速度や基礎代謝率は，ゆっくりと低下することが知られている．各臓器別の加齢による身体機能の変化を次に掲げる．

加齢による身体機能の変化

1. **身体構成成分の変化**
① 脂肪以外の身体構成成分の減少
② 身体構成成分の脂肪の比率増加
③ 血漿アルブミン量の減少
2. **心血管系**
① 心：心拍出量低下，左室壁の肥厚（心肥大，高血圧），ストレスに対する反応の低下，運動時の最大心拍数低下（運動耐容能の低下）
② 循環：冠動脈硬化（狭心症・心筋梗塞），動脈硬化による血管弾性の低下，血管壁肥厚，末梢血管抵抗の増加，腎・肝・脳・筋肉の血流減少
3. **腎機能**
① 機能的ネフロンの減少
② 糸球体の喪失・糸球体濾過率および腎血流量の減少に伴う夜間尿量の増加
③ 血清クレアチニン不変，クレアチニン・クリアランス低下
④ 女性では腹圧性尿失禁，男性では前立腺肥大による溢流性尿失禁
4. **消化器系**
① 咀嚼・嚥下能力の低下
② 唾液，胃液の分泌低下
③ 消化管の蠕動運動低下，便秘の増加
④ 消化管壁の脆弱化（憩室，便通異常）
⑤ 胃内容の食道への逆流（逆流性食道炎，胸やけ）
5. **肝**
① 重量減少
② 薬物代謝能力などの低下
6. **神経系**
① 脳：循環血流量の減少，短期記憶の低下，協調運動の低下，脳機能低下，薬に対する閾値の低下
② 視覚：角膜（房水が角膜に流入し角膜が厚くなるため，光が散乱しやすい），水晶体（混濁・弾力性低下による老視，色覚低下），瞳孔（縮瞳，明暗順応低下），視力（50歳頃から低下：60歳代0.5，70歳代0.4，80歳代0.3），視力低下による転倒リスクの増大
③ 聴覚：高音が聞き取りづらい（高音難聴），50歳頃より徐々に低下し，65歳以上で約30％が聴力障害を呈する．

④ 味覚・嗅覚：酸味・苦味・甘味・塩味などの味覚低下はなく，嗅覚も加齢による変化は乏しい。

7. 呼吸器系
① 機能的残気量，死腔の増加，肺弾性力の低下（努力性肺活量の低下，1秒量の低下，残気量増加），呼吸筋力低下
② 気管：気管支線毛の数の減少，運動の低下

8. 内分泌系
① 性ホルモン分泌量の減少
② コルチゾール，サイロキシンは不変
③ ゴナドトロピン，膵性ポリペプチドの増加
④ 甲状腺刺激ホルモン，コルチゾールに対する反応性低下
⑤ 成長ホルモン，副甲状腺ホルモンに対する反応性不変

9. 免疫系
① 細胞性免疫，液性免疫ともに低下（抗原抗体反応低下）
② 体内異物の排除処理能力低下（悪性腫瘍発症・易感染性）
③ 自己抗体の形成の増加（甲状腺に対する抗体を生じると甲状腺機能低下症（橋本病）となり，うつ状態をきたす）

10. 骨運動器系
① 骨量の減少，骨強度の減少（易骨折性）
② 筋弾力，腱・靱帯の硬化
③ 筋萎縮，筋力低下

11. 心理・精神機能系
① 活動空間が狭くなる。対人交流・物的接触低下，新規活動への不安感のため活動から遠ざかる。
② 日常のコミュニケーションにおける理解力の低下，閉じこもりがちになる。記憶や新しい知識が必要とされる作業をためらい，消極的になる。
③ 退職や家庭内役割の喪失から無用感や対人交流を避け，行動意欲が減退し，孤独な生活になる（自己中心的・意地を張る，自己主張が多い，役割への固執が生じる）。
④ 心理状態の個体差が大きい。
⑤ 記憶力低下，見当識低下，計算力低下，判断力低下，高等感情鈍麻が中心的な症状になる。
⑥ 辺縁症状では，興奮しやすく，抑うつ傾向になりやすく，記憶を補うために作り話をする（コルサコフ症候群），妄想状態や意識混濁を生じやすい。

上記のような変化をきたすため，高齢者の病気は，成人の病気と著しく違った特徴をもっている。

C 高齢者の疾患の特徴

高齢期になると，壮年期に加えて各種身体機能と予備能の低下が生じ，さらに高齢期特有のいわゆる老年病が出現してくる。多くの臓器に機能低下・減弱が存在するので，ある臓器が悪くなると，次々と他の臓器に波及し，合併症が出現しやすくなるという特徴をもつ。また，症状が修飾されたり出現しづらかったりして非典型的となりやすく，いったん生じると回復が遅いという特徴もある。さらに，高齢期以前の疾患が慢性化ないし後遺症として存在することがあり，そのため，高齢者は1人で多くの疾患を併せ持っていることが多い。40〜80歳代の人が1人でいくつ病気をもっているか調べてみると，40歳代では1つ程度しか病気がないのに比べ，80歳代になると，だいたい平均して7つぐらいの病名がつくようになる。これは multiple pathology という言葉で呼ばれており，高齢者の大きな特徴である。

以下に，その特徴をまとめた。

内科学からみた高齢者の疾患の特徴
① 1人で多くの疾患をもっている（multiple pathology）。合併症が多い。
② 疾患の病態や徴候が，若い人と非常に異なっている。
③ 症状・徴候が非定型的であったり少なかったりするために，正確な臨床診断が困難なことが少なくない（痛みや熱が非定型的で，熱のない肺炎，胸痛のない心筋梗塞などがある）。
④ 疾患が見落とされやすい。
⑤ 水や電解質などの生命維持に必要なホメオスタシスをつかさどる代謝異常を起こしやすい（高齢者では，簡単に脱水，低カリウム血症，低ナトリウム血症といった電解質異常を起こしやすい）。
⑥ 各種の検査成績の個人差が非常に大きい（年をとればとるほど，個人差が大きくなる）。
⑦ 本来の疾患とは関係のない合併症を併発しやすい。
⑧ 難聴のため聞き取りにくい。
⑨ 精神的に混乱を招きやすい。
⑩ 活動性がない。
⑪ 集中力がない。
⑫ 治療，ことに薬剤に対する反応が若い人とは異なる。
⑬ 患者の予後が，医学や生物学的な面とともに，社会や環境的な面によって支配されることがまれではない（特に家族に対する配慮が必要）。
⑭ 慢性疾患が多い。
⑮ 病歴，既往歴が複雑である。

⑯ 抵抗力が低く，時に急激な経過をとることがある。
⑰ 精神症状とのかかわりが多くなる。

〔文献3）より作成〕

　以上，高齢者は1人で多くの臓器にわたりたくさんの病気をもっているので，各種疾患を広く診られるような医療者が必要で，医療を行いながら高齢者の quality of life（QOL）をいかに維持し高めていくかということが，高齢者という人間を診るときに大切な目標になると思われる。

D 高齢者に比較的特徴的な疾患

　高齢者に比較的特徴的な疾患として，表 I・4 のようなものがある。

E 高齢者の機能低下の特徴

　高齢者の機能低下の特徴を表 I・5（次頁）に掲げる。

表 I・4　高齢者に比較的特徴的な疾患

神経精神疾患	脳血管障害，認知症，パーキンソン病，末梢神経障害，変形性脊椎症，老人性妄想状態，うつ病，進行麻痺，アルコール性精神病など
循環器疾患	高血圧，狭心症，心筋梗塞，不整脈，心不全，心臓弁膜症，閉塞性動脈硬化症，大動脈瘤，動脈硬化症など
腎・尿路疾患	腎硬化症，糖尿病性腎症，腎盂腎炎，尿路感染症，前立腺肥大症，前立腺がんなど
呼吸器疾患	慢性閉塞性肺疾患（COPD），肺がん，肺結核，肺炎，肺塞栓など
消化器疾患	各種消化器がん，胃体部潰瘍，食道裂孔ヘルニア，胆石症，肝硬変，大腸憩室症など
内分泌・代謝疾患	甲状腺機能低下症，糖尿病，痛風，肥満，脂質異常症など
運動器疾患	骨粗鬆症，変形性関節症，脊柱管狭窄症など
感覚器疾患	白内障，難聴
皮膚疾患	皮膚瘙痒症，慢性湿疹，帯状疱疹
口腔内疾患	歯の喪失，歯肉炎

〔文献4）より〕

表 I・5 高齢者の機能低下の特徴

脳細胞	生下時100億個，成人で150億個。ただし25歳を過ぎると1日10万個ずつ減少し再生しない〔75歳で50年×365日×10万個＝18億個/150億（12%減）〕。しかし脳に刺激の絶えず加わる人（すなわちよく頭を使う人）は経験と学習により神経回路の自己組織化が起こり（ネットワークなど），機能低下はしないといわれる（例：茶人，政治家，芸術家など）。
知的能力	50歳で最高。80歳代でも創造力，洞察力，計画性などが維持できる。
記憶	60歳代で20歳代の記憶力の約1/3。新たなことを学習したり，新しい環境に順応する流動的知能が低下。若年者は，5〜6項目の指示を同時に理解・記憶するが，高齢者は最初の1〜2項目しか記憶できないので，1つの指示が実行できてから次の指示を与える。ただし昔の記憶をよく覚えている。老年期の一般的知能の低下はあまり大きくなく，80歳代以降で目立ってくる。若い頃からよい環境で学習を行い，絶えず頭を使っておくことが大切。各種の趣味，芸能，スポーツなどは老年期になっての認知症防止に役立つ。
前頭葉	全般的に脳血流量は低下するが，前頭葉において著明。局所的には前頭前野，前頭側頭で機能低下。前頭連合野の機能低下により判断を下し，的確な行動を行うことが困難となる。推理力，判断力，想像力，創造力が低下する。ものにこだわりやすくなったり，頑固で怒りっぽくなったりする。
視力	目は発生学的に脳から分化し，視力は知的発達と関連し，5〜6歳で成人並みの視力，動体視力は60歳以上で0.1〜0.6（成人：0.7〜0.8）となる。コントラスト認識は約30%低下。視覚は人の感覚の80%をつかさどる。調節力低下は10歳頃より始まり40歳頃自覚する。暗順応は60歳以降に低下。白内障は60歳60%，70歳70%。高齢者には太く大きく濃い文字を用いる。
聴力	75歳以上の多くが聴力の不自由を意識，75〜85歳で大多数が生活不自由。家族から遊離の原因となる。高齢者の新知識導入の悪さは難聴と知識導入の悪さとの悪循環。難聴は認知症の促進因子。高音が聞こえず，言葉が不自由なのが特徴。内耳と中枢の変化の重複（伝導路皮質の細胞数が減少）。快く感じる音は220 Hz。音楽療法などでもこれが用いられる。
平衡性	閉眼片足立ちの時間は65歳で20歳代の1/4。70歳代後半からさらに低下。
筋力	30歳代より低下をし始め，握力は70歳で20歳代の約3/4となる。
循環器系	心拍出量は軽作業で最大心拍出量となり若年者に比べ20〜30%低下。
呼吸器系	呼吸筋は70歳代で最盛期筋力の40%低下
尿路系	男性では前立腺肥大は70歳で100%で溢流性尿失禁，女性では腹圧性尿失禁が問題となる。
水分	成人の体重の60%が水分。高齢者は細胞数が減少。外傷，熱傷，褥瘡などにより細胞中の水分も動員されショック（循環血液量の低下）を起こしやすい
心身の不一致	高齢者は自分の体得した最高の能力を意識して行動しているが，現実には身体的に機能は低下しており，臨床的には心身不一致の状態で事故につながる可能性がある。

〔文献5）より改変〕

II

老人の尊厳とその接し方

A 老人の尊厳について

　今後さらに進むであろう高齢社会において，「老人が尊厳をもって暮らすこと」を確保することは，老人はもちろんのこと社会にとっても重要である．それには，老人がその人らしい生活を自分の意思で送ることを可能とすること，すなわち「老人の尊厳を支える医療・福祉・社会」の充実が必要不可欠である．

　わが国の平均寿命は世界でも最高水準となり，高齢期は今や誰もが迎える時代である．また，高齢者になってからの人生も長く，その長い高齢期をどのように暮らし過ごすのかということは，個人にとっても社会にとっても極めて大きな課題である．

　人生の最期，死を迎えるまで，個人として尊重され，その人らしく暮らしていくことは誰もが望むものであり，このことは，介護が必要となった場合でも同様であろう．たとえ認知症の状態になったとしても，個人として尊重されたい，理解されたいという思いは同じである．

　その思いに応えるには，自分の人生を自分で決め，老人1人ひとりが個人として自然に尊重される社会，すなわち，尊厳を保持して生活を送ることが普通にできる社会を形成していくことが必要である．老人介護においても，日常生活における身体的な自立の援助だけではなく，精神・心理的な自立を維持し，老人自身が尊厳を保つことができるような医療福祉が必須であると考えられる．

　高齢という人生の最終段階で，障害などにより自分の意思で過ごすことができなくなった老人に対して「生命の尊厳」か「人間としての尊厳」かを，老人本人ではない第三者の人間である家族や医師・医療従事者が判断しなければならない場合もある．このことは「尊厳死」や「安楽死」にまでつながるものもあり，特に医療従事者は尊厳について慎重に熟慮すべきである．

　国際高齢者年に国際連合の総会で採択された「高齢者のための国連原則」には，高齢者の自立，社会参加，ケア，自己実現，そして尊厳について格調高い理念の宣言がある．その第7章には，「高齢者は，尊厳と安全の中で生き，また搾取や身体的または精神的な虐待のないようにすべきである」，そして第18章には，「高齢者は，年齢，性，家系，人種的な背景，障害，あるいは他の状態に関係なく公平に扱われ，また経済的な貢献に関係なく尊重されるべきである」と述べられている．

　老人の尊厳を保つということは，過去の人生において行ってきたことに対する敬服の念を抱くだけでなく，それ以上に「年齢」という枠を超え1人の人間として尊重することである．そのためには，「老人だから」とかいう枠組みを超えて，1対1の人間として，対等な立場で接することが最も重要なことである．

　わが国の老人の多くは，寝たきりになるなどの状態下でも住み慣れた地域で暮らすことを望んでいる．そのために近年，在宅の老人を支援するための在宅福祉施策の重点整備も行われている．老人の在宅生活の継続性を維持するための，新しい老人福祉サービスの体系が重要であり，可能な限り自宅で暮らすことを目指す社会・福祉システムの構築が不可欠である．自宅の良さは，介護のために生活や自由を犠牲にすることなく自分らしい生活を続けることができる点である．そこでは，住み慣れた環境で自分らしく暮らしてきた生活の質(QOL)も維持できる．一方，施設には十分な医療や福祉が受けられるという安心感はあるが，自分の自由な空間や家族と一緒に暮らすといった生活体系は崩れてしまう．

　北欧においては，わが国とは異なった高齢社会を形成している．結婚すると親から独立して家庭を営むことが一般的であり，親も子供に依存することなく生活している．このように互いに独立した生活が若者だけではなく，老人にもごく自然の発想となっている．若いときに働き，その税金で高齢になっても施設などで生活していくという社会システムになっている．しかし，このようななかで介護を受ける老人に対し，ただ長生きをするだけでなく，幸福が伴うQOLを大切にしている．生活の主導権は施設側ではなく，あくまでも老人の主体性に任せてあり，このことがQOLの拡大につながっている．たとえ認知症の人でも，本人が施設に住むのを嫌がれば誰も強制できないよう

になっている。

以上のように，わが国では在宅生活をQOLの充実したものととらえているのに対して，北欧では施設生活を同様のものと考えている。2つの社会には違いがあるものの，どのような方向がよりよいものであるかは，まだ出発点に立ったところと思われるのである。

B 接し方

老人とコミュニケーションをとる際には，親切であたたかい態度で問いかけ，老人の訴えを真剣に，時に忍耐強く聞かなければならない。老人に対して接するには，様々な特徴(図Ⅱ・1)があるので，以下の点に留意する必要がある。

1) 根気よく時間をかけて訴えを聞くと同時に，適当な整理・誘導が必要

老人のまわりくどい表現で，長時間訴えを聞くことは根気が肝要で，難しいことではあるが，できるだけ努力する必要がある。特に"認知症性多弁"の傾向のある場合は，何度も同じ話を繰り返し，時間ばかりかかって内容に乏しく要領を得ないことが多いので，途中で話の軌道を修正したり，整理して誘導したり，適当な質問を入れて正しい情報を要領よく得るようにする。

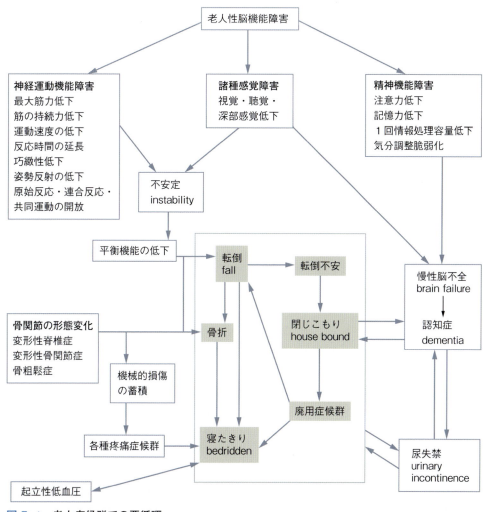

図Ⅱ・1　老人症候群での悪循環

〔文献1)より〕

2）質問は老人が普段使っている言葉で，具体的内容をもったもののほうがよい

老人にはテレビなどマスコミで用いられている流行語であっても新しい言葉は理解し難く，親しみのある標準語で聞いてあげるとよい。また，「具合はいかがですか」という抽象的な質問よりも「よく眠れましたか」「頭は痛くありませんか」などの具体的な質問のほうがよい。

患者の知的レベルが低下している場合にはyes-no，大-小などで答えられる二者択一様式の質問で，内容は具体的かつ簡易なものが望ましい。

3）質問はゆっくりと理解しやすいように話す

加齢とともに言葉の弁別能力が低くなり，早口でしゃべると，難聴傾向も手伝って理解されにくくなる。ゆっくり1つひとつの音をはっきり話す必要がある。

4）平易な言葉で，短く適切な表現で対応しなければならない

老人と話すときには，医学専門用語は避け，なるべく日常使われている言葉を用いて話すように心がけるようにする。また，「火の元をしっかりと確かめてください」というような長い言葉より，「火の用心」というような，短い適切な言葉のほうが理解されやすい。

5）1回で理解されない場合には，身ぶりなどを入れながら質問を繰り返す

1回の質問で答えられない場合には，2度3度説明を入れながら繰り返して質問するとよい。それでも返答がない場合には，難聴や失語，認知症，その他の高次脳機能障害などを考えて精査する必要がある。

訴えの表現，内容には誤りがあることが少なくないので，訴えを鵜のみにせず，客観的症状に注意し，できれば家族に確かめるとよい。

記銘力の低下があるときには，作話など内容が不明瞭となりやすく，疾病経過中に意識障害を伴った場合，その間の記憶はないことが多く，現病歴をとる際には注意が必要である。

時に，作話傾向のある老人にすっかりごまかされることもあるので，途中に不審な点があれば適切な質問を入れて，作話を見破ることが必要である。しかし，作話に気付いて老人を責めても無意味である。むしろ作話傾向があることを知ること自体が，その老人の評価のうえで役立つと思われる。

6）わかったといった顔をしても，もう一度確認する

聞かれたことがわからないときに「何ですか」と聞き返してくれればよいのだが，わからなくても，わかったようなそぶりをすることがある。

たった今伝えたことでも，よく理解されていないことがしばしばあるので，もう一度，言葉を少し変えて確認するようにするとよい。

7）老人に愛情をもつことが大切である

ちょうど子供が直感的に子供好きであるかどうかがわかるように，話し手が老人を好きか嫌いかは，即座に老人の心に伝わるようである。身構えるような白衣の人だと，白衣の怖い人という観念が強い老人があり，よほど何回か接して親密にならないと，本心を打ち明けないものである。その点看護師のほうが接するチャンスも多いし，気楽に話しやすいこともあって，相談をもちかけられることが多い。

時には本心を打ち明けられないため，形を変えた異常言動として表現され，医師，看護師を悩ますことがある。例えば，早朝3～4時に自宅の妻に電話をしたいとナースセンターに申し出て，説得して病室に帰しても，また翌日同じことを繰り返している患者がいた。その理由を尋ねても，ただ不安で心細いからと答えるにすぎなかった。しかし，どうも腑に落ちない点があって，看護師にその老人の友達のようになってもらい親しく接するようにしたところ，本心は妻の浮気を疑っていたことがやっとわかった，という例もある。

8）訴えに対してはできるだけ懇切に，やさしく説明することが大切である

老人が自己の障害を受容し，それを背負いながら余生を送る，言い換えれば"障害とともに生きる"前向きな姿勢をとるためには，障害の性質，今後の見通しなどについて詳しく説明することが絶対に必要である。説明が理解できないような状態（ウェルニッケ失語，認知症など）がある場合にはやむをえないが，できるだけ身振り手振りを用いながらでも，少しでも理解されるように説明を行

うことで，医療者側の熱意は伝わる。

9）老人の言葉の特徴に注意

老人特有の構音障害があって聞きとりにくいことがある。特に入れ歯が合わなかったり，外していたりする場合にはなはだしい。

一般に麻痺性構音障害では，客観的障害重症度よりも自覚的重症度が大きいものであるが，老人の場合は逆で，構音障害をあまり気にする様子はなく，こちらからそれを指摘しても，それはすべて入れ歯のためであると答える場合が少なくない。また，老人によっては方言が強く残っているために，話が理解しにくいことがある。言語障害と間違ってはならない。

10）呼びかけにはなるべく姓を用いること

老人に，愛情，親しみを表現するつもりで"おじいちゃん""おばあちゃん"などと呼びかけることが多い。家庭内ではそれでよいが，病院や施設内では，個性を尊重する意味でなるべく姓で呼んだほうがよい。画一的，普遍的呼び名（おじいちゃん・おばあちゃんなど）は心理的にも引退者的ムードをかもし出すし，認知症化を促進すると考えられる。

患者自身も，老人とは思われたくない心理がいつまでもあるので，姓で呼ばれるほうを好むことが多い。

11）人格を尊重して接する

これまで長く生きてきた人生の先輩であることが多く，知的な能力が加齢によって低下してきたといえども，常に人格を尊重した発言をしなければならない。特に知能テストや言語テストをする際に注意を要する。

12）老人特有のリスクに配慮すること

特に初めて接したときに，こちらにもリスクの全貌がよくつかめていないし，また老人のほうも緊張したり遠慮したりして，つい無理をすることがある。例えば，当初のROMテストで骨折を起こしたり，言語評価の後，疲労のあまり発熱したりするなどがその例である。

13）激励と賞讃

ある面ではわがまま，自己中心的，子供的になることがあるので，治療（特に積極性の要求される理学療法，作業療法，言語治療など）を行ったり，ADLのレベルを保持したりするためには激励が必要な場合が多い。それとともに，上手にできたときには誉めることも忘れてはならない。

しかし，逆に，よいと信じたことを必要以上にやりすぎてもマイナスの結果を招くこともあるので，抑制しなければならない場合に遭遇することもある。例えば，風呂で温めるのがよいとばかり，1日に3〜4回も入浴したり，温泉浴をしたりするような場合である。

14）中途半端な知識をもつ老人

インテリ層で，病前，指導的立場にあった患者に時々みられる。断片的な医学知識を書物，あるいは仲間から聞いていて，自分なりの病因，症状，治療，予後などの理論を勝手に作り上げる患者がいる。頑固な老人に多いが，老人のみとは限らない。

実際にがんではないのにがんと信じ込み，医師が嘘をついていると主張する例もその1つである。

根気よく，時間をかけて，患者の立てた理論を崩していくほかはないが，老人の視野の狭さのために説得はなかなか難しい。

15）認知症老人への接し方

原則として，保護的・支持的・受容的な態度で，忍耐と寛容の精神をもって接しなければならない。

診察の最初から認知症のテストを行うような質問をすることは絶対に避け，訴えを聞きながら，また日常の会話からさりげなく，知的能力の状態を判断するようにする。

精神的のみでなく，身体的にも弱点をもっていることが多いので，身体の清潔，疼痛への配慮，排便排尿のケアなどに注意し，転倒，熱傷などにも十分な監視が必要である。そしてその身体的ケアは認知症の進行速度を遅らせることができるとされている。

失敗や誤りは常にみられるが，これをとがめたり，責めたりしても何の役にも立たない。感情的になればなるほど患者の反感を買い，かえって同じ過ちを繰り返す結果となる。

説教役になるより，まず良い話し相手，良い聞き手になってあげることである。

認知症老人にも多くのタイプがあるので，相手の反応をよく観察しながら，徐々に対策を立た

り，変更したり，試行錯誤的努力が必要となる。

C 老人の訴えの特徴

　老人の訴えを聞く場合，話が当を得なかったり，何度も同じ話を繰り返したりする場合もあり，その訴えには特徴がある。また，聴力低下のために大声で話す必要があったり，物忘れのために質問内容が十分理解されないでいたりすると，いらいらしやすいものである。しかしこのいらいらが顔や態度に現れると十分な話ができず，対応できなくなったりすることがある。何らかの事情で本人から聞くことができないときには，家族から聴取することになるが，介護疲労があるような場合，患者の症状を実際より重度に表現することがあるので注意が必要である。

　このような老人の愁訴には以下のような特徴があるので，これらのことも念頭に置いて根気よく対応すべきである。

1）あいまいな記憶
　発症年月日，時間，経過などあいまいな記憶に基づいた表現をすることが多い。また順序が逆になっていることもあり，家族に確かめることも必要である。認知症などの場合には特にその傾向がある。

　時に，その不正確な記憶を補うために，つじつまを合わせた作話をすることがあるので，注意が必要である。

2）あいまいな表現
　訴えがはっきりせず，あいまいな表現をするために，とんだ誤診を招くことがある。例えば「腹が痛い」にもかかわらず「胸が痛い」と言ってみたり，「足が痛い」のを「足がしびれる」と表現したりすることがある。

3）目先の症状に目を奪われ，重大な症状と些細な症状との区別がつかない（要領の悪い表現）
　病歴などを聴取する際に目先のものしか話さない傾向がある。素人であるからある程度はやむをえないが，老人には特にこの傾向が強い。例えば，心筋梗塞などで，吐き気があると，胸の痛みは後回しにして，食べ物の話を長々としたりすることがあり，後から，胸の痛みのことを聞いてみると，強い痛みがその前にあり，いまは少しおさまっている，などと言うこともある。

4）まわりくどい表現
　1つのことを言うのに，最近家であったことを話し始めたり，その症状にとっては余計な，どうでもよいようなことが話のなかに入ったりして，こちらをいらいらさせることがある。

　患者との親密感を深めるためには必要なことなのかも知れないが，要領よく聞くためには，適切な誘導を要することが多い。長い訴えのわりには大切な症状を言い忘れていることがある。

5）反応の鈍さ
　耳の遠いこと，聴覚的理解や判断力・思考力の悪いこと，などの理由でこちらの質問に対する反応は鈍いことが多く，答えるのにしばらく間を置かないと答えが返ってこない場合がある。多忙な診療のなかで，早口でせかせかと質問しても，とんちんかんな答えが戻ってくるだけである。

　また，答えのなかにも，「気分が悪い」「苦しい」といったような漠然とした表現が入りやすいので，具体性をもった答えができるように誘導する必要がある。

6）訴えの多い場合，少ない場合
　些細な症状でも頻回に訴える老人は，わずかの症状でも死につながるような重大な疾病ではないかとの不安が手伝い，いろいろと訴えてくるものである。それに記銘力の低下も伴って，同じことを何度も訴えることが少なくない。神経質な老人に多いが，このような人に限って「早く死にたい」と言うかと思うと「食事がまずい」などと不満を言ったりする。むしろ注意を要するのは訴えの少ない場合で，"老人では訴えのないことと変化のないことは別である"ことを銘記すべきである。

　老人では，急性炎症にしても若年者に比べて炎症症状が強くなり，また知覚の鈍いことや，軽い意識障害などのために訴えないことがあり，急に状態が悪化してあわてることがある。訴えがなくても客観的症状に注意を払わねばならない。

7）不可逆性症状の増加による訴えの特徴
　高齢者ほど不可逆性の障害をもっていることが

多くなり，しかも二重三重に重複してくることが多くなるので，それに伴う訴えも増加する．例えば，変形性脊椎症，関節症などによる腰痛，関節痛などがその例である．

苦痛を軽減することはできても完治することはできない，ということが理解できず（あるいは説明が足りず）転々と医者を変えたり，温泉療養や民間療法に走ったりすることが少なくない．

腰痛，関節痛のほかに老人がよく訴える症状は，頭重感，めまい，項背痛，記憶力低下，睡眠時間の減少，排便・排尿異常，息切れ，動悸などがある．

8）症状を隠す場合

痛みに弱い人や検査や治療で大きい苦痛を受けた人によくみられることがあるが，そうでなくても老人ではちょっとした処置や検査を恐れて，症状を隠そうとすることがある．

患者自身あるいは家族にとって不利であったり恥ずかしいことは隠すことが多い（家族も一緒に口をそろえて嘘を言うことがある）．家族内での暴力による事故も，転んで打ったとか，車にぶつかったなどの表現に変えることが多いので，わずかな矛盾をついて問いただすことが必要な場合もある．

また，側頭葉や頭頂葉など脳の損傷部位によっては，病態を認識せず，疾病を否認する場合もあることも銘記しておかねばならない．

9）老人の不定愁訴症候群は少ない

老人では不定愁訴症候群はないという考えで訴えを聞き，十分に分析する必要がある．老人においては若年者のようにすべての器質的疾患を完全に鑑別することは不可能に近く，すべて器質的疾患に基づく表現と考えて対応したほうがよい．また，症状が不定なことからも，わずかの症状・徴候でも最悪の病変を考えて診察を進める必要がある．「万が一」の病変は老人には出現しやすいものである．

疾患の初期症状としての老人の非特異的徴候

① 食欲不振
② めまい，転倒，失神
③ 失禁
④ 意識障害，せん妄
⑤ 認知症症状
⑥ 体重減少，体重増加
⑦ 浮腫（顔面，下腿，足背）

非典型的な徴候で発症する老年期の疾患

① 胸痛のない心筋梗塞（無痛性心筋梗塞）
② 熱のない肺炎（無熱性肺炎）
③ 呼吸困難のない肺うっ血
④ 項部硬直のない髄膜炎・クモ膜下出血
⑤ 意識障害が前景に立つ急性腹症

Ⅲ

終末期のリハビリテーション

A 終末期のリハビリテーションとは

人間の一生は生まれてから死ぬまでの期間であるが、死ぬ直前の終末期は、日本老年学会によると「病状が不可逆的かつ進行性で、その時代に可能な最善の治療により病状の好転や進行の阻止が期待できなくなり、近い将来の死が不可避となった状態」と表現されている[1]。

また、日本病院協会によると次の3条件を満たす場合を終末期といっている。

① 医師が客観的な情報を基に、治療により病気の回復が期待できないと判断すること
② 患者が意識や判断力を失った場合を除き、患者・家族・医師・看護師等の関係者が納得すること
③ 患者・家族・医師・看護師等の関係者が死を予測し対応を考えること

終末期リハビリテーションは、「加齢や障害の進行のため、自分の力で身の保全が難しく、かつ生命の存続が危ぶまれる人々に対して、最期まで人間らしくあるよう医療、看護、介護とともに行うリハビリテーション活動」とされている[2]。維持期・生活期の次に終末期リハビリテーションがあり、リハビリテーションは最後まで続き、人間らしい姿で終えることをいっている。

B 終末期医療をめぐる問題

終末期医療をめぐる問題として、以下のようなことがある。

① 終末期となったときにどのようにするのがよいか、本人が考えたり家族間で話し合ったりすることがほとんどないこと
② 患者・家族が終末期の状態を医師から説明されても、治療の内容、回復の可能性などを判断しづらく、家族もその後の決定を患者に代わってするには精神的な負担が大きく、終末期がどこまでかも曖昧で、加えて医療提供側と患者・家族が治療方針を相談する場がなかなかないこと
③ 終末期となった場合、患者の意思通りできるような環境やしくみができていないこと

それぞれのステージで、その人らしい・ふさわしい終末期のありかたを考える必要がある。

急性期・回復期では、その人らしい治療を受け練習を行い、生活期ではその人らしい暮らしをし、介護期ではその人らしい介護を受け、終末期にはその人らしい姿で終えることが、リハビリテーションの求める姿と考えられている。

身体的な尊厳を守る介護期・終末期のリハビリテーションとは、具体的には介護期・終末期の在宅・病院・施設で行えることを考慮し、介護困難の予防を行うことである。

身体としての人間らしさを保つためには、以下のことが必要である。

① 身体の清潔を保持すること
② 不動による苦痛の和らげ、廃用症候群を予防すること
③ 楽に呼吸が行えるようにすること
④ 可能な限り安全な経口摂取の確保すること
⑤ 尊厳のある排泄手法を確保すること
⑥ 家族へのケアを行うこと

人生の最期に向かって、低下していく機能と向き合いながら、いかに形よくまとめるかを念頭に、リハビリテーション医療の中に終末期リハビリテーションを入れられるかが課題とされる。

C インフォームドコンセントとアドバンス・ケア・プランニング

1 本人・家族の意思決定

そこで、特に終末期リハビリテーション医療において意思決定を行うにあたり患者の意向を尊重することが原則となるため、インフォームドコンセントが重要になる。しかし、終末期においては約7割の患者で意思決定が不可能といわれており（Silveria MJ：NEJM, 2010）、事前に患者の意向を

聞いておけばよいと考えられることから、カリフォルニア州などでは事前指示書(advance directives：AD)の取り組みが開始されている(カリフォルニア州自然死法)。一方、患者が自分の将来の状況を予想することが困難であったり、患者の意思決定能力を失った後の家族などの代理決定者がADの詳細な理由が理解できないなどの問題で十分に患者の意向が反映できなかったりと、まだ十分とは言えないのが実情である。患者-代理決定者-医療者の十分な話し合いと合意に基づき、患者の価値観の共有が大切である。

そのため、意思決定ができなくなった時にも、本人の意向を最大限に尊重したアドバンス・ケア・プランニング(ACP)を事前に計画することも試みられている。そこでは内容も生命維持や療養場所の提供だけでなく、家族に世話になりたくない、最後まで一人になりたくないなど本人の療養生活上の意向も話し合われる。ACPによって、患者自身の意向の達成感が高まり(Morrison S：J Am Geriatr Soc, 2005)、代理決定者-医療者のコミュニケーションの改善(Teno J：J Am Geriatr Soc, 2007)、患者の意向が尊重されたケアの実践で患者・家族の満足度が向上し、家族の不安や抑うつが解消される(Detering K：BMJ, 2010)、専門的緩和ケアの利用が増える(Kortage IJ：PLoS Med, 2020)などの変化が期待される。

ACPを始める前には、本人・家族の準備状態を確かめ、最初から心肺蘇生や看取りなどについて話すことを避け、状況に応じて病状の理解の確認と今後の経過から話していく。病状や身体機能の進行・低下があったときに、その際の適切な話題に触れ、複数回に分けながら話をするとよい。早すぎて準備が整っていないときに行うと、本人・家族が十分な理解ができないことがある。最初は本人の状態を最も知っている医師から行い、その後は他職種も参加する。

2 具体的な面接対応

話しやすい雰囲気づくりから始め、病状・予後の確認を行い、本人・家族の気持ちに配慮して行う。

最初に、希望や大切にしていることを尋ね、把握し、共感・理解する。本人・家族の心理状態を踏まえ、今後の状態に備えて、「もしものとき」の話を徐々にしていく。

まず、病状について、医療者からどのように説明を受けているかの確認を行う。そのうえで、「もしものとき」のことを考えたことがあるかを尋ねる。考えたことがあると答えた場合には、どのように考えているかを聴きながら、相談を進めていくとよい。もし考えたことがないということであれば、今後に希望をもたせ、心配することに共感して、心構えができるように援助する。考えたくない、考えないようにしているなどの場合は、しばらく時間を空けながら別の機会に話をするようにする。

「もしものとき」のことを話す場合、この先の病状によっては、病気の治療・ケアについて、本人が決めることが難しくなる場合があることを伝え、代理決定者を決めていきたいことを話し、本人に代わって治療などの判断ができる人は誰かを聴く。そして、次回から一緒に話に入ってもらうことが可能かどうかを尋ね、代理決定者と一緒に話し合う機会をもつようにする。その際、代理決定者がどのような役割をもつか医療・ケアチームでも話し合う。

話し合いの中では、今後の状態や治療のことで不明なことや不安なことがないかを尋ねる。さらに、生活・療養上で最も大切にしていること、どのような治療を受けたいのか、逆にしてほしくないことなどを、理由とともに聴くようにする。加えて、療養中の支えになることは何かを聴くようにすると、今後のケアに役立つ。

本人には、病状が進行し意識がなくなり、自分の意思を伝えられなくなることがあるという前提で、本人の命に対する考え方をその理由とともに聴く。

> 1. 身の回りのことができなくなったときに，疾患特異的治療，人工呼吸器，経管栄養，輸液，抗菌薬，心肺蘇生などを念頭に置き，どのような治療を希望するのか？
> ① 延命をする(気管内挿管，人工呼吸器などを行う)
> ② 基本的な治療にとどめる(気管内挿管や人工呼吸は行わない)
> ③ 快適に過ごすことに重点を置き，延命措置はしない
> 2. そうなった場合に最も心配なことは何か？
> 3. してほしいこと，してほしくないことは何か？
> 4. どこで療養したいのか？

最後に，本人に対し「気持ち」を聴かせていただいたことへの感謝と，今後も一緒に考えていきたいということ，いつでも相談できることを伝え，面談を終える。

3 医師からの指示書の例

「生命を脅かす疾患」に直面している患者の医療処置(蘇生処置を含む)に関する具体的な医師からの指示書として，POLST〔Physician Orders for Life Sustaining Treatment：Hospitalist 2(4)，2014(特集：緩和ケア)〕などがある。

POLST は重い病気にかかったときの医療に関して患者の意向がよりよく反映されるように作られた医療指示書で，ACP の話し合いをもとに作成される。患者が意思決定能力がない場合のみ有効で，患者もしくは代理人の承諾が必要である。

これらの実施にあたっては，信頼関係にある医師，医療者が役割を果たし，個人の状況によって必ずしも実施しなくてもよく，代理決定者とともに行うべきものと考えられる(図Ⅲ・1)。

D 右肩下がりの終末期のリハビリテーションを考える

人生の終末に向かう右肩下がりの状況でリハビリテーションを考え，限られた時間と身体状況において，いかに QOL を充実させて人生をまとめるか，公平で誰も切り捨てることなく高齢者や障害者の尊厳を守り，関心を示し，本人の尊厳を保ったリハビリテーション医療の流れのなかにいかに終末期リハビリテーションを入れるかを考えていく必要がある。

終末期のリハビリテーションは，QOL の視点から見れば，行うべきことは多く，その人の尊厳にかかわる側の心そのものに終末期のリハビリテーションが存在すると思われる。

D. 右肩下がりの終末期のリハビリテーションを考える

日本語版は内容理解のための参考資料です。(Japanese version is for educational purposes only).
HIPAA法は必要に応じてPOLSTを他の医療機関に開示することを許可しています。

生命維持治療に関する医師指示書 (POLST)

まずは以下の指示に従い、それから医師/NP/PAに連絡してください。署名済みのPOLST用紙は法的に有効な医師指示書です。未記入の項目がある場合は、その項目に関しては最大限の治療を行って下さい。POLSTは事前指示書 (Advance Directive) を補足するもので、それに取って代わるものではありません。

EMSA #111 B
(1/1/2016発効)*

患者の姓：	用紙記入日：
患者の名：	患者の生年月日：
患者のミドルネーム：	カルテ番号：(任意)

A 心肺蘇生 (CPR)： 脈拍がなく、かつ、呼吸が停止している場合。
心肺停止ではない場合、BおよびC項目の指示に従って下さい。

一つ選んでチェックを付けて下さい

☐ 蘇生術・CPRを行う (A項目でCPRを選択する場合は、B項目で「最大限の治療処置」を選択することが必要です)
☐ 蘇生術を行わない・DNR（自然死を容認する）

B 医学的処置： 脈拍か呼吸、あるいはその両方が確認される場合。

一つ選んでチェックを付けて下さい

☐ **最大限の治療処置** – 医学的に有効な手段をすべて用いて延命させることを主な目標とする。
下記の「限られた範囲の治療処置」と「緩和中心の処置」に記載される治療処置に加え、適応であれば、気管への挿管、高度な気道確保、人工呼吸器、および除細動器の使用を行う。
☐ 「最大限の治療処置」の試用期間を設ける。
☐ **限られた範囲の治療処置** – 患者に負担のかかる処置を避けながら病状を治療することを目標とする。
下記の「緩和中心の処置」に記載される処置に加え、適応であれば、医学的処置、抗生物質やその他の点滴を行う。気管への挿管は行わない。非侵襲的な気道陽圧法を行っても良い。一般的に集中治療は回避する。
☐ 現在の場所で苦痛の緩和ができない場合のみ、病院への搬送を依頼する。
☐ **緩和中心の処置** – 苦痛をできる限り緩和することを主な目標とする。
必要に応じて任意の投薬方法で苦痛を軽減する； 酸素投与、吸引、および手を使った気道閉塞の対処法を行う。上記の「最大限または限られた範囲の治療処置」で挙げられた治療処置のうち緩和を目標としないものは行わない。現在の場所で苦痛の緩和ができない場合のみ、病院への搬送を依頼する。

追加の指示：＿＿＿＿＿＿＿＿＿＿＿＿＿＿＿＿＿＿＿＿＿＿＿＿＿＿＿＿＿＿＿＿＿＿＿

C 人工的な栄養補給： 可能であり望ましい場合は口から食事を摂るようにする。

一つ選んでチェックを付けて下さい

☐ 経管栄養を含む人工栄養補給を長期間にわたって行う。 追加の指示：
☐ 経管栄養を含む人工栄養補給を試用期間を定めて行う。 ＿＿＿＿＿＿＿＿＿＿＿＿＿＿
☐ 経管栄養を含む人工栄養補給は行わない。

D 情報および署名：

話し合い参加者： ☐ 患者（決定能力有り） ☐ 法的に認められた意思決定代理人

☐ 事前指示書 (Advance Directive) 日付：＿＿＿＿＿＿、は入手可能で検討済み → 事前指示書が指名する医療判断代理人：
☐ 事前指示書は入手不可能 氏名：＿＿＿＿＿＿＿＿＿＿＿
☐ 事前指示書は無い 電話番号：＿＿＿＿＿＿＿＿＿＿

医師/ナースプラクティショナー/医師アシスタント（医師/NP/PA）の署名
下記に署名することによって、上記の指示が確かに患者の病状や要望に適合するものであることを表明します。

医師/NP/PAの氏名を活字体で記入：	医師/NP/PAの電話番号：	医師/PAの免許番号、NPの認定番号：
医師/NP/PAの署名：（必須）XXXXXXXXXXXXXXXXXXXXXXXXXXXXX		日付

患者または法的に認められた意思決定代理人の署名
私は、本用紙が自由意志で承認されるものであることを承認しています。意思決定者としてこれに署名することにより、記載の蘇生処置に関する指示が、本用紙の対象である患者の既知の要望と最善の利益に適合するものであることを認めます。

氏名を活字体で記入： XXXXXXXXXXXXXXXXXXXXXXXXXXXXX	間柄：(患者の場合は「本人」と記入)
署名：（必須）XXXXXXXXXXXXXXXXXXXX	日付：	FOR REGISTRY USE ONLY / 登録担当使用欄
郵送先（番地/市/州/ジップコード）：	電話番号：	

転院または退院の際はこの用紙と供にを患者を送り出すこと

図 Ⅲ・1 生命維持治療に関する医師指示書（POLST）

〔文献3〕より〕

IV

主な老人性疾患の リハビリテーション

1 神経疾患とそのリハビリテーション

A 脳血管障害のリハビリテーション

1 脳血管障害

a 脳血管障害とリハビリテーション的予後

脳血管障害 cerebro-vascular disease (CVD) は脳卒中 stroke ともいわれ，脳卒中の語源は「脳に卒然に（突然に），何か重大なことが起こる（中る：あたる）」ことに由来している．そして，症状が軽く意識はあるが"半身不随"が残ってしまった状態を「中気」とか「中風」と呼んでいた．これらは脳の血管の何らかの障害によることから，脳血管障害といわれている．

脳卒中に含まれる疾患としては，次のようなものがあり，その代表的なものが脳内出血，脳梗塞，クモ膜下出血などである．

脳卒中の分類
① 脳内出血
② 脳梗塞
ⓐ アテローム型脳血栓症
ⓑ ラクナ型脳梗塞
ⓒ branch atheromatous disease (BAD)
ⓓ 心原性脳塞栓
③ クモ膜下出血
④ 一過性脳虚血発作 transient ischemic attack (TIA)

脳卒中の発症時年齢は女性が80歳代前半，男性が70歳代前半にピークがあり[1]，高齢者のリハビリテーションの対象疾患としても頻度が高い．最近の医学の急速な進歩とともに，内科的治療や脳外科的手術はより高度な発展をとげ，脳卒中の死亡率はかつて1位であったが，近年低下してきている（図Ⅳ・1・1）．

しかし，脳卒中は救命しえても要介護状態の原因疾患としても重要であり，重介護（いわゆる"寝たきり"）の頻度も高い（表Ⅳ・1・1）．脳損傷に伴い出現する障害は片麻痺などの運動機能に加え，言語，認知，嚥下，排尿など，患者ごとに複雑で多岐にわたる．患者は自分の障害を正確に述べることができないため，リハビリテーションチームで患者の状態を共有し，急性期から回復期，維持期（生活期）にわたって最大限の機能や能力の回復，介護負担の軽減を目指すことが重要である．

b 脳内出血 intracerebral hemorrhage

発症年齢分布では，女性が80歳代前半，男性が60歳代後半にピークを示し（図Ⅳ・1・2），近年は80歳以上の高齢者での発生が増加している．原因は高血圧性が最も多く，約80％は大脳半球の出血である．このうち大脳基底核部に生じる頻度が高く〔被殻（31％），視床（28％）〕，皮質下（22％），小脳（9％），脳幹（9％）と続く[4]．50歳未満では被殻出血が，50歳以上では視床出血が多い[3]（表Ⅳ・1・2）．

脳内出血の分類
① 大脳半球の出血
ⓐ 被殻出血（外側型出血）
ⓑ 視床出血（内側型出血）
ⓒ 皮質下出血
② 脳幹出血
ⓐ 中脳出血
ⓑ 橋出血（大部分）
ⓒ 延髄出血
③ 小脳出血

1. 神経疾患とそのリハビリテーション

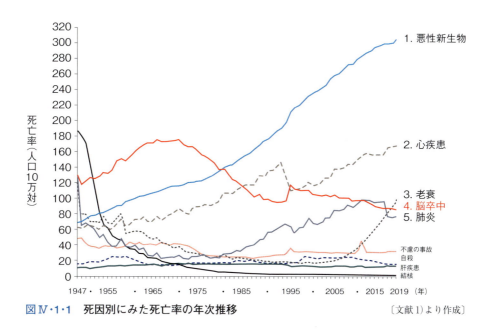

図Ⅳ・1・1　死因別にみた死亡率の年次推移　　〔文献1)より作成〕

表Ⅳ・1・1　介護が必要となった主な原因疾患（上位3位，2019年）

現在の要介護度	第1位		第2位		第3位	
総　数	認知症	17.6%	脳血管疾患(脳卒中)	16.1%	高齢による衰弱	12.8%
要支援者	関節疾患	18.9%	高齢による衰弱	16.1%	骨折・転倒	14.2%
要支援1	関節疾患	20.3%	高齢による衰弱	17.9%	骨折・転倒	13.5%
要支援2	関節疾患	17.5%	骨折・転倒	14.9%	高齢による衰弱	14.4%
要介護者	認知症	24.3%	脳血管疾患(脳卒中)	19.2%	骨折・転倒	12.0%
要介護1	認知症	29.8%	脳血管疾患(脳卒中)	14.5%	高齢による衰弱	13.7%
要介護2	認知症	18.7%	脳血管疾患(脳卒中)	17.8%	骨折・転倒	13.5%
要介護3	認知症	27.0%	脳血管疾患(脳卒中)	24.1%	骨折・転倒	12.1%
要介護4	脳血管疾患(脳卒中)	23.6%	認知症	20.2%	骨折・転倒	15.1%
要介護5	脳血管疾患(脳卒中)	24.7%	認知症	24.0%	高齢による衰弱	8.9%

注：「現在の要介護度」とは，2019年6月の要介護度をいう。　　〔文献2)より〕

1. 大脳半球の出血

a. 被殻出血 putaminal hemorrhage
（外側型出血 lateral type）（図Ⅳ・1・3）

　脳内出血の約30%を占め，最も頻度が高い。内包の外側に起こることから外側型出血といわれることもある。中大脳動脈の外側線条体動脈の灌流領域である被殻，前障，外包から出血し，それが内包にまで広がり，大出血に進展することが多い。血腫が内包後脚（錐体路）に進展すると重度片麻痺を生じる。約30%は脳室内穿破をきたし，重篤な症状を呈することがあるが，後に述べる内側型出血や脳幹出血に比べると，生命予後は比較的良好である。一般に，リハビリテーションプログラムに乗せやすく，経過も順調なものが多い。また，外側寄りの出血で内包は圧迫されているだけの症例では，血腫の消退とともに急速な症状の改善をみるのもこのタイプである。さらに，外科的手術の適応となりうるタイプで，血腫の除去後，

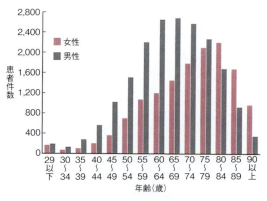

図Ⅳ・1・2　脳内出血の発症時年齢分布
〔文献3），p23 より〕

表Ⅳ・1・2　脳内出血の部位と局所神経症状

脳内出血の部位	局所神経症状
被殻出血	血腫の大きさによって無症状〜上肢に強い片麻痺・半身知覚麻痺，失語，半側空間無視
視床出血	半身知覚麻痺（表在・深部）
橋出血	交代性片麻痺，四肢麻痺，脳神経麻痺，眼球運動障害，眼振，運動失調
小脳出血	小脳失調，眼振，めまい
皮質下出血	失語・失行・失認・運動麻痺など出血部位の各皮質症状

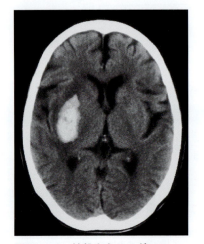

図Ⅳ・1・3　被殻出血のX線CT

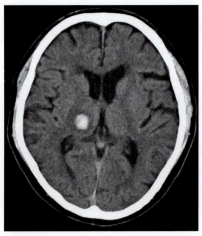

図Ⅳ・1・4　視床出血のX線CT

急速な改善をみることもある。

b. 視床出血 thalamic hemorrhage
（内側型出血 medial type）（図Ⅳ・1・4）

　視床出血は内側型出血ともいわれ，視床膝状体動脈，視床穿通動脈の支配領域の出血が最も多い。内側型は視床下部の自律神経中枢に近いことから，視床をはじめ脳幹に二次的に影響を与えやすく，脳室に穿破しやすい。また，脳の中央部にあることから外科的手術の適応になりにくい。さらに，意識障害，知覚障害は外側型より重度であり，運動麻痺の改善は比較的良好であっても，視床症候群 Dejerine-Roussy syndrome が伴うと機能障害は重度化し，日常生活動作（ADL）の改善も悪くなる。

視床症候群 Dejerine-Roussy syndrome

① 半身全知覚障害
② 不快な激しい疼痛
③ 疼痛過敏症 hyperpathia
④ 視床手 thalamic hand
⑤ 軽度の半身運動失調
⑥ 立体覚障害
⑦ 軽度あるいは一過性の片麻痺
⑧ 半身の choreo-athetosis 様不随意運動

1）視床症候群とリハビリテーション
・ 半身知覚障害，特に深部知覚障害

　病巣と反対側の感覚低下が生じるが，その症状は，触覚，温覚，痛覚などの表在感覚障害に比べ，関節位置覚，振動覚，圧覚などの深部感覚障害のほうが強いことが多い。特に関節位置覚の障害

は，感覚からのフィードバックが働かないことによって運動コントロールができず，拙劣な失調パターンが生じる。

- **視床痛(中枢性疼痛)**

病巣と反対側の半身に生じる持続性の耐え難い激しい自発痛である。この疼痛は麻痺の出現と同時に現れることもあるが，2～3か月後に出現することが多い。発作的な増強もみられ，触覚を含むあらゆる感覚刺激が誘因となるばかりでなく，運動や感情の起伏によっても増強することがある。この疼痛は神経障害性疼痛の一種であり，プレガバリンや抗うつ薬，抗てんかん薬などの薬物療法を行う。痛みと知覚障害との相乗作用から，よりフィードバックがかかりにくくなるため，失調性パターンはより強くなる。耐え難い痛みは患者に意欲を失わせ，患者を悩ます因子としてリハビリテーションを阻害するため，適切な診断と早期治療が重要である。

- **感覚過敏 hyperpathia**

視床障害では，疼痛に対する閾値が上昇して感覚鈍麻を示すが，閾値以上の刺激が加わると過剰反応が生じ，激しい疼痛を示すことがある。

患者の感じる hyperpathia は，灼熱感に近く，広く放散し半身全体に広がることもある。

- **視床手**

中手指節関節 metacarpophalangeal joint で屈曲し，それより末梢の指関節は伸展し，さらにその指が細かく震えているという特有の肢位である。通常，急性期にはみられず，発症数週間後で出現する。これが生じると通常，手の巧緻性は阻害される。

- **運動失調**

視床障害による運動失調は軽度で，閉眼により増強するのが特徴である。原因として従来，深部感覚障害による後索性失調症と類似の症状 sensory ataxia と考えられていたが，筋トーヌスの低下・企図振戦 thalamic tremor を伴い，最近では小脳の歯状核-赤核-視床路の障害ないし，これが終止する視床の nucleus ventralis lateralis(VPL の前方)の障害による小脳失調症状と考えられている。このことにより，上下肢に小脳症状が伴うと，筋力はあってもバランス能力や巧緻性が低下する。

- **不随意運動**

病巣と反対側の半身のアテトーゼ athetosis，舞踏病 chorea，ヘミバリスム hemiballism などがあり，協調運動，巧緻性の障害が出現する。

- **その他の視床症状**

① 視床失語(左優位の視床枕の障害)
② 視床性認知症(背内側核，髄板内核などの両側性障害)
③ 半側空間無視(視床後方障害，視床-頭頂路の障害で，身体覚の消失も伴い半側空間無視の症状を呈することがある)

視床出血は高年齢での発症頻度が高く機能予後としては要介護状態になることも多いが，リハビリテーションで扱う頻度は被殻出血に次いで多い。

2. 橋出血(図Ⅳ・1・5)

橋出血は脳幹出血の大部分を占める。この部位は，延髄に近く，また第4脳室に容易に穿破しやすいことなどから，生命予後は大変悪く1～2日の経過で死亡することが多い。以前は死亡率が高くリハビリテーションで扱うことは少ないといわれてきたが，医学の急速な進歩により救命されることも多くなってきている。さらに橋底部の小梗塞ならば錐体路が広く分散しているので，麻痺が軽い場合があることや，小梗塞で救命されることも多く，患者数は徐々に増えてきている。

典型的な橋出血は発症当初から症状は重篤で，深い昏睡，四肢麻痺(左右差に乏しい)，極度の縮瞳 pinpoint pupils，動眼神経麻痺症状(doll's head eye phenomenon が出ない)，強い自律神経障害症状(高熱，発汗異常など)，呼吸異常などの症状を示し，ごく短時間のうちに死亡する。

3. 皮質下出血

皮質下出血では，被殻出血，視床出血，橋出血，小脳出血といった高血圧を危険因子にもつ高血圧性脳内出血とは異なり，まずは高血圧以外の危険因子を考える必要がある。例えば，出血性素因(肝硬変による血小板減少，血小板減少性紫斑病，白血病など)，脳動静脈奇形の破裂，悪性腫瘍などの腫瘍内出血，高齢者であればアミロイドアンギオ

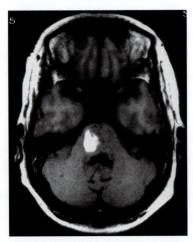
図IV・1・5 橋出血のMRI

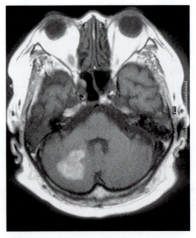
図IV・1・6 小脳出血のMRI

パチーに伴う出血などを最初に考えなければならない。アミロイドアンギオパチーは再発例も多く，MRIで大脳皮質および皮質下に陳旧性の微小脳出血を散在性に認めることもある。

　この出血は，皮質下に限局していることが多く，左側頭葉なら流暢性の失語症といったように出血した皮質部（責任病巣）に対応する症状（巣症状）を呈する。それらの症状に応じたリハビリテーションプログラムを立案する。

4. 小脳出血（図IV・1・6）

　中等度以上の出血では，出血の脳幹部への圧迫や第4脳室への穿破による水頭症により重篤な症状・経過を示し，後頭蓋窩内の腫大によって小脳扁桃ヘルニアを生じ死に至る。そのため血腫が3cm以上で神経学的徴候が進行性の場合などには手術が適応になる。一方，小脳にはsilent area（病変があっても症状が出にくかったり軽度な症状しか呈さない部位）もあることから，中等度までの出血では明確な症状を示さないことも多い。救命された例では積極的なリハビリテーションの対象となるが，著明な小脳症状のある例では，筋力が保たれていてもリハビリテーション治療に難渋することも多い。患者には，めまいに慣れてもらいつつ段階的に離床を進め，失調症に対しては深部覚入力を高めるために体幹へは緊縛帯，四肢には重錘負荷などを用いて訓練を進めていく。

　小脳出血は以下のような特徴的な症状がある。

① 激しい頻回の嘔吐
② 後頭部痛
③ 回転性めまい vertigo
④ 筋力低下はあまり目立たないにもかかわらず，起立・歩行が困難となる（astasia, abasia）
⑤ 発症当初は意識障害はない
⑥ 麻痺の発生は数時間の経過で進展する
⑦ 縮瞳，瞳孔左右不同症
⑧ 外転神経麻痺症状，skew deviation，共同偏視，一側の不随意閉眼，眼瞼けいれん blepharospasm，眼振 nystagmus などの症状
⑨ 顔面神経不全麻痺
⑩ 小脳失調

5. 急性期脳内出血の外科的治療

　脳内出血による神経症状の発現は，血腫による直接損傷と，周辺組織への圧迫損傷によって生じる場合が多い。

　また，脳内出血は血腫拡大や脳浮腫により発症後数日間進行することがあるので，症状の観察に注意を要する。

　これら脳内出血の急性期には脳外科的に血腫除去術が行われることがあり，その代表的なものが定位的血腫除去術である。その手術適応はおおよそ次のようである。

1. 神経疾患とそのリハビリテーション

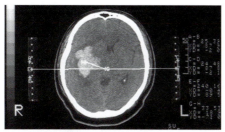
図計測用CT画像

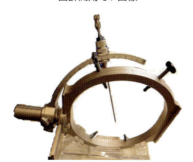
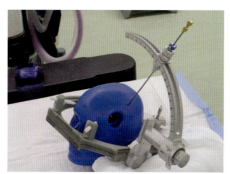
頭部計測用フレーム

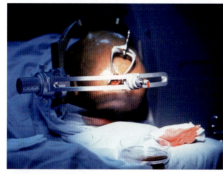

図Ⅳ・1・7　CT定位脳手術の原理と実際

定位的血腫除去術の適応（被殻出血）
① 血腫量 31 mL 以上
② 中等度の意識障害

実際には，CTで血腫の正確な場所を同定し，CTガイド下にその場所に吸引針を挿入して吸引除去する方法である（図Ⅳ・1・7）。同様の低侵襲手術として内視鏡的に血腫を除去する神経内視鏡手術を行う場合もある。

C　脳梗塞 cerebral infarction

脳血流の異常によりその灌流域の循環障害のために虚血状態が生じ，その部分の壊死をきたした場合を脳梗塞という。発症年齢分布では，女性が

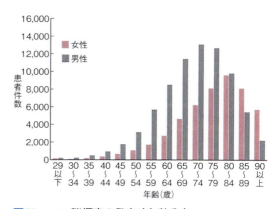

図Ⅳ・1・8　脳梗塞の発症時年齢分布
〔文献3），p23 より〕

80歳代前半，男性が70歳代前半にピークを示す（図Ⅳ・1・8）。

表Ⅳ・1・3　脳梗塞臨床病型の鑑別

	アテローム血栓性脳梗塞	ラクナ梗塞	心原性脳塞栓
頻度	約32%	約28%	約29%
危険因子	高血圧，糖尿病，脂質代謝異常，喫煙	高血圧，糖尿病，高ヘマトクリット血症	塞栓源となる心疾患（特に心房細動）
TIAの先行	約20～30%	約10～20%	約10%
発症様式	緩徐進行完成または突発完成	階段状進行または急速進行	突発完成
神経症候	意識障害，高次脳機能障害	ラクナ症候群，意識障害・高次脳機能障害は少ない	意識障害，高次脳機能障害
画像所見	皮質枝領域，境界領域ときに穿通枝領域	穿通枝領域（直径15 mm以下）	境界明瞭な皮質枝梗塞　出血性梗塞，脳浮腫
脳血管所見（血管造影またはMRA）	主幹動脈の狭窄・閉塞	主幹動脈病変なし	主幹動脈の閉塞，または再開通所見
心電図・心エコー	明らかな塞栓源なし	明らかな塞栓源なし	塞栓源心疾患あり
凝血学的所見	血小板，凝固・線溶系の活性化	有意な変化なし	凝固・線溶系の活性化

〔文献5）より一部改変〕

　脳梗塞の臨床病型の分類としては，動脈のアテローム硬化性変化による動脈閉塞で起こるアテローム血栓性脳梗塞と，高血圧を主なる原因とし穿通枝の脂肪硝子変性 lipohyalinosis による閉塞性の変化によって生じる長径15 mm以下のラクナ梗塞，そして糖尿病や脂質異常症が主要原因で穿通枝が主幹動脈の入口で微小アテローム斑 microatheroma により閉塞し長径15 mm以上の病巣をもつ branch atheromatous disease（BAD），さらに心臓の壁在血栓の塞栓による心原性脳塞栓に分かれる（表Ⅳ・1・3）。これらは，一過性脳虚血発作の有無，発症様式，年齢，高血圧，糖尿病，心疾患（心房細動，心臓弁膜症など）の有無などから鑑別されるが，臨床症状のみからは判別できないことが多い。さらに，ラクナ型脳梗塞症も多発性のものがMRIの普及により多くの高齢者にみられ，認知症と関連が深いことから重要視されている。

　脳の機能や代謝を保つためには，十分な酸素の供給が必要である。ヒトの脳血流量はおよそ50 mL/分/100 gであり，脳の酸素消費量は3.5 mL/分/100 gである。通常は，脳は血液に含まれている酸素の約1/3しか利用していない。したがって，灌流圧が低下して脳血流量が1/2まで低下しても脳酸素消費量は変化せず，脳機能を保っていられる。しかし，さらに脳灌流量が低下して脳血流量が正常の40%にまで低下すると脳内神経の脱分極に影響を与え，30%では電気活動はなくなり，10%になるとカリウムの細胞外放出が生じ，神経細胞の壊死を招くようになる。脳虚血が脳梗塞になるためには一定時間以上の虚血状態が必要であり，実験的には脳血流量を4～12 mL/分/100 gに減少させ2～3時間継続すると脳梗塞が生じる。また，脳血流が17～18 mL/分/100 gでも長時間継続すれば脳梗塞を生じさせることができる（図Ⅳ・1・9，表Ⅳ・1・4，5）。

　また，改善についても20%以下の血流量が1時間以上続くと再開通させても完全な回復はみられず，30%では1時間以内ならば完全な回復をみるが，2時間に延長すると回復の程度は少なくなる。さらに，虚血部分の周囲に機能不全に陥ってはいるが神経細胞は死滅していないペナンブラ penumbra と呼ばれる部分があり（図Ⅳ・1・10），ここは脳血流量が改善すれば回復する部位と考えられ，脳血流量は10～23 mL/分/100 gと思われる。

1. アテローム血栓性脳梗塞
atherothrombotic brain infarction

　内頸動脈・椎骨動脈・脳内動脈のアテローム硬化部に血栓が付着成育したもので，成育の条件として，①血管病変，②血液粘稠度などの性状の変化，③血行力学的変化の3要素が関与する。

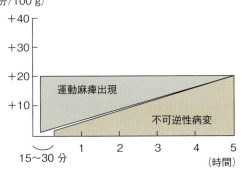

図Ⅳ·1·9　実験的脳虚血と麻痺
病変中心部の脳血流量(mL/分/100 g)。サルのMCA梗塞実験。
(Jones ら, 1981)

表Ⅳ·1·4　脳血流に関するおおよその基準値

1. 正常脳血流量：
    50 mL/分/100 g (成人)
    105 mL/分/100 g (小児, 幼児期)
2. 脳循環量：心拍出量の15%
3. 脳総酸素消費量：3.5 mL/分/100 g
4. 自動調節能：全身平均血圧 45〜160 mmHg で脳血流量を一定に保つ
5. 化学因子：PaO_2 50 mmHg 以下で増加, 30 mmHg で2倍, 100% O_2 で10%減
    $PaCO_2$ 80 mmHg で2倍, 20 mmHg 以下で50%減少

表Ⅳ·1·5　脳梗塞の際の局所神経症状

脳梗塞血管	支配領域	神経症状
前大脳動脈	前頭葉内側面, 脳梁	下肢に強い片麻痺, 強制把握, 精神症状
中大脳動脈穿通枝	内包, 被殻, 放線冠	上肢に強い片麻痺, 半身知覚麻痺
中大脳動脈皮質枝	前頭葉外側面, 側頭葉上外側面, 頭頂葉	顔面・上肢に強い片麻痺, 半身知覚麻痺, 失語, 半側空間無視など
後大脳動脈穿通枝	視床	半身知覚麻痺(表在・深部)
後大脳動脈皮質枝	後頭葉, 側頭葉内側底面	同名半盲, 記憶障害, 相貌失認, 地誌的失認
脳底動脈	脳幹, 小脳	交代性片麻痺, 四肢麻痺, 脳神経麻痺, 眼球運動障害, 眼振, 運動失調

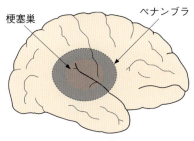

図Ⅳ·1·10　ペナンブラ

これらのなかで血管病変が最も重要で, 岡部[6]の347例の剖検によると, 直径10 mmの梗塞巣と脳底動脈硬化の重症度との相関は大きく, 脳梗塞例の3/4は脳動脈硬化の重症例であった。

脳動脈硬化以外にも血液粘稠度などに関与して血流速度・血液成分の変化(血小板凝集能など)も関連が深いことが知られている。すなわち, 血栓はまず動脈硬化のような異常のある血管壁に血小板が粘着することから始まり, 次々と血小板が凝集して海綿状の網目が形成され, さらに白血球が加わって血栓が発育するものと考えられている。

また, 従来, 脳血栓と考えられていた症例のなかに, 例えば内頸動脈分岐部にある血栓が剥がれて脳内血管に梗塞を起こし, その部位で器質化するような症例は, 剖検時にはその部位に発生した脳血栓と鑑別することは困難となる。このような例は厳密には脳塞栓と診断したほうが正しいことになる。このように, 脳血栓と脳塞栓との鑑別が困難な梗塞がある。

閉塞部位と臨床症状との関連性については個人差が大きいのは, 大脳の機能局在の個人差と側副血行路形成の良し悪しによって生じるからである。例えば内頸動脈梗塞では, ウィリス輪の側副血行の良し悪しによって, また中大脳動脈起始部梗塞では, 前大脳動脈領域からどの程度側副血行

されるかによって臨床症状は軽度なものから最重症のものまで様々な状態となる。一般に同じ部位の梗塞でも、年齢を重ねるほど側副血行がないためか、若年者に比べ麻痺症状は重症であり、さらに失語・失行・失認・知覚障害などの症状が伴いやすく、また、改善も若年者に比べるとあまりないことから、リハビリテーションを困難にしている。

片麻痺のリハビリテーションで前田らの経験[7]からも、50歳以下の症例では99%歩行できる。しかし、初期より十分な看護・治療を行っても歩行できない例が5%程度あり、その大部分は60歳以上、特に70歳以上の高齢者である。これはリハビリテーションプログラム進行途中にも様々な阻害因子があるほかに、出発点においてすでに重症例が多いことも関連していると考えられる。

脳血栓の生命予後は脳出血やクモ膜下出血に比較すれば良好であるが、脳底動脈系の梗塞では予後は悪く、昏睡、縮瞳 pinpoint pupils、弛緩性四肢麻痺、知覚脱失、40℃以上の異常高熱、除脳硬直 decerebrated rigidity、呼吸筋麻痺など重篤な症状を示し、早期に死に至る。

しかし、脳梗塞は脳内出血やクモ膜下出血に比べると高齢者に多くなることから様々な合併症が併発しやすく、また、回復も遅いため、合併症のために死亡したり、リハビリテーションを長引かせたりする傾向がある。実際、リハビリテーションで扱う高齢患者では、脳梗塞例が非常に多いため、脳梗塞については、最近ますますその重要度が増している。

2. ラクナ梗塞 lacunar infarction

脳の深部にみられる小穿通枝領域の小梗塞で、通常その最大径が15 mm以下の小梗塞巣が生じ、多発したものをラクナ梗塞と呼んでいる。

CTやMRIの発達普及により高齢者の多くの症例にラクナ梗塞を見いだすことができるようになり、多くは無症状で経過する無症候性脳梗塞 asymptomatic cerebral infarction が多発してきたり、特異的な部位に生じたりすると症状を現してきたりする。この原因として、穿通枝の細動脈硬化、主幹動脈のアテローム硬化による穿通枝分岐部の狭窄または閉塞、主幹動脈のアテローム硬化などからの微小栓子による塞栓、血行力学的要因などが考えられている。そのなかで最大の危険因子として高血圧と加齢があげられる。特に高血圧については、日内変動を把握するために24時間血圧を含めた血圧の測定が必要で、降圧療法においては、脳血流が低下する可能性を考え、急激な降圧を避けるとともに、夜間の過剰な降圧に注意する必要がある。

通常、ラクナ型脳梗塞の病巣は両側性で、基底核、脳幹部に多発するので、パーキンソン病と類似の臨床症状を示すことが多い。一般に、lacunar state にみられる臨床症状は、回復良好な片麻痺、筋硬直、小刻み歩行、仮性球麻痺による構音障害や嚥下障害、意欲低下、精神あるいは知能低下、強迫泣き、強迫笑いなどを呈する。

リハビリテーションでは、人口の高齢化、MRIの進歩、全身管理の進歩などにより徐々にこのような患者を扱う機会が増えてきている。

3. branch atheromatous disease（BAD）

1989年に Caplan により提唱された。外側線条体動脈領域梗塞や傍正中橋動脈領域梗塞に生じやすく、穿通枝領域の梗塞のためラクナ脳梗塞と鑑別が容易でない場合もあり、発症後しばしば症状（特に片麻痺）が進行する病態をもつ。糖尿病、脂質異常症を基礎疾患としてもつことが多く、起始部のアテローム硬化性変化→プラーク形成を呈し、長径15 mm以上の病巣である。また急性期では死亡や重篤な症状を呈することは少ないが、進行性で重度な麻痺を残すこともあり、その機能予後は必ずしも良好ではない。

4. 心原性脳塞栓 cardiogenic cerebral embolism

脳塞栓とは脳以外の場所、すなわち大動脈や頸部動脈などの壁在血栓、心内血栓や空気、脂肪などが脳動脈に流れ、ある部分で閉塞するものをいう。このうち塞栓の原因となる心疾患が明らかであり、特有な症状を示すときに心原性脳塞栓の診断名が使われる。

脳塞栓はその発生機序により、
① 心由来のもの（心原性脳塞栓）

- 壁在血栓：心房血栓〔非弁膜症性心房細動（NVAF），発作性心房細動（PAF）など〕，心室内血栓（心筋梗塞）
- 心弁膜疾患：リウマチ熱（RF），心内膜炎，全身性エリテマトーデス
- 心房粘液腫

② 頭蓋外動脈由来
- 粥状硬化：特に頸動脈分岐部周辺

③ その他
- 空気塞栓：胸部外科手術後，外傷後
- 脂肪塞栓：骨折などの外傷後
- 腫瘍塞栓：悪性腫瘍によるものなど
- 奇異性塞栓：（静脈系からの栓子が右心→左心のシャントを通して発生する塞栓。卵円孔を介する場合が多い）

などに分けることができるが，大動脈造影や内膜除去術後に起こる塞栓，外傷後に発生した空気・脂肪塞栓のように因果関係の明らかな場合を除いて，血栓か塞栓かを決めることは必ずしも容易ではない。塞栓源不明の脳塞栓症を ESUS（embolic stroke of undetermined source）と呼ぶ。

高齢者にみられる心原性脳塞栓の多くは，非弁膜性心房細動に起因するものが多く，その予防治療は重要である。MRI，CT の普及により小梗塞まで把握できるようになり，心房細動のある例では，ない例に比べ非常に高率に発生していることがわかってきている。また，発作性心房細動のある例では，さらに高率に発生することも知られている。

その他，高齢者にみられる心原性脳塞栓としては，リウマチ性心内膜炎・心弁膜症・非細菌性血栓性心内膜炎（悪性腫瘍などの消耗性疾患に伴う nonbacterial thrombotic endocarditis），心筋梗塞などに付随して生じてくるものなどがある。

心原性脳塞栓は，いったん閉塞した主幹動脈が塞栓子の融解によって再開通し，壊死に陥った組織へ血流が再疎通すると血管透過性が亢進していることと，壊死に陥った毛細血管，細静脈が破れることにより漏出性出血が生じ，出血性脳梗塞が起こりやすいという特徴をもつ。

生命予後は，塞栓そのものについては脳内出血より良好であるが，出血性脳梗塞を伴いやすいこ

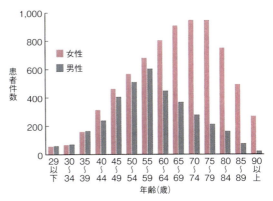

図Ⅳ・1・11　クモ膜下出血の発症時年齢分布
〔文献3），p23 より〕

とから，脳血栓よりは若干悪いものがあるが大差はない。

リハビリテーションの経過についても特に心疾患の状態によって，リスク管理の観点から高負荷を伴う訓練が制限を受けるため，症例ごとに異なっている。しかし，著明な弁膜症や，心筋障害などによる心不全徴候が伴わなければ，問題なくリハビリテーションプログラムを進めることが可能な場合が多い。

d クモ膜下出血 subarachnoid hemorrhage（SAH）

クモ膜は脳実質の最外層の軟膜と，頭蓋骨の内側の硬膜との間にある糸状の膜で，この中に脳動脈の主幹部が走っている。動脈圧は高く中膜で血管壁が守られ通常出血しないが，先天的な中膜の欠損があり内弾性板の断裂と血圧の負荷により囊状に動脈が膨らみ動脈瘤が形成される。この動脈瘤が破裂し血液がクモ膜下腔に出たものが主なる原因である。

クモ膜下出血の発症は女性が男性より約2倍多く，発症時の年齢分布は，男性ではピークが50歳代後半でその後低下していくのに対して，女性は70歳代前半にピークを示す（図Ⅳ・1・11）。

クモ膜下出血の原因としてはその大部分が脳動脈瘤破裂，次に脳動静脈奇形破裂とされており，残りが脳腫瘍，膠原病，頭部外傷，出血性素因，脳髄膜炎，脳静脈血栓症などである。高齢者ではほとんどが動脈瘤破裂によるものであり，なかで

も嚢状動脈瘤 saccular aneurysm によるものが大部分である。このような嚢状動脈瘤の成因については不明であるが，一般には先天的に血管壁の中膜などの欠損があり，次第に成育するものと考えられている。その原因として，

① 先天性血管奇形
② 動脈硬化
③ 高血圧
④ 感染
⑤ 外傷

などが考えられるなかで，特に①は中膜筋層の欠損が胎児期や新生児期からみられ，加齢に伴って増大するとの報告[8]もあり，青壮年層に多いことからも有力な原因と考えられている。

クモ膜下出血はあらゆる時間に起こりうるが，なかでも，いくつか起こりやすい状況が知られている。欧米での報告[9]では動脈瘤破裂の場合36%が睡眠中であるが，重量物の上げ下ろし，精神的興奮，排便，性交，咳嗽，排尿時などの身体的・精神的緊張負荷時にも30%が出現しているという。一方，わが国では排便時と入浴時に高率なのが特徴的である。和式トイレにおける努責や，シャワーに比較し高温で長時間の入浴習慣と関連があると推測されている。

動脈瘤は脳底部ウィリス輪に好発し特に動脈の分岐部に多くみられ，前交通動脈，後交通動脈に最も多く，次いで中大脳動脈領域に多い。また多発例もまれではなく12～30%程度みられ，再発の原因につながる（図Ⅳ・1・12）。

症状は突発する激しい頭痛，項部痛，意識障害，嘔吐，興奮，けいれんなどで始まり，項部硬直，ケルニッヒ Kernig 徴候およびブルジンスキー Brudzinski 徴候などの髄膜刺激徴候が特徴的である。

クモ膜下出血の診断基準

① 始まりは激しい頭痛
② 項部硬直，Kernig 徴候および Brudzinski 徴候陽性
③ 血性髄液
④ 局所神経症状の欠如
⑤ 意識障害

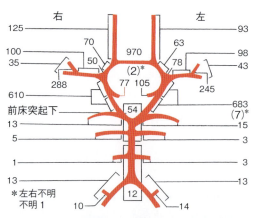

図Ⅳ・1・12　脳底動脈における動脈瘤の発生頻度
前交通動脈，内頚動脈-後交通動脈分岐部，中大脳動脈領域に発生する頻度が高い。発生部位別脳動脈瘤数計3,898。
〔文献10）より〕

⑥ 硝子体下（網膜前）出血

（文部省総合研究班，1962 より）

片麻痺などの局所症状は一般に軽度であるが，血腫の進展により様々な症状を呈することがある。脳神経症状としては動眼神経麻痺が比較的多くみられる。破裂した脳動脈瘤は再破裂しやすく，再破裂によって重症化，致死率が上昇する。

したがってこのような典型的症状をみるならば，頭部CTなどによりクモ膜下腔をはじめとする血腫の範囲を確認した後（図Ⅳ・1・13），脳血管造影で動脈瘤の確認を行い（図Ⅳ・1・14），再破裂予防のために早期（発症72時間以内）にクリッピングなどの脳外科的手術を重症度に応じて行う。また，近年のクモ膜下出血の画像診断の進歩は著しいものがあり，特にヘリカルCT（3D-CTA）やMR血管撮影（MRA）による動脈瘤の同定は目を見張るものがある（図Ⅳ・1・15）。もし保存的に治療すると，孤発性脳動脈瘤・多発性脳動脈瘤・脳動静脈奇形・その他の原因によるクモ膜下出血の3年以上の生存率は各々 32.3, 30.2, 70.3, 56.3%であり，脳動脈瘤では2/3が死亡し，脳動静脈奇形では1/3が死亡していることを示している。

多くのクモ膜下出血はクモ膜下腔に出血するが，なかには脳実質内に進展し脳内出血と同様の所見を呈するものがある（図Ⅳ・1・16）

術後の合併症として最も問題となるのは脳血管

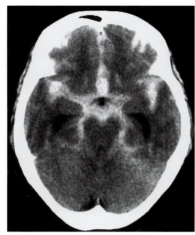
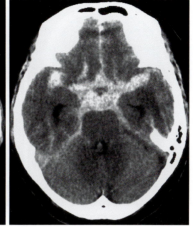

図Ⅳ・1・13　クモ膜下出血のCT
脳槽（クモ膜下腔）に高吸収域がみられる。

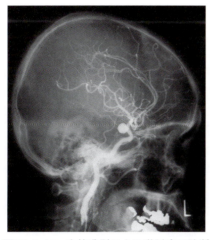

図Ⅳ・1・14　血管造影による動脈瘤の診断

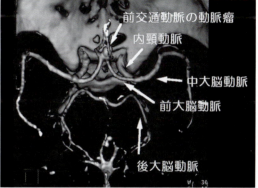
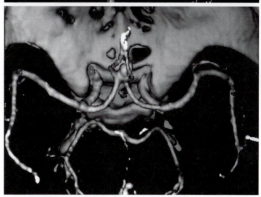

図Ⅳ・1・15　ヘリカルCTによる動脈瘤の診断

攣縮 cerebral vasospasm であり約4割の頻度で生じる。血管が攣縮すると支配領域の血流量の低下を引き起こし，ひいては広範な脳梗塞の原因となる。したがって，クモ膜下出血では血腫による直接的な脳損傷や圧排，さらに血管攣縮による脳梗塞が問題となり，リハビリテーションが必要になることが多い。

一方，出血した血液は，髄液の循環や吸収のメカニズムを阻害することで髄液がたまり，出血から約1～2か月以降に続発性の正常圧水頭症 normal pressure hydrocephalus（NPH）を生じうる。

クモ膜下出血後に救命できた患者のリハビリテーションでは，麻痺の程度の軽度な症例も多く，早期に回復する例も多い。しかし，回復期にNPHが生じると認知症や歩行障害，尿失禁が出現しリハビリテーションを阻害する。そのためVP（脳室-腹腔）シャントあるいは，LP（腰椎-腹腔）シャント手術の適応について検討がなされる。

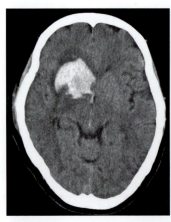
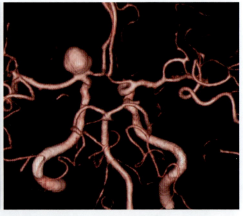

図Ⅳ・1・16 クモ膜下腔ではなく脳実質内に出血した脳動脈瘤破裂

高齢者の場合，クモ膜下出血を起こしたときには生命予後は悪く，生存しても重介護となることが多い。

クモ膜下出血の原因としてもう1つ重要な脳動静脈奇形は先天性の奇形であり，病巣は流入動脈，吻合を示す大小不整形の動静脈からなる血管巣と，異常に拡張した流出静脈から成り立っている。動静脈奇形が胎生期のいずれの時期に発生するかはまだ確定されていないが，正常ならば毛細血管網で置き換わるべき動静脈が血管動態のため拡張蛇行し，病巣を形成すると考えられている。動静脈奇形が末梢にあっても流入動脈により高い圧にさらされ，血流が瘻を通って直接静脈に流入する。そのため，静脈系には arterialized vein と呼ばれるような拡張，蛇行，中膜筋層の肥厚，線維化，内膜肥厚などの高度な血管壁の変化が生じる。一方，動脈系には逆に末梢血管圧の減弱により，中膜の菲薄化と線維化・内弾性板の融解などの変化がみられる[11]。

好発部位は中大脳動脈領域・シルビウス溝周辺であり，左右差はなく，テント上にあるものが80％以上を占める。

発症は，脳出血またはクモ膜下出血50％，けいれん30％，頭痛15％が主であり，動脈瘤と比較してけいれんを伴う頻度が高い。また，再出血率は1年後6％，その後の累積で5年後13％，10年後16％，20年後47％となり，1年以後の再出血率は年間2～3％となる[12]。

発症年齢は多くは20～30歳代と若く，40歳以後の発症は15％以下にすぎず，60歳を超えると皆無に等しいので，老人性疾患のなかに入れがたい。

一過性脳虚血発作
transient ischemic attack（TIA）

TIA とは，虚血性脳血管障害による脳局所症状が発症より24時間以内に消失するような持続時間の短いものを概念としてとらえたものである。その成因については古くより論争があるが，最近の画像診断の発達により，微小梗塞や小出血などにより診断されることがほとんどで，放置すれば大きな脳血管障害に進展することが考えられ，臨床上，脳血管障害なかでも脳梗塞の警告発作として重要視されている。したがって，TIA の原因を検索し，できるだけ早く治療を始め，脳梗塞への移行を可及的に予防することは重要なことである。TIA 後の脳梗塞発症の危険度予測には ABCD^2 スコア〔年齢 Age，血圧 Blood pressure，臨床症状（麻痺，言語障害）Clinical features，持続時間（長いほどリスクが高い）Duration，糖尿病 Diabetes〕が用いられる。

TIA の臨床的な特徴
① 血管病変に起因する一過性の脳卒中局所機能異常である。
② 発症は急激で，症状完成までに5分以内（通常1分以内）であることが多い。
③ 症状持続時間は24時間以内と定義されているが，通常2～15分以内で2～3分が最も多い。
④ 症状の消失は数分以内に認められることが多い。

1. 神経疾患とそのリハビリテーション

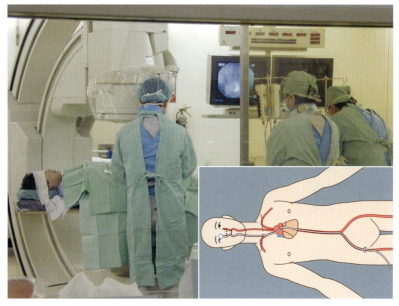

図Ⅳ・1・17　血管内手術
脳梗塞患者で発症後約1時間。大腿動脈よりカテーテルを脳内にまで入れ, 血栓回収やステント留置術などを行う。

⑤ 発作の出現は, 1回のみから種々の間隔で反復することもあり, 多岐にわたる。
⑥ 発作時の神経症状は内頸動脈系と椎骨・脳底動脈系とに分類され, また, TIA の可能性が示唆される症状に付記される。
⑦ さらに片頭痛や失神発作などとの混同を避けるために, 除外項目が加えられている。

2 その他

その他, 脳血管障害には, 脳静脈・静脈洞血栓症, ウィリス動脈輪閉塞症(モヤモヤ病)などがあるが, 高齢者にあまり多くないので省略する。

B 血管内手術(図Ⅳ・1・17)

脳内出血では, 血腫の拡大による損傷の軽減を目的に CT ガイド下定位血腫除去術が, クモ膜下出血であれば脳動脈瘤に対し開頭クリッピング術などが早期に行われている。さらに最近の医学の発達により, 脳血管障害の治療は様変わりしており, 発症して間もない脳梗塞であれば, 血栓溶解剤の静脈内投与や, 脳血管内(カテーテル)治療としての機械的血栓回収療法(図Ⅳ・1・18), さらにバルーン拡張術(図Ⅳ・1・19), ステント留置術(図Ⅳ・1・20)などが行われるようになっている。また, クモ膜下出血で動脈瘤が開頭手術困難な場所にあったり, 大きな動脈瘤であったりする場合にコイル塞栓術を行うことがある(図Ⅳ・1・21)。

まず救急に搬送された患者は, 脳梗塞を発症してすぐならば, MRI の拡散強調画像(DWI)と FLAIR 画像との比較, CT 画像での early CT sign (皮髄境界消失, レンズ核の不明瞭化, 脳溝の消失)を確認し, 適応があれば発症後できるだけ早く(rt-PA 静注療法は発症から 4.5 時間以内, 機械的血栓回収療法は概ね 6 時間以内)に閉塞血管を再疎通させれば機能予後は良好となる(図Ⅳ・1・22)。

静脈血栓溶解療法で一般的に用いる薬剤は rt-PA(遺伝子組換え組織型プラスミノーゲン活性化因子 recombinant tissue type plasminogen activator)製剤(アルテプラーゼ)で, マニュアルに従って投与される(表Ⅳ・1・6)。

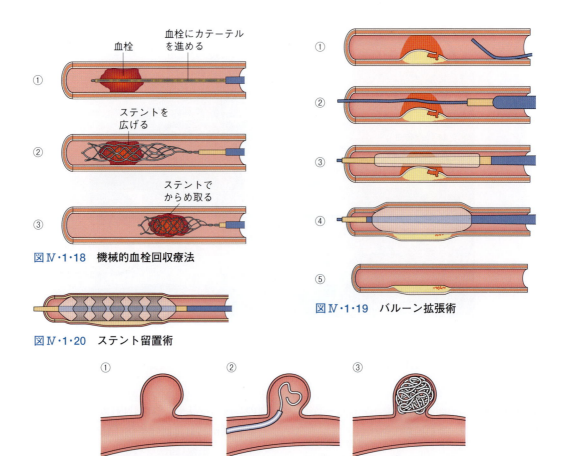

図Ⅳ・1・18　機械的血栓回収療法

図Ⅳ・1・20　ステント留置術

図Ⅳ・1・19　バルーン拡張術

図Ⅳ・1・21　動脈瘤のコイル塞栓術

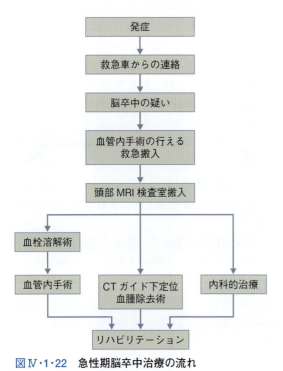

図Ⅳ・1・22　急性期脳卒中治療の流れ

C　脳卒中発症直後の血圧管理とリハビリテーション

　脳卒中急性期では血圧，脈，心電図，経皮的動脈血酸素飽和度（SpO_2）などを継続的にモニターし医学的に管理する。施設によってはSCU（stroke care unit：脳卒中集中治療室）で専門医療チームにより集中的に管理される。脳卒中急性期の血圧は損傷組織を保護するという働きもあって通常高く，数日から数週間もすると降圧薬を用いなくても下がってくる（図Ⅳ・1・23）。また，脳循環は正常では平均動脈血圧50～160 mmHgで脳循環を一定にする自動調節能（図Ⅳ・1・24）がある。脳卒中急性期はこの自動調節能が障害されており，血圧の高いほうに変移している（図Ⅳ・1・25）。したがって，血圧を急激に下げすぎると容易に脳循環は低下し，さらに損傷を広げることにもつながる。

表 Ⅳ・1・6　rt-PA 使用法マニュアル

1. 第 1 段階（来院まで）
   ① 第 1 報を受けたときに，発症時刻に関するできるだけ正確な情報を入手すること．
   ② 発見時刻は発症時刻ではない．発症時刻が不明なときは，最終未発症時刻をもって発症時刻とする．
2. 第 2 段階（病歴，診察，臨床検査）
   ① 脳卒中以外の疾患の鑑別．
   ② NIHSS などの脳卒中評価スケールを用いた評価．
   ③ 出血に関連する事項の評価．
3. 第 3 段階（画像診断）
   ① 単純 CT あるいは MRI による他疾患や頭蓋内出血の除外．十分な経験を有する医師による early CT signs の有無の評価を迅速に実施する．
   ② 脳血管評価は必須ではない．
   ③ 必要最低限で済ませ，時間を浪費しない．
4. 適応の判定
   患者を，適応例，慎重投与例，非適応（禁忌）例に分ける．
5. 慎重投与例への対応
   81 歳以上の高齢者，NIHSS スコア 26 以上，コントロール不良の糖尿病がある症例などでは，適応を慎重に検討すべきである．
6. インフォームドコンセント
   治療により予想される利益，不利益を十分に説明し，同意を得たうえで実施する．
7. 投与開始
   tr-PA 0.6 mg/kg（34.8 万国際単位/kg）の 10％を急速投与し（1〜2 分かけて），残りを 1 時間で静注する．シリンジポンプや輸液ポンプの使用が推奨される．
8. 投与後の管理
   治療後少なくとも数日間は脳卒中集中治療室（SCU）ないしそれに準じた病棟での管理が推奨される．特に，高血圧コントロール，治療後 24 時間以内の抗血栓療法の制限が重要．症状増悪時には迅速な診断を行い，必要があれば可及的速やかに脳外科的処置（開頭血腫除去術など）を実施する．
9. 日本脳卒中学会医療向上・社会保険委員会が提案する tr-PA 静注療法の施設基準
   ① CT または MRI 検査が 24 時間実施可能であること
   ② 集中治療のため，十分な人員（日本脳卒中学会専門医などの急性期脳卒中に対する十分な知識と経験をもつ医師を中心とするストローク・チーム）および設備（SCU またはそれに準じる設備）を有すること
   ③ 脳外科的処置が迅速に行える体制が整備されている

また，慢性期においても高いほうに変移が残っていることも想定して，下げすぎに注意する（図 Ⅳ・1・25）．再発予防や併存症，合併症を考慮して降圧目標を患者ごとに設定する．

「高血圧治療ガイドライン（JSH2019）」では，血栓溶解療法も考慮した降圧目標を掲げている（表 Ⅳ・1・7）．

1　脳出血の血圧管理とリハビリテーション

 手術を前提とした場合の降圧療法

手術を前提とした場合の脳出血急性期の降圧療法の目的は，① 発症早期の血腫拡大を防ぐ，② 血腫吸引中の出血を避ける，③ 術後再出血の防止，などである．

b　内科的な降圧療法

内科的な脳内出血の急性期の血圧管理は，脳卒中急性期の病態生理に基づき，

① 脳卒中は高血圧患者に起こりやすく，もともとの状態が高いこと．
② 血圧の自動調節能が高いほうにシフトしている．
③ 急性期の血圧は上昇し，次第に下降する，

などを念頭に管理する．「脳卒中治療ガイドライン 2021」[15]によると，脳出血急性期には「血圧高値をできるだけ早期に収縮期圧 140 mmHg 未満へ降圧し，7 日間維持すること」，「その下限を 110 mmHg 超に維持すること」が推奨されている．また，発症 1 か月以降の降圧目標を 130/80 mmHg とするように推奨されている[15]．

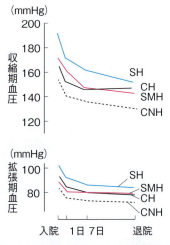

SH ：高血圧の既往のある脳血管障害患者群
　　 （脳梗塞・脳出血・TIA）
SMH：高血圧の既往のない脳血管障害患者群
　　 （脳梗塞・脳出血・TIA）
CH ：高血圧の既往のある非脳血管障害患者群
CNH：高血圧の既往のない非脳血管障害患者

図Ⅳ・1・23　脳血管障害急性期患者および非脳血管障害者の入院中の血圧の自然経過　〔文献 13〕より〕

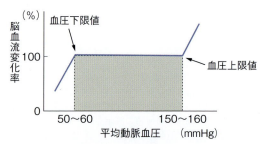

図Ⅳ・1・24　脳循環の自動調節能（正常）

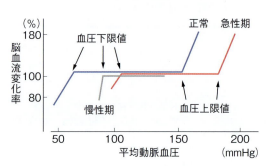

図Ⅳ・1・25　脳卒中急性期の脳循環自動調節能

表Ⅳ・1・7　脳血管障害を合併する高血圧の治療

超急性期 （脳梗塞患者で，血栓溶解療法[*1]予定の場合） （発症 24 時間以内）	脳梗塞：発症 4.5 時間以内 　血栓溶解療法予定患者では＞185/110 の患者を対象に，血栓溶解療法施行中および施行後 24 時間以内：＜180/105 を目標，前値の 85〜90％
急性期 発症 2 週以内	脳梗塞：＞220/または/120 の患者を対象に，前値の 85％を目標
	脳出血：＞140/の患者を対象に 140/＜を目標[*2] クモ膜下出血（破裂脳動脈瘤で発症から脳動脈瘤処置まで）：160＞/の患者を対象に前値の 80％を目標[*3]
慢性期 発症 1 か月以後	脳出血・クモ膜下出血・脳梗塞（下段[*4]の状態の脳梗塞を除く）：130/以上の患者を対象に，130/80 未満を目標

数値は収縮期/拡張期血圧（mmHg）
[*1]血栓回収療法予定患者については，血栓溶解療法に準じる．
[*2]重症で頭蓋内圧亢進が予想される症例では，血圧低下に伴い脳灌流圧が低下し，症状を悪化させる，あるいは急性腎障害を併発する可能性があることに留意する．
[*3]重症で頭蓋内圧亢進が予想される症例，急性期脳梗塞や脳血管攣縮の併発例では，血圧低下に伴い脳灌流圧が低下し，症状を悪化させる可能性があるので慎重に降圧する．
[*4]脳梗塞（両側頸動脈高度狭窄や脳主幹動脈閉塞あり，または未評価の場合）：140/以上の患者を対象に，140/90 未満を目標とする．
〔文献 14〕日本高血圧学会高血圧治療ガイドライン作成委員会（編）：高血圧治療ガイドライン 2019．脳血管障害を合併する高血圧の治療，日本高血圧学会，p95，2019 より改変〕

2　脳梗塞の治療とリハビリテーション

　脳梗塞急性期の病態として，5〜10 分で細胞内浮腫が生じ，完全虚血の場合 20 分くらいで細胞内浮腫が完成してしまうので，可能な限り発症後早期から治療を行わなければならない．
　超急性期の脳梗塞の細胞レベルの病態として，

表Ⅳ・1・8 脳梗塞急性期の薬物療法

1. 抗血栓療法
   ① 血栓溶解療法〔遺伝子組換え組織プラスミノゲンアクチベーター(rt-PA)〕
   ② 抗凝固療法(ヘパリン, ワルファリン, 直接阻害型経口抗凝固薬 direct oral anticoagulant(DOAC))
   ③ 抗血栓療法(アルガトロバン)
   ④ 抗血小板療法(アスピリン, クロピドグレル, シロスタゾール, トロンボキサン A_2 阻害剤), 抗血小板薬2剤併用療法(DAPT)
2. 抗脳浮腫療法
   高張溶液療法
   ・グリセロール(脳浮腫軽減作用, 脳血流改善作用, 脳代謝改善作用, 赤血球凝集能改善作用)
   ・マンニトール(脳浮腫軽減作用, 中止後のリバウンド現象)
3. 血液希釈療法(低分子デキストラン)
4. 脳保護・細胞保護
   フリーラジカル消去(抗酸化剤：エダラボン)

EEA release(glutamate theory：グルタミン酸の分泌), 細胞毒素性浮腫, フリーラジカルの産生, 血管内皮ダメージ, 一酸化窒素産生, 血小板血栓形成, 二次的循環障害などが知られており, これらに対して治療を行う必要がある.

脳梗塞急性期の治療のポイント

① 可及的早期の血流改善
・問題点：出血性梗塞, フリーラジカル産生
② 興奮性アミノ酸放出の抑制
・問題点：薬物投与時期, 必ずしも梗塞巣を縮小しない
③ 細胞内 Ca 上昇の抑制
・問題点：薬物の副作用, 細胞内 Ca が上昇してからでは遅い
④ 細胞性血管性浮腫の抑制
・問題点：細胞性浮腫 10〜20 分で完成, フリーラジカル発生の抑制
⑤ 内皮障害の抑制
⑥ NO 合成の抑制
⑦ 血管内因子の変化の治療
⑧ 二次的循環障害の治療
⑨ 可及的早期, かつ多面的治療が必要

また, 脳血流の観点からは,
① 重篤な血流低下状態が一定時間以上持続すると, 脳組織には不可逆性変化が生じる.
② 急性限局性の脳病変は脳全体の血流・代謝低下をもたらす(diaschisis).
③ 急性期には脳血流は血圧依存性に変動する(dysautoregulation).
④ 障害脳血管には血管拡張剤は無効であることが多い(vasoparalysis).
⑤ 障害脳では血流と代謝の coupling も障害される(uncoupling).
⑥ ペナンブラの部位は早期の血流改善によって機能回復が期待できる.

などの特性もあり, 可能な限り早期の治療が必要である.

急性期の脳梗塞の治療としては, 血圧, 血糖・電解質, 脳浮腫などの全身管理に加え, 再灌流に対する治療と細胞保護などの薬物療法を行う(表Ⅳ・1・8).

脳梗塞急性期の血圧の管理は, まず, 血流量温存の考えから,
① 原則として降圧しない
② 血行力学的障害を伴うアテローム血栓性脳梗塞は, 特に血圧を下げないようにする
③ 超急性期血栓溶解療法時の高血圧は, 頭蓋内出血の危険因子は適応から除外しなければならず, 厳重な血圧モニター下に降圧療法が必要である. 降圧療法も脳梗塞臨床病型別, 発生機序別, 治療法別(血栓溶解療法, 抗凝固薬療法など)に, 高血圧管理の再検討が必要である

と思われる.

具体的な脳梗塞急性期の血圧管理は,
① 急性期の高血圧は自然に下降するので, 原則としては降圧せず, 安静, 抗浮腫治療, 呼吸, 膀胱管理, 不安の除去などを心がける.
② 「脳卒中治療ガイドライン 2021」[16]によると

「収縮期血圧＞220 mmHg または拡張期血圧＞120 mmHg の高血圧が持続する場合や，大動脈解離，急性心筋梗塞，心不全，腎不全などを合併している場合に限り，慎重な降圧を考慮してもよい」とされている．

③ 慢性期の血圧管理は，発症1か月以降から緩徐に行い，脳循環代謝，脳血流自動調節能に好影響をもつカルシウム拮抗薬，アンジオテンシン変換酵素阻害薬，ARB，少量の利尿薬がよく（表Ⅳ・1・9, 10），140/90 mmHg 以下を目標に自覚症状を重視して調節する．さらに，「両側内頸動脈高度狭窄や主幹動脈閉塞がない，ラクナ梗塞，抗血栓薬内服中では，可能であればより低い血圧レベルとして130/80 mmHg 未満を目指すことが妥当」とされている[15]．

リハビリテーションの際には，起立性低血圧をきたすことはないか，運動負荷による血圧変化を定期的に測定し，自覚症状の変化とともに医療チームで共有することが大切である．

> ③ 膀胱充満
> ④ 痛み
> ⑤ 脳虚血に対する反応
> ⑥ 脳圧亢進
>
> **2．治療原則**
> ① 脳梗塞急性期では原則として降圧しない
> ② 広く認められた降圧目標値はなお決定されていない
>
> **3．降圧療法を考慮するとき**
> ① 収縮期血圧＞220 mmHg
>   拡張期血圧＞120 mmHg
> ② 出血性脳梗塞となったとき
> ③ 心筋梗塞を合併したとき
> ④ 心不全を合併した腎不全
> ⑤ 胸部大動脈瘤を合併したとき
>
> **4．降圧療法の実際**
> ① 経口療法が原則
> ② 脳血管口径に影響しない薬物を選ぶ

以下に脳卒中の外科的治療法をまとめる．

> **脳卒中の外科的治療法**
>
> **1．出血性**
> ・脳内出血：開頭血腫除去術，神経内視鏡手術，CT 定位血腫吸引術
> ・脳動脈瘤：開頭クリッピング術，血管内手術
> ・AVM：開頭摘出術，血管内手術，ガンマナイフ
>
> **2．閉塞性**
> ・内頸動脈狭窄：内膜剥離術，血管内手術（血管拡張術，ステント療法）
> ・脳梗塞：血栓溶解療法，血管バイパス術

> **脳梗塞発症直後の血圧上昇の原因と治療方針**
>
> **1．血圧の上昇の原因**
> ① 脳卒中に罹患したというストレス
> ② 高血圧の合併

表Ⅳ・1・9　脳梗塞における脳循環自動調節域の下限の血圧

	高血圧脳血栓例	中大脳動脈起始部閉塞例
脳循環自動調節域の下限値/随時血圧	80%	90%

表Ⅳ・1・10　各種降圧薬と脳血流・脳血流自動調節下限域

降圧薬	脳血流		脳血流自動調節下限域	
	単独投与	長期投与	単独投与	長期投与
Ca 拮抗薬	↑	〜(↑)		↓
ACE 阻害薬	〜	〜(↑)	↓	↓
α遮断薬	↑	〜	↓	↓
β遮断薬	↓	〜(↑)	↑	
降圧利尿薬		〜(↓)		

↑：増加・上昇，〜：不変，↓：減少・下降，
（　）：時にみられる

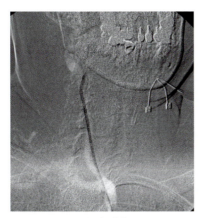

図 IV・1・26　**血管内手術**
内頸動脈閉塞に対しカテーテルを頸動脈内まで進め、血栓除去を行っている。

D 脳卒中治療の未来と展望

　Brain attack(Science, 1996)時代の脳卒中という全身疾患としての血管病は、その治療いかんによっては、治療可能な疾患といえる。また、それが不可能な場合にも、寝たきりや認知症の発症の予防は最低限行わなければならない。疾患の特性としても、脳出血は発症数時間以内に20%以上は増大し、クモ膜下出血は12時間以内に再出血が多く、脳梗塞は梗塞部位の拡大、ペナンブラの問題など、超急性期治療の重要性は従来から強調されている。そのためには、薬物治療(rt-PA療法)や外科的治療〔血管内手術(図IV・1・26):血管拡張術、ステント留置術〕などをはじめとする医学的治療はもとより、脳卒中患者の対応には、地域住民の理解度を高め、脳卒中の治療が適切に行える病院へ運ぶことから始めなければならず、地域における搬送入院連携などのシステムづくりも必要である。また、医療者が脳卒中の理解を深め、可能な限り迅速(発症後1〜2時間以内)に入院治療を開始すべきである。さらに、発症・再発の予防の観点から、再発予防のための薬物治療や危険因子(高血圧、糖尿病など)の管理、生活様式の是正なども大切である。

E 脳血管障害リハビリテーションの骨組み

　脳血管障害による片麻痺のリハビリテーションについては以下のようなことが共通していえると思われる。

1. 自然回復を妨げず、できれば助長すること
　脳循環代謝の改善、脳循環自動調節能 autoregulation や血液-脳関門機構 blood-brain-barrier (BBB)の正常化など、機能障害の改善が速やかに順調に進行するよう治療すること。

2. 本来の機能障害のみにくい止めること
　筋萎縮、筋力低下、拘縮、骨粗鬆症などの廃用症候群の予防。靱帯弛緩などの誤用症候群の予防。すでに生じていれば、その矯正。

3. 残存能力の強化
　健側上下肢、体幹筋の強化など。非麻痺側上下肢は必ずしも健常ではないことを銘記し、これらの訓練に重点を置かなければならない。特に高齢者では病前からサルコペニア(筋肉量減少)による筋力低下がみられることが多い。

4. 麻痺の改善
　麻痺の改善に関しては、まず筋力や運動回数などの量の改善とともに、患者の意図した運動が実現されるよう運動パターンなどの運動の質の改善(共同運動からの分離)も重要である。そのためには、麻痺肢を随意的に動かす訓練の量を増やす、すなわち訓練の時間を長くするか、訓練の頻度(反復回数)を増やす工夫が必要となる。
　麻痺が軽度〜中等度であれば、治療者は患者が必要とする目的動作を提案し、患者と共有したうえで、麻痺肢を積極的に用いることができるように難易度を調整し、随意的な運動や動作を集中的に反復させる(課題指向型訓練 Task-oriented training, 課題関連的訓練 Task-related training)。
　麻痺が中等度〜重度であれば、麻痺肢を随意的に"駆動する"ために何らかの物理的手段(徒手的刺激、電気刺激、磁気刺激、振動刺激など)を用い、大脳神経から脊髄前角細胞を経て筋肉に至る運動性下行路を促通し(neuro-muscular facilitation)、運動を実現する。そして実現した運動を1回で終わらせるのではなく、反復して繰り返すことが新たな神経回路を定着させるのに合理的である。
　これらの根拠は、正常脳に限らず損傷脳も"脳の可塑性"を有することにある。すなわち、使用頻度依存性にシナプスや脳地図は変化すること(use dependent plasticity)、2つの神経細胞間のシナプス結合は同期して興奮すると強化されること(ヘッブ理論 Hebbian theory)などを治療者が知り、実際に応用することが必要である。

5. 高次脳機能障害(失語，失行，失認，注意障害，記憶障害，遂行機能障害など)の評価
　高次脳機能障害の評価を確実に行うことは，その障害の予後だけでなく治療プログラムを決定し，総合的予後を推測する際に大変重要であり，最終的なゴール設定に重大な影響を与える。
6. 排便排尿の自立
　排便排尿訓練を早期に開始し，自立させることは，介助量を減らすばかりでなく，その他の訓練の円滑化・ADLの拡大につながる。さらに，尿路感染をはじめとする合併症も防げる。
7. 代償方法の考案
　高齢者では機能改善が若年者ほど改善しないことが多く，病前からも筋力低下があることが多いので，自助具・装具など患者に合ったものを適切に用いる。
8. ADLにおける簡略化やコツの習得
　筋力低下や耐久力の低下からくるADLの問題が残るようなら，ADLを簡略化したり工夫したりして，行うことができるADLを多くする。
9. リスク，合併症の管理
　高血圧，動脈硬化，糖尿病，心疾患などの合併症をもっていることが多いので，これらに対する日常的な管理およびリハビリテーション中の管理を怠らないようにする。
10. 神経障害の改善
　種々の神経の改善はその機構が明らかでないものもある。例えば1年以上経過してから初めて急速に筋力の改善がみられたり，上下肢の麻痺は完全にプラトーに達し，脳障害の改善は期待できない時期でも，失語症がさらに改善を示すことが時にみられる。この現象は脳の可塑性に起因すると考えられるが，リハビリテーションの技術によって，この可塑性がより合理的・機能的な方向にコントロールされるならばそのような道をとるべきである。このことは今後の課題となると思われる。

F　医学的リハビリテーションの実際

　一口に脳卒中といっても，その臨床症状は十人十色で，その他の身体的条件や家庭的・家族・家屋・社会的条件などを加味すると，おのずからリハビリテーションプログラムは個々人に合わせた詳細なものでなければならない。
　まず念頭に置いておくことは，Newman[16]によれば，片麻痺の回復は1〜7週に始まり，14週くらいまで続き，それ以降は神経学的改善はほとんどみられないとされてきたことである。

　近年では麻痺やADLなどの回復曲線は，概ね6か月でプラトーとされる。一方，脳の可塑性は個人差があるものの慢性期においても発現することがあるため，回復の可能性を探るためにも個々の患者において回復の経過，合併症の治療，意識障害などのために訓練ができない時期はなかったか確認し，その間の訓練の内容などの情報を集める。

1　急性期の自然回復機構

　急性期の回復機構としては自然回復が主であると考えられ，その主な機構は，以下の通りである。

① 脳循環の改善，脳浮腫の改善
② 血腫の吸収
③ 損傷された神経組織の変化・吸収消失
④ 脳代謝の改善
⑤ 血液-脳関門の修復，改善
⑥ 脳脊髄液循環の改善
⑦ 神経幹細胞の存在

2　亜急性期から慢性期の回復機構

　急性期が過ぎると，自然回復の占める割合は少なくなり，以下のような可塑性をもった回復が大部分を占めるようになる。

1. 予備機能 sparing
① 多重支配 multiple control
　ある機能が複数の中枢によって支配されているという考え方である。つまり，ある脳の限局性損傷が生じてもその部分と同じ働きをするもう1つの残存部分 equipotentiality でその機能を代償するという考え方。
② 過剰 redundancy
　解剖学的には別構造であるが，機能的には共通した下位組織があり，それを介して機能が代行されるという考え方。
2. 可塑性 plasticity，再編成 reorganizational compensation
① 発芽 sprouting
　ⓐ 再生発芽 regenerative sprouting
　軸索の切断後，近位側から再生がみられ，末梢神経の再生に似た現象である。

ⓑ 側芽 collateral sprouting
　　健常な神経細胞から発芽し，脱神経領域に伸びていきシナプスを形成する。側芽を促す因子は明らかではないが，損傷され，変性した軸索が除去されるまでは起こらないといわれている。発芽はグリアなどに妨げられ，目標に到達しないこともある。
② 機能的代償 functional substitution
　脳損傷と同部位あるいは下位組織が代償するという考え方で，下位組織が再編成される場合と新生される場合があり，特にリハビリテーションの学習効果と関連性が深いと考えられている。
③ 脱神経過敏 denervation hypersensitivity
　神経筋接合部 neuro-muscular junction で研究されている現象で，脱神経のために入力がなくなると，アセチルコリンの受容体が出現したり，イオン透過性が上昇して興奮性を高めると考えられている。
3. 隠蔽回路の開発 unmasking
　効率が悪くてふだん使っていない既存の回路を利用するものである。繰り返し使ううちに伝達時間は短縮され，効率のよい回路に変わっていくという考えであり，これもリハビリテーションの学習効果に非常に関連があると考えられている[17,18]。また，慢性期の脳機能の改善に関しては，一次運動野の回復のように大脳の中で特殊化されているものは，改善も悪くプラトーに達する速度も早い。しかし，連合野などの各種線維が入り組んでいる部分は回復速度も緩徐で，プラトーに達する時間も数年に及ぶくらいに遅い[19]。
4. 神経幹細胞 neural stem cell
　神経幹細胞が神経再生に貴重な役割を果たすことが知られ，これからの新しい道を開くものと期待されている。

　以上のように，脳機能が改善している時期は，有効にそれを引き延ばす必要がある。最初の1〜2か月を観察することにより多くはゴールの予測はつくものである。例外的には長期にわたって神経学的改善のみられるものもある。このことは，この時期には積極的なリハビリテーションが必要であることを示唆している。しかし，それ以降のリハビリテーションが無意味であるということではない。例えば，発症後数か月以上経過し，何らかの理由でリハビリテーションを受けられなかったという場合，神経学的な改善は乏しいかもしれないが，その機能障害が筋萎縮，拘縮，健側・体幹の筋力低下などの廃用症候群が主要原因であれば，これらを改善することでADLの向上拡大を望める例も少なくない。

　最終的なゴールも，60〜65歳以上では特殊な場合を除いては復職する必要のないことが多く，ADLの自立，家庭復帰におくことが多い。また70歳以上では，家庭復帰をしたとしても，年齢的に機能が低下してくることからADLは徐々に低下してくることも多い。自主訓練課題の作成や通所・訪問リハビリテーションの利用によって健康寿命の延伸に向け工夫することが重要である。

G 脳卒中リハビリテーションの流れ

1 発症直後のリハビリテーション

　脳卒中が発症してから，その場で絶対安静にした時代，入院しても長期に安静にさせるような時代は過ぎ，いまや脳卒中リハビリテーションは発症と同時に施すものとなっている。したがって，脳卒中急性期からのリハビリテーション治療が与える影響は重大であり，患者に最初に接した開業医，内科，脳外科，救急病院の医師がそのリハビリテーションを成功させるかどうかの鍵を握っているといっても過言ではない。

　発症直後急性期のリハビリテーションプログラムはリハビリテーションというよりケアに重点が置かれ，特に重度意識障害には関節可動域維持，体位変換，良肢位保持は欠かすことのできない3点セットといえる。

　早期リハビリテーションに目が向けられたのは，欧米では血栓性静脈炎の頻発から，下肢ROM訓練を行うことで血栓性静脈炎の予防ができると考え早期から訓練をしたこと，また，心筋梗塞の早期リハビリテーション普及，廃用症候群の軽減，早期リハビリテーション効果としての入院期間短縮，ADL自立などが，CT，MRIが登場する前に確立していた。

　急性期のリハビリテーション診断，治療は，リハビリテーション科医，理学療法士，作業療法士，言語聴覚士により，いずれもベッドサイドで行われる。「脳卒中治療ガイドライン2021」[15]によると

「発症後 24～48 時間以内に病態に合わせたリハビリテーション計画を立てることが勧められる」とされている。

ベッドサイドでは意識状態を含めた神経学的評価に加え，高次脳機能，座位バランス，麻痺の状態，起立能力などのリハビリテーション評価を行い，リハビリテーション適応および予測治療期間を決定する。

早期リハビリテーションの開始基準として，
① バイタルサインの安定
② 麻痺進行の停止
③ 意識状態 JCS 1 桁

があげられ，通常，第1～3 病日でベッドサイドリハビリテーションが開始される[20]。

ベッドサイドリハビリテーション開始後，状態を見て座位訓練に入るが，その初回座位の方法は，患者のリスク管理と心理的動揺から医師や看護師が行い，座位方法（介助）は 3～5 分の端座位（足をベッドから下ろす），車椅子座位とする。

その際，顔色不良，冷汗，チアノーゼ，あくびなどが血圧下降や循環不全徴候に先行して出現することも多く，リラックスさせるような話しかけで接しながらも，細心の観察と自覚症状に万全の注意が必要である。

問題は起立性低血圧であるが，60 歳以上の高齢者では健常者でも 15％に起立性低血圧を呈する。

起立性低血圧の基準は様々ではあるが，一応，開始前臥位に比較して 30 mmHg 以上の低下を認めたときをその基準としている[21]。

姿勢変化の影響として発症当初の自動調節能の破綻から起立性低血圧を生じやすいといわれているが，血圧が少し高く自動調節能の効いている範囲で行う分には，あまり大きな問題がないように思われる。したがって，血圧はむしろ高めで訓練を行い，虚血性脳卒中では収縮期血圧で 140～200 mmHg 程度でもよい。訓練時間は筋力維持ができる程度で通常筋力で 3～5 分程度とし，もし虚血が進んだとしても細胞壊死せず，機能障害も可逆的な時間として 5 分以内で行うのがよいと思われる。リスク管理の具体的な方法について次に示す。

急性期訓練での注意点

① 意識障害：顔色，表情，あくびや声かけ，刺激に対する反応を見る。再発や水頭症の発生に注意。
② 血圧：自動血圧計で管理。訓練開始時，実施時の血圧管理。起立性低血圧に注意。
③ 心拍数：モニターにて監視。期外収縮や異常波形に注意。24 時間ホルター心電計でも測定。
④ 経皮的動脈血酸素飽和度：95％以上。肺炎などの呼吸障害や既往症のある場合には再設定。
⑤ 頭位：低血圧による脳内血流の低灌流に注意。めまいや右向き頭位（right neck rotation：半側空間無視）にも注意。
⑥ 外減圧術施行患者：脳浮腫の管理のため頭蓋骨を外している例は，ヘルメットを装着させたりして注意する。
⑦ 日内睡眠パターン：不眠や夜間不穏にて睡眠パターンが変わっていることがあり，薬物や睡眠パターンの情報を集める。
⑧ 深部静脈血栓症：予防としての訓練は必要であるが，いったん生じたものに対しては急激な動きを避け，肺塞栓などの合併症を予防する。
⑨ けいれん発作：薬物使用状況や脳波所見の情報収集。
⑩ めまいや吐き気，後頭蓋窩（橋，延髄，小脳）の病巣のときにみられやすい。
⑪ 低血糖：糖尿病や耐糖能異常のときに注意。冷汗やあくびなどの症状。食事時間と訓練時間の工夫。
⑫ 発熱：37.5～38.5℃のときには，主治医と相談して，ベッドサイドなどで行う。38.5℃以上のとき中止。
⑬ 心理的反応：うつ状態や仮性うつ，障害受容，性格変化，病識低下に注意。
⑭ 認知症：ラクナ型多発脳梗塞に多い。高齢者の仮性認知症にも注意。
⑮ 薬物療法：使用中の薬剤の情報収集。抗凝固療法中の出血傾向に注意。
⑯ 病棟ベッド環境：点滴，カテーテル，ドレナージ，各種チューブ，モニター，服装，家族，面会者などに配慮。

〔文献 22）より作成〕

理学療法，作業療法を発症直後から行う際のリスク管理のポイント

抗重力位にすることの危険管理：脳循環量を減少させない。
① 血圧を下げ過ぎない，高めに保つ
・血圧の頻回のモニター：2 分ごとくらいに測定
・血圧の低いときには行わない（病後血圧の 90％以下では行わない）
・降圧薬使用時

② 頻脈にしない
・100/分以下で行う
・心房細動のときは140/分以下
③ 過換気にしない
・ハーハー言い出したら中止
・疲労による過換気時には要注意
④ 脱水時には注意
・汗などをかかせない(多血症にしない)
⑤ 炎症に注意
・特に肺炎・膀胱炎など
⑥ 悪性新生物には要注意
・運動負荷による過度の疲労はがんなどを増悪させる

初診座位からみる機能予測では，最初から座位保持可能な群ではほとんどが独歩可能となり，入院リハビリテーション期間も3～4週間で仕上がることが多いが，座位保持不能群では監視・介助歩行以下のレベルにとどまりやすく，入院期間も8～12週間以上かかることも多い。実際，脳卒中患者の約95％は何らかの形で歩けるようになり，歩けないものについては重度な麻痺，意識障害，重度半側空間無視，左右両側性麻痺，意欲低下など何らかの原因をもつことが多い。

2回目以降のベッドサイドリハビリテーションは，車椅子を用いた訓練で座位耐性向上やバランス能力を向上させ，車椅子駆動やベッド-車椅子間の移乗，ベッドからの立ち上がりなどに拡大していく。

早期リハビリテーションの基本は座位レベル以上の早期離床であり，立位がとれるなら長下肢装具などを早期から利用し積極的に訓練を行うとともに，看護師と療法士の連携をとりながらADL訓練は移乗・排泄動作などを中心に行うようにする。この際の下肢装具の基本は支持であり，患側の力がなくても十分麻痺側を支持できるような金属支柱で正しいアライメントを保持することと短期間で作製装着できることが原則である。長下肢装具であれば，急性期の一時使用でもかまわないと考えてよい。早期に立位を行う目的は，麻痺の機能改善より病前からもっている立位感覚，歩行感覚やバランス感覚をそのまま利用し，片麻痺による間違った異常姿勢に慣れさせないことが重要で，立位になったら，その時点から装具療法が必

要である。リスク管理の面から，早期リハビリテーションで必要なモニターとして自動血圧計（30秒ごとに測定），心電図テレメーターなどによる監視は必要であるが，患者の症状，徴候，反応の変化を的確にとらえ，対応していくことが重要である。

以上をまとめると，脳卒中急性期リハビリテーションは，発症後，可能な限り早期に行う必要があるが，その目的は健側と体幹筋力などの残存筋力と立位感覚などの保持である。早期に行う際には，十分な検査と管理が必要で，決して無理をしてはいけない。しかし，廃用性のものが不可逆性なものに変わらないうちに行うべきであると思われる(表Ⅳ・1・11)。

具体的には，意識状態が一桁以下の場合，患者の状態を的確に把握しながら，数分間の座位・立位保持から始めるとよいと思われる。私見ではあるが，脳卒中急性期の座位訓練と立位訓練については，座位でも立位でも起立性低血圧の起こる危険性は変わらないと思われる。ならば監視をしながらできる限り立位をとらせたほうが効果的であると思われる。状態さえよければ，1週間以内にどんな形でもよいから立たせることを脳卒中急性期の運動訓練の原則としたい[23]。

また，早期リハビリテーションの開始基準については原らの基準があるが，ほぼ前田の行っている基準[24]と一致している。

早期離床開始基準

① 一般原則
意識障害が軽度(Japan Coma Scale(JCS)でⅡ-10以下)であり，入院後24時間神経症候の増悪がなく，運動禁忌の心疾患がない場合には，離床開始とする。

② 脳梗塞病型別開始基準
入院2病日までにMRIまたはMRAを用いて，病巣と病型の診断を行う。
ⓐ アテローム型脳血栓症：MRIまたはMRAにて主幹動脈の閉塞ないし狭窄が確認された場合，進行型脳卒中 progressing stroke へ移行する可能性があるために，3～5日は神経症状の増悪が起こらないことを確認して離床開始する。
ⓑ ラクナ型脳梗塞：診断日より離床開始する。
ⓒ 心原性脳塞栓症：左房内血栓の有無，心機能

表Ⅳ・1・11　24時間以内"能動的"訓練群と7日以後訓練開始対照群との比較

項目	24時間以内"能動的"訓練群	7日以後訓練開始対照群	コメント
体幹筋力 初日→7日→退院	維持：向上：低下向上：悪化 62：30：6：2%	18：18：55：9%	対照群に低下後向上が多い
最終到達運動機能	杖なし歩行：杖装具歩行：車椅子：寝たきり：死亡 54：15：10：13：8%	48：13：16：9：14%	$\chi^2=1.213(0.7<p<0.8)$ 有意差はない
健側握力	発症当日21.6 kg→7日後22.2 kg	22.0 kg→21.0 kg	有意差はない
1週間以内の再発進行例	28.2%	30.7%	$\chi^2=0.385(0.5<p<0.7)$ 有意差はない
平均入院期間	20.2日	33.4日	訓練群のほうが平均で13日程度短縮

両群間で年齢・性別・出血/梗塞・病巣部位・意識障害・麻痺の程度に有意差はない。

を心エコーにてチェックし，心不全の症候がなければ離床開始する。さらに経過中に出血性梗塞の発現に注意する。
③ 脳内出血
　ⓐ 発症から48時間はCTにて血腫の増大と水頭症の発現をチェックし，それがなければ離床開始する。
　ⓑ 脳内出血手術例：術前でも意識障害がJCSでⅡ-10以下であれば離床開始する。手術翌日から離床開始する。
④ 離床訓練ができない場合
ベッドサイドにて拘縮予防のためのROM訓練と健側筋力訓練は最低限実施する。
⑤ 血圧管理
離床時の収縮期血圧上限を，脳梗塞では200 mmHg，脳内出血では160 mmHgと設定し，離床開始時の血圧変動に応じて個別に上限を設定する。

〔文献25〕より〕

また，早期訓練を見合わせ，状態が落ち着いてから行うものに，次のようなものがあげられる。

早期離床を待つ病態

① 脳内出血：血腫の増大（高血圧性脳内出血の15%，多くは6時間以内に生じる）
　水頭症：脳室内穿破症例と小脳出血に多く，高血圧性脳内出血で5%，小脳出血の26〜65%
　再出血2〜12%，再出血の1/3は1か月以内，降圧薬でコントロール不良な血圧上昇例
② 脳梗塞：進行性脳卒中4〜43%（多くは20%前後）
　出血性脳梗塞：心原性脳塞栓において33〜66%
　再梗塞：全脳梗塞の15%，血栓1か月以内4%，塞栓例1か月以内10%
③ 意識レベル，バイタルサインの増悪例
④ 低酸素血症，DICなどを伴う重症感染症例
⑤ 深部静脈血栓症

〔文献26〕より作成〕

発症直後早期からの訓練の利点，欠点

1. 利点
① 多くの廃用症候群の発症の監視と予防が可能である。
　ⓐ 健側や体幹の廃用性筋力低下が生じにくい。
　ⓑ 筋・腱の廃用性拘縮が生じにくい。
　ⓒ 安静臥床に伴う起立性低血圧が生じにくい。
② 専門職が最初からかかわることで心理的な不安を除去しやすい。
③ 入院期間短縮など医療効率がよい。
④ 数日後から訓練を開始した群と再発・進行率に差がなく，無害と考えられる。

2. 欠点
① 安全管理をしながら訓練を行うために十分な検査とその時間が必要である。
② 脳浮腫の問題など，訓練を行うまでの時間が短いため，症状の経過が十分把握できない危険性がある。
③ 発症早期の自律神経障害による起立性低血圧の危険性があり，監視を要する。
④ 患者の易疲労性や意識状態を考慮に入れて訓練する必要がある。

これらの脳卒中早期リハビリテーションの開始によって，ADL早期自立，入院治療期間短縮，到達ゴールの向上，迅速な社会復帰が達成できる。

表Ⅳ・1・12　脳梗塞・脳内出血リハビリテーションの流れ

	内科・脳外科的治療	リハビリテーションプログラム	主要目的
発症直後急性期 発症後24時間以内	バイタルサイン，神経所見 頭部CT，MRI 血液検査，心電図心臓超音波検査など 血腫除去術(出血) 脳浮腫予防・減圧 脳血流維持対策 再発・進行予防	意識障害2桁以上 関節可動域訓練 体位変換 良肢位保持 意識障害1桁以内 上記に加え，3〜5分の座位，立位，歩行	廃用症候群の予防 健側・体幹筋力の維持 立位感覚の維持 心理的安静
急性期2〜7日	脳浮腫予防・減圧 脳血流維持対策 再発・進行予防 栄養管理 リスク・全身管理	上記と同様 進行しなければ徐々に機能を上げ，実用歩行を目指す	上記と同様 心理的アプローチ 機能障害的アプローチ
回復前期2〜4週	再発・進行予防 栄養管理 リスク・全身管理 合併症予防	機能回復訓練 日常生活訓練 高次脳機能障害訓練	機能障害，能力障害，心理的アプローチ
回復後期2〜6か月	痙縮増強対策 疼痛対策(視床痛など)	機能回復訓練 日常生活訓練 高次脳機能障害訓練 生活関連動作訓練 耐久力・体力訓練 前職業訓練 在宅環境調整	機能障害，能力障害，心理的アプローチ 社会・家庭へのアプローチ 障害受容・克服へのアプローチ
慢性期7か月〜1年		高次脳機能障害訓練 職業環境調整 機能維持	
超慢性期1年以上	再発予防，健康維持増進 整形外科的再建術	機能維持を行いながらの通常生活	社会へのアプローチ

　前田らが行っている方法は表Ⅳ・1・12のような流れである。

2　発症直後から急性期にかけてのリハビリテーション

　発症早期からリハビリテーションを行うことは，良好な改善につながる。運動機能改善のメカニズムとして以下のようなことが考えられる。

　錐体路は，延髄で大部分が錐体交叉し反対側に行く外側皮質脊髄路(錐体側索路)と，交叉しない少数の錐体路線維が前索の内側部を前皮質脊髄路(錐体前索路)となって下方に走り，その線維は脊髄の白前交連を通って他側にも達する。これらのなかに同側性線維が10%程度存在し，この線維は障害されていない。この線維を発症初期から訓練することで，大脳損傷側と反対側の神経で健常の同側支配運動神経が活性化できる(図Ⅳ・1・27)。

　若い脳卒中患者が片側大脳をすべて損傷しても，麻痺側の手足はある程度動くことは説明できる。

　したがって，発症直後の病巣側の神経は浮腫などで使用できず，病巣側の神経の改善を期待することは困難と思われる。そのなかで使用できる同側性線維を使用した訓練が動作改善に意味をもつものと考えられる。この現象はPETなどの研究で急性期に非損傷側の活動性が増すことでも裏付けられる。

　脳卒中の特徴として，麻痺側の上下肢の筋力低下はみられるものの，健側と体幹の筋力は温存されていることが多く，これらの筋力維持はその後の機能に大きく影響する。特に高齢者と重症者には早期から慎重に行う必要がある(図Ⅳ・1・28)。

　したがって，この時期のプログラムの主目的

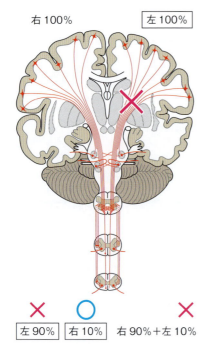

図Ⅳ・1・27　錐体路の交叉線維と同側線維
左大脳損傷を生じた場合，病巣側から錐体交叉を経た90%の神経は使用できないが，右大脳からくる同側の線維は10%程度存在し，これが急性期の麻痺側の運動と訓練に役立つ．

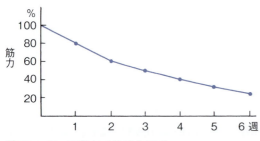

図Ⅳ・1・28　安静による筋力低下

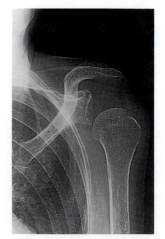

図Ⅳ・1・29　患側肩関節の亜脱臼

は，健側・体幹などの残存筋力の維持と廃用症候群の予防にあるといえる．

　筋萎縮，拘縮，骨萎縮，起立性低血圧，褥瘡，二次的精神障害など，どれ1つとっても大きな問題で，一度生じてしまうと，高齢者では不可逆性のものとなりやすい．

　具体的な防止法は以下の通りに行う．

a　体位変換による褥瘡予防

　体位変換を1～2時間ごとに1回行う（皮膚圧迫部位の虚血が2時間以上で不可逆性の組織変化が生じる）．シーツや下着のシワなどにも注意し，特に仙骨部や踵などの好発部位に注意を払う．

b　左右交互の側臥位による姿勢コントロール[27]

　長時間の背臥位は下肢の緊張性迷路反射に基づく伸展パターンを強化し，良好な回復を妨げるので，可能ならば背臥位を避け，左右交互の側臥位にする．側臥位では上位が伸展，下位が屈曲優位となり，左右交互にすることで屈伸優位のバランスをとることができる．患側肘はいずれでも伸展位で，肩は上位で90～180°，下位で90～130°屈曲を保ち，肩の後退・亜脱臼（図Ⅳ・1・29）を防ぐように枕などをセットする．

c　適切な良肢位保持

　良好な機能改善を得るために初期の良肢位は重要である．一方，痙縮が強くなることが予想される場合には，手にタオルなどを握らせたり足底に足板をあて90°に保ったりすることは固有受容器の刺激から，手指屈曲，尖足，槌指などの悪影響を助長するという説もあるため，回復を前提とした機能的良肢位にすべきである（「廃用症候群」の項，383頁参照）．

脳卒中急性期のポジショニングのポイント
①肩の保護：患側下では肩甲骨を十分引き出す

表Ⅳ·1·13　ROM訓練の重点項目

関節	運動パターン
肩	外転，外旋，屈曲
肘	伸展
手，手指	背屈，伸展，回内
股	外転，伸展
膝	伸展
足	背屈

② 上肢の良肢位セッティング
③ 股関節保護：特に外旋，外転
④ 膝関節過伸展防止，屈曲拘縮防止
⑤ 足関節下垂，内反尖足防止

d 他動的関節可動域訓練

関節拘縮は肩など早いもので発症7日もすれば生じてしまうものもあり，いったん生じてしまうと高齢者の場合改善困難なことが多い。このような障害を防止するには，発症当日から確実に関節可動域 range of motion（ROM）訓練をしなければならない（1日2〜3回が適当）。発症直後はROM制限はないか，あっても年齢相応のものであり，愛護的に緩徐に行えば疼痛も少なく，リスクを脅かすほどの運動量もない。

全関節を一様に行うことが望ましいが，患者の疲労感などを考慮して，関節拘縮の起こりやすい重点項目を主に行うと効率的である（表Ⅳ·1·13）。

脳卒中の重点項目のうち特に肩関節と足関節は拘縮を生じやすく，慎重に行わなければならない。肩関節の動きは，関節構造をもつ肩甲骨と上腕骨の間で2動くと，関節を形成していない肩甲骨と肋骨の間で1動くという肩甲上腕リズムをもっている。このうち，肩甲骨と上腕骨の間が拘縮しやすく，それを無理に動かすと周囲の軟部組織に微細な損傷を及ぼすことになる。この微細な損傷がもとで肩の拘縮をきたすことがあるので，急性期の肩関節のROM訓練は肩甲骨の引き出し，回旋を十分に行った後に，肩に手を当て上腕骨頭を押さえながら愛護的に行う。また，足関節についても痙縮のために底屈しがちとなり，背屈制限をきたすことが多く，その後の歩行機能に大きな影響をもたらす。

ROM訓練は初期の点滴中や発熱時にも治療と並行して行わなければならず，点滴部位，留置針などの配慮が必要である。

e 健側上下肢を用いた介助自動運動および自動運動

意識が清明であれば，介助自動運動 assistive active exercise，自動運動 free active exercise を漸次加えていく。特に介助自動運動では，健側手，患側手を組んで肘伸展・挙上運動などを行わせると，肩・肘の拘縮予防ともなり，その後の座位・起立時の基本的上肢パターンとして効率よく利用できる。また自動運動として，下肢では健側との連合運動を利用した股・膝の内外転・内外旋，膝伸展股屈曲 straight leg raise などを行わせると，筋の萎縮を防げるばかりでなく，次の訓練の移行をスムーズにすることができる。

高齢者では健側の上下肢の筋・骨萎縮も急速な進展を示すので，患側の active な動きが無理ならば，少なくとも健側の運動は行うべきである。

また，廃用性骨萎縮の組織像は閉経期骨粗鬆症と同様の像を呈するが，骨萎縮に至る経過に急激な進展期があり，この時期に著明なCa負平衡 negative Ca balance や，時に高Ca血症を伴う点が異なるといわれている。

高齢者，特に女性においては片麻痺発症以前に大なり小なり骨萎縮がみられ，発症後急速な萎縮が進行する。廃用性骨萎縮の発生機序については諸説があるが，いずれにせよ機械的・力学的ストレスの廃絶が引き金 trigger になることは間違いないものと思われる。特に筋収縮を介しての骨膜への刺激が重要と考えられることから，他動運動だけでは骨の萎縮を防げるものではない。

前述のように前田らはJCSでⅠの意識障害の例には座位，立位，歩行を発症当日から行っており，再発・進行率には他施設との差をみていない。

麻痺肢のみにみられる浮腫は血漿成分の血管外への滲出により，後で拘縮を起こす原因となるのでROM訓練を行ったり，臥床時にはやや高い位置に置くことで可能な限り減少させる必要がある。また，麻痺側上肢の熱感，疼痛，浮腫を伴う

肩手症候群は重度麻痺に発症が多く，体位変換や寝返り起き上がり動作など肩関節を愛護的に扱うことを本人，医療チームともに共有して発症を極力排除すべきである。

f 急性期のリハビリテーション看護

この時期のリハビリテーション看護は，①医学的情報，患者側の情報の把握から始まり，②訓練を行ってもよいかどうかを含めたリスク管理，③カテーテル早期除去，ポータブルトイレへの移乗などを含めた排泄動作の自立への訓練，④経管栄養・経口摂取（摂食嚥下評価）を含めた栄養管理，⑤リハビリテーションプログラムへの積極的参加，⑥適切なケアによる変形，拘縮など局所的廃用症候群の予防，⑦早期離床，座位耐久性向上による全身的廃用症候群の予防，⑧肥満，皮膚疾患，感染症，呼吸不全，胃十二指腸潰瘍などの二次的合併症の予防と治療の介助，⑨障害受容などに対する心理的援助，家族的・社会的問題の早期発見と対処，⑩入浴・更衣・整容動作など自立に向けてのADL援助，⑪本人・家族のリハビリテーションに関する基礎的知識の正しい認識と向上への教育・指導，などをチームの一員として行う。

3 機能訓練期

高齢者では，病前も含め躯幹筋の筋力低下が目立つ例が多いので，理論的には基本となる床上パターンを完成させてから歩行訓練に移るという考え方もあったが，麻痺の回復は良好ではないし，個々人一様でないので，床上運動が完成してからでは，歩行訓練は非常に遅れてしまう。特に高齢者の場合は下肢の筋力低下，骨萎縮，歩行感覚の消失など問題点が増えてくるので，床上訓練の途中から端座位訓練や立位訓練，歩行訓練を段階的に開始すべきだと思われる（図Ⅳ-1-30）。この傾向は年齢が高ければ高いほどそれが必要な人が多いと思われる。

> **機能訓練期の注意点**
> ① 意識障害：意欲低下，顔色，表情，刺激に対する反応をみる。
> ② バイタルサイン（血圧，脈拍数，体温，呼吸）：訓練基準を用いる。
> ③ 睡眠パターン：昼夜逆転などに注意。薬物の使用状況などの情報収集。
> ④ 自律神経症状：食事後の低血圧に注意。
> ⑤ めまい，吐き気：低血圧によるめまい，消化器症状に注意。

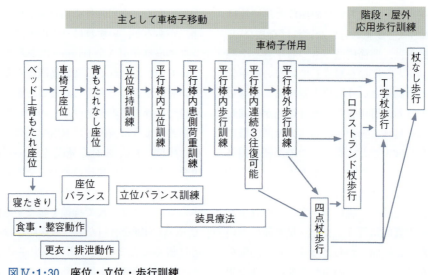

図Ⅳ・1・30　座位・立位・歩行訓練

⑥ 糖尿病，耐糖能異常：冷汗，低血糖に注意（訓練時間の工夫）。運動負荷量や糖尿病性神経障害によるしびれ感などに注意。閉塞性動脈硬化症などの下肢しびれ感にも注意。
⑦ 嚥下障害：意識障害や，脳幹損傷による球麻痺に加え，ラクナ型多発性脳梗塞，再発例などによる両側性大脳損傷時などの仮性球麻痺症状に注意。食事や水分の形態や一口量，摂食時の姿勢，摂食回数などを考慮する。
⑧ 心理的反応：認知症などの行動異常，うつ状態や意欲の低下，障害受容，依存性，退行現象などに注意。
⑨ ADL，QOL：病棟や自宅で「しているADL」と「できるADL」の把握。APDL，QOLへの拡大
⑩ 薬物治療：投薬中の薬物の確認。特に急性期の通過症候群に用いた抗精神病薬が過量になっていないかなどの見直し。
⑪ 疼痛対策：頭痛，腰部痛，肩痛，麻痺側痛（視床痛を含む），肩手症候群などに対する対策。
⑫ 形態的異常に対する注意：関節拘縮，関節変形，肩関節亜脱臼，痙縮による変形。
⑬ 二次的合併症：廃用症候群，誤用症候群の予防，転倒・骨折の危険回避。
⑭ 訓練環境の整備：室温，服装，靴，歩行路，機器やコードの配置，安全管理。
⑮ 装具・自助具：適切な時期での装具処方，生活支援用具・機器の適応処方。
⑯ 退院前評価：外泊計画・チェック，家屋評価，家庭での対人関係，経済状況，職業評価，介護保険，家族指導など。

〔文献28）より改変〕

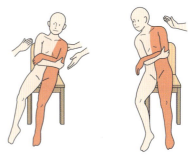

図Ⅳ・1・31　座位保持訓練

a 下肢と体幹

1. 座位保持訓練 sitting balance exercise（図Ⅳ・1・31）

体幹筋力強化，座位平衡機能，脊椎への体重負荷，脳循環の自動調節能改善など多くの目的をもつ。最初はギャッチベッドなどで行うが，早期に背もたれを取っていかないとこれらの目的をかなえるのに時間がかかる。

最初は患側に倒れやすいので健側に重心を置くように指導するが，しだいに体幹を前後左右に揺らせ，回旋も組み合わせてみる。そのとき，側方支え・後方支えでは肩甲骨を必ず十分に後退させるようにしないと肩を痛めることになる。腰掛け座位，長座位でも行っていく。

2. 起き上がり訓練 sitting up exercise（図Ⅳ・1・32）

この起き上がり動作は高齢者の場合に難しく，歩行ができても起き上がりができない例も多い。多くはベッド柵につかまったり，ひもを工夫して引っ張ったりしている。しかし，この「引っ張る」動作は麻痺側の連合反応により痙縮を強めるため「押す」動作に移るべきで，健側上肢で体幹を起こしながら，患側下肢を健側下肢で持ち上げ，健側のベッドの下へ降ろしながら起き上がると座りやすい。

また，起き上がるためにはベッドの構造も重要であり，その条件として，① 端座位時に足が床につくこと，② 硬いマットレスを使っていること，③ 移乗時に車椅子へアプローチしやすい配置やベッド柵，移乗バーの設置などがあげられる。

3. 立ち上がり訓練 standing up exercise，立位バランス standing balance（図Ⅳ・1・33）

ベッドや椅子からの立ち上がり訓練は，まず介助者が患側に立ち，介助者の足と膝を患者の足と膝にあて，患側の股関節の内転と屈曲が出ないように支持し，患者の頭部を前方に移動させながら，腋の下から肩甲骨と殿部を支えて起立させる。座位や立位が比較的安定している場合には介助者は座位で介助する。その場合も膝折れや前方へ転倒しないように腰紐を持ち，立ち上がりが困難な場合はクッションを入れて座面高を調整する（図Ⅳ・1・34）。

このときに，内反足，尖足などが生じた場合は，短下肢装具を使って矯正し，誤用症候群を防ぐ。

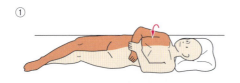
① 健側の手で患側の手を握り，健側の足を患側の足の下に入れて体をひねって横を向く

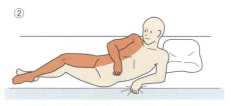
② 健側の手で布団の縁をつかみ，肘を押しつけるようにして上半身を起こす

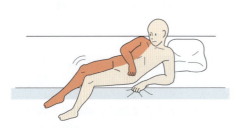
③ 同時に両足をベッドの端から少したらす

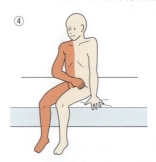
④ 肘を伸ばしながら上半身を完全に起こす。健側の手で安定を保って体をずらし，ベッドから足を下げる

図Ⅳ・1・32　ひもなしで起き上がる

図Ⅳ・1・33　座位からの立ち上がり

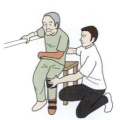
短下肢装具を装着
（麻痺側の膝折れを予防）

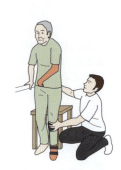

図Ⅳ・1・34　立ち上がり訓練

　また，座位が不安定な場合は緊縛帯を用いる。意識障害などで長期間寝ていたような場合には，起立性低血圧に注意する必要があり，顔色・血圧・めまいなどに気をつける必要がある。特に自覚症状が訴えられない失語症者の場合は注意が必要である。

　立位平衡は平行棒内で，しかも全身が映るような姿勢鏡の前で行うのが，患者の不安感を除き，また，アライメントの矯正を行うのに便利であるが，ない場合には机，椅子などを利用して患者の健手でつかまらせる。

　足関節や膝関節の筋力の変形などの状況に応じて，短・長下肢装具，あるいは膝装具などを用いるべきである。知覚障害の強い場合には，視覚などによるフィードバックが必要で，アライメント矯正に鏡を有効に使うべきである。次いで，体重の左右移動，前後移動，体幹の屈伸・回旋などを行わせ，健手を平行棒から離したり，挙上させたりなどの動作を加えていくようにする。

　高齢者，特に長期臥床者には傾斜 tilting は大切なものではあるが，斜面台 tilt table or board は他動的立位なので，アキレス腱短縮などの伸張 stretch には役立つが，筋力の改善は大きなものはなく，さらに立位平衡機能の改善はあまりな

健側の足を患足の下に入れる

健側の肘をマットについて上半身を起こす

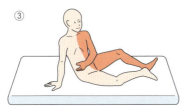
健側の肘を伸ばしつつ上半身をまっすぐに起こし，手のひらをついて支える

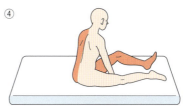
健側の手をはなし，正面を向いて座るようにする．はじめは上半身にはずみをつけて起き上がるようにするのもよい

図Ⅳ・1・35　マット上での起き上がり

く，必要以上に使用することは好ましくない．

4. マット上訓練 mat exercise（図Ⅳ・1・35, 36）

一部は急性期にも行えるが，ここでは比較的広い硬いマット上で座位・起立訓練と並行して行うべきもので，起立・歩行などの基礎的訓練としての意味をもつとともに，最終的に歩行できないような患者に対しても，最小限のADLを獲得させるためにも不可欠のものである．

① 寝返り rolling over
② 背臥位のままのいざり動作（左右方向，頭方向，足方向）
③ 起座 sitting up

これ以上のところは，立位・平行棒内歩行訓練よりも困難な項目が多く，歩行訓練と並行して行うとよい．

④ 半膝立ち half kneeling，膝立ち kneeling
⑤ 三つ這い位訓練 all three exercise，四つ這い位訓練 all four exercise

下肢を両膝と両足背で支え，上肢は患側の上に健側の手を重ねて体幹を支えることを all three，手を重ねずにそれぞれの手で体幹を支えることを all four という．上肢の伸展共同運動の強化，手関節・指の伸張 stretch とともに，頸部・体幹の安定性 stability を強化するのに有用である．この肢

健側の手を横に出す

健側の膝を大きく出す

健側の手で支持して体を浮かし，膝を支点として腰を側方へずらす

図Ⅳ・1・36　いざり動作

位は片麻痺患者にとって困難なものであるが，肩甲帯と殿部に多大の体重負荷がかかるため，同部位の同時収縮能力を高めることができる．さらに，手指を最大に開排しての体重負荷は痙縮の抑制にも役立つ．また，体重を前後左右に揺さぶるとさらにその効果が高まる．

⑥ 這う訓練 creeping, crawling

四つ這い位で前方へ移動するのが creeping であり，腹這い移動が crawling である．片麻痺では四つ這い位をとることが難しく，とれても患側上肢の前方移動中に手関節・指が屈曲してしまい，creeping は困難なことが多い．実用的な歩行が自立する見込みがなく ADL 上直接役立てる目的で行う場合，健側上下肢を主として用いる「いざり動作」のほうが実用的である（図Ⅳ・1・36）．

⑦ 座位からの起立訓練
⑧ その他，マット上の筋力増強訓練

5. 平行棒内歩行（図Ⅳ・1・37, 38）

片麻痺患者にとって歩行は重大な目標の1つであり，到達したときの喜びも大きい．立位保持が安定し，患側に体重が十分負荷されるようになれば歩行訓練が開始される．多くは平行棒内歩行から行われる．臥位では，患側下肢に体重がかかりそうになくても，立位では陽性支持反射 positive supporting reflex（PSR）が出る場合には体重支持が可能な場合があり，実際に体重負荷してみる必要がある．その際，観察すべき項目として，

① PSR が不十分で膝折れ（buckling）をしないか，膝ロック（locking）しないか
② PSR が強く出すぎるか膝屈筋群が弱くて，膝ロックやスナッピング snapping（膝折れが生じそうになったと思うとすぐにロックが生じる現象）がみられないか
③ 内側・外側方向の不安定性（ML instability）はないか

などがある．これを怠ると，十字靱帯や側副靱帯の弛緩延長が生じ，膝の不安定性が生じる結果となる．

脳卒中急性期の運動訓練の目標は，1週間以内にどんな形でもよいから立つこととされる．十分な筋力のない状況下では，装具での立位が重要となる．急性期の装具立位の原則として，

① 急性期に使う装具は支持のみを考えて使うこと
② 機能は歩き出してから考えても遅くない
③ 積極的に治療用装具として長下肢装具を使い，機能が回復したらカットダウンして短下肢装具として活用する
④ 訓練室に体格に合わせて数種類の共用装具を配備し，患者の状態に応じて試用し本人用の装具処方を検討できるようにする

などがある．装具療法は，脳卒中発作後，生命の危機が回避されたが麻痺残存した場合，不可逆性

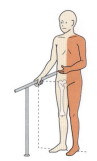

図Ⅳ・1・37　平行棒の高さの決め方
（大転子の高さで）

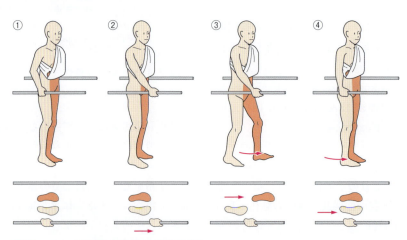

図Ⅳ・1・38　平行棒内歩行（3動作歩行）

の廃用(不動性)症候群が生じないようにリハビリテーションを始める必要があり，その際に装具療法が必須のものとなる。

なぜ装具立位を早期に行う必要があるかというと，できる限り早期から開始することで，病前からもっていた感覚もそのまま利用するためである。立位感覚・歩行感覚・バランス感覚，体軸認知など，麻痺による間違った感覚に慣れる前に練習を始める必要があるからである。

まず，平行棒内歩行であるが，初期には平行棒を引っ張ること(pulling)により前進することが多いので，可能な限り，平行棒を上から押すこと(pushing)に切り替えていくことが重要である。pullingができないように表面が平板上で握れないようになっている平行棒もあり，杖歩行(杖ではpullingはできない)に移行するために有用である。もし，立脚時に麻痺側の膝折れがある場合には長下肢装具，反張膝や足部の下垂や内返し(内反尖足変形)などを認める場合には短下肢装具の使用を考えなければならない。通常，2動作歩行(健手と患側下肢同時-健側下肢の順)で行うよう指導するが，高度な麻痺や体幹バランス不良の患者では3動作歩行(健手-患側下肢-健側下肢の順，図Ⅳ-1-38)で，股内転筋でカニ歩行 crab gait(健側下肢を横に出し，その後を患側下肢が追う横歩きの歩行パターン)をするものでは，健手-健側下肢-患側下肢の順のほうが指導しやすい場合もある。

この時期は立位平衡と同様に多大の努力を要し，簡単な動作でも酸素摂取量は大きく，血圧や心臓に及ぼす影響も大きいので厳重なリスク管理が必要である。一方，発病後初めて歩けたという感動は大きく，リハビリテーションに対する意欲を高揚するには最適な時期である。

平行棒の端に達したときには患側回りを原則とし，まず健手を平行棒から離し，頭部・体幹を患側に回旋し，健手を反対側の平行棒にもちかえ，患側下肢を一歩後退，健側下肢を一歩前進させて方向転換する。平行棒の高さは大転子の高さに調整する。歩行が安定し，pullingがなくなり，平行棒内3往復程度できれば杖歩行訓練へと移る。

6. 杖歩行訓練

失調症や，重度の麻痺，上肢筋力の低下のある場合，ロフストランド杖 Lofstrand crutch，三脚杖 tripod，四脚杖 tetrapod，side cane などを用いたほうがよいが，多くはT字杖(1本杖)で間に合うことが多い。

杖の先端はゴムキャップなどですべらないようにし，杖の高さは大転子の高さが基準ではあるが，腰が曲がっているなど姿勢の異常に合わせた高さにする際には個々のケースについて検討しなければならない。

平行棒と杖の関係は平行棒と同様に，2動作歩行のほかに3動作歩行として，

　杖→患側下肢→健側下肢(second circle)
　杖→健側下肢→患側下肢(first circle)

の2種類がある。first circleは麻痺の高度なもの，特に股屈筋・腰方形筋などが働かない場合や，股内転筋を用いてカニ歩行 crab gaitをする場合，はさみ歩行が出現する場合などが適応で，このほうが安全である。

健足と患足との位置関係より，

① 相反型：健足，患足が交互に出るもの(健足に注目して単に前型ともいう)
② 揃い型：遊脚期の足が立脚期の線で止まるもの
③ 患足前型：健足がいつも患足の後ろをついてくるもの(健足に注目して単に後型ともいう)
④ 健足前型：患足がいつも健足の後ろをついてくるもの(前型の一種)

などに分かれる。基本的には相反型で指導したほうが患肢を振り出しやすくなる。3動作揃え型で指導する場合にも，できる限り健側足部は少しでも患側足部を追い抜くように指導する。

また，杖を運ぶ時期と患脚の出る時期との時間的関係より，歩行は分類される。

a. 3点歩行 3-point gait

杖の出る時期には，健・患側とも接地しているものをいい，前述の first circle，second circle はいずれも3点歩行である。

第2サークル second circle では，歩行当初は

```
       長い          短い
杖―――――患足―――健足
```
のような，各相の時間差 time aberration の大きいパターンを示すが，上達するにしたがって

```
       短い          長い
杖―――患足―――――健足
```
のパターンに変わっていき，最終的に杖−患足の時間が0になったもの

```
杖 ┐
   ├――――――健足
患足┘
```
が2点歩行である。

b. 2点歩行 2-point gait

前述したように患足と杖とを同時に振り出すもので3点歩行より改善されたパターンである。

第1サークル first circle で3点歩行を行った例では第2サークル second circle のように各相の時間差の推移がうまくいかないので，2点歩行に移行させることは難しい。

杖を外す時期については，
① 相反型の2点歩行であること
② 2点歩行であったものが，杖の時間が不定化してきたとき
③ 一定距離(例えば10 m)歩行時間が，杖使用時と，非使用時に10％以内の差であること
④ 杖を外したときに上体がさほど傾かないこと

などが判定基準となる。

しかし，重要なことは，高齢者にはあえて積極的に杖を外すことをしないほうがよいということである。患者本人は気づきにくいが，歩行安定性や歩容上，杖を用いたほうが優れることが多く，麻痺がなくても，高齢者が杖をつくことは社会的に考えてもおかしくないことである。社会的活動が少なくなった高齢者に速く歩くことは必要のないことでもあり，転倒，骨折などを起こさないよう，「転ばぬ先の杖」として，あるいは視力が低下したときに眼鏡を使用するように，生涯杖や装具を友とするように指導したほうがよい場合が多いことを銘記すべきである。

7. 階段昇降 (図Ⅳ・1・39, 40)

平地歩行が上達すれば応用歩行の1つである階段昇降訓練に移る。最初は手すりを用い，できれば杖を使って試みる。前向きが不安なら後ろ向きで安全に降りてもよい。

昇降パターンとしては，①2足1段，②1足1段の2種類があり，①は1段1段に両足を揃えて昇降するもので，②は片足ずつで昇降するものである(正常型)。2足1段では昇るときには健足から昇ったほうが，降りるときには患側から降りたほうがやりやすい。体重を健側下肢に十分かけながら安全に昇降することができるからである。しかし，日本の家屋構造では階段は大変急で狭いので，個々の在宅環境に合わせたアプローチが必要である。

8. 移乗動作 (図Ⅳ・1・41〜43)

ADL訓練の一部であり，前述の基本動作の応用動作ということができる。

ベッド←→車椅子
車椅子←→便器

などは，実用性歩行を望めない高齢片麻痺患者にとって寝たきりを防ぐためにも重要なことである。

移乗動作の基本原則は，

「患側回りをしながら移乗する（健側を移乗側につける，"いいほう"から近づく）」

の一語に尽きる。そのほうが患者にとってやりやすく，安全だからである。

ベッド←→杖歩行
杖歩行←→便器
杖歩行←→椅子

などについても原則は同じである。しかし，はさみ歩行などで患側回りが危険なときは個々の状態に合わせなければならない。また，

杖歩行←→自動車
車椅子←→自動車

の場合は，自動車の昇降側が定まっているために，原則は必ずしも当てはまらない。

9. 応用歩行動作

高齢片麻痺患者でも軽症で，屋外活動が少しでも可能なものに階段昇降，坂道，悪路(凹凸，砂利道)，溝越え，小走りなどが主に行われる。

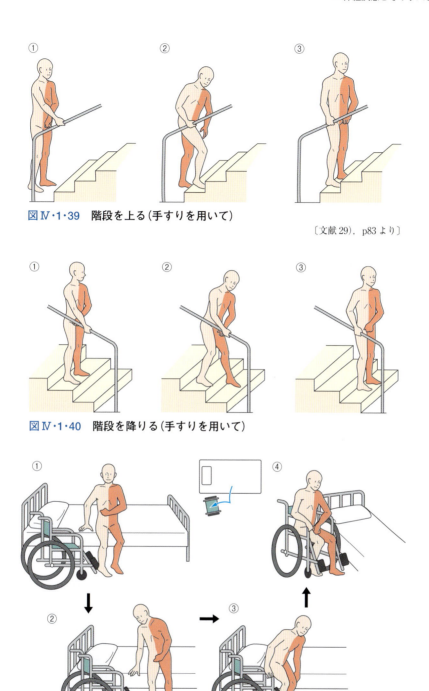

図Ⅳ・1・39　階段を上る(手すりを用いて)

〔文献29),p83より〕

図Ⅳ・1・40　階段を降りる(手すりを用いて)

図Ⅳ・1・41　ベッドから車椅子への移乗

〔文献29),p64より〕

10. 下肢装具療法

　脳卒中片麻痺患者の歩行能力を向上させるための一手法として,補装具療法がある。これを効率よく適切に処方訓練するためにはそれぞれの下肢装具のもつ機能的特性を知らなければならない。

　また,処方に際しては以下の情報を評価したうえで行うべきである。

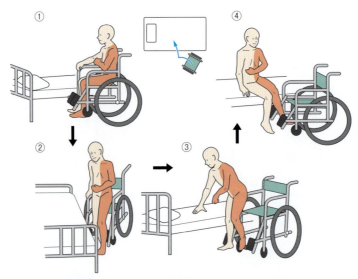

図Ⅳ・1・42　車椅子からベッドへの移乗
〔文献29),p64より〕

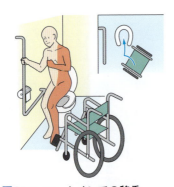

図Ⅳ・1・43　トイレでの移乗
〔文献29),p65より〕

1. 問診
   ① 年齢・性別・麻痺側
   ② 疾患名,障害名
   ③ 発症後の経過
   ④ 患者が要求する歩行能力
   ⑤ 家屋,道路などの生活・社会環境
   ⑥ 障害に対する認識
   ⑦ 実際の使用頻度
   ⑧ 費用の支払い区分
2. 診察所見
   ① static(歩く前に)
     ⓐ 下肢の各関節の可動域
     ⓑ 各靱帯のゆるみ
     ⓒ 疼痛部位
     ⓓ 知覚障害(深部,表在感覚)
     ⓔ 痙縮の程度(足部クローヌスなど)
     ⓕ 下肢の浮腫
     ⓖ 既往としてもつ下肢の変形など
     ⓗ 半側空間無視に伴う身体失認,プッシャー症候群,注意障害など
   ② dynamic(立って,歩いてみて)
     ⓐ 立脚時の股関節の後方突出
     ⓑ 動揺膝
     ⓒ 膝折れ
     ⓓ 反張膝,膝ロッキング
     ⓔ 深部関節位置覚障害に伴うballisticな膝の動き
     ⓕ 内反膝,外反膝
     ⓖ 下垂足
     ⓗ 内反足,尖足
     ⓘ 特に立脚中期の外反扁平足
     ⓙ 立脚時の槌指
     ⓚ ぶん回し歩行
     ⓛ 歩行パターン(heel-toe pattern, 同時接地, toe-heel pattern)
     ⓜ 歩行時の足部外旋,内旋など
     ⓝ 他の異常歩行パターン

　多くの下肢機能障害をもつ患者に処方されるのは,①長下肢装具,②短下肢装具などである[30)]。そこでここでは,それぞれの適応について簡単にふれておくことにする。

a. 長下肢装具 knee ankle foot orthosis(KAFO), long-leg brace(LLB)

　脳卒中片麻痺患者に用いられる長下肢装具は,急性期に病院内で用いられる訓練用装具の色彩が

強く，実際に家庭内で用いられることは少ないように思われる．少なくとも家庭で用いられるためには，使用用途に応じて大腿上位半月のないsemi-LLBや膝継手より近位を着脱式として短下肢装具へ容易に変更できるように処方するとよい．

適応としては，不安定な足部を固定しても，体重支持時に膝折れや股関節が後方へ突出してくる（retraction of hip-joint）ような症例であり，下肢のBrunnstrom stageがⅠないしはⅡの高度な麻痺であることが多い．動揺膝や反張膝などで膝のコントロールが短下肢装具では不十分なときには，半長下肢装具semi-LLBを処方する場合もある．

急性期から用いられる標準的な長下肢装具の処方

① 金属支柱付長下肢装具
② 大腿上位半月まで（荷重時の骨盤の後方突出があるときには骨盤支持付）
③ 膝継ぎ手8°程度屈曲，輪止め（リングロック）
④ 短下肢装具に容易に変更可能な工夫（膝継手の取り外しを容易にする）
⑤ 外側ストラップ付
⑥ ダブルクレンザック足継ぎ手
⑦ 先玉（toe box）補高

b．短下肢装具 ankle foot orthosis（**AFO**），short-leg brace（**SLB**）

1）金属支柱式短下肢装具（金属支柱式AFO，"SLB"）

足部の不安定さに加え，膝ロッキング，反張膝，膝折れなど膝のコントロールが不十分なときや，足クローヌスが出現したり，高度な内反尖足などの著明な痙性麻痺に処方される．下肢のBrunnstrom stageではⅢ程度の麻痺が多く，また，ステージが良くても高度の深部関節位置覚障害が生じているときには処方されることもある．

また，急性期終了後，痙縮が増強すると思われるときや，在宅生活などに移り歩行距離などが現時点より延びると予想される場合には，安易にプラスチック製短下肢装具に変更せずに金属支柱付短下肢装具をそのまま使いながら経過をみたほうがよい場合も多いので注意が必要である．

2）プラスチック製短下肢装具 plastic-AFO

これにはプラスチックの特性としての加工しやすさから，種々のデザインのものが考えられている．ここでは比較的高頻度に使用される靴べら型短下肢装具 shoe-horn brace（SHB）の適応について述べることにする．

前述のSLBと比較すると，機能的には膝のコントロールと痙縮の程度がさらに軽度な症例に適応となり，具体的には反張膝や膝ロッキングが生じることがほとんどなく，足クローヌスが出現しても数回程度でおさまるような偽性のもの（pseudo-clonus）が適応となる．したがって，下肢のBrunnstrom stageではⅢ～Ⅴ程度の麻痺に処方されることが多い．プラスチックのもつ軽量性や耐水性から，かなり広範囲の麻痺の程度に処方されている[31]．重度麻痺患者であっても足元を整え，移乗時の介助量軽減目的，平地や屋内の短距離移動で用いることなど目的を明確にすれば意味をもつ．

さらに，膝のコントロールが十分な症例で，軽度の内反尖足や下垂足などの矯正装具として，前田らはshort-SHBを，その適応として用いている[32,33]．

このshort-SHBのようなアキレス腱上方まで程度の装具では膝を支えることは不可能であるので，立脚期に膝伸展ロッキングや膝折れが生じ，膝が支持できないような例に安易に処方することは避けなければならない．

上肢

1．上肢の機能回復の特徴

患者にとって最も関心があり，片麻痺のリハビリテーションにおいて問題となるのが上肢である．例えば利き手の麻痺があると，箸を使うなどの細かい動作ができなくなるし，非利き手の麻痺であっても茶碗が持てなかったり紐が結べなかったりする．しかし，下肢に比べて一般的には回復が悪く，下肢では適切なリハビリテーションを行えば9割以上は歩行できるのに，上肢は実用手まで回復するのはたかだか2割程度で，約3割が補助手に，残り5割は廃用手になってしまう．このように，上肢の回復が悪いという因子には次のようなものが考えられている．

① 下肢は体重を支えることができればぎこちない歩き方でも歩くことはできるが，手は体重を支えるくらいの回復では役に立たず，特に手先は肩・肘と比べても自由度の大きい細かい，巧緻的な仕事をするので，高いレベルの改善が必要となる。
② 利き手が下肢の場合よりも明確である。
③ 足関節から末梢部までの動きが全くなくても，ADL上重大な支障をきたさないが，手関節末梢部が動かなければ廃用となる。つまり，上肢はリーチ（必要なところまで手先を届かせる）と，マニピュレーション（物を思うように操作する）の両者が良くなければ役立つ手にはならない。肩から手首までの回復は下肢同様大差はないが，手指の細かな動作は回復が悪いことが知られている。大脳においても手の運動領野は広く，手以外の部分の運動領野と同じくらいの面積を占めており，複雑な動きであるがゆえに，一度障害されると回復はあまり期待できない。
④ 下肢ではADLのほとんどが健側との協同動作であるが，上肢では単独動作が多い。
⑤ 下肢では装具などの補助によって機能の代償が比較的容易であるが，上肢では複雑な動きであるがゆえにこれが困難である。
⑥ 神経解剖学的に錐体路は交叉し反対側の手足を支配するが，一部は交叉しない線維もある。この非交叉線維は下肢に多く，上肢に少ない。下肢は上肢よりも両側性の支配を受けることができ，そのぶん改善がよい。

このように上肢の回復は，病巣部位，広がり，側副血行などによって運命づけられるものであり，われわれが行えることは，自然回復だけについていえば，二次的障害を起こさずにゴールまで最短時間で到達させることである。

上肢の機能予後の予測については，発症直後上肢のBrunnstrom stageがⅣ～Ⅴ程度であれば急速に回復して1～2か月でstageⅥに到達するが，直後完全麻痺の場合は，その時点からは予測できない。

Brunnstrom[34]はstageⅥに達するためには発症後7週でstage 5に入りかけている必要があるとしている。服部[35]は，発症後1か月で指の総にぎりmass flexionができない場合，3か月を経過しても総ひらきmass extensionができない場合には廃用手になるとしている。福井らは簡便な予測方法[36]として4か月の時点でstage 4に達していなければ廃用手になり，実用手に達するのは3か月以内に上肢・手ともstage 5に達し，さらに，深部感覚障害・失調症・不随意運動などがないものに限定されるとしている。このように，上肢の機能予後については早期に改善の兆しが見えないと実用手には達することができず，発症後1か月くらいの回復経過でおおよその見当がつくものである。

一般に上肢についてはその回復がプラトーに達していても患者は望みを捨て切れない者が多く，その原因の一端に廃用手に対する障害告知の問題があるように思われる。患者に対して「廃用手になる」と告げるのは医師やリハビリテーションスタッフにとって辛いことではあるが，「気長にやれば，いつか良くなりますよ」といった表現で逃げてしまうと，患者は自分だけは特別と思い，無駄な努力と訓練に時間を費やし，あげくの果てにだめなことを悟るであろうが，問題はその間，重要な健側を用いた片手動作，利き手交換に専念することができないことである。長い目でみた場合，真実を告げたほうが残された人生をより有効に使う時間が長くなるし，その患者の自由度も拡大することから，良い結果を生み出すものと思われる。しかし，その表現には注意が必要で，ただ単に「廃用になる」という言葉だけでなく，残された機能に着目し，「手先は使えないかも知れないけれども，服や買い物袋は前腕に掛けることはできるし，肘で物を押さえたりすることに使いなさい」などと言うと，患者は納得することも多い。

さらに，患者は同様の質問をリハビリテーションスタッフにもしてくるので，患者への信頼感を保つためにも，その回答がバラバラにならないように配慮しておく必要がある。

2. 上肢の機能回復訓練

上肢を用いたADLのうち多くのものは片手でもできる動作であり，必ずしも上肢の回復が悪いことがADLを不可能にするとはいえない。したがって，患手の訓練は健手のADLの訓練と並行して行うべきである。

具体的な訓練の仕方は下肢同様「他動運動→介助自動運動→自動運動→抵抗運動」であるが，下肢に比較すると大きな労作を必要とすることが少

表Ⅳ・1・14　基本的上肢共同運動パターン

	屈筋共同運動	伸筋共同運動
肩甲帯	挙上と後退	前方突出
肩関節	屈曲，外転，外旋	伸展，内転，内旋
肘関節	屈曲	伸展
前腕	回外	回内
手関節	掌屈，尺屈が多い	背屈，橈屈が多い
手指	屈曲が多い	伸展が多い

〔文献37〕より〕

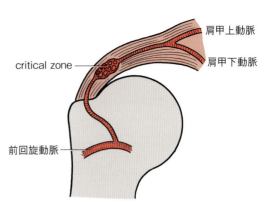

図Ⅳ・1・44　critical zone
回旋筋腱板には，それを構成する筋群を流れる血管と，上腕骨を養う血管が吻合する部位がある。これをcritical zoneといい，外力により損傷を受けやすい。

〔文献38〕より〕

なく，リスクの点からも臥床していても早期に自動運動のレベルにまで進められる。

　上肢の回復は，一般に屈筋群に起こりやすく，伸筋群はそれより遅れて回復する。屈筋が回復すると，多くの患者は重い物を引っ張って持ち上げたりするような屈筋ばかりを用いた屈筋共同パターンを強化する訓練を行うようになり，伸筋共同パターンを抑制してしまう結果になる。重要なことは，楽に行える屈筋共同パターンを繰り返すのではなく，困難で努力の必要な伸筋共同パターンを反復練習して，結果的に屈筋パターンと伸筋パターンがバランスよく回復するようにもっていくことである（表Ⅳ・1・14）。

a. 他動運動，介助自動運動

　特に他動運動を入念に行わなければならないのは肩関節である。肩関節は自由度の高い動きをする割には構造力学的に弱く，機能障害を起こしやすい。

　上腕骨を吊り上げているのは棘上筋 supraspinatus，烏口上腕靱帯 coracohumeral ligament，肩甲上腕靱帯 glenohumeral ligament であるので，棘上筋の麻痺によって容易に亜脱臼を生じる。

　また，肩甲関節窩 glenoid fossa は前方・側方・上方に向いており，亜脱臼はこの面を滑り落ちるような格好で前下方亜脱臼が生じる。

　亜脱臼だけでは痛みを生じないが，関節包の炎症 capsulitis（immobilizing arthritis）や滑液包炎 bursitis を伴うことが多く，滲出液の貯留，痛み，ROM制限などが生じるようになる。

　亜脱臼のない例でも immobilizing arthritis が少なくなく，放置することで関節包の癒着などを伴い，いわゆる frozen shoulder の形となり，肩甲上腕関節の動きはなくなり，肩甲骨の内外転，上下

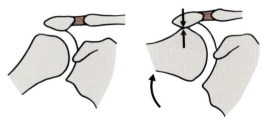

図Ⅳ・1・45　90°外転位における上腕骨大結節と肩峰との接近
上腕骨外転に際して肩内旋位のまま行うと，上腕骨大結節と肩峰が近接し，回旋筋腱板などが圧迫されて損傷を受けやすい。

方回旋，肩すくめ shoulder shrugging などで代償された動きとなる。

　回旋筋腱板 rotator cuff（棘上筋，棘下筋，肩甲下筋，小円筋で構成）にはその筋を灌流する血管と，上腕骨を養う血管の吻合がみられる部位（critical zone，図Ⅳ・1・44）があり，機械的損傷を受けやすい。

　上腕骨を内旋位のまま外転していくと，80～110°の近辺で，上腕骨と肩峰の間が狭くなり，回旋筋腱板や肩峰下滑液包 subacromial bursa が挟み込まれる状態となり（図Ⅳ・1・45），腱炎，腱断裂，滑液包炎などを起こすことがある。

　また，上腕二頭筋の長頭腱は肩関節窩の関節粗面に起始部をもち，関節包に取り囲まれながら上腕骨頭をぐるりと迂回し，途中，横上腕靱帯 transverse humeral ligament に押さえられて，上

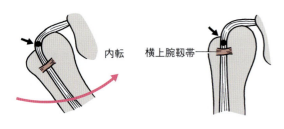

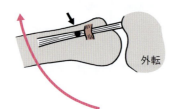

図Ⅳ・1・46　上腕二頭筋長頭腱と上腕骨頭との関係
上腕二頭筋の長頭腱は，肩甲関節窩の関節粗面に起始部をもち，関節包の中を貫いて上腕骨頭をぐるりと迂回する．途中，横上腕靱帯のトンネルを通るので肩外転に際しては，図のようにこのトンネルの中を移動することになり，機械的損傷を受けやすい．　〔文献38）より〕

表Ⅳ・1・15　肩関節のROM制限（関節包型）

	外転制限	外旋制限	内旋制限
軽度	10°	30°	0° 多少の痛みあり
中等度	45°	60〜70°	10〜15°
高度	70〜80°	90〜110°	30°

〔文献39）より〕

腕骨の外転に際してはこの靱帯の中を長頭腱が移動する構造になっている（図Ⅳ・1・46）．

　この複雑な構造は容易に腱炎を起こしたり，時には横上腕靱帯の断裂を起こして，長頭腱が上腕骨頭部の腱溝grooveに入ったり外れたりする結果となり，いわゆる弾発肩snapping shoulderを起こすようになる．

　以上が主な肩関節およびその周辺の障害であり，外転，内外旋が制限されてくるが，片麻痺でよくみるのは，外旋・外転にROM制限が強く，内旋はあまり制限を受けない関節包型capsular pattern（表Ⅳ・1・15）をとることが多い．

　これらの拘縮を起こさないためには，発症早期からのROM訓練が不動性関節炎immobilizing arthritisを防止するために必要であり，特に外旋，外転は重要である．

　外転時の注意点として，肩内旋位のままで行うと，前述したように上腕骨大結節と肩峰が接近して回旋筋腱板などに障害を与える可能性が高いので，外転80°以上は肩を外旋し，大結節を後方にずらすように動かすことで予防する．

　回旋筋腱板の断裂は関節造影arthrogramにより容易に診断できる．正常では肩峰下および三角筋下滑液包と関節包内に連絡はない．しかし，断裂があると関節包内の造影剤が断裂部を通って移行するので，X線診断は容易である．ただし，断裂部が小さいときには移行に時間を要するので，造影剤注入後30分くらい経過したX線像も観察すべきである．また，肩関節のMRIでも診断は容易であり，侵襲のない検査として近年多用されている．

b. 自動運動，抵抗運動

　前述のように上肢の回復には限度があり，腕では屈筋共同運動，手では総にぎりmass flexionの段階で回復が止まってしまう例が多く，このような患者に自動運動，抵抗運動を続けると，屈筋群のみの固有受容器が刺激され，その結果伸筋群を抑制することになる．このような屈筋共同運動の出現している段階（Brunnstrom stageⅢ）では，屈筋の痙縮が強くγ系の亢進した状態となっていることから，むしろ屈筋の痙縮を抑制しなければならない．特に高齢片麻痺患者では，身辺自立がゴールであることが多いことから，筋力よりも動作筋，拮抗筋のバランスのほうが重要である．

　発症後1か月以内に順調な回復を示すものや，不全麻痺型に対してBrunnstrom stageⅢの後半からは，共同運動から分離運動へと導くようにする．具体的な方法は，後述の「神経筋促通法」（75頁）の通りである．近年，従来の神経筋促通法に代わり，「新たな脳卒中片麻痺の治療法」（77頁）を行うことが多くなりつつある．筆者らは，促通反復療法を基礎的運動療法として電気刺激など種々の物理療法と併用した治療プログラムを実施している．詳細は成書[40]を参照していただきたい．

　片麻痺のmotor impairmentの評価として，Brunnstrom stageが用いられることが多い．徒手筋力（MMT）の評価とは異なり，筋力だけでなく，麻痺肢の随意性（motor control：連合反応や

共同運動の出現，そして共同運動からの分離）の評価を重視している。さらに詳細な評価としてFugl-Meyer評価法（FMA）がある。また，麻痺側上肢の運動機能 motor function の評価として，STEF（Simple Test for Evaluating Hand Function）やARAT（Action Research Arm Test）などがある。これらは主に物品操作能力を測定する。

> **Brunnstrom stage**
>
> **基本的概念**
> Ⅰ．随意運動がみられない。筋は弛緩性である。
> Ⅱ．随意運動あるいは連合運動として，共同運動がわずかに出現した状態。関節の動きにまでは至らなくてもよい。痙縮が出はじめる。
> Ⅲ．随意的な共同運動として関連の運動が可能な段階。痙縮は高度となる。
> Ⅳ．共同運動パターンが崩れ，分離運動が部分的に可能になった状態。痙縮は減退しはじめる。
> Ⅴ．さらに分離運動が進展した状態で，stage 4 よりも複雑な逆共同運動の組み合わせが可能となる。しかし，一部の動作には相当な努力が必要となる。
> Ⅵ．分離運動が自由に，速く，協調性をもって行える状態。諸動作は正常あるいは正常に近い（多少の拙劣さは許される）。痙縮は消失するかほとんど目立たない。
>
> 下肢，上肢，手指，それぞれの評価法を図Ⅳ・1・47にまとめる。

c. 協調動作，巧緻動作，動作速度

分離動作が可能になれば，これに協調性，巧緻性，迅速性などを加味しなければならない。これができるためには以下の段階であることが必要とされる。

① 上肢，手ともに Brunnstrom stage Ⅴ～Ⅵに達していること
② 痙縮はないか，あってもごくわずかであること
③ 深部知覚障害・表在知覚障害がないか，あってもごくわずかであること
④ 失調症がないこと
⑤ 失行・失認症がないこと
⑥ アテトーゼなどの不随意運動がないこと
⑦ 体幹の安定筋 stabilizer, fixator が十分働くこと
⑧ 上肢の本来の相反性運動用の筋肉群は，必要に応じて安定筋の役割を果たしうること，すなわち同時収縮も可能なこと

また，具体的な方法としては以下のようなものがよく用いられている。

① 遅い繰り返し動作 slow reversal
② 速い繰り返し動作 quick reversal

①，②とも相反性パターンの繰り返しであり，遅い速度から漸次速くしていく。

③ 律動運動の安定 rhythmic stabilization

外部からある方向の力を加え，それに抵抗させる。ついで逆方向の力を加え再びそれに抵抗させる。外部からの力の方向の切り替えの速度を増しながら，これを連続的に繰り返す。速度が速くなると最終的には動作筋，拮抗筋の同時収縮の状態となる。

これら①～③は動作筋，拮抗筋相互の収縮と弛緩の時間的・量的・質的コントロールを改善することにあり，両筋群に適切な固有受容器刺激を与えることが主要な機序である。痙性麻痺，小脳失調などに対する協調動作訓練によく用いられる。

④ 作業療法 occupational therapy

作業療法には様々な目的をもったプログラムがあるが，その1つとして巧緻性の向上を目的としたプログラムもある。

C 痙縮に対するリハビリテーション

臨床的には，痙縮による筋の過度の緊張や粘弾性の変化によって「手足がこわばる（つっぱる）ために思い通りに動かすことができない」，「関節可動域の制限によるADLの低下や介護負担の増加」などが問題となる。

痙縮 spasticity の定義は，上位運動ニューロン障害に起因した筋伸張反射の亢進によって生じる速度依存性の伸張反射亢進状態であり，腱反射亢進を伴うものとされている[41]。しかし，単なる腱反射亢進だけでは判定できず，徒手的筋伸張検査法で筋伸張刺激進行中のみ出現し，停止により即座に抵抗が減弱したり，伸張速度に比例した抵抗をもつ特徴を併せ持つ。また，痙縮が高度になるとクローヌスなどの現象も伴う。

臨床上とらえられる症状は多種の要素が重なり合い，その痙縮を一層複雑なものにしている。痙

IV. 主な老人性疾患のリハビリテーション

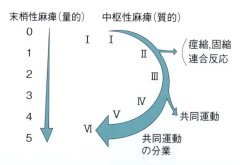

中枢性運動障害の評価，訓練
単なる筋力の評価や訓練ではなく，痙縮，共同運動からの分離，随意性を考慮した筋力の評価，訓練が重要

Stage	下肢	上肢	手指
I	弛緩性 筋収縮もみられない	弛緩性 筋収縮もみられない	弛緩性 筋収縮もみられない
II	背臥位で健側の下肢を開き，徒手抵抗に抗してこれを閉じさせる。患側下肢の内転，または内転筋群の収縮（連合反応）の有無を見る。もしくはわずかな共同運動	背臥位で患手を耳に近い位置におく（屈筋共同パターンの形），健側の肘を曲げた位置から，徒手抵抗に抗して肘を伸ばさせ，患側の大胸筋の収縮（連合反応）の有無を触知する。もしくはわずかな共同運動	わずかに屈曲
III	股，膝の伸展屈曲可能	屈筋・伸筋・共同運動 上肢の伸展・屈曲時の共同運動	屈曲可能・伸展不能 集団屈曲
IV	膝伸展で挙上　座位での足背屈　膝屈曲	手を背中へ　肘屈曲で回内外　前方挙上	横つまみ　わずかな集団伸展
V	足背屈（立位）　股内旋	肘伸展で回内　外転　前方挙上	・手掌つまみ，円筒にぎり，玉にぎり ・集団伸展可能
VI	立位で股外転	速やかに肩から上方へ伸展	各指の屈伸が可能

図IV・1・47　中枢性麻痺の回復過程と評価（Brunnstrom stage）　〔文献29）より改変〕

縮にみられる臨床症状は複雑で，随意運動の障害がすべて伸張反射の亢進と理解するには無理がある。例えば，下肢では伸張反射が増している伸筋より屈筋でより顕著であり，手指の巧緻性障害をすべて伸筋反射亢進とするにも無理がある。さらに「痙性麻痺」という言葉でもわかるように，合併症として麻痺を伴うことが多く，そのなかで痙縮と麻痺の程度が並行しない例や，なかには麻痺を伴わない例もあり，両者の発生機序を分けて考えなければならない。

このような痙縮に対する医学的管理の方法も，一概にすべての痙縮が役に立たないとして抑制するより，なかにはリハビリテーションを遂行するうえで有用なものも含まれるので，1人ひとり詳細に臨床症状や行動を観察して，その対処を考えなければならない。

具体的には，抗痙縮薬の薬物療法，神経ブロック，ボツリヌス療法などを，物理療法，運動療法，装具療法などのリハビリテーション治療と組み合わせることで痙縮のコントロールを行い，日常活動への支障を軽減する。

また矯正困難な拘縮変形に至った場合には，筋腱切断と延長手術などの外科的手段をとる場合がある。しかし手術の適応については，まず保存的手段を試みたうえで慎重に判断すべきである。

1. 痙縮の評価

姿勢・動作パターンからリハビリテーションでみるべき筋緊張のポイントは，痙縮が実際どの程度出現しているかと，痙縮によって期待する動きがどの程度抑制されているかをみることである。痙縮は自動運動や他動運動，患者の肢位，心理精神状態などによって一定の評価を得ることは困難であるが，一般に知られている評価法としてAshworthの痙縮スケール[42]があり，0～4段階で示されている。多くはさらに細分化したmodified Ashworthスケール[43]がよく使われる。

痙縮評価のための modified Ashworth scale（MAS）
0：筋緊張の亢進なし
1：軽度の筋緊張の亢進あり。屈伸にて，引っかかりと消失，あるいは可動域終わりに若干の抵抗

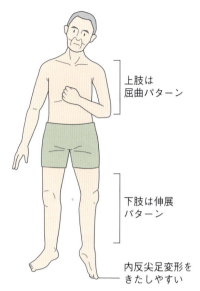

図Ⅳ・1・48　Wernicke-Mann の肢位
（左片麻痺の場合）

あり
1+：軽度の筋緊張あり。引っかかりが明らかで可動域の1/2以下の範囲で若干の抵抗がある
2：筋緊張の亢進がほぼ全可動域を通して認められるが，容易に動かすことができる
3：かなりの筋緊張の亢進があり，他動運動は困難である
4：固まっていて，屈曲あるいは伸展ができない

また，痙縮によってどのような動きが出ているかと，それを抑制することでどのような動きが出てくるかを知らなければならない。例えば脳血管障害急性期の状態において，ベッド上肢位に注意を払う必要がある。多くの痙縮は共同運動を助長するような形で出現するため，上肢は屈曲位に，下肢は伸展共同運動の形になりやすい傾向がある。そのため，痙縮が出現し始めると肩は屈曲・内転・内旋，肘は屈曲，手関節掌屈，手指屈曲の肢位を，下肢は特に内反尖足の肢位をとりやすくなる（Wernicke-Mann 肢位，図Ⅳ・1・48）。そのため，上肢はこれらの反対の肢位を考慮した良肢位保持を工夫し，下肢も痙縮の時期や状態に合わせて膝の伸展位ないしは軽度屈曲位，足関節の中間位保持を工夫する必要がある。

さらに，痙縮によって出現するトリックモーション，例えば手を握る動作のとき，身体のほか

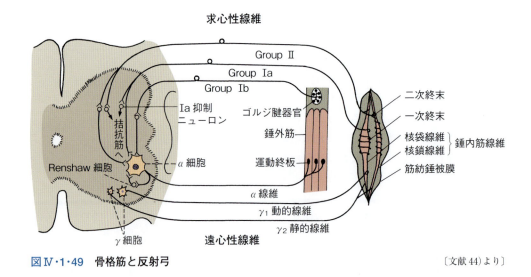

図Ⅳ・1・49　骨格筋と反射弓　　　　　　　　　〔文献44)より〕

の部分を緊張させることで麻痺した手の痙縮を増し，屈曲痙縮を利用して握る動作がみられることがあり，このような動作にも注意を払わなければならない。

逆に，立位や歩行時に下肢の痙縮が，どの程度姿勢保持に役立っているかを見る必要がある。

例えば痙縮出現の初期において，わずかに出現した痙縮を利用して上肢を一定の角度に保持させたり，陽性支持反射を利用し下肢を伸展させ立位保持や移乗時の介護量軽減に役立たせたりすることもできる。したがって，このような時期には痙縮を抑制することは慎重に考えなければならない。

2. リハビリテーション阻害因子としての痙縮と有用な痙縮

正常の筋はある程度の筋緊張（トーヌス）を有しており，特に抗重力筋の骨格筋では，無意識下で反射性に，筋紡錘などを介して筋トーヌスが調節されている。

上位運動ニューロン障害で生じる痙縮の典型的な症状として折りたたみナイフ現象 clasp knife phenomenon がみられる。これは，例えば，肘関節を曲げると最初は硬い抵抗を感じるが，ある角度から急に抵抗が消失するような現象をいう。

初期の抵抗感は，上位運動ニューロン障害によりα脊髄運動ニューロンの興奮性が高まり，正常では相動性とならない程度の伸張速度でも，筋紡錘の一次終末の興奮が生じ，相動性伸張反射が生じるためである。詳細には，筋紡錘は伸びの速度に反応する核袋線維と，伸びの変位に反応する核鎖線維からなり，核袋線維を相動性 γ_1 運動線維が，核鎖線維を持続性 γ_2 運動線維が支配している。これらのことから，痙縮は相動性 γ_1 運動線維とα脊髄運動ニューロンの興奮によると考えられている（図Ⅳ・1・49）。

また，その後の抵抗の消失はさらに伸張された結果，筋紡錘二次終末と腱のゴルジ器官から生じる抑制インパルスによりα脊髄運動ニューロンの興奮が抑制されるためと考えられている。

脳卒中などの中枢神経損傷では，遷延性弛緩性麻痺など一部を除き，多少なりとも痙縮が出現し，そのために機能障害が生じることがある。ただ，痙縮出現の初期で筋力がまだ弱い時期には前述の大腿四頭筋や下腿三頭筋の陽性支持反射 positive supporting reflex（PSR）のように，痙縮が弱い筋力をある程度代償することができ（図Ⅳ・1・50），また伸張反射 stretch reflex などを利用して筋力増強訓練も行うことができる。しかし，これらはむしろ例外的で，多くの痙縮はリハビリテーションの阻害因子となる[45]。

足底が接地刺激を受けたとき同位相性 phasic および緊張性 tonic に下肢伸展が促通されるもので，前者を伸筋突出，後者を陽性支持反射と呼ぶ。

片麻痺の初期回復期に大腿四頭筋の筋力が

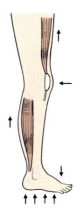

図 Ⅳ・1・50　陽性支持反射
足底に接地による外力がかかると，大腿四頭筋と下腿三頭筋は反射による筋緊張の亢進によって，膝は伸展，足関節は底屈運動が生じる。

MMT で 2～3 レベルであっても陽性支持反射が出現する場合は体重負荷も可能で，立位・歩行訓練にとって大変有用である。

リハビリテーションの阻害因子としての痙縮

① 長期に痙縮が続くと拘縮・変形が生じやすい。またそれが疼痛につながる。いずれにしてもROMの低下をきたす。
② 痙縮による拘縮には特有の四肢の形があり，例えば片麻痺のときのWernicke-Mann肢位の拘縮や痙固縮の著しいときの下肢の屈曲拘縮 paraplegia inflexion がある。
③ 痙縮筋の拮抗筋は強い抑制を受けるために，筋力が潜在的にあったとしても活用できないことが多い。
④ 痙縮筋と拮抗筋の間に著しいバランスの崩れが生じ，関節周辺の靱帯などの軟部組織の異常をきたす。
⑤ 痙縮筋の運動は拙劣な運動（痙縮パターン）となる。
⑥ 椅子座位での足部クローヌス，背臥位での下腿筋攣縮など安静時にも患者を悩ます。
⑦ 片麻痺などでは下肢伸展優位の痙縮による内反尖足で，ぶん回し歩行などの異常歩行が出現する。

痙縮においては，γ系の活動が実験的に痙縮の発現に関与していることが確かめられている。これは局所麻酔薬を末梢神経に用いると細い線維から順に伝導がブロックされることから，太いα脊髄運動ニューロン・Iaニューロンが温存され細いγ系ニューロンが抑制されると痙縮の程度が軽減するという事実である[45]。この現象を利用して痙縮抑制のためにフェノールによる神経ブロックやモーターポイントブロックが用いられている。

3. 痙縮の自然経過

中枢神経性運動麻痺発症直後の多くは弛緩性麻痺である。病巣の広がりや個人差で違うが数時間～2, 3週間後になると徐々に筋緊張が亢進して痙縮が出現する。その後は徐々に痙縮が減少するとともに個々の筋の分離運動が出現し，随意運動が可能となる経過をとるのが一般的である。しかし，痙縮は減少することはあっても完全になくなることはない。脳血管障害に伴う痙縮は中枢神経の損傷によるもので，脊髄，末梢神経，運動器に原則的に何らの障害もきたさない。神経細胞が完全に損傷を受けると再生，増殖されることはないといわれているが，その後も筋緊張は経過とともに変動し機能回復している。急性期の回復機序は脳浮腫の消退，出血の吸収，脳循環の改善などが考えられている。急性期を過ぎても改善の速度はゆっくりとなるが，それでも改善は認められる。いわゆる神経系の可塑性といわれるものがそれにあたり，中枢神経系では末梢神経系と異なって，軸索の再生能力は極めて乏しいが，側枝発芽が中枢神経系でも起こることがわかっている[46]。

この経過に応じて，痙縮も変化し最初は弛緩性であるが，上位運動ニューロンの変性に伴い脊髄でのα運動ニューロンの接合部がγ系に置き換わるかたちで徐々に痙縮が増強する。しかし，上位運動神経の変性もなくなり脊髄でのα運動ニューロンの接合部での側芽形成もなくなると，その痙縮の増強もピークに達する。それと並行して，中枢神経系の可塑性により分離運動に関与するような神経機構が発達し，そのぶん痙縮が抑制され軽減することになる。そして3～6か月程度経過すると中枢部での新たな側芽形成などの組織学的変化も少なくなり，徐々に痙縮と可塑性によって生じた痙縮抑制の機構とが平衡状態となるため，痙縮は消失することなく一定の状態を残すことになる。

近年は神経幹細胞による修復を期待されている。この経過中，痙縮の自然経過において現在どの

時期にあるのかを知り、痙縮による悪影響を最小限に食い止めることが痙縮に対するリハビリテーションのアプローチといえよう。

4. 痙縮の治療

痙縮抑制の対策として、薬物療法、神経ブロック、物理療法、運動療法、装具療法、手術療法などがあり、これらを併用しながら、安定性のうえに築かれた運動（mobility on stability）を行っていくと、より良質の運動改善をみることができる。

a. 薬物療法（抗痙縮薬）

薬物療法の適応については、痙縮がもたらす阻害因子は四肢の一部分であることが多く、全身投与にはその適応を十分考慮して用いなければならない。

❶ 痛みやつっぱり感など自覚症状の強い場合

痙縮のためのつっぱり感や痛みが強く、それにより日常生活や社会生活に支障をきたす場合に用いる。

❷ 痙縮の改善により運動機能の向上の可能性がある場合

抗痙縮薬そのものには運動機能を改善させる効果はないが、痙縮を軽減させることで運動の円滑化が望める場合がある。この場合、副作用としての脱力を加味して使用する必要がある。

❸ 痙縮の改善により介護が楽になる場合

寝たきりなどの患者の場合、痙縮のために関節の可動域が制限されている場合がある。抗痙縮薬を用いることにより可動域が増し、座位をとらせたり入浴させる際など介護しやすくなる場合があり、有効な使用法といえる。

痙縮の発現機序から中枢神経損傷では錐体路の脱抑制状態にあると考えられ、筋の伸張刺激に対して脊髄前角以下の$\alpha \cdot \gamma$の運動ニューロンが興奮状態にあると考えられている。そのため、作用機序から脊髄レベルでは求心性Ⅰa線維からの単シナプス性および多シナプス性の反射を抑制する薬剤が一般的であるが、前角から筋紡錘を支配するγ運動ニューロンや前角から筋線維に運動を伝えるα運動ニューロンに作用する筋レベルの抑制や、大脳レベルに作用するものもある。いずれも運動ニューロンの興奮状態に対する抑制を目的として使われる。

使用法も、作用の強いものは漸増していく薬剤が、弱いものは最初から固定用量を使う薬剤が多い。もし、有用であればかなり長期に使用することになるので、肝機能障害や脱力などに注意が必要である。

b. 神経ブロック

1）A型ボツリヌス毒素によるブロック

神経毒であるA型ボツリヌス毒素を筋肉内に注射投与することで痙縮を軽減する方法である。

ブロックのメカニズムは、筋肉内に投与されたA型ボツリヌス毒素の重鎖が運動神経終末のレセプターに結合し、エンドソームが形成される。そこからA型ボツリヌス毒素の軽鎖がアセチルコリンの放出を阻害することでブロックする。

ボツリヌス毒素は末端の神経筋接合部を傷害するが、3〜4か月すると、再生がみられることから、その効果が減弱するので、3〜4か月以上あけて再投与する必要がある。また頻回に投与すると、毒素は蛋白質であるために毒素に対する抗体ができて再度投与しても効果がなくなることがあり、頻回に大量投与することを避けなければならない。

上肢痙縮に対して、大胸筋や上腕二頭筋、橈側手根屈筋、尺側手根屈筋、浅指屈筋、深指屈筋、長母指屈筋、母指内転筋などが対象になる（図Ⅳ・1・51）。

下肢痙縮では、腓腹筋、ヒラメ筋、後脛骨筋などが対象になることが多い（図Ⅳ・1・52）。

標的筋に正確に施注するために筋電計やエコーガイド下に行うこともある。

2）フェノールブロック phenol block

運動点 motor point や運動神経に対してフェノールの注射によって神経破壊を行い、痙縮を改善させることもできる。フェノールブロックは半永久的になることも多いので、処置に先立ってリドカインなどによってブロックの評価をすることがある。

方法は、まず皮膚表面電気刺激によって目的とする筋肉の運動点や運動神経の部位を同定する。次に電気刺激しながら薬液が注入できるように作

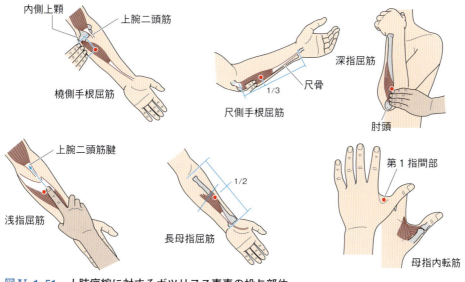

図Ⅳ・1・51　上肢痙縮に対するボツリヌス毒素の投与部位

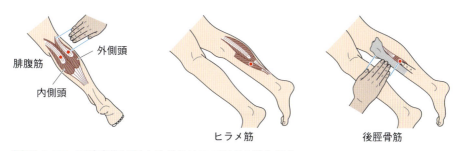

図Ⅳ・1・52　下肢痙縮に対するボツリヌス毒素の投与部位

製されている神経ブロック針（ポール針）に変え，同定した部位から針を刺入する。この針は先端以外はシールドされており，先端に微弱な電流を流すことで運動点や神経を電気刺激でき，その部位が容易にわかるように工夫されている。この電気刺激ガイド下の反応を目安に最も大きく筋収縮する部位で薬液を注入する。注入後すぐに電気刺激による筋収縮はなくなり痙縮が軽減したことが確認できる。

❶ フェノールブロックの適応と欠点

2～5％フェノール溶液による神経幹や運動点のブロックは α 系・γ 系をブロックし，その劇的な臨床効果は他に類をみないものがある[47-49]。特に中枢神経障害の痙性麻痺で最も利用価値の高いものは，脛骨神経・正中神経・筋皮神経・閉鎖神経などの神経幹ブロック，股内転筋・膝屈筋・大腿四頭筋・上腕二頭筋などの運動点ブロックなどである。装具の装着は容易となり，また装具による痙縮抑制作用はフェノールブロックの有効期間を延長するものと考えられる。これらのブロックにより，拮抗筋は働きやすくなり，これを強化することで痙縮の再発は抑制され，時に半永久的な効果が得られることもある。拮抗筋の強化は痙性筋を抑制するので（相反抑制），ブロックの効果を永続させるものと解釈される。

フェノールブロックの適応
脛骨神経ブロック……足クローヌスが強い場合
大腿神経ブロック……膝クローヌスが強い場合
正中神経ブロック……手指屈曲が強い場合
筋皮神経ブロック……肘屈曲が強い場合
閉鎖神経ブロック……内転筋の痙縮が強い場合

次にフェノールブロックの欠点を示す。

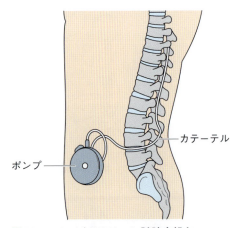

図Ⅳ・1・53　バクロフェン髄腔内投与
カテーテルを髄腔内に入れ，腹部にポンプを植えて，バクロフェンをポンプで髄腔に注入する。

フェノールブロックの欠点

① 有効期間を長くするために拮抗筋の強化を行う必要がある。
② α系も同時にブロックされ，特にブロック後約24時間はα系ブロックが目立ち，脱力を伴うので脛骨神経ブロックのときは当日は転倒しないように注意させる。
③ 神経痛様疼痛およびしびれ：神経幹に入ると疼痛・しびれを生じ，時に耐え難い激痛もあるが，ほとんどは1〜2か月の経過で消失する。出現頻度は3％フェノール溶液では15〜20％であるが，2％フェノール溶液に0.25％ NaCl 等張液を用いれば10％に減少する。

3）バクロフェン髄腔内投与（図Ⅳ・1・53）[50]

バクロフェンはγニューロンの活性を低下させ，痙縮を抑制する薬剤である。経口投与では，脳に対する抑制効果が強く眠気が出てしまう。そこで髄腔内に直接投与することで脊髄に対する作用を強める。

バクロフェン髄腔内投与は，① ポンプを体外から操作して投与濃度を調節して痙縮をコントロールできる，② 脳槽での濃度は腰部の1/4，③ 重度の痙縮症例に用いる，といった特徴をもつ。

c. 物理療法

1）温熱療法 thermotherapy

ホットパック，パラフィン，極超短波，温浴などがあり，皮膚温が38〜40℃になると効果が現れ，組織内の血液循環の改善による代謝の増大と自律神経からのγ運動神経の抑制が考えられる。また Mense[51]によれば，前もって伸張された筋に温熱を加えると，Ⅰa線維の求心性放電が増加するがⅡ線維の大部分の二次終末は放電が減少ないしは消失するとされ，さらにゴルジ器官からは温熱によって放電が増加することで筋緊張が低下すると考えられている。これらに加え，温熱作用による疼痛軽減は筋緊張の緩和作用をもたらす。

2）寒冷療法 cryotherapy

皮膚温を徐々に低下させると，筋紡錘からの求心性放電は皮膚温が32℃で最大となり，それ以下に冷えるにしたがい放電量は徐々に減少する。その結果，痙縮は軽減される。短時間の寒冷曝露では求心性γ線維からの放電が増加することから，筋の収縮を促すことにも用いられる（Rood の facilitation technique）。

しかし，高齢者では寒冷はあまり好まない傾向と，血圧，心臓，腎臓への影響からあまり用いられない。特に動脈硬化の強い高齢者は反射性充血が起こりにくいことも考え合わせなければならない。

3）水治療法 hydrotherapy

温浴による温熱効果，浮力による重力の軽減（特に抗重力筋），心理的リラクゼーションなどが痙縮抑制に役立つ。痙縮抑制下の水中訓練はその拮抗筋の強化にも効果的である。

4）電気刺激療法 electrical stimulation（低周波治療 low frequency currents therapy）

低周波治療は100 Hz 前後で行われ，拮抗筋を刺激する方法と痙縮筋を刺激する方法がある。拮抗筋の刺激は1分以内の短時間にとどめ，刺激の強さも筋が軽く収縮を起こす程度で段階的に収縮させる必要がある。作用機序としてⅠa線維から単・複シナプス性の拮抗筋の興奮，主動筋の相反性抑制が考えられている。痙縮筋の刺激は10〜15分，弱めの刺激で筋を持続的に収縮させる。作用機序としては，Ⅰb線維から複シナプス性の主動筋の抑制，拮抗筋の相反性興奮が考えられている。

5）振動療法 vibration therapy

バイブレーターで拮抗筋の腱や筋に振動を与えることで痙縮抑制する方法で，振幅0.5〜3.5 mm，周波数20〜200 Hz で行われる。この刺激により

筋紡錘が興奮し，α運動神経により持続的筋収縮が得られ(tonic vibration reflex)，その相反性抑制が痙縮筋に出現することをねらうものである。

一方，痙縮筋をストレッチしながら5分程度持続的に振動刺激を与えるとすると痙縮が減弱する（振動刺激痙縮抑制療法，direct application of vibratory stimulation：DAViS)[52,53]。痙縮減弱の程度は30分程度であるが，この間に患肢機能に応じ，促通反復療法などの運動療法やストレッチを行う。これを日々継続することで，蓄積効果による痙縮減弱と機能向上をねらう[54]。

d. 運動療法

1）伸張 stretching

瞬間的な伸張によっては筋紡錘-Ⅰa線維の放電の増加によりHoffmannの反射が誘発されるが，ゆっくり伸張すると，筋紡錘（ゴルジ器官)-Ⅰb線維の放電を優位にすることができる。Ⅰb線維は脊髄後索より抑制介在シナプスを介して，前角α細胞に到達し，α線維を経てもとの筋に戻り，結果的に痙縮を抑制する。徒手で行う場合は30秒～数分，斜面台などを用い体重をかけて下腿三頭筋などを伸張する場合は20分程度，スプリントなどを用いるときは数時間，さらに夜間睡眠中の長時間にわたる伸張がある。

2）痙縮抑制運動

自動的な等尺運動によってもⅠb線維中の放電が増え，痙縮が抑制される。したがって，以下の順序で痙縮抑制運動が行われる。

・出発基本肢位 starting position：痙縮筋の収縮位。
・拮抗筋の等張性収縮：拮抗筋の自動収縮（不能なら他動的収縮でもよい）により，痙縮筋を伸展位にもっていく。
・痙縮筋の等尺性収縮を行わせる。セラピストが痙縮筋収縮力と同じ抵抗を加えて妨げる(hold)。30秒～数分間行う。
・痙縮筋の力を抜かせてリラックスさせる。
・他動的にstarting positionに戻す（痙縮筋のγ-efferent-筋紡錘-Ⅰaの興奮を避けるため）。

以上のテクニックは，PNF[55]（proprioceptive neuromuscular facilitation)で行われる"hold-relax"（等尺収縮-弛緩）のテクニックが中心であり，hold-relaxによって筋収縮終了後1～2秒経過してから約4秒間は筋弛緩状態が続くので，その間に拮抗筋の自動運動や抵抗運動を行い，その強化により痙縮筋を相反性に抑制するものである。

また，四肢末端をブラブラと振る運動shaking-out exerciseは，痙縮筋とその拮抗筋のⅠa線維の交互の興奮により，その相反性支配のバランスをとることができることから，relaxation exerciseとして有効な方法と思われる。

e. 姿勢による痙縮抑制

背臥位から腹臥位にすることは，緊張性迷路反射を利用した伸筋の痙縮抑制方法として用いられる。

f. バイオフィードバック

痙縮筋からの筋電を視覚的，聴覚的にフィードバックし，痙縮をコントロールする方法であるが，強い痙縮のときはフィードバックすることがかなり難しい。

g. 装具，スプリントの使用

装具 brace，スプリント splint の使用は，筋紡錘に瞬間的伸張が加わることを防ぐとともに，持続的伸張を加え痙縮を抑制する。

h. 外科的療法

1）手術適応とその時期について

痙性麻痺に対して装具療法，神経ブロック，理学療法，作業療法，物理療法など種々の非観血的保存療法を行えば，多くの痙縮は大きな問題となることは少なくなる。しかし，一部の痙縮が非常に強い場合，装具装着や移動，更衣，入浴などのADLに支障をきたし保存的療法で対処困難な場合には外科的療法の適応となる。また，早期の十分なリハビリテーションが行われず安静臥床を余儀なくされた場合などは，その痙縮によって変形拘縮が生じその後のリハビリテーション訓練の支障になることがあり，この場合も手術適応となる。さらに，機能改善により歩行距離が延びてくると痙縮が高まり，それまでは装具などで押さえられていた歩容が悪化し装具で矯正ができなくなる場合や，手術をすれば装具の必要性がなくなる場合のように社会的な適応の場合がある。

手術の時期については，痙縮によって訓練やADLに様々な障害が生じ，装具療法や神経ブ

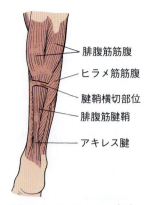

図Ⅳ・1・54 Vulpius 変法

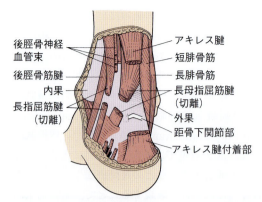

図Ⅳ・1・55 長母指屈筋腱(FHL)および長指屈筋腱(FDL)の切離
アキレス腱と後脛骨血管神経束を一部カットして表示した。

ロックなどの治療を行ってもなおかつ支障が生じている場合，その痙縮が弱まることはないと考えられる[56]ので手術を遅らせる必要はない。しかし，その手術による安静期間のために，回復途上の積極的リハビリテーションを遅らせないように，術後の状態をよく考えて行わなくてはならない。

2）下肢の外科的療法
❶ 中等度の痙縮の場合

内反尖足に対する手術療法：下肢の伸展優位の痙縮の場合，内反・尖足・槌趾変形の3つが大きな変形の要素であるので，どの要素が悪影響を及ぼしているかで手術の内容を決定するとよい。しかし，この3要素は同程度に生じている場合が多く，すべての要素を治療することが一般的である。特にアキレス腱は内反尖足に大きな影響を及ぼしているので，この延長術を施行する頻度が最も高い。

術式については，一般的に術後安静をあまり必要としない Vulpius 変法を行うことが多い（図Ⅳ・1・54）。下腿後面を中央下を5cm程度縦に切開し，アキレス腱の延長として腓腹筋を覆っている腱膜だけに横に切開を入れる方法で，1か所えば2〜3cmの延長効果が得られる。この方法は残存しているヒラメ筋腱膜により術直後から体重負荷ができる簡便な方法である。

槌趾変形に対する手術療法：また，槌趾変形に対しては足部外側の長母指屈筋腱(FHL)および長指屈筋腱(FDL)の痙縮が作用することが多いので，内果レベルで3〜4cm横に皮膚切開し，このFHLとFDLの腱を切離することで改善される[57]

（図Ⅳ・1・55）。

痙性麻痺の場合，歩行周期において下肢によるつま先離床時(toe off)の推進力がないので，この2つの腱を切離しても大きな問題になることは少ない。

❷ 高度な痙縮の場合[58,59]

足部の変形の改善だけでは十分な機能が得られず，金属支柱付きの短下肢装具などが術後も必要な症例である。また，高度な廃用性筋拘縮などにより高度な変形が生じている例も適応となる。

手術対象は内反・尖足・槌趾変形拘縮であるが，高度な変形のため腱延長などの手術侵襲が大きくなり，術後の安静期間や廃用性筋萎縮などに十分配慮しなければならない。

尖足に対する手術療法：アキレス腱Z延長術が最も一般的である。延長の程度は融通がきくが延長過多になる場合もあるので注意が必要である（図Ⅳ・1・56）。

内反に対する手術療法：足部内側に位置する筋群を外側に移行する方法で，前脛骨筋腱(TA)を外側に移行固定する方法が簡単である（図Ⅳ・1・57）。

槌趾変形に対する手術療法：内反に関与している長母指屈筋腱(FHL)および長指屈筋腱(FDL)の痙縮が主の場合は図Ⅳ・1・55のような腱切離が有用である。しかし，足底屈筋群の痙縮が強く鷲趾変形 claw toe deformity が槌趾変形に合併しているような場合が多く，これらの筋群の腱切離が必要な場合も多い。術式としては足底の槌趾部に切

図Ⅳ・1・56　アキレス腱Z延長術

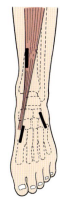

図Ⅳ・1・57　前脛骨筋(TA)移行術
3か所の皮切でTAをいったん抜き出して，前外側に移行，固定する．

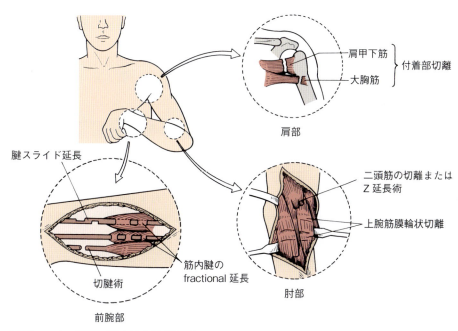

図Ⅳ・1・58　痙縮に対する上肢の手術　　〔文献61)より〕

開を入れ，母指内転筋腱，短母指屈筋腱，短指屈筋腱などの腱の切離を行うとよい．

膝関節，股関節に対する手術療法：非常に強い痙縮があり廃用性の関節変形が伴った場合，膝・股関節の屈曲拘縮をきたすことがある．通常，膝関節と股関節は並行して生じることが多い．このような例では下肢の機能改善によりADLの自立を目指すことは困難で，排泄などのADL介助の軽減や屈曲拘縮に伴う仙骨部褥瘡の発生予防のために行うことがある．この場合，内転筋群，大腿直筋，腸腰筋など広範囲の腱切離を行うことで股関節の他動的関節可動域が拡大される．

もし，膝関節のみの腱短縮であれば，膝窩部でハムストリングの腱再建術と腸脛靱帯の切腱術で歩行機能などを得ることができる場合がある[60)]．

3）上肢の外科的療法(図Ⅳ・1・58)

問題となる痙縮による変形は，著明な屈筋痙縮に伴うもので，肩内旋・内転・屈曲拘縮，肘屈曲拘縮，手屈曲・回内拘縮変形などである．痛みの強い場合やADL介助に支障をきたすような場合，手術の適応となる．

肩関節の手術：大胸筋および肩甲下筋の上腕骨

付着部での切離[62]により更衣動作などの ADL 介助の軽減が図れる。また腋窩部の清潔を保つためにも貢献する。

肘関節の手術：肩の屈曲拘縮と前腕の回内（回外することも多い），肘の屈曲とが合わさり，自分の胸を押さえて痛みを訴えたり，着衣動作など ADL に与える影響が大きい。腋窩部での筋皮神経ブロックで矯正できない場合には手術適応となる。手術は肘屈曲側で上腕二頭筋腱膜切離または Z 延長術，上腕筋膜輪状切離を行うとよい。

手の手術：廃用手の場合，前腕屈曲側で橈骨手根屈筋，尺骨手根屈筋，長掌筋の各腱を筋内腱で 2～3 か所 fractional 延長したり，スライド延長したりする[63]。続いて浅指屈筋腱（FDS）と深指屈筋腱（FDP）を同様に延長する。加えて，FHL を延長するとよい。

d 脳卒中にみられる固縮

固縮は他動的に四肢の関節を動かしている間ずっと鉛の管を動かしているような抵抗を感じる筋肉の緊張である（lead pipe phenomenon）。固縮はパーキンソン病でよくみられるが，脳卒中では多発性脳血管障害によるパーキンソニズムでよくみられる。従来の報告では錐体外路系の異常で筋紡錘の中の錘内筋を収縮させる γ 運動ニューロンが興奮し，一次終末からの促通性インパルスが連続的に発生し α 運動ニューロンが反復持続性に興奮するものと考えられていた。しかし，その後の研究から，正常な筋肉に比べ，固縮筋の筋紡錘の感受性は，筋肉が伸びているときも縮んでいるときも変化がないことから[64,65]，錘外筋と錘内筋の関係は正常の α-γ 関連が保持されていると考えられている。したがって，γ 運動ニューロンのみの興奮によるものではなく，α-γ 関連を含む多シナプス性の伸張反射の亢進と考えられている。さらに，固縮の増強時に錘外筋からの反射性活動は増大しているのに，筋紡錘からの求心性発射は必ずしも増大していないという研究もある[66]。

以上より，現在のところ固縮は筋紡錘からの求心性入力に直接的に関連するのではなく，伸張反射回路内での利得調節の障害による過大な出力の結果として発現すると推測されている[67]。

1. 痙縮と固縮の対比

このように，痙縮は錐体路系の障害で，固縮は錐体外路系の障害で生じるといわれている。しかし，動物実験ではあるが皮質第 4 野切除や錐体路切断は単独では痙縮は生じないことが知られており，臨床的見地から錐体路を含めた周囲組織の損傷も必要なことも論じられている。また，脳卒中などで内包付近を損傷された場合は，錐体路，錐体外路系ともに侵され，痙縮と固縮が混ざり合った痙固縮 rigospastic となることが多い。

臨床的に痙縮と固縮を明確に区別することは容易ではないが，表面筋電図などの筋電図により区別が容易となる。痙縮では筋を他動的に伸張させたときのみに筋活動（相動性筋電図 phasic EMG）があり，固縮では筋を持続的に伸張していると筋放電が続く現象がみられ，その両者の混在したものが rigospastic と定義している。

2. 固縮の症状

a. 体幹

臥位にすると体幹が回旋できなくて寝返りも困難となる。起き上がりはできないが，いったん起き上がってしまうと体幹の固縮を利用して座ることも立つこともでき，臥位から座位，座位から立位にはなれなくても，座位の保持や歩行ができたりするような奇異な動作がみられる。

b. 四肢

上肢の固縮の影響として，歩行時の手の振りがないなど，全体として無動の様相がみられる。しかし，ボール投げや受ける動作をしてみると上肢のすばやい動作が観察でき，固縮が早い動きには影響していないことがわかる。このような早い動作を利用してリハビリテーションのプログラム内容を組むことができる。

また，手先の動作では，同じ内容の動作を継続すると小字症にみられるような先細りの動作が出現するので，休憩をうまく使ったり，何かを保持させる動作よりも系統的な動きの組み合わせであったり，リズム感のある動作で固縮の影響を軽減することができ，作業療法の場合などの内容に参考となる。

c. 嚥下機能および音声

　咽頭・喉頭周囲の筋に固縮がみられると，嚥下および音声機能が障害される．特に問題となるのは，咽頭から喉頭を経て食道に達する嚥下第2相（咽頭相）であり，固縮のために食塊が気管のほうに誤って入り込むことである．さらにこの場合，多発性脳梗塞に伴う仮性球麻痺と合併することも多く，その症状をさらに複雑にすることがある．また音声も固縮のために小声となり，コミュニケーション障害が生じる．

　固縮のリハビリテーションについては，おおよそパーキンソン病のリハビリテーションに準じて行うため，「パーキンソン病のリハビリテーション」の項（178頁）を参照されたい．

e 神経筋促通法 neuromuscular facilitation

1. 従来の神経筋促通法の課題と対応

　中枢神経の障害により，単に筋力の低下のみでなく，神経生理学的見地からみて神経-筋システムの不統合が生じ，より未熟な，原始的パターン（系統発生学的にも，個体発生的にも）に近づくと考えられている．

　ファシリテーションは麻痺筋に送られるインパルスの数を増加させるのみならず，このような神経筋を正常な状態に近づけようとする一連のものを総称している．そのため，時には抑制 inhibition することが重要になることもある．

　この治療法については，Fay, Kabat, Knott, Bobath, Rood, Brunnstrom, 中村らの方法が有名である．しかし，それぞれ内容的には全く別個のものではなく，共通した面をもち，実際の利用面においても各種の方法を併用，修正して用いることが多い．

　しかし，これらの方法の長期的効果を考えたとき，他の運動訓練や，日常訓練のなかで無意識のうちにこれらのファシリテーションの要素が入ってくることが多く，純粋にこれらのテクニックが有効かどうかを判定することは難しい．そこで，これらの従来の促通法と伝統的リハビリテーションを厳密に比較したランダム比較試験では，有意な治療効果の差が認められず，むしろほかのプロ

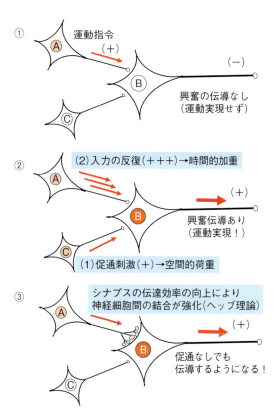

図Ⅳ・1・59　促通と入力の反復によるシナプスの可塑性発現

① 神経細胞Aから1回の刺激では細胞Bは興奮しない．細胞Cからの刺激（促通）が加わること（空間的荷重）で細胞Bの興奮が生じる．さらに，② 入力の反復（時間的加重）によっても細胞Bへの伝達しやすくなる．③ 入力の反復によって伝導効率が向上し，組織学的な結合が強固になれば，促通なしでも細胞Aから細胞Bへ興奮が伝導するようになる．
〔文献70）より〕

グラムのほうが効果的と報告された[68,69]．

　したがって，今日の神経筋促通法に求められる意義としては，図Ⅳ・1・59に示すように促通刺激によって上位中枢で発火したインパルス（motor command）が再建，強化したい神経路へ選択的に伝導されること，さらにその興奮伝達の反復によって伝達効率を高め，その神経回路を強固にすることで motor impairment としての運動麻痺の回復を効率よく促進することである[71]．

　訓練プログラム（時間）を従来の促通法にのみ終始，費やすべきではなく，促通によって患者の随意性が発揮しやすくなるかをまず確認することが必要である．そのうえで，実現した運動や動作が神経回路に定着するように高頻度に反復する．さ

らに，患者が実現した運動を訓練室だけで終わらせるのではなく，日々の生活場面における動作や歩行へ汎化するように，目的意識を患者にしっかりともたせ，高頻度に実践場面で意識的に使うように工夫，指導することが大事である（task specific training, repetitive task training）．

2. ファシリテーションの神経生理学的根拠

a. 姿勢反射

筋の反射的収縮は，系統発生的にも，個体発生的にも随意的収縮に先行するので，中枢性麻痺により随意的収縮が困難な場合は，これらの反射的な収縮を念頭に訓練時のポジショニングなどに取り入れ，患者の運動意図と組み合わせる．

1）緊張性頸反射 tonic neck reflex

① 対称性：頸の屈曲により上肢の屈曲，下肢の伸展が，また頸の伸展により上肢の伸展，下肢の屈曲が促通される．しかし個人により，必ずしもこのパターンをとるとは限らず，頸伸展で両上下肢の伸展，頸屈曲で両上下肢の屈曲が促通されることもあり，また同一の人でも時間による変動があるといわれる．

緊張性頸反射を誘発する感覚受容器はMcCouchらによると，頸椎の上部関節にあるとされ，刺激を受けてから反応するまで1秒以下のものから1分以上のものまで幅広いものである．

② 非対称性：頭部を左右に向けたときに顔面と同方向の上下肢は伸展，逆方向の上下肢は屈曲が促通されるものをいう．

これら対称性も非対称性も新生児期には出現するような原始的な反射であるが，脳卒中などで高位中枢が障害されると出現しやすくなる．

2）緊張性迷路反射 tonic labyrinthine reflex

背臥位では伸筋が，腹臥位では屈筋が促通される．側臥位では上位上下肢で屈筋が，下位上下肢では伸筋が促通される．

3）緊張性腰反射 tonic lumber reflex

上半身を右に回旋すると，右は上肢屈筋，下肢伸筋，左は上肢伸筋，下肢屈筋が促通される．左に回旋したときはその逆になる．

b. 伸張反射 stretch reflex

筋を急に動かすことにより，筋紡錘の興奮を起こし，γ-loopを介してα線維を働かせ，筋収縮を起こす．筋力の非常に弱いときに用いる．

c. 伸筋突出 extensor thrust および陽性支持反射 positive supporting reflex（PSR）

足底が接地刺激を受けたとき同位相性phasicおよび緊張性tonicに下肢伸展が促通されるもので，前者を伸筋突出，後者を陽性支持反射と呼ぶ．

片麻痺の初期回復期に大腿四頭筋の筋力がMMTで2～3レベルであっても，陽性支持反射が出現する場合は体重負荷も可能で，立位・歩行訓練にとって大変有用である．

d. 立ち直り反射 righting reflex

頭部を水平に保とうとする迷路の反射，頸筋の固有受容器の刺激や体表面の一側が地面に接地するような刺激に対し，身体を立て直そうとする反射などをいい，その中枢は中脳にあるとされている．長期臥床によりその機能は低下することから，発症早期にこの反射を用いた訓練が必要である．立ち直りの動きが必要なことから斜面台などでは訓練できないものである．

e. Strümpell の反射

股屈曲により前脛骨筋の収縮が促通される現象であり，前脛骨筋の強化を目的として利用される．PNFの一環として用いられる．

f. 連合運動 associated movement

対側性対称性連合運動 contralateral symmetrical a.m.：片側上肢の屈伸，上下肢の内外転・内外旋が対側の同じパターンを促通する現象をいい，Raimiste現象がその代表である．

対側性相反性連合運動 contralateral reciprocal a.m.：片側下肢の屈曲により対側の伸展を，また伸展は対側の屈曲を促通する現象であるが，対称性パターンをとることもある．

g. 共同運動 synergy

筋収縮時にはα系より錘外線維が主に収縮するが，同時に遠心性γ線維もインパルスが増加して錘内線維が収縮するので，求心性γ線維のインパルスは増加し，脊髄中の興奮介在シナプスを経由して共同筋synergistを促通してくる．屈伸，内外転，回旋の3要素が組み合わさっていることが多く，対角線上を回旋するパターンの意味からdiagonal spinal irradiation pattern（対角線回旋運

動パターン)として知られておりPNFの中枢をなしている。

h. 伸張 stretching

筋が伸張されると，刺激閾値が低くて，phasicに反応する一次終末が興奮し，Ⅰa線維中のインパルスが増加するが，さらに長く伸張を続けるとⅡ線維，Ⅰb線維中のインパルスも増加し，Ⅰb線維は脊髄中で抑制介在シナプスを介してα系と連絡するので，筋の緊張度は低下する。緊張低下の状態は数分，時には数十分も続くことがあり，この間に拮抗筋の強化を行えば，痙縮筋と拮抗筋の間のバランスの崩れを是正することができる。拮抗筋の強化が期待できないときには，一時的な効果のみにとどまり，累積的な効果は望めない。

i. 終期同時収縮 terminal contraction，経時的誘導 successive induction

筋は相反性神経支配により動作筋が収縮しているときは，その拮抗筋は終始弛緩状態にあると思われていたが，動作筋の収縮終末には拮抗筋も収縮することがわかっている。動作筋の収縮終末に拮抗筋が同時収縮することで動作に適度なブレーキをかけ，関節を保護する意味合いがあるからである。

その機構については不明な点も多いが，運動終末に拮抗筋が伸張されることによる反射的収縮が主なものと考えられている。そこで，相反性動作を行わせるとそれが促通されることにつながる。これを経時的誘導という。

以上，ファシリテーションの基本的原理のいくつかについて述べたが，これらの原理をあるときは利用し，またあるときには抑制して，効率よく正常パターンに近づけていくことをその目的とする。しかし，異常パターンの出現を恐れるあまりに，立位や歩行をさせないとかえって身体的な改善を阻害する可能性もあり，杖や装具を使ってでも早期に立位歩行させる必要があるように思われる。

具体的手法については専門書を参考にされたい。

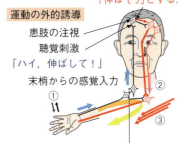

図Ⅳ・1・60　促通反復療法(川平法)
① 急速な指の屈曲とタッピングによる伸張反射 (脊髄反射)の誘発
② 大脳からの下行性運動指令
③ ①と②を同期させ(Paired-pulse facilitation)，意図した運動を実現し，集中反復(1部位100回を目標)

f 新たな脳卒中片麻痺の治療法

1. 促通反復療法(repetitive facilitative exercise：RFE)

促通反復療法は，「促通手技による意図した運動の実現」と，その「集中反復」との相乗効果で麻痺回復のための必要な神経回路，特に大脳〜脊髄前角細胞へ至る運動性下行路を再建，強化することを目標とする新たな運動療法(川平法)である。具体的には，患者の意図した運動を実現するために，① 治療者による促通手技，すなわち徒手的な操作や刺激による伸張反射や皮膚筋反射と，② 患者自身の"動かそう"とする運動意図(motor command)とを口頭指示や患肢注視などによって，③ タイミングよく同期させ随意運動を実現する。

さらに実現した運動を定着させるために，1つの治療部位に関して100回を目標に数分間程度で集中反復する(図Ⅳ・1・60)。目標とする選択的神経路の興奮伝導を可能とする促通手技(川平法)である[72]。その有用性はランダム化比較試験などの複数の臨床試験により検証されている[73]。促通反復療法の従来の促通法との違いは，前述のヘブ理論とuse dependent plasticityを念頭に置いているため運動強度や手技が異なる。肩，肘，前腕，手，指など部位(運動)ごとに治療パターン(手技)

図Ⅳ・1・61　示指伸展のための促通反復療法の手技

があるが，例として指伸展の促通反復療法を示す（図Ⅳ・1・61）。

　本例における麻痺の程度は，「5本の指を同時に伸展できるが，示指だけを分離して伸展できない」である。患者は仰臥位とし，治療者は左手にて，患者の手関節を軽度屈曲位とし第3～5指を動かないように伸展位で軽く固定している（図Ⅳ・1・61-a）。治療者は右手で，患者の左示指を素早く屈曲の後，基節骨を軽くタッピングし伸張反射を誘発する（図Ⅳ・1・61-b）。同時に「ハイ，伸ばして！」と声をかけ，患者は左示指を注視しその指のみの伸展に努める。伸展運動が誘発される間（図Ⅳ・1・61-c），治療者の右環指は患指の爪にかすかに触れ，最終自動可動域まで追従させる。この運動をリズムよく50回集中反復し，数分の休憩後再び50回繰り返す。そして次の指に移っていく。翌日も同様に繰り返す。

　促通反復療法は，片麻痺治療プログラムにおいて基礎的な運動療法であり，さらにrTMSとの併用，NMESとの同時併用，ボツリヌス療法との併用によって麻痺肢の運動機能がさらに高まることが示されている。

　下肢における歩行促通法では，歩行中の片麻痺患者の麻痺側下肢の随意性を発揮し，円滑な重心移動ができるようにするために，健側立脚時に健側外転筋へタッピングで健側立脚の促通を行いながら，麻痺側鼠径部の擦過で麻痺側下肢の振り出しを促通する。麻痺側立脚時には麻痺側外転筋群にタッピングを行うことでトレンデレンブルグ歩行を軽減しながら，麻痺側股関節外転筋群の促通を行う。このように目標の運動路に興奮を与え反復して刺激することで強化改善する方法である。

図Ⅳ・1・62　ミラーセラピー

2. CI療法

　CI療法（constraint-induced movement therapy）は，健側上肢を三角巾やグローブなどで拘束して，患側上肢を段階的・集中的に訓練を行い，上肢機能改善を促す治療法である[74]。

　麻痺側上肢はうまく使えないために，健側上肢を使用することが多くなり，患側上肢を使わない学習性不使用が生じる。そこで，健側上肢の使用制限と患側上肢の段階的な課題支向的訓練を行う。

　この療法は，麻痺側手関節20°背屈，第1指を含め3指以上が10°以上伸展できることなど，ある程度患側上肢が動くことが条件になる。

3. ミラーセラピー（図Ⅳ・1・62）

　患者は，ミラーボックスのなかに両手を入れて左右対照的な両上肢運動を行う。この際，患者が

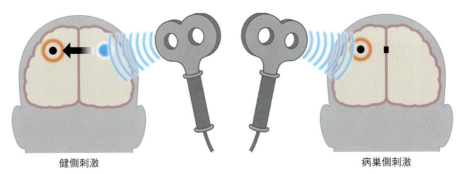

図Ⅳ・1・63　反復経頭蓋磁気刺激（rTMS）療法
健側を低頻度に刺激し病巣側への脳梁を介した抑制を軽減する方法と，病巣側を高頻度に刺激する方法がある。

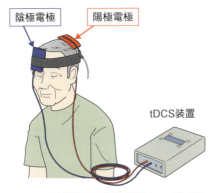

図Ⅳ・1・64　経頭蓋直流電気刺激（tDCS）療法

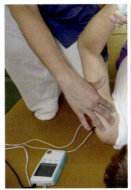

肩関節の屈曲　　　手関節の背屈と前腕の回内
図Ⅳ・1・65　神経筋電気刺激下の促通反復療法

鏡に投影された健側手の動きを見て，あたかも麻痺手が動いているような錯覚を生じる。これにより，麻痺手の機能回復を促す。

4. 反復経頭蓋磁気刺激（rTMS）療法（図Ⅳ・1・63）

反復経頭蓋磁気刺激療法は，頭皮上に置いたコイルに高い電流を反復して流すことで，直下の大脳皮質を刺激し，刺激後も続く効果が期待できる方法である。低頻度（<1 Hz）の磁気刺激で健側脳を刺激することで，患側脳への脳梁を介した抑制が減少し，病巣周囲の神経が活性化する方法と，患側脳を高頻度（>5 Hz）で刺激することで患側脳を活性化する方法がある。

5. 経頭蓋直流電気刺激（tDCS）療法（図Ⅳ・1・64）

頭表に置いた陽極および陰極の電極の間に低強度電流を流すことで，脳刺激部位の神経活動を興奮（陽極）あるいは抑制（陰極）することができる。

rTMSとともに非侵襲的脳刺激法（non-invasive brain stimulation：NIBS）とよばれる。適切な運動療法と組み合わせて行われる。

6. 電気刺激

電気刺激には，その目的や刺激強度によって様々な用法がある。片麻痺による肩関節の亜脱臼や麻痺の回復には，神経筋電気刺激（NMES）が用いられる。標的筋のモーターポイントに表面電極を貼付して末梢の神経筋を収縮させる。筆者らは，ポータブル型電気刺激装置を用いて促通反復療法と同時併用し，麻痺肢の治療にあたっている（RFE under cNMES，図Ⅳ・1・65）[75]。患者の筋活動を検知して電気刺激のスイッチが入る随意運動介助型電気刺激装置もある。

一方，機能的電気刺激（functional electrical

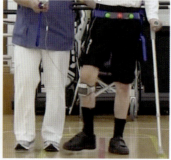

図Ⅳ・1・66　下肢FESシステム（歩行神経筋電気刺激装置）
〔「ウォークエイド」，帝人ファーマ（株）製〕

図Ⅳ・1・67　上肢訓練支援ロボット
〔「CocoroeAR^2」，（株）安川電機製〕

stimulation：FES）は，脳卒中によって失われた機能を電気刺激で代行・代償する刺激方法である。例えば，下垂足の患者に対する下肢FESシステムでは，本体と一体となった表面電極を下腿の腓骨頭付近に巻き付ける。本体内蔵の傾斜センサーが歩行周期における患肢の遊脚期を感知し，総腓骨神経に電気刺激を加え，足関節を背屈させる（図Ⅳ・1・66）。

7. 訓練支援ロボットを用いたリハビリテーション

近年の工学技術の進歩は，麻痺肢の機能回復において正確な運動制御で，高頻度，長時間に訓練量を増大する点で長けている。わが国からも上肢の訓練支援ロボット（図Ⅳ・1・67）や歩行訓練支援ロボットが開発・市販されている。

g 作業療法 occupational therapy

1. 作業療法の目的

① ROM保持あるいは増大
② 筋力の強化（健側，患側）
③ 耐久力の強化
④ 協調性，巧緻性の向上
⑤ 集中力の養成，精神機能の向上，認知症の予防・改善
⑥ 気ばらし，レクリエーション
⑦ ADL訓練（自助具の使用訓練を含む），家事動作訓練
⑧ 職業前訓練
⑨ 失行・失認の治療
⑩ 装具（スプリント）の作製使用

などが主要な目的である。老人片麻痺の場合は，特に①，⑤，⑥，⑦などが重要となる。

2. 評価，プログラムなど

高齢者では，身体的に器質的疾患をいくつかもっていることが多く，診断されないまでも潜在的に機能低下の素因をもっており，一般的に疲労しやすく，耐久力に欠け，特に視力，聴力の低下は作業能力を著しく低下させる。さらに，精神機能の低下として，理解力，記銘力，判断力，思考力などの低下をきたすことが多く，また，情動不安定，人格変化，意欲喪失などを伴っているときは作業療法を困難にすることが多い。

ほかに年齢，性別はもとより，患者の生活歴，教育レベル，趣味，心理状態，家庭的・社会的背景などを考慮し，個々に合わせたプログラムを組まなければならない。また，外傷の危険性のある重い金槌，ノコギリ，ナイフなどを用いるときは特に注意が必要である。

作業内容について理解されないときには何度も根気よくわかりやすく説明し，できれば作業療法士が一度やってみせてから患者にやらせてみるとよい。作業途中で挫折したり進まないときは，作業療法士が一部を代行したり援助することも必要な場合がある。高齢者では単なる作業だけで終わるもの（ボルト締め，水道栓の開閉など）より，作

品完成課題(紙・布・皮・陶芸細工など)のほうがよく,自分の作品に愛着をもち,次の作業課題への意欲もわくようになる。

3. 高齢者の作業療法の実際

高齢者に適した作業療法として,以下のようなものが選ばれることが多い。粘土細工,陶芸,編物,紙細工,木工,モザイクパズル,絵画,書字,ゲーム,園芸,造花,ADL訓練(家事動作,衣服着脱)などであるが,患者の趣味,能力に合わせて広範囲のもののなかから選ぶべきと思われる。

高齢者片麻痺では身辺自立がゴールとなることが多く,ADL訓練は重要な項目の1つである。片手動作訓練,利き手交換,家事動作訓練,自助具・スプリントの作製工夫などもよく行われる。

作業療法,自助具,スプリントなどの詳細については専門書を参考にされたい。

h リハビリテーション看護

疾病概念として,第1期,第2期(first, second stage of illness)と分けると,第1期は生物学的危機の状態にある時期で,そこでは看護は医学の補助的働きをする。危機が去ったあと患者は看護者の行う指導からより多くの益を得,また学習できる。第2期は非急性的回復期で,学習とリハビリテーションに適した時期であり,医学的ケアへのニードは小さく,養生と学習へのニードが大きい。この時期は全面的専門看護ケアが最も必要とされる時期でもある。リハビリテーション看護は第2期に主なる関与をもつが,第1期から積極的なかかわりをもち,第2期への円滑な移行をすることも重要である。

そのなかで,リハビリテーション看護の効果と専門性については,① 看護の対象を障害をもつ生活者として認識できること,② セラピストとの連携により,訓練の効果を日常の生活の場で応用できること,③ 退院後の生活環境,家族や介助者の情報を得ることにより,退院後の生活指導が的確にできること,④ 心理的障害を理解し障害の受容を含めた患者の心理的サポートができること,などがあげられる。また,リハビリテーション看護の活動内容についての概念は次のようなことと思われる。

> **リハビリテーション看護活動**
> ① 病気または身体障害をもつ個人の安全保持
> ② 患者にとって望ましい社会環境が整えられることへの援助
> ③ 患者と治療者との良好な治療関係がつくられることへの援助
> ④ 患者が生活環境の中で最善の活動ができるような状態を整えるための援助

そのため,① 現病歴聴取にあたっては,その疾患の診断根拠となることは当然聴取する必要があるが,加えて,その患者がもった障害の経過や心理的問題を同時に聞き出す必要がある。もちろん現時点の心理状態を知ることも重要な要素である。② 既往歴も過去の障害があるならばその障害の経過と,現在その障害が今回の障害にどの程度関与しているかを聞かなければならない。③ 家族歴の聴取にあたっては,遺伝的素因を聞くことは当然であるが,障害者を在宅復帰させるなら,家族1人ひとりの職業や役割を聞き,誰がどの時間,介護にあたれるかを把握する必要がある。④ その他,家屋の状態を把握することも看護を考える面では重要である。さらに,経済状況を聞くこともソーシャルワーカーや福祉と連携をとるためにも必要なことである。

チームの一員としてリハビリテーションに必要な知識や技術は,各専門職ごとに次のようなことが要求される。

> **リハビリテーションに必要な知識や技術**
> **1. リハビリテーション科医師**
> ① 病棟内ADLの評価・指導
> ② 障害の評価
> ③ 障害者の心理的評価
> ④ 義肢装具の知識
> ⑤ 高次脳機能障害の知識
> ⑥ 嚥下指導
> ⑦ 再発予防のためのリスク管理
> **2. リハビリテーション科セラピスト**
> ① ADLの評価・指導
> ② 障害の評価
> ③ 障害者の心理的評価
> ④ 社会資源の評価
> ⑤ 高次脳機能障害の知識
> ⑥ リスク管理

3．リハビリテーション科看護師
① リハビリテーション医学の知識
② 病棟内ADLの指導（転倒・転落予防）
③ 障害者に対する知識
④ 障害者の心理面の支持
⑤ 内科疾患の知識と管理
⑥ 社会資源の活用

4．他科看護師
① 訓練に対する知識
② 病棟内ADLの指導（転倒・転落予防）
③ 整形外科・脳外科的知識
④ 障害者の心理面の支持
⑤ 社会資源の知識
⑥ 運動面の解剖・生理

これらのなかで各職種間で求められる情報としては次のものがあげられる。リハビリテーション看護から医師に対しては，① 明確な治療（ゴール）方針，② アプローチの状況，③ ゴール変更の理由などの情報を，医師から看護へは，① ADL上の問題点，② 家族の状況，③ 患者の心理面などの情報が要求される。また，看護からセラピストに対しては，① 現在の訓練状況，② 病棟で行うべきADL，③ 患者の訓練に対する意欲などの情報を，セラピストから看護へは，① 病棟内でのADL状況，② 病棟内で必要なADL，③ 外泊時の状況などの情報が要求される。

しかし，リハビリテーション看護自体も，① 看護チーム内の連絡が不徹底であったり，② スタッフ内での責任が不明瞭，③ 障害・ADL・心理・社会資源などの知識や技術の習得と実践が困難であることも多く，④ 患者・他職種の理解不足など様々な問題があげられる。

これらの問題の解決の糸口は，「交互の連絡を密にすること」が重要である。これを踏まえたリハビリテーションチームのありかたとして，① リハビリテーションチームの各スタッフが互いに信頼し，各々の役割を理解していること，② 患者を障害者ではなく能力の異なった生活者として診る・看る・観ること，③ 各スタッフを統合して明確な治療方針（ゴール）を示しそれを達成させる医師（リーダー）がいること，などがあげられる。

病棟を主としたリハビリテーション看護の具体的援助行為，介護者に対する指導教育内容，また，主治医との連絡や保健所や福祉など外部組織との連携についてそれぞれ示した。

リハビリテーション援助行為
① 拘縮予防
・関節可動域に関するケア，足踏み，指折り，椅子座位，起立など
② 起居動作・歩行訓練
・病棟内・院外歩行，散歩，車椅子に移乗，ポータブルトイレへの移乗
③ 摂食機能療法
・口腔ケア，嚥下体操，摂食嚥下スクリーニング評価・間接訓練，直接訓練
④ 言語訓練
・口輪筋運動，数字の数え方，発声練習，歌を歌う，読み聞かせ
⑤ 呼吸機能訓練
・ストローの使用，笛吹き，ハーモニカ，風船ふくらまし
⑥ 認知症予防指導
・趣味の活用，お手玉，かるた取り，なげなわ，ボール遊び
⑦ ADL評価・訓練
・食事，更衣，整容，排尿，排便，トイレ，入浴など

介護者に対する教育・指導
① 介護者への健康チェック
② 介護の方法指導
・褥瘡予防および処置方法，リハビリテーションの方法，看護行為に対する方法
③ 食事指導および工夫，援助
④ 福祉制度の紹介
・ヘルパー，入浴者の導入，申請の方法
・介護見舞金の申請の方法
・ショートステイ，デイサービスの紹介
・給食サービスの紹介
・エアーマット，ベッドなど福祉介護物品の紹介
⑤ 室内環境整備の工夫
⑥ 安全対策の工夫
⑦ 相談相手
⑧ 感染症に対する消毒指導

主治医，保健所，福祉などに対するかかわり
① 主治医との連携，報告
② ケースカンファレンス
③ 保健所（担当保健師）との連携
④ 福祉事務所との連携
⑤ デイサービスの体験入所同行

⑥ 感染症に対する予防策検討
⑦ 情報提供
⑧ 訪問看護師とミーティング
⑨ 救急車での搬送援助
⑩ 家政婦・ヘルパー協会との連携
⑪ 給食サービスとの連携
⑫ 訪問歯科診療に対する連携
⑬ 訪問リハビリテーションに対する連携

i 家族側の対応

リハビリテーションを進めるにあたって，患者家族の役割は大きく，その対応も問題となることが多い。

一般にリハビリテーションを妨げる場合として以下があげられ，多職種で指導，援助する。

① 患者のADLすべてに手を差し伸べるような過保護的家族
② リハビリテーションがどのようなものであるか，よく理解できない家族
③ 患者を激励するだけにとどまらず，訓練をスパルタ式に行わせる家族
④ できないと叱りつけたり，患者のプライドを著しく傷つける家族
⑤ 病前のことに執着し現状に目を向けようとせず，愚痴ばかりこぼす家族
⑥ 患者を介護する気がなく，家の狭さや，人手のなさを理由に受け入れを拒む家族
⑦ 経済的基盤の極めて弱い家族（収入源が断たれているが生活保護にも入れないような家族）
⑧ 単身，あるいは配偶者のみの2人暮らし，高齢者がさらに高齢者を介護せざるをえない家族

j 日常生活動作訓練

1. ADLの概念

日常生活動作 activities of daily living（ADL）の概念は明確に規定されているものではなく，評価における活動範囲をどのように基準化するかが問題となる。日本リハビリテーション医学会評価基準委員会の1976年の基準のなかで「ADLは，ひとりの人間が独立して生活するために行う基本的な，しかも各人ともに毎日繰り返される一連の身体動作群をいう」としている。また，その注意書き

表Ⅳ・1・16　日常生活動作と生活関連動作

日常生活動作	生活関連動作
① 起居動作	① 隣近所への移動動作
② 移乗・移動動作	② 料理動作，食器洗い動作
③ 更衣動作	③ 家の内外の整理整頓
④ 排泄動作	④ 洗濯動作
⑤ 入浴動作	⑤ 階段昇降，玄関の昇り降りなどの動作
⑥ 洗面・整容動作	⑥ 自動車，電車，バスなど交通機関の利用
⑦ 食事動作	⑦ 電話などによる家族以外の人との会話
⑧ コミュニケーション	

として，ADLの評価対象となる能力は，主に食事・排泄などの身体運動機能であるが，コミュニケーション能力や精神活動も評価対象とされることがある。加えて，ADLの範囲は家庭における身の回り動作を意味しており，広義のADLと考えられている家事や交通機関の利用などの応用動作は生活関連動作 activities parallel to daily living（APDL）とすべきとしている。

ADLは身の回り動作のことで，APDLより基本的な動作を指す（表Ⅳ・1・16）。

2. ADLの評価

ADLの評価については施設独自のもの，疾患別のもの，職種別のものなど種々のものが使われているが，その目的に応じて相互の比較などができないので，共通のものが望ましい。

これまでに，報告されている評価法として，PULSES，Katz index of ADL，Kenny self-care evaluationなどがあり，国際的にはBarthel index（表Ⅳ・1・17）やFIM（functional independence measure[76]，表Ⅳ・1・18, 19）がよく使われている。

また，これらのADLを詳細に評価する際には，どのように介助をしているのかなど介助のタイプ，誰が介助するのか，病前はどのようにしていたのか，どの程度依存しそれがどのように経過しているのかなどを知らなければならない。

歩行・移動能力でみた場合，現時点では歩行，移動が可能なのかどうか，もし可能であれば介助が必要かどうかを評価する必要がある。そのうえで介助がなくても歩けるなら，環境や距離による制限はないかなどに目を向け，介助が必要な場合

表Ⅳ・1・17　Barthel index（合計 100 点）

項目	点数	記述	基準
1. 食事	10	自立	皿やテーブルから食物をとって，食べることができる．自助具は用いてもよい．食事を妥当な時間内に終われる
	5	部分介助	何らかの介助・監視が必要
2. 椅子とベッド間の移動	15	自立	すべての動作が可能（車椅子を安全にベッドに近づける．ブレーキをかける．フットレストを持ち上げる．ベッドへ安全に移る．臥位になる．ベッドの縁に腰をかける．車椅子の位置を変える．以上の動作の逆）
	10	最小限の介助	上記動作（1つ以上）に最小限の介助または安全のための指示や監視が必要
	5	移乗の介助	自力で臥位から起き上がって腰掛けられるが，移乗に介助が必要
3. 整容	5	自立	手と顔を洗う，整髪する，歯をみがく，ひげをそる（道具は何でもよいが，引き出しからの出し入れも含めた道具の操作・管理が介助なしにできる）．女性は化粧も含む（ただし，髪を編んだり，髪型を整えることは対象外）
4. トイレ動作	10	自立	トイレの出入り（腰掛け，離れを含む）．ボタンやファスナーの着脱と汚れないための準備，トイレットペーパーの使用，手すりの使用は可．差し込み便器使用時は便器の清浄管理も含む
	5	部分介助	バランス不安定，衣服操作，トイレットペーパー使用に介助必要
5. 入浴	5	自立	浴槽に入る，シャワーを使う，体を洗う，すべて人的援助なしで可能
6. 移動	15	自立	介助や監視なしに 45 m 以上歩ける．義肢・装具・杖は使用可．装具使用時は座位・立位でロック操作および装着・着脱可能
	10	部分介助	わずかの介助があれば 45 m 以上歩ける
	5	車椅子使用	歩くことはできないが，車椅子の独自操作ができる．角を曲がる．方向転換．テーブル，ベッド，トイレへの操作など 45 m 以上移動できる．歩ける場合は採点しない
7. 階段昇降	10	自立	介助や監視なしに安全に階段昇降ができる．手すり・杖の使用可
	5	部分介助	上記事項について，介助・監視が必要
8. 更衣	10	自立	衣服・靴・装具の着脱（詳細な点は問題とせず実用的着脱）ができる
	5	部分介助	上記事項について，介助を要するが，作業の半分以上は自分で行え，時間がかかりすぎない
9. 排便自制	10	自立	排便のコントロールが可能で失敗がない．脊髄損傷者の場合，坐剤・浣腸の使用も自立
	5	部分介助	ときどき失敗する．脊髄損傷者の場合，坐剤・浣腸の使用に介助必要
10. 排尿自制	10	自立	昼夜ともに排尿の自制が可能．脊髄損傷者では，集尿バッグなどの装着・清掃管理も自立している
	5	部分介助	ときどき失敗する．トイレに行くことや尿器の準備が間に合わなかったり，集尿バッグの操作に介助が必要

は，その介助が人の介助なのかどうか，もし人の介助ならば人手の確保はできるのかどうかを把握し，装具，杖などの物的な介助ならば，どのようなものがどんなときに必要かを知らなければならない．また，歩行，移動が不可能であれば自力で困難なのか介助者があっても不可能なのかを評価し，その解決策を検討していく．さらに現在に至る経過も重要である．

整容動作では，病前のパターンをつかみ，家屋・家庭環境も調べなければならない．更衣動作でも「できるか，できないか？」，また，「するか，しないか？」をみることから始め，外出着への着替え，どのような点で制限されているか，通常の方法との隔たりなどを評価していく．

実際には，直接に機能障害を改善させ能力障害につなげることに並行して，補装具を使ったり，

表Ⅳ・1・18　FIM の評価項目，内容

	評価	項目	内容
運動項目	セルフケア	食事 整容 入浴 更衣（上半身） 更衣（下半身） トイレ動作	そしゃく，嚥下を含めた食事動作 口腔ケア，整髪，手洗い，洗顔など 風呂，シャワーなどで首から下（背中以外）を洗う 腰より上の更衣および義肢装具の装着 腰より下の更衣および義肢装具の装着 衣服の着脱，排泄後の清潔，生理用品の使用
	排泄管理	排尿 排便	排尿コントロール，器具や薬剤の使用を含む 排便コントロール，器具や薬剤の使用を含む
	移乗	ベッド，椅子，車椅子 トイレ 風呂・シャワー	それぞれの間の移乗，起立動作を含む 便器へ（から）の移乗 浴槽，シャワー室へ（から）の移乗
	移動	歩行・車椅子 階段	屋内での歩行，または車椅子移動 12～13段の階段昇降
認知項目	コミュニケーション	理解 表出	聴覚・視覚によるコミュニケーションの理解 言語または非言語的表現
	社会的認知	社会的交流 問題解決 記憶	他患者，スタッフなどとの交流，社会的状況への順応 日常生活上での問題解決，適切な決断能力 日常生活に必要な情報の記憶

表Ⅳ・1・19　FIM の評価尺度，採点の具体例（ベッド，椅子，車椅子）

	レベル		点数	具体例
介助者なし	自立	完全自立 時間，安全性を含めて	7点	歩行者ではベッド上の起き上がり，横になること，ベッドからの立ち上がり，椅子への乗り降り，これら一連の動作の逆も含め自立しており安全に行う，など
		修正自立 補装具などを使用	6点	ベッド柵，トランスファーボード，リフト，特殊な椅子や腰掛け道具，杖のような補助具を使用しているがすべて自分で行う，車椅子を手すり代わりに使用して移乗が自立している，など
介助者あり	部分介助	監視または準備	5点	トランスファーボードをおいてもらう，ブレーキをかけてもらうなどの準備をしてもらう必要がある，など
		最小介助 患者自身で75％以上	4点	腰ひも，腰ベルトを安全のために触ってもらっている バランスを崩さないように手を添えてもらう程度の介助を必要とする，など
		中等度介助 50％以上	3点	軽く引き上げてもらい移乗する ピボットの際に支えてもらう，など
	完全介助	最大介助 25％以上	2点	介助者1人でかなり引き上げてもらい移乗する 体を持ち上げてもらいながら回してもらう必要がある，など
		全介助 25％未満	1点	介助者が2人必要で，または1人の介助でとても大変な介助をしてもらい移乗する リフターに乗せてもらい移乗する，など

環境整備などを行ったりして疲労の少ない方法で効率よく動作ができるように指導を行うことが大切である．指導には訓練室などの環境より，実際の生活の場での指導を行い，入院中であれば病棟内での歩行移動，病棟での洗面などから始め，退院が近づけば自宅内での実際的な移動に合わせて指導をしていくとよい．

3. ADL の実際

早期 ADL の自立に向けて，日常生活のなかで

健側の足で患側の足をすくう。このとき，できるだけ体が反り返らないようにする

健側の手で患側の手をもって，患側の肩をふとんから浮かすようにする（首をあげ，顔は健側を向く）

図のように患側を上にして，頭→肩→腰の順に回して横向きになる

図Ⅳ・1・68　健側方向への寝返り

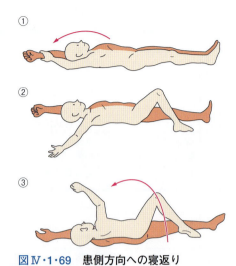

図Ⅳ・1・69　患側方向への寝返り

個々の動作をバラバラに行うのではなく，複合された一連の動作として訓練し，可能な限り実際に行う場面や時間，介助者を使って毎日繰り返すことで実用化していくことが重要である。このためには病棟，訓練室の状態の把握からリハビリテーションチームで協力して進める必要がある。

これら訓練室や病棟で「できるADL」から，病棟で「しているADL」へ向け指導し，家屋状況，人的環境などを考慮に入れた環境調整を配慮しながら，家庭や社会で「するADL」に展開していくとよい[77]。

さらに，退院が近くなり，試験外泊する場合は，自宅・地域社会に戻ってから「するADL」に向けてこれまでの訓練や指導，自宅環境の整備の確認と改善点の把握を目的とし，まる24時間以上の家庭内生活を前提とした日課などを詳細にわたって計画する必要がある。これらのチェックシートによる詳細な指導と計画がない外泊は本人や家族を疲労させ，意味のない恐怖感を抱かせ，意欲を低下させるだけである。そのためには，明確な在宅状況を具体的に設定し，ADLの詳細な指導のもとに適切な方法と到達手段を探索し，訓練を繰り返していくことが重要である。

さらに，ADLを向上させることも重要であるが，リハビリテーションの目標はQOLの向上あるいは充実であることを念頭に置き，その人にとって最も良好なQOLの状態になることに結び

つけるようにするとよい。

以下に個々の動作について概説する[29,78-80]。

a. 起居動作

❶ 健側方向への寝返り（図Ⅳ・1・68）

　① 健側の足で患側の足をすくう。

　② 健側の手で患側の手を持って体を頸→肩→腰の順に回旋して横向きになる。

❷ 患側方向への寝返り（図Ⅳ・1・69）

　① 患側上肢を健側手で挙上させる。

　② 健側上肢を開き，膝を立てる。

　③ 手を振りながら，健側の足で床を蹴って寝返りする。

❸ 臥位→座位（健側方向へ寝返りをして）

　（図Ⅳ・1・70）

　①，② 健側方向へ寝返りをし，首を起こす。

　③ 健側肘で体を押し上げ，肩の下まで肘がきたら手のひらを床につける。

　④ 肘を伸ばしながら体を起こす。

　⑤ 肘が伸びたら手を体に近づけていく。

❹ 臥位→座位（腰の下に手を入れて）（図Ⅳ・1・71）

　① 健側の手を腰の下へ入れる。

　②，③ 首を起こしながら肘を少しずつ立てていき，体を起こしていく。

　④ 肘を伸ばしながら体を押し上げ起き上がる。

❺ 座位→立位（図Ⅳ・1・72）

　① 健側の膝を曲げ，楽な姿勢で座る。

　② 患側の足を前に出し，患側の足を大腿の下か

1. 神経疾患とそのリハビリテーション

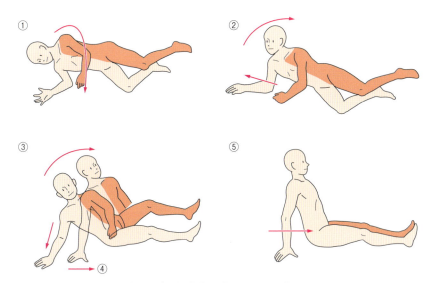

図Ⅳ・1・70　臥位から座位へ（健側方向へ寝返りをして）

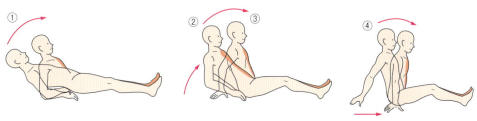

図Ⅳ・1・71　臥位から座位へ

ら尻の下までもっていく。
③ 健側の手を前外側につき，健側の手と膝で体重を支えながら，腰を浮かせる。
④ 健側の手で体重を支え，健側の膝を伸ばして体を起こす。
⑤ 立ったら足をそろえる。

b. 移乗・移動動作

❶ ベッド→車椅子への移乗（図Ⅳ・1・73）
① 健側側へ車椅子を置き，ブレーキをかける。ベッドに手をついて立ち上がる。
② 健側の手をベッドと反対側のアームレストの上に置く。
③ 健側下肢を軸にし身体を1/4回転させながら腰をおろす。
④ 車椅子に腰をかける。

❷ 車椅子→ベッドへの移乗（図Ⅳ・1・74）
① 健側のほうにベッドがくるように車椅子をつける。

② 健側の手をベッドの上に置き，健手で支えながら起立する。
③ 健側の下肢を軸にし，身体を1/4回転させながら腰をおろす。
④ ベッドに腰をおろす。

❸ 車椅子の駆動の仕方（図Ⅳ・1・75）
　患側の下肢はステップに置き，健側下肢で床を蹴って進む。平地の動きはほとんど下肢だけで行っているのが大部分で，上肢は動き始めの際の補助と，方向転換などの細かい操作が必要なときに用いることが多い。

c. 食事動作

　利き手が障害を受けていなければ，食事動作の障害はほとんどない。利き手が障害された場合，非利き手を使うなら食事内容の工夫とスプーン，フォークなど食器の工夫により早期から自立する。半側空間無視や失行のある患者は食事訓練と並行して高次脳機能訓練も行う。

IV. 主な老人性疾患のリハビリテーション

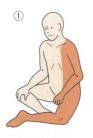
① 健側の膝を曲げ，楽な姿勢で座る

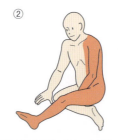
② 患側の足を前に出し，健側の足を患側の太ももの下から入れ，尻の下のほうまでもっていく

③ 健側の手で体重を支え，健側の膝を伸ばしながら徐々に体を起こす

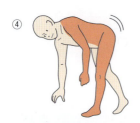
④ 健側の手を前のやや外側につき，健側の手と膝で体重を支えながら，腰を浮かす

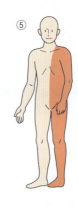
⑤ 立ち上がったら，患側の足を引き寄せて両足をそろえて立つ

図Ⅳ・1・72　座位から立位へ

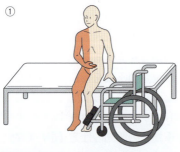
① 健側へ車椅子を置き，介助者はブレーキをかける．ベッドに手をついて立ち上がる

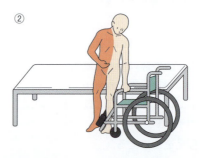
② 健側の手をベッドと反対側のアームレストの上におく

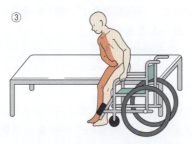
③ 身体を1/4回転しながら腰をおろす

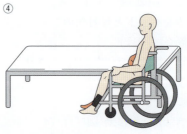
④ 車椅子に腰かける

図Ⅳ・1・73　ベッド→車椅子への移乗

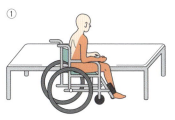
① ベッドのほうへ健側がくるように車椅子をつける

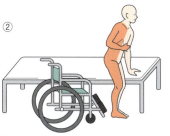
② 健側の手をベッドの上におき，健側の手で身体を支え起立する

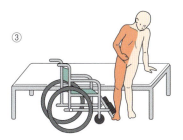
③ 身体を1/4回転してベッドに腰をおろす姿勢になる

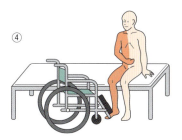
④ ベッドに腰をおろす

図Ⅳ・1・74　車椅子→ベッドへの移乗

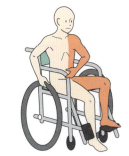
図Ⅳ・1・75　車椅子の駆動方法

d. 洗面・整容動作

洗顔，歯みがき，整髪などの動作で，慢性期には認知症，高次脳機能障害がなければ，動作方法や自助具を使用・工夫をすることで，ほぼ自立する。ベッド・車椅子上でこれらの動作を行うときには座位バランスが，立って行うときには立位バランス能力が必要になる。

e. 更衣動作

更衣動作は片麻痺や関節拘縮の影響を受け，着衣方法や衣服の工夫を行う必要がある。前開きシャツでは，まず患側の上肢へ袖を通し，次に肩まで引き上げて完全に肩にかける。そして健側の上肢を後方へ回し，袖を通す。脱ぐときはこの逆を行う。かぶりシャツは，患側の上肢を袖に通し，次に健側の上肢を袖に通す。健側の手で衣服背部をもって上げ，頭を通してから衣服を整える。脱ぐときはこの逆を行えばよい。

ズボンも患側の足から通し，健側の足を入れたら，寝ていれば尻を浮かせ，座っていれば少し立ち上がってズボンを腰まで引き上げボタンやファスナーをとめる。脱ぐときは健側からズボンを下ろし，椅子などに腰掛けて患側を脱ぐようにする。

❶ 上着・シャツの着かた（図Ⅳ・1・76）
　① まず患側の上肢へ袖を通す。
　② 肩まで引き上げて完全に肩にかける。
　③ 健側の上肢を後方へ回し，袖を通す。

❷ 上着・シャツの脱ぎかた（図Ⅳ・1・77）
　① まず患側の肩から衣服をはずす。
　② 続いて健側の肩から衣服をはずして健側の上肢を袖より抜く。
　③ 患側の上肢を袖より抜いて衣服を脱ぐ。

❸ ズボンをはく（床に座って）（図Ⅳ・1・78）
　① 座位でズボンに患側の下肢を通す。
　② 次に健側の下肢を通す。
　③ 寝ころんで膝と腰を上げながらズボンを引っ張り上げる。

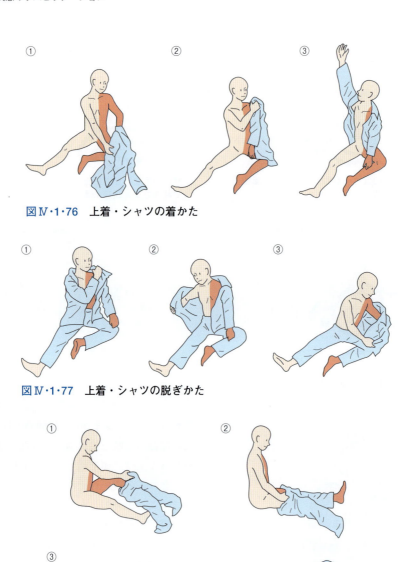

図Ⅳ・1・76　上着・シャツの着かた

図Ⅳ・1・77　上着・シャツの脱ぎかた

図Ⅳ・1・78　ズボンをはく（床に座って）

❹ ズボンをはく（椅子に腰かけて）（図Ⅳ・1・79）
① 患側の下肢を健側の膝に上げて，患側の下肢にズボンを通す。
② 患側の下肢をおろし，健側の下肢にズボンを通す。
③ ズボンを腰かけたままで，できるところまで引き上げる。
④ ズボンを持ったまま立って，上まで引き上げる。

f. 排泄動作（図Ⅳ・1・80）
① 健側をやや外に出してベッドに斜めに腰をかける。
② パンツを下ろし，ポータブルトイレの蓋を開ける。
③ 健側の手でベッドの柵につかまって立ち上がる。
④ 身体を回旋させながら腰をおろす。

基本動作，移乗動作，更衣動作が正しくできないとトイレ動作はうまくいかない。立位バランス，移乗動作が低下している患者では，手すりをつけたり，移乗動作方法を工夫したり，ポータブルトイレや尿便器などの導入，家屋調整などを行

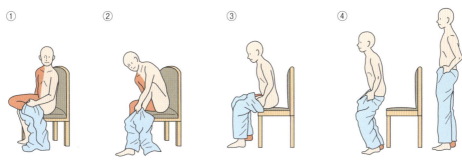

図Ⅳ・1・79　ズボンを履く（椅子に腰かけて）

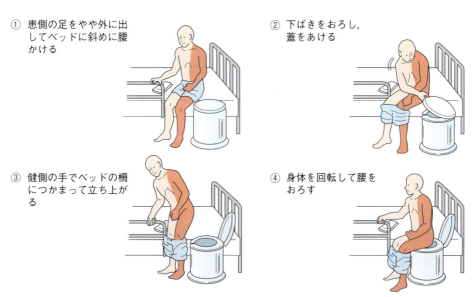

図Ⅳ・1・80　排泄動作（ポータブルトイレの使い方）

うようにする。

g. 入浴動作（図Ⅳ・1・81, 82）

　家庭内では，浴槽の向きが決まっていることが多く，ベッドと車椅子の関係のように常に健側の前に浴槽や椅子があるとは限らない。浴槽に動かないような蓋をつけたり手すりをつけたりすると，入浴動作が簡便になる。
　①，②まず浴槽の蓋の端に座る（図Ⅳ・1・82）
　③，④腰をかけたまま下肢を片方ずつ入れる。
　⑤，⑥浴槽の縁を健側の手で持ちながらゆっくりと上半身を沈める。

h. 手段的日常生活動作 instrumental activities of daily living（IADL）

　IADL尺度を表Ⅳ・1・20に示す。このなかの「F. 外出時の移動」について解説する。

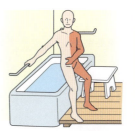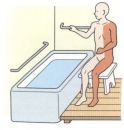

図Ⅳ・1・81　入浴動作（浴槽への入りかた）
浴槽に出入りするのに立ったままでは危険なことが多い。いったん椅子に腰かけてから下肢を片方ずつ入れるか，浴槽の縁と同じ高さの台（洗い台にも使える）を使う。手すりがあると安全だが，軽症の人なら浴槽の縁につかまってもよい。

❶片麻痺の自動車への乗りかた（1人で移乗できないとき）（図Ⅳ・1・83）
　1人で移乗できないときは，介助者がベッドから椅子に移すように，腰を抱き上げて自動車に乗

IV. 主な老人性疾患のリハビリテーション

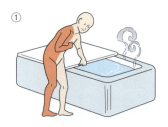
① 蓋を浴槽の半分にわたす

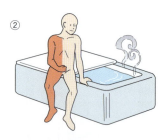
② 健側の足を浴槽の縁につけて，斜めに蓋に腰かける

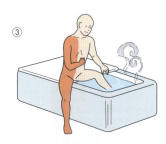
③ 健側の足を入れる

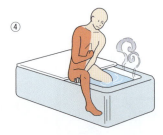
④ 次に健側の手で患側の足を抱えて中に入れる

⑤ 健側の手で浴槽の縁につかまって立つ

⑥ 縁につかまったまま体を沈める

図Ⅳ・1・82 入浴動作（浴槽への入りかた）

表Ⅳ・1・20 IADL 尺度

項目	得点	項目	得点
A. 電話の使用		E. 洗濯	
1. 自分から積極的に電話をかける（番号を調べてかけるなど）	1	1. 自分の洗濯は自分で行う	1
2. 知っている 2〜3 か所の番号へ電話をかける	1	2. 靴下程度の小さなものは自分で洗う	1
3. 電話を受けるが，自分からはかけない	1	3. すべて他人にしてもらう	0
4. 電話を全く使用しない	0	F. 外出時の移動	
B. 買物		1. 1 人で公共交通機関を利用するまたは自動車を運転する	1
1. すべての買物を 1 人で行う	1	2. タクシーを利用し，他の公共交通機関を使用しない	1
2. 小さな買物は 1 人で行う	0	3. 介護人または同伴者がいるときに公共交通機関を利用する	1
3. すべての買物に付き添いを要する	0	4. 介護人付きでのタクシーまたは自動車の利用に限られる	0
4. 買物は全くできない	0	G. 服薬	
C. 食事の支度		1. 適性量，適性時間の服薬を責任をもって行う	1
1. 献立，調理，配膳を適切に 1 人で行う	1	2. 前もって分包して与えられれば正しく服薬する	0
2. 材料があれば適切に調理を行う	0	3. 自分の服薬の責任をとれない	0
3. 調理済み食品を温めて配膳するまたは調理するが栄養的配慮が不十分	0	H. 家計管理	
4. 調理，配膳を他者にしてもらう必要がある	0	1. 家計管理を自立して行う	1
D. 家屋維持		2. 日用品の購入はするが，銀行関連，大きなものの購入に関しては援助を要する	1
1. 自分で家屋を維持するまたは重度作業のみ時々援助を要する	1	3. 金銭を扱うことができない	0
2. 皿洗い，ベッドメーキング程度の軽い作業を行う	1		
3. 軽い作業を行うが十分な清潔さを維持できない	1		
4. すべての家屋維持作業に援助を要する	1		
5. 家屋管理作業には全くかかわらない	0		

1. 神経疾患とそのリハビリテーション

図Ⅳ・1・83　自動車への乗りかた（介助）

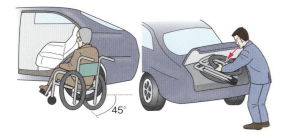

図Ⅳ・1・84　自動車への乗りかた

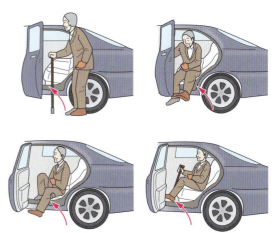

図Ⅳ・1・85　自動車への乗りかた（独自）

り移す．その際，介助者は開かれたドアと車の座席の間に立ち，介助者の足を患者の足の間に入れると介助しやすい．

❷片麻痺の自動車への乗りかた（1人で移乗できるとき）（図Ⅳ・1・84）

独自移乗ができるときは，車椅子を入口に斜め45°につけ，ベッドから椅子に移乗するように乗り移る．その後，介助者が車椅子をトランクなどに収納する．

❸片麻痺の自動車への乗りかた（歩行可能者）（図Ⅳ・1・85）

杖などで歩行可能な場合，まず車の座席に座り，向きを変えながら足を入れる．降りるときにはその逆にする．

❹片麻痺の電車への乗りかた（車椅子の場合）（図Ⅳ・1・86）

車椅子で電車に乗るときは，電車とプラットホームの間のすき間に注意しながら，車椅子を直角につけて乗り込む．

乗り込むときには，介助者が前輪のキャスターを上げて乗り込む．

降りるときには，介助者がキャスターを上げながら後ろ向きに降りるとよい．

❺片麻痺の電車への乗りかた（歩行可能者）（図Ⅳ・1・87）

杖などで歩行可能な人の場合，電車に乗り込むときは階段を上る要領で健側の足から乗り込むとよい．降りるときには，階段を下る要領で患側の足から降りるとよい．

❻片麻痺のバス・ステップへの上がりかた（図Ⅳ・1・88）

上がるときには杖は健側の手にぶらさげるなどして，健側の手で手すりをつかみ，階段を上がるように健側の足からステップを上がり，後で患側の足を引き上げるようにするとよい．

❼片麻痺のエスカレーターへの乗り降り（図Ⅳ・1・89）

エスカレーターの乗り口は上りも下りも同じで，乗るときは，健側の手で手すりをつかみ，階段を上がる要領で健側の足からエスカレーターに乗るようにする．

降りるときは，杖ですぐ歩ける用意をしながら健側の足を先に降ろし，降りたら杖で歩き始めるようにするとよい．いずれもタイミングがつかみづらく，乗るときより降りるときのほうが難しいので注意が必要である．

k 高齢片麻痺患者のリハビリテーションにおけるリスク管理と事故

高齢片麻痺患者のリハビリテーション中に生じる合併症・事故には，主なものとして以下のもの

IV. 主な老人性疾患のリハビリテーション

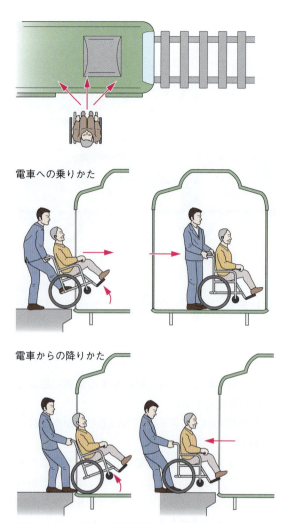

図IV・1・86　電車への乗り降り（車椅子の場合）

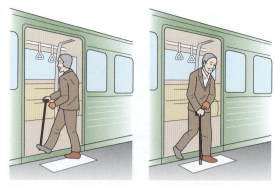

図IV・1・87　電車への乗り降り（歩行可能者）

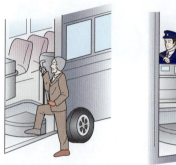

図IV・1・88　バス・ステップへの上がりかた

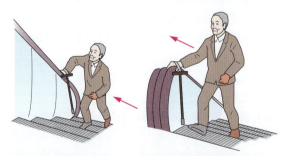

図IV・1・89　エスカレーターへの乗り降り

がある。

① 転倒による骨折
② 脳卒中の再発
③ 肺炎
④ 心合併症
⑤ 消化管出血
⑥ その他

1. 転倒による骨折

　骨折の大部分が転倒によるもので，ほとんどが患側に倒れ，既存の骨粗鬆症と転倒時の患側手による防御不能の状態から容易に骨折を起こす．特に，上腕骨近位部骨折，前腕の橈骨遠位端骨折（コーレス骨折），大腿骨近位部骨折（大腿骨頸部骨折，大腿骨転子部骨折），脊椎圧迫骨折などを起こしやすい．そのなかで大腿骨頸部骨折は頻度が高く，リハビリテーションを遅らせ，長期化するばかりでなく二次性認知症などの合併症をさらに生じさせる原因にもなりうるので，もし生じたときは，早期に人工骨頭置換などの手術を行い，早期に離床させることが肝要である．

転倒予防のための具体的注意は以下のとおりである。

① 歩行時に下肢装具の必要のある患者は内反尖足，引きずり足，はさみ足歩行などを呈していることが多く，裸足で歩行すると転倒の可能性が高いので，患者によくそのことを教育する。
② 半側空間無視，病態失認，深部感覚障害，Pusher-syndrome[81]，小脳失調などがある場合には，特に転倒しやすいので注意が必要である。
③ 廊下などには水などの滑りやすいようなものがないように注意する。
④ 靴の裏はゴムにして滑らないようにする。
⑤ 移動・移乗動作を急がせない。
⑥ 歩行中，急に呼びかけたり，注意を引くようなことはしない。また，患者の前を横切ったり，そばを駆け抜けたりしない。
⑦ 不安定な歩行をする患者には，4脚杖やロフストランド杖など適切な杖を選ぶようにする。
⑧ 介助者は必ず患者の麻痺側に付き添うようにし，バランスを崩したときにいつでも支えられるようにする。
⑨ トイレ，浴室，ベッドの脇などが滑りやすかったり，立った直後のバランスの崩れに特に注意する。
⑩ 家事動作などでの患側方向への横移動のときは特に注意し，ゆっくりと股を少し広めにして移動する。
⑪ 衣服の着脱，特にズボンなどの下半身の場合，なるべく座位で足先から通し，できる限り上まで上げてから，今度は臥位で腰を浮かせて尻を入れるようにする。

また，廃用肢は骨粗鬆症による骨強度の低下が著明で，少しの外力でも骨折を起こしやすいので注意が必要である。

2. 脳卒中の再発

健常者に比べ，脳卒中の既往をもつものは，脳卒中再発の危険性は数倍高いといわれ，諸家の統計によると年間5～10%に再発が起こるとされる（表Ⅳ·1·21）。また，病型別では脳塞栓15%，脳血栓10%，脳出血5%で脳塞栓に再発率が高く，さらに，1回発作は9%，2回発作は10%，3回発作は19%と再発が繰り返されるほど再発率は高くなる傾向がある[82]。これら再発を防ぐためには内科的な治療管理が必要であり，特に心疾患，高血圧，心房細動，糖尿病，その他の動脈硬化促進

表Ⅳ·1·21 脳卒中の再発率

報告者	対象	例数	追跡期間	再発作
Eisenbergら	全脳卒中	191	5年	19%
Matsumotoら	全脳卒中	310	1年	10%
			5年	10%
Saccoら	脳血栓	男111	5年	42%
		女111	5年	24%
輪田ら	脳梗塞	154	5年	27%

〔文献81）より〕

因子については厳重に管理する必要がある。

3. 肺炎

高齢者の肺炎は発熱を伴わないことも多く，全身倦怠感，食欲不振，軽度の意識障害などの症状で発症することもあり，特に臥床中のものは全身抵抗力の低下と沈下性肺炎を生じやすく，常に細心の注意を払わなければならない。肺炎は脳卒中の最も多い死因の1つで，脳卒中剖検例の約半数に合併するといわれている。リハビリテーションプログラムを遅らせないためにも，初期のうちに抗菌薬などで治療するとともに嚥下障害などの危険因子の再確認をすべきである。

4. 高血圧症

血圧の管理については前述（37頁）のように，各時期や臨床病型によって異なるが，最終降圧目標は130/80未満にするとよい。

5. 心合併症

高齢患者は何らかの循環器疾患をもっていることが多く，リハビリテーションにあたっては，それを念頭に置いて訓練しなければならない。

高齢者のリハビリテーションでわれわれが遭遇するものとして，① 急性偶発性のものと，② 慢性型の心不全症の2種類に分けて考えたい。

a. 急性偶発性心合併症
❶ 狭心症

高齢者の場合には，胸部絞扼感などの典型的症状を示さず，嘔気，嘔吐，上腹部不快感などの胃腸症状などの場合があることに注意しなければならない。また，運動時のみならず安静時にも出現

する場合があり，予測は困難であることが多い。特に，失語症者のような適切な表現ができない患者の場合は，顔色，脈拍，呼吸，冷汗など客観的観察を怠ってはならない。

また，不安定狭心症という名称は次のように，比較的最近始まった新しい労作あるいは安静狭心症と，最近症状の増悪した狭心症に対してつけられ，心筋梗塞への進展を配慮した名称である。これらの症状より心筋梗塞への進展率は20％，心筋梗塞患者の30～40％がこれらの症状を前駆している。このような場合activeな運動訓練はできない。

表Ⅳ・1・22 Lown分類

grade	心室性期外収縮(VPC)の頻度
0	心室性期外収縮なし
1	心室性期外収縮　1/分以下または30/時以下
2	心室性期外収縮　1/分以上または30/時以上
3	多形性心室性期外収縮
4a	2連発心室性期外収縮
4b	3連発以上の心室性期外収縮
5	R on T型

不安定狭心症の定義

① 新しい労作狭心症(new angina of effort)
　全く新しく，または6か月以上発作がなかった場合の再発。
② 変化する型(changing pattern)
　安定した狭心発作の例で，痛み，頻度，持続時間，誘発されやすさ，放散の度合いなどの増大したもの。
　ニトログリセリンの効きが悪くなる。
③ 新しい安静狭心症(new angina at rest)
　安静時に発作が生じ，15分以上続きニトログリセリンで寛解されないことがある。しばしば痛みとともに一過性のST変化(上昇または下降)，あるいはTの陰性化を伴う。
上記の症状が3週間以内に始まり，1週間以内にも発作があり，新しい梗塞を示す心電図所見や血中酵素上昇のないもの。

（American Heart Association, 1975より）

---

② 心筋梗塞

これを予知することは大変困難である。また心筋梗塞は運動時のみならず安静時にも生じることがある。したがって，心筋梗塞を警戒するあまり運動を全くさせないことは，全体的にはかえってマイナスになる。

心筋梗塞の危険因子としては，① 心筋梗塞・狭心症の既往，② ST-Tなど心筋障害を示す心電図変化が中等度以上のもの，③ 運動負荷心電図が陽性のもの，④ 糖尿病，⑤ 脂質異常症，⑥ 大量喫煙者，⑦ 65歳以上の高齢者，などがある。

土肥[83]によると，脳卒中片麻痺患者1,383名中，既往歴を含めた心筋梗塞は6.4％であり，一般人集計の1～1.5％に比べ明らかに高率であることを指摘している。

③ 不整脈発作

既往としての不整脈が突然その性質や程度を変えることがあり，上室性期外収縮や，心室性期外収縮などは日常診療でよくみるものである。これら不整脈は24時間ホルター心電計を用いて評価され，その評価分類としてLown分類が使われることが多い(表Ⅳ・1・22)。

前田らが脳卒中患者を対象に24時間ホルター心電計で調査した結果[84]では，約95％に何らかの不整脈がみられ，一般高齢者に比べはるかに不整脈の頻度が高いことがわかっている。しかし，頻発するものや特殊なものを除いては，心不全徴候を生じない限り運動訓練を続けることができる場合が多い。

心房細動もよくみるものであり，脳血管障害の原因となることもあるが，弁膜症や心不全徴候がない限り訓練を行うことができる場合が多い。

心室性頻拍症は，脈は規則的であるが死に至る危険性があるので，即座に適切な救急処置が必要である。

その他，sick sinus syndrome，アダムス・ストークス症候群を呈するものはペースメーカーの適応となることが多い。

24時間ホルター心電計による脳卒中患者63例における不整脈(発症後1～3か月，梗塞46：出血12：クモ膜下出血2，平均年齢64歳)

1. 心房細動(AF)　10例
　頻拍性　4

表 Ⅳ・1・23　自覚症状による心不全の評点

1. 食欲不振，嘔気，嘔吐	0.5 点
2. 運動時動悸	0.5
3. 原因不明の体重増加	0.5
4. 夜間多尿	0.5
5. 易疲労性	1.0
6. 尿量減少	1.0
7. 浮腫	1.0
8. 運動時呼吸困難	1.0
9. 発作性夜間呼吸困難	2.0
10. 起座呼吸	4.0

合計点により心不全の程度を表す
5 点以上は訓練中止
4〜3 点は訓練制限
2〜1 点は訓練通常どおり

表 Ⅳ・1・24　うっ血性心不全の診断点数

1. 基礎心疾患	5.0 点
2. ジギタリスによる症状改善	5.0
3. 拡張期過剰心音	4.0
4. 交互脈	2.0
5. 肝頸静脈反射：陽性	2.0
6. 起坐呼吸	2.0
7. 発作性夜間呼吸困難	2.0
8. 肺野ラ音聴取	2.0
9. 運動性呼吸困難	1.0
10. 静脈圧上昇	1.0
11. 循環時間延長	1.0
12. 肺活量減少	1.0
13. X 線上の肺門陰影の増強	1.0
14. 心拡大	1.0
15. 浮腫	1.0
16. 胸水	1.0
17. 腹水	1.0
18. 疲労	1.0
19. 尿量減少	1.0
20. 食欲不振，嘔気，嘔吐	0.5
21. 頻脈，動悸	0.5
22. 原因不明の体重増加	0.5

合計 15 点以上を心不全とする

〔文献 83)より〕

```
    徐拍性　　2
    発作性　　4
 2. 上室性期外収縮（SVPC）　35
 3. 発作性上室性頻拍（PAT）　11
 4. 心室性期外収縮（VPC）　45
    Lown 1 （30/時未満）　9
         2 （30/時以上）　8
         3 （多形性）　16
         4a （2 連発）　7
         4b （3 連発以上）　5
 5. 不整脈の全くないもの　1
```

〔文献 84)より〕

b. 慢性型の心不全症

❶ 左心不全

弁膜症，高血圧，虚血性心疾患などによる左室不全があり，そのために肺うっ血症状を呈し，呼吸困難，咳，喀痰などの症状が生じる。

❷ 右心不全

高齢者では慢性閉塞性肺疾患，肺線維症などのために右室の負担から右心不全を生じることがある。浮腫，腹水，尿量減退，肝腫大などを呈する。

❸ 代謝性心不全

低栄養の高齢者では低蛋白血症や貧血による心不全症を考えなければならない。また脱水によっても同様の症状を生じる。

訓練に際しては以下の自覚症状による基準が便利である。これらを簡便にチェックするためには心電図モニターなどを用いるとよい（表Ⅳ・1・23, 24）。

リハビリテーションの中止基準

1. 積極的なリハビリテーションを実施しない場合
① 安静時脈拍 40/分以下または 120/分以上
② 安静時収縮期血圧 70 mmHg 以下または 200 mmHg 以上
③ 安静時拡張期血圧 120 mmHg 以上
④ 労作性狭心症の患者
⑤ 心房細動のある患者で著しい徐脈または頻脈がある場合
⑥ 心筋梗塞発症直後で循環動態が不良な場合
⑦ 著しい不整脈がある場合
⑧ 安静時胸痛がある場合
⑨ リハビリテーション実施前にすでに動悸・息切れ・胸痛のある場合
⑩ 座位でめまい，冷汗，嘔気などがある場合
⑪ 安静時体温が 38℃以上
⑫ 安静時酸素飽和度（SpO_2）が 90%以下

2. 途中でリハビリテーションを中止する場合
① 中等度以上の呼吸困難，めまい，嘔気，狭心痛，頭痛，強い疲労感などが出現した場合
② 脈拍が 140/分を超えた場合
③ 運動時収縮期血圧が 40 mmHg 以上，または拡張期血圧が 20 mmHg 以上上昇した場合
④ 頻呼吸（30 回/分以上），息切れが出現した場合
⑤ 運動により不整脈が増加した場合
⑥ 徐脈が出現した場合
⑦ 意識状態の悪化

> **3. いったんリハビリテーションを中止し，回復を待って再開**
> ① 脈拍数が運動前の30％を超えた場合。ただし，2分間の安静で10％以下に戻らないときは以後のリハビリテーションを中止するか，または極めて軽労作のものに切り替える
> ② 脈拍が120/分を超えた場合
> ③ 1分間10回以上の期外収縮が出現した場合
> ④ 軽い動悸，息切れが出現した場合
>
> **4. その他の注意が必要な場合**
> ① 血尿の出現
> ② 喀痰量が増加している場合
> ③ 体重増加している場合
> ④ 倦怠感がある場合
> ⑤ 食欲不振時・空腹時
> ⑥ 下肢の浮腫が増加している場合

〔文献85）より〕

6. 消化性潰瘍

特に脳卒中急性期では生じやすいので，定期的な便潜血検査と胃粘膜保護剤の投与が必要である。

7. その他

ほかに慢性閉塞性肺疾患，肝機能障害，腎機能障害などが高齢者に関連したリスクであるが，その詳細についてはここでは省略する。

2 脳血管障害の画像診断

A 発症後早期の画像診断

　脳血管障害に対する画像診断は，超急性期治療におけるbrain attack時代の画像診断として急速な発展をみせている（表Ⅳ・2・1）。脳血管障害の早期の診断は治療の第一歩であり，これを欠かすことはできない。いかに早く診断し，治療を行うかが脳血管障害のその後の状態を左右するものであることは，誰もが認めるところである。最近は多くの病院でX線CT（CT），MRIの双方をもっているところが多くなっている。早期に，短時間で確実な診断を行うとすれば，項部硬直を認めるようなクモ膜下出血を確実に疑わせるもの以外は，情報の多いMRIを行うべきと考えている。最近では，CTとMRIの撮影時間などを比較しても極端な違いはなく，患者移送の時間の短縮も考え合わせた場合，出血の有無の確認にT1強調画像を先に撮るとしても問題はないものと思われる。

　血管外に出血した脳内出血やクモ膜下出血はCTでもMRIでもすぐに診断ができることが多いが，脳梗塞の場合はMRIの特殊な撮影方法がその早期診断に役立つ。脳梗塞に伴い，著しい脳虚血が生じた部位では，数分後にATPの枯渇に伴い神経細胞のイオンの均衡が破綻し神経細胞膜が脱分極を生じるようになる。この際，細胞外液中の水分子が細胞膜を通過し細胞内に入り込むために細胞が膨化してくる（cytotoxic edema）。この水分子の変化をとらえる画像診断に拡散強調画像（DWI）が用いられる（図Ⅳ・2・1）。

　拡散強調画像（diffusion weighted image：DWI）は，脳梗塞発症直後の超急性期の神経細胞浮腫に伴い，細胞間に閉じ込められた脳組織の水分子の拡散しにくさを白く画像化するものである（図Ⅳ・2・2）。細胞内の水分子は細胞外液に比べ拡散しにくいので，細胞内浮腫cytotoxic edemaを生じた組織は白く高信号域を呈するようになる。細胞内浮腫は虚血が発症して数分後から始まるためDWIにより極めて早期に診断可能となる。この高信号域は臨床的には発症後1〜2時間で出現するが，T2強調画像，FLAIR画像では3〜4時間後に高信号域を呈するため，DWIは発症早期の診断に役立つだけでなく，陳旧性脳梗塞との鑑別もできる。また，この画像の高信号域は約1か月後には消退する特徴を有している。しかし，DWIでの高信号域はすでに高度の虚血になっている可能性があり，再開通による神経細胞の治療を考えた場合，さらに早期の診断も必要と考えられる。

　最近，脳の神経線維（髄鞘）の方向や拡散の強さを画像にし，脳白質線維群を画像化した拡散テンソル画像（diffusion tensor imaging：DTI）を利用

表Ⅳ・2・1　発症後早期（数時間以内）に行う画像診断

画像診断	撮影法	所要時間
CT	単純（Plain）	3分
MRI	拡散強調画像（DWI） T2強調画像（T2WI） T1強調画像（T1WI）	40秒 5分 2分
	FLAIR*，T2プロトン強調画像 MRA** 拡散テンソル画像（DTI）	3分 5分 20分
SPECT	^{99m}Tc-HMPAO，^{123}I-IMP脳血流	40分
超音波検査	経頭蓋カラードプラ法 頸動脈超音波検査 （頸動脈エコー） 心臓超音波検査 （心エコー）	15分 20分 25分
血管造影	選択的動脈造影（必要に応じて）	40分以上

*fluid-attenuated inversion recovery
**MR-angiography

IV. 主な老人性疾患のリハビリテーション

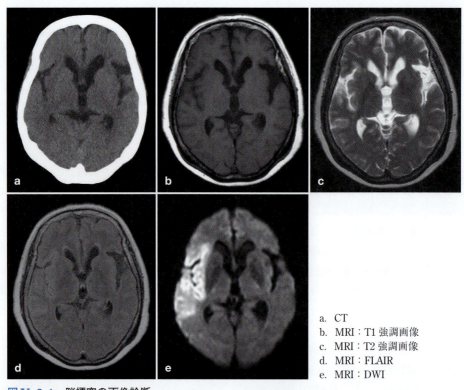

図 IV・2・1　脳梗塞の画像診断
脳梗塞（新鮮：中大脳動脈広範，陳旧：前頭葉外側部）発症後3時間

a. CT
b. MRI：T1強調画像
c. MRI：T2強調画像
d. MRI：FLAIR
e. MRI：DWI

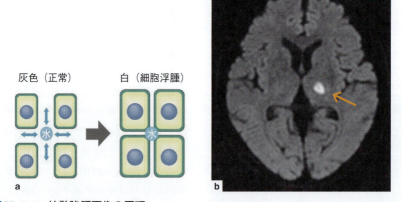

図 IV・2・2　拡散強調画像の原理
a：脳梗塞急性期の細胞の膨化により水分子が閉じ込められ動けなくなると，白い高信号となる。
b：視床梗塞発症後3時間の拡散強調画像では，視床が白く見えている（→）。

〔文献1），p15 より〕

し，早期からの運動機能の予後などを推測する高度な画像診断もある。

B　脳卒中の頭部 CT 所見

　頭部 CT は X 線の透過する度合いをコンピュータで合成した画像であるため，各脳内組織や病変

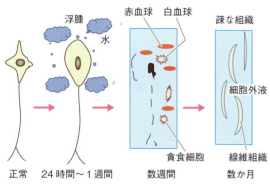

表Ⅳ･2･2	早期脳梗塞CT所見（early CT signs）
HMCAS	hyperdense MCA sign MCA領域が少し白く見える
ALN	attenuation of the lentiform nucleus レンズ核周辺が少し黒く見える
LIR	loss of the insular ribbon 島回が狭く見える
HSE	hemispheric sulcus effacement 脳溝がなくなる（脳溝の左右差）

〔文献2）より〕

図Ⅳ･2･3　脳梗塞後の組織の変化

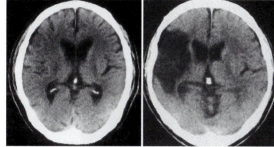

図Ⅳ･2･4　脳梗塞の頭部CT画像の自然経過

部位がどの程度X線を通過させるかで画像は決定される。臨床で通常用いられているのは，骨部を白く高吸収域（high density area：HDA），脳室などを黒く低吸収域（low density area：LDA），脳実質をその中間色の灰色として画像を構成している。

1　脳梗塞の頭部CT画像

脳梗塞では超急性期の24時間以内程度は，血行障害が発症してからわずかの時間であるため，CTでわかるほどの変化が生じてこない。そのため，片麻痺などの臨床症状はあるがCTでは正常画像であることが多い（図Ⅳ･2･3）。

しかし詳細に見ると，発症6時間以内の早期脳梗塞CT所見（early CT signs：ECS）（表Ⅳ･2･2）が見られる場合がある。

次に，数日経過すると病変部は浮腫を伴った変化が見られ，X線透過性がよくなるので黒くLDAとなり，病巣の部位と大きさが確実に把握できることになる。

さらに経過して2～3週目になると，梗塞部位の血流が病巣の修復機転のために血流量が増してくる（ぜいたく灌流：luxury perfusion）。そのため，病変部には一時的に血液成分が増すためか，病巣が明確に描出されない時期がある（foggy effect）ことに注意しなければならない。

その時期を過ぎると，修復機転が落ち着くためか病巣部の血流も低下し，加えて浮腫の状態も改善し壊死に陥った病巣が軟化巣として低吸収域に変わり，以後瘢痕組織としてそのままの状態が続くことになる（図Ⅳ･2･4）。

2　脳内出血の頭部CT画像

出血では，血液のX線の透過性の悪さから，画像では血腫が白く（HDA）見えてくる。出血の場合，発症直後から病変部位は白く見え，梗塞とは対照的である。

数時間～数日経つと，血腫の周りの組織に浮腫

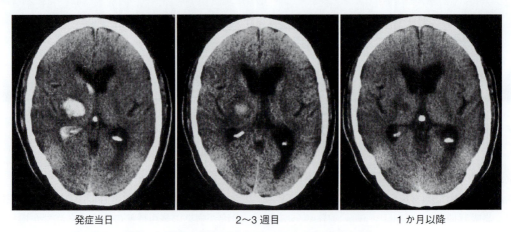

図Ⅳ・2・5　脳内出血後の組織の変化

発症当日：血腫で圧迫された周囲は虚血になるが，1日目は変化がない　CT：血腫の白だけ

発症2〜3日：周囲の圧迫された部位は1日以上経過すると浮腫になり黒くなる　CT：血腫の白の周りに浮腫の黒

発症数週：血腫が小さくなり浮腫が残る　CT：縮小した白の周りに浮腫の黒

1か月以上：血腫で切れた部位および浮腫で壊死した組織が黒く残る　CT：瘢痕組織の黒だけ

図Ⅳ・2・6　脳内出血の頭部CT画像の自然経過（脳室穿破を伴う視床出血）

が生じ，白い血腫の周りに黒い浮腫の画像となる。その後，浮腫は数日間拡大することが多く，この時期の脳浮腫治療は十分に行う必要がある（図Ⅳ・2・5）。

さらに経過すると，血腫がひけ，浮腫も徐々にひいてくると，瘢痕組織として黒い低吸収域が病巣として残ることになる（図Ⅳ・2・6）。

C　脳卒中の頭部MRI画像

頭部MRIでは，通常3つの撮像方法がとられることが多く，それぞれT1強調画像，T2強調画像，FLAIR画像（またはT2プロトン強調画像が撮影される）と呼ばれる（図Ⅳ・2・7）。

T1強調画像は，ほぼCT画像と同じように見える特徴をもつ。また，T2強調画像は水分の多いところが強調されて描出される。さらに，FLAIR画像では脳実質内の病巣が脳室から区別されてとらえることができる特徴をもつ。

MRIはCTと比べて脳幹部・小脳などで骨の影響を受けることが少なく，大脳も詳細な画像が得られ，情報量は多く，臨床では非常に有用である。しかし，このようなMRIも，1回の撮影に10〜20分程度必要で，急性期の患者には時間がかかりすぎる検査であり，狭い空間の中に患者を長時間入れて検査することは大変なことである。また，磁気に反応するため義歯，脳動脈瘤クリップ，人工関節などが体内に存在すると正確な画像が得られなかったりすることがある。しかし最近では，非

常に速く撮影できるものや手術の際に磁性のないものを使うなどの工夫がされてきている。

brain attack 時代の画像診断としては，できる限り単一の機械でかつ短時間にできるだけ多くの情報を得ることができるのが条件であり，MRI がそれを担っている．MRI も進歩をみせ，発症後数時間以内の超早期の梗塞部位の同定には拡散強調画像が，閉塞血管の確認には MR angiography (MRA) を，脳血流の状態の確認に perfusion MRI，脳代謝の状況を知るために MRI spectroscopy を使うといったように，1 台で短時間に多くの情報が得られるようになってきている．

1 脳梗塞の頭部 MRI 画像

脳梗塞では，拡散強調画像で発症後 2 時間程度で病巣が白く高信号域を呈するが，T1・T2 強調画像では発症後 8 時間以内くらいの超早期はわかるような変化はなく，正常範囲内の画像である．それ以上経過してくると，浮腫・瘢痕化組織などのため病巣は T1 で黒く（低信号域 low intensity area：LIA），T2 および FLAIR で白く（高信号域 high intensity area：HIA）なる．これが浮腫などの時期に多少拡大し，その後，縮小するものの慢性期まで同じように続くのが脳梗塞の特徴である（図Ⅳ・2・8）．

2 脳内出血の頭部 MRI 画像 (表Ⅳ・2・3)

脳内出血では，血腫のもつ信号により発症直後から変化を認め，発症当日の超早期では T1 が軽度低信号，T2・FLAIR で高信号域になる（図Ⅳ・2・9）．数日中には血腫の周りの浮腫のため T1 でやや黒く，T2 でやや白くなる．しかし，数週間後には浮腫が徐々に消退すると同時に，ヘモグロビンの代謝産物（hemoglobin→methemoglobin）の

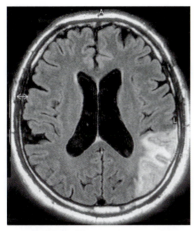

図Ⅳ・2・7　FLAIR（fluid attenuated inversion recovery）画像（頭頂葉脳梗塞）

水素原子を強く振動させておいて，安定な水の成分だけを無視してとらえる方法．TR をできるだけ長くしておいて，水の T1 値を無視するように設定すると，T2 強調画像で白く見えている脳室などの水の入っている部分が無視されて，小さなラクナ（小梗塞）などの病巣が描出しやすくなる．脳室などは黒くなり，脳内浮腫や血腫は白くなる．T2 プロトン強調画像とほぼ同じ画像で，得られる情報もほぼ同じである．

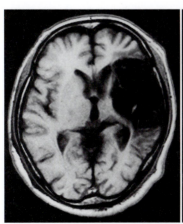
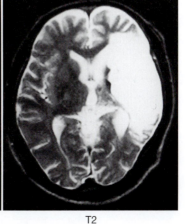

T1　　　　　　　　　　T2

図Ⅳ・2・8　脳梗塞亜急性期〜慢性期の頭部 MRI 画像

表Ⅳ・2・3 脳卒中における MRI 各画像の特徴

画像	特徴	高信号（白）	低信号（黒）
T1	水（H_2O）が黒い 白質が白	出血（血腫），亜急性期出血（リング）	水（髄液），大部分の梗塞病変，瘢痕組織
T2	水が白い 白質が黒	水（H_2O，髄液，脳室，クモ膜下腔），浮腫病変，瘢痕組織	急性期出血（デオキシヘモグロビン），慢性期出血（ヘモジデリン）
FLAIR	広い所で安定した水を黒くしたT2強調画像 皮質・白質内の病巣は白色 白質は灰色	皮質・白質内の病巣，その他はT2と同じ	水（H_2O，髄液，脳室，クモ膜下腔），その他はT2と同じ
DWI	拡散できない水が白 超急性期脳梗塞，細胞内浮腫	脳梗塞，血腫	水（髄液），脂肪，その他はT2と同じ

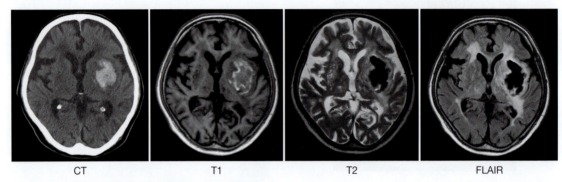

図Ⅳ・2・9 脳内出血発症当日（被殻出血）の画像所見

ため T1 で周辺部が白くなり，ドーナツのように見える時期がある（図Ⅳ・2・10）。

その後は血腫の吸収とともに T1，T2 とも黒く低信号域になり，慢性期のこの状態が 6 か月〜10 年程度続くことになる。さらに経過してくると瘢痕組織のみとなり，脳梗塞と同じように T1 で黒く（低信号域），T2 で白く（高信号域）なり，以後持続する。この時点では出血か梗塞かの鑑別は困難となるが，これ以前での鑑別は MRI では可能なことが多い。

また，T2＊（T2スター）という撮像方法がある（図Ⅳ・2・11）。これはヘモジデリンに含まれる鉄（Fe）を強調して画像に現し，過去の脳内出血か否かが的確に把握できる。

D 脳画像各レベルの見かた

脳画像を見る際，見ているスライス面がどの程度の高さなのか同定する必要がある。そこで，各スライス面の目印について下から順に概説する。

1 延髄のレベル

延髄中央部では 3 段重ねの正月の餅のように見え，角が丸くなった台形の左右両辺の中央がくびれたような形状を呈している。前方の 1 段目が中央で割れた両側に錐体路が通り，その後方 2 段目に下オリーブ核のふくらみ，その後ろがややくびれて，下小脳脚のふくらみへと続く（図Ⅳ・2・12）。なお，下方の脊髄になると楕円形となり，くびれはなくなる。

2 小脳のレベル

小脳の高さについては，第 4 脳室の形が参考になる。上方は中脳水道につながり，側方はルシュカ孔として左右両側へ開き，下方はマジャン

2. 脳血管障害の画像診断

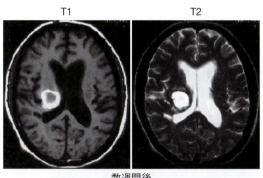

数週間後

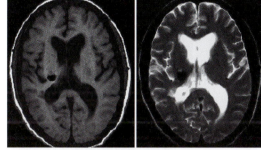

6か月〜5年

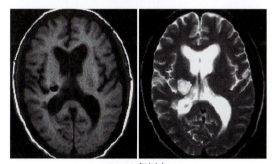

5〜10年以上

図Ⅳ・2・10　脳内出血の頭部MRI画像

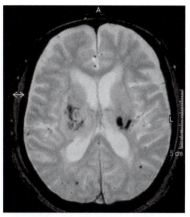

図Ⅳ・2・11　視床出血のT2＊（T2スター）
本例は左視床出血の例であるが、仮性球麻痺による構音障害と嚥下障害を呈していた。MRIでは左視床出血のほかに、過去の無症候性の右被殻出血が見られ、この画像所見からMRIで仮性球麻痺の説明が可能である。

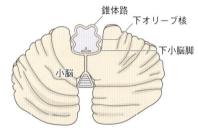

図Ⅳ・2・12　延髄中央部

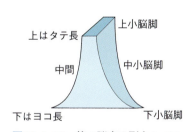

図Ⅳ・2・13　第4脳室の形とレベル

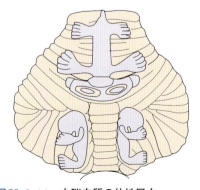

図Ⅳ・2・14　小脳皮質の体性局在
知覚刺激の際の誘発電位より。（Sniderによる）

ディー孔として脊髄腔につながる。第4脳室の形は、下方はヨコ長に上方はタテ長になる（図Ⅳ・2・13）。また、上方から上小脳脚、中小脳脚、下小脳脚と第4脳室の側方を通り、主として上小脳脚は大脳と小脳を結ぶ四肢の神経線維が、中小脳脚はオリーブ核などの橋と小脳を結ぶ体幹部の神経線維が、下小脳脚は脊髄と小脳を結ぶ四肢の線維がそれぞれ通ることになる。

また、小脳皮質の各支配部位は図Ⅳ・2・14のような局在が提唱されており、その理解に役立つ。

橋については第4脳室がヨコ長であれば橋下部のレベルが、タテ長であれば橋上部のレベルがそれぞれ対応する（図Ⅳ・2・15）。

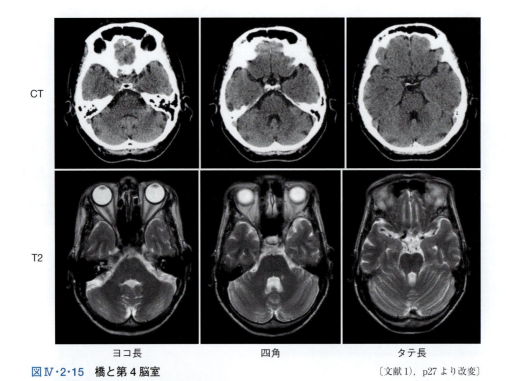

図Ⅳ・2・15　橋と第4脳室

〔文献1），p27 より改変〕

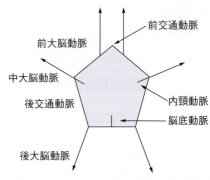

図Ⅳ・2・16　ペンタゴンのレベル

図Ⅳ・2・17　ウィリス輪を構成する各動脈

3 ペンタゴンのレベル

次に小脳から前方に視点を移すと，脳槽の形が目印となる。このレベルの脳槽の形はちょうど5角形を呈することから，5角形という意味のペンタゴンといわれる（図Ⅳ・2・16）。この5角形の各辺はウィリス輪に一致し重要な意味があるのがわかる（図Ⅳ・2・17）。

4 ダビデの星のレベル

さらに上方へいくと，5角形の底辺の中央部分が後方へ切れ込み，ちょうど星が光っているような形に脳槽が見える。このレベルをダビデの星のレベルといい，後方の切れ込みの左右は大脳脚に一致する（図Ⅳ・2・18）。

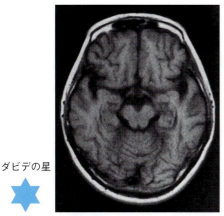

図Ⅳ·2·18　ダビデの星のレベルのCT

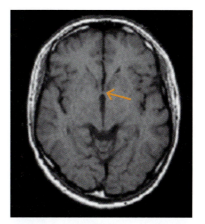

図Ⅳ·2·20　前交連のレベルのCT
→：前交連

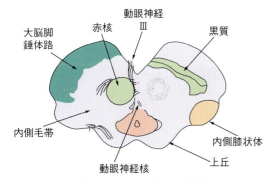

図Ⅳ·2·19　中脳レベルの脳幹部の構造

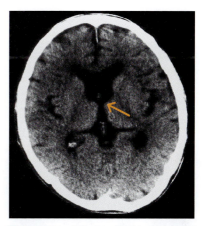

図Ⅳ·2·21　モンロー孔のレベルのCT
→：モンロー孔

5　中脳のレベル

　ダビデの星よりわずかに高いレベルで視点を後方へと移すと，ミッキーマウスの顔のように見える高さでもあり，中脳のレベルとなる。このミッキーマウスの両耳にあたる部分が大脳脚で錐体路が通っている。

　このレベルでの脳幹部の構造は図Ⅳ·2·19のようになり，上丘や動眼神経のレベルに一致する。

6　前交連のレベル

　左右の大脳を結ぶ構造として，脳梁と前交連がある。前交連は主に嗅覚に関与する線維が左右の脳へ交差して入るところであり，側脳室の前角と第3脳室の間に位置する比較的小さな構造物である（図Ⅳ·2·20）。

7　モンロー孔のレベル

　さらに高いレベルになると前交連の上で側脳室前角と第3脳室がつながるところが見える。この脳室同士の連絡通路がモンロー孔である。このレベルでは，視床をはじめ大脳基底核が最も明確に見える（図Ⅳ·2·21）。

　また，このレベルでは内包後脚から斜め前方に張り出す聴放線が見られる（図Ⅳ·2·22）。

8　松果体のレベル

　次のレベルはX線CTで見ると，やや後方中央に白い点状のものが見えるレベルがある。また，

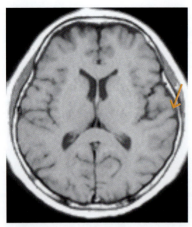

図Ⅳ・2・22　聴放線の同定
→：内包後脚から斜め前方に伸びヘッシュル回に達する聴放線

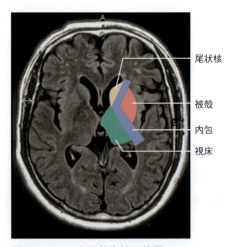

図Ⅳ・2・24　大脳基底核の位置

〔文献1），p91 より〕

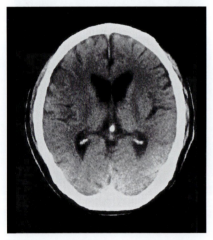

図Ⅳ・2・23　松果体のレベルの X 線 CT

左右の側脳室後角の中に白い点が見え，3つの白い点が印象的なレベルである（図Ⅳ・2・23）。中央の白い点は松果体の石灰化であり，左右の点は脈絡叢である。松果体の石灰化を目印としているため，X 線 CT ではわかりやすいが，MRI ではわかりづらい特徴をもつレベルでもある。MRI で見ると松果体の見られる部分が菱形（◇）のように見えるので，この形を目安にするとよい。

　また，前交連から松果体のレベルでは，視床，内包，被殻，尾状核などの大脳基底核がよく見える（図Ⅳ・2・24）。

9　脳梁膨大のレベル

　さらに上のレベルになると，後方の中央部で左右大脳をつなげる太い脳梁の線維束が見られる（図Ⅳ・2・25）。

　この部位は，脳梁のなかでも左右の大脳をつなげる神経線維が多く，脳梁膨大と呼ばれる（図Ⅳ・2・26）。脳梁膨大では主に頭頂葉，側頭葉，後頭葉の線維連絡をしている。また，このレベルでは外側面ではシルビウス溝にほぼ一致することから，これまで示してきた側方の部分はほとんどが側頭葉であり，これから先のレベルでは頭頂葉であることがわかる（図Ⅳ・2・27）。

10　X 染色体のように側脳室が見えるレベル

　脳梁膨大部の少し上では側脳室の前と後がつながるが，同じ幅ではなく中ほどでくびれて，X 染色体のように見えるレベルがある。くびれの大部分は，側脳室内の脈絡叢によるものである（図Ⅳ・2・28）。

11　脳梁体部のレベル

　左右大脳半球は前方と後方から大脳鎌によって仕切られてくるが，その中央部ではまだ脳梁体部

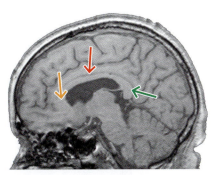
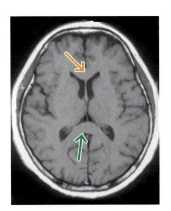

図Ⅳ・2・25 脳梁の位置関係
　→：脳梁膝部，→：脳梁体部，→：脳梁膨大

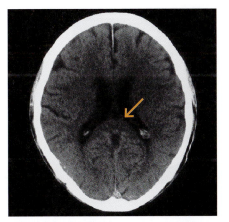

図Ⅳ・2・26 脳梁膨大のレベルの X 線 CT

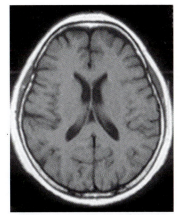

図Ⅳ・2・28 X 染色体のように見えるレベル

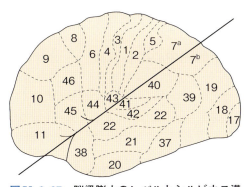

図Ⅳ・2・27 脳梁膨大のレベルとシルビウス溝の関係

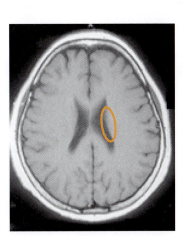

図Ⅳ・2・29 脳梁体部のレベルと放線冠
　○：放線冠

でつながっている。このレベルが脳梁体部のレベルである（図Ⅳ・2・29）。側脳室の外側には錐体路が通る放線冠がある。

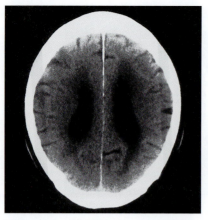

図Ⅳ・2・30　ハの字のレベルのX線CT

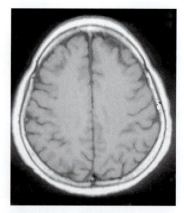

図Ⅳ・2・31　半卵円中心のレベル

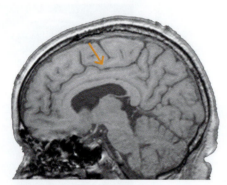

図Ⅳ・2・32　帯状溝のレベル
→：帯状溝

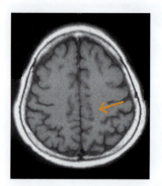

12 ハの字のレベル

脳梁体部の上方では，大脳鎌が左右大脳を分けるため，左右大脳をつなぐ構造物はなくなる。しかし，脳梁体部より側脳室のほうが高い位置まであるため，側脳室が左右大脳に見え，ちょうどカタカナの「ハ」の字のように見えるレベルがあり，ハの字のレベルと称している（図Ⅳ・2・30）。

ハの字のレベル以上では，X線CTなど詳細に見えない画像であると，目印となる構造物がなく，大きさの順などに並べなければ，順序づけることができない。このレベルを高さ不明のレベルといったが，MRI画像の詳細な画像情報から，半卵円中心のレベル，帯状溝のレベル，中心溝が大脳縦裂まで達しないレベル（central knob の見えるレベル），中心溝が大脳縦裂まで達している最上位のレベルなどのように分けて見ることができる。

13 半卵円中心のレベル

半卵円中心レベルは皮質下の面積も大きく，その中央部をちょうど卵の形をした脳の半分の形の中央という意味で，半卵円中心という（図Ⅳ・2・31）。

半卵円中心は錐体路，感覚神経，前頭葉や頭頂葉の皮質下神経など重要な神経が通る。

14 帯状溝のレベル（高さ不明のレベルの中間）

高さ不明のレベルの中に，内側中央〜後半部分に左右に脳溝が切れ，比較的面積の広い部分が見える（図Ⅳ・2・32）。これが帯状回の上にある帯状

2. 脳血管障害の画像診断

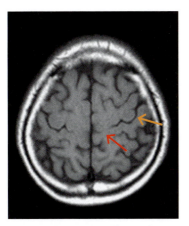

図Ⅳ・2・33 中心溝が大脳縦裂まで達しないレベル
（central knob が見えるレベル）
逆Ω型の central knob（→）。
中心溝が大脳縦裂までつながっていない（→）。

図Ⅳ・2・34 中心溝が大脳縦裂まで達している最高位
のレベル
→：運動野，→：感覚野，→：大脳縦裂
中心溝が外側から大脳縦裂に達している（→）。
感覚野の内側面後方には，帯状回辺縁枝が見える（→）。

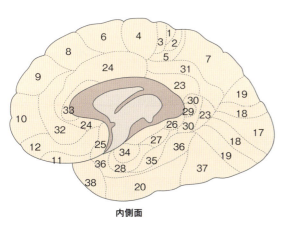
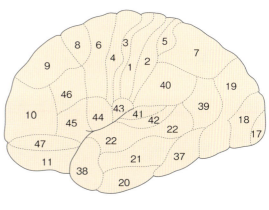

内側面　　　　　　　　　　　　　外側面

図Ⅳ・2・35 ブロードマンの脳地図

溝である．矢状断で見ると水平に走る部分が切れているので，このように脳溝が見やすくなる．

15 中心溝が大脳縦裂まで達しないレベル（central knob が見えるレベル）

　中心溝（ローランド溝）は，表面では溝になって内側から外側までつながっているので，最も高いレベルでは外側から大脳縦裂まで溝が続いているが，皮質下では運動野と感覚野がつながっている．このレベルでは，手指の運動神経や感覚神経が多いためにできた central knob とよばれる運動野・感覚野の逆Ω字のふくらみを見ることができ

る（図Ⅳ・2・33）．

16 中心溝が大脳縦裂まで達しているレベル（最高の位置）

　中心溝が大脳縦裂まで到達し，運動野と感覚野は中心溝で分けて見える（図Ⅳ・2・34）．

　以上のようなレベルを目印にして，松井らの図譜[3]を用い，OML（orbito-meatal line）に対し後方15°の傾斜の断層面の大脳内における各レベルのブロードマン Brodmann の脳地図（図Ⅳ・2・35）と前・中・後大脳動脈各分枝（図Ⅳ・2・36）の動脈灌流域の同定を試みたのが図Ⅳ・2・37である．ま

111

た，視床における体性局在の同定を試みたのが図Ⅳ・2・38 である．実際の画像所見との対比がしやすいよう図Ⅳ・2・39 〔(1)～(3)〕に，OML より 15°後傾した CT 上でのブロードマン領野とその血管支配領域を示した．また，表Ⅳ・2・4 にブロードマン領野とその名称を示した．

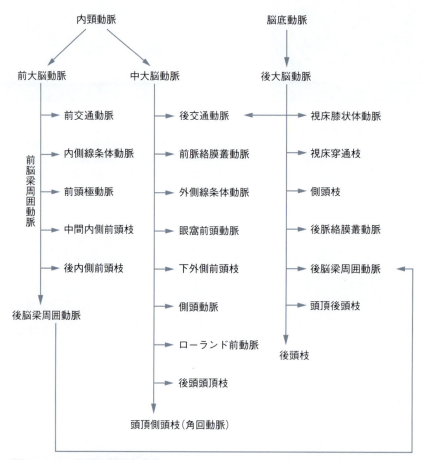

図Ⅳ・2・36　大脳の動脈の分岐

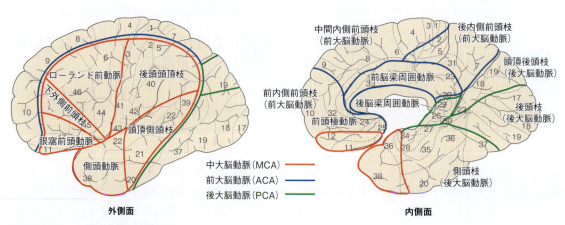

図Ⅳ・2・37　大脳の動脈の灌流域

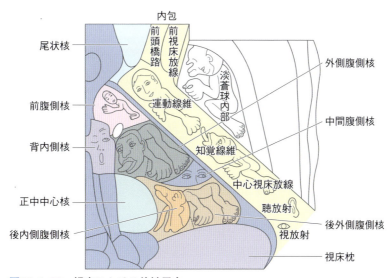

図Ⅳ・2・38　視床における体性局在

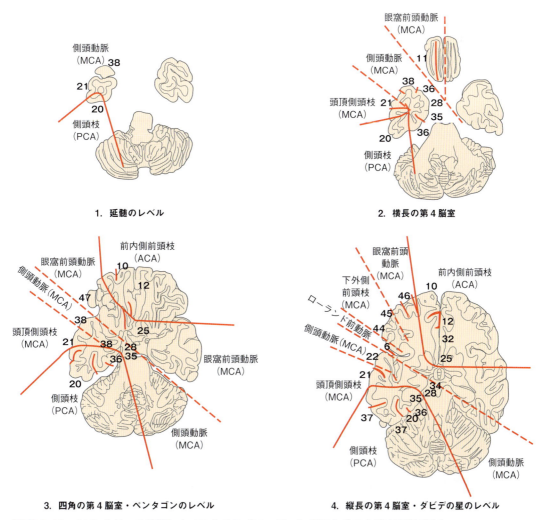

1. 延髄のレベル

2. 横長の第4脳室

3. 四角の第4脳室・ペンタゴンのレベル

4. 縦長の第4脳室・ダビデの星のレベル

図Ⅳ・2・39　OMLより15°後傾したCT上でのブロードマン領野とその血管支配領域(1)

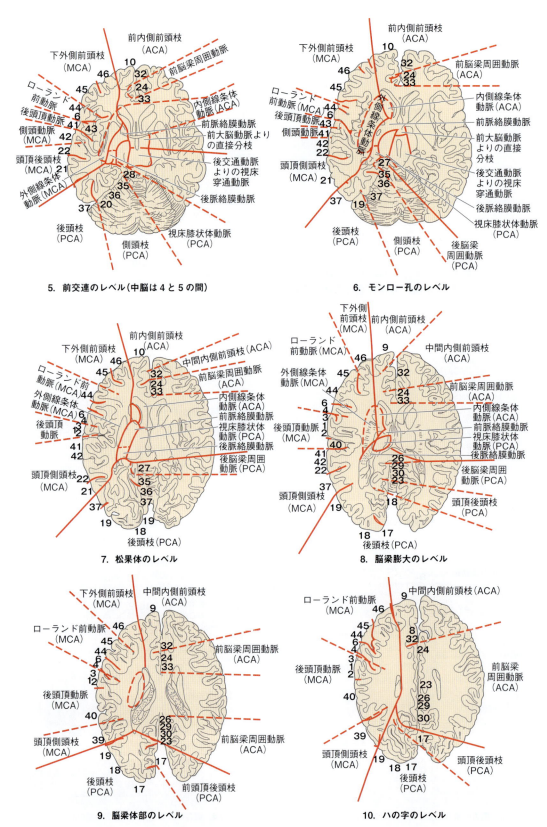

図Ⅳ・2・39　OMLより15°後傾したCT上でのブロードマン領野とその血管支配領域(2)

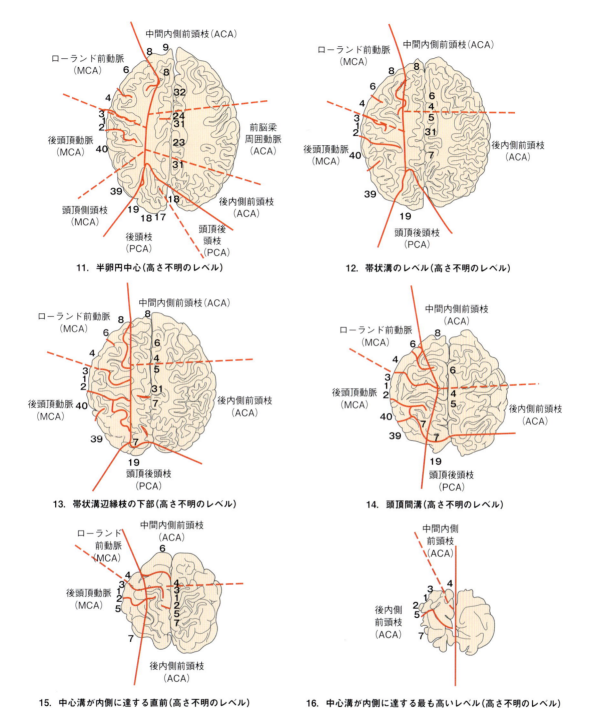

図Ⅳ・2・39　OMLより15°後傾したCT上でのブロードマン領野とその血管支配領域(3)

表Ⅳ・2・4　ブロードマン領野とその名称

ブロードマン領野	日本語名	英語名
3・1・2	感覚野（中心後回）	primary somatosensory cortex（postcentral gyrus）
4	運動野（中心前回）	primary motor cortex（precentral gyrus）
5	体性感覚連合野	somatosensory association cortex
6	運動前野・補足運動野	premotor cortex, supplementary motor cortex
7	体性感覚連合野	somatosensory association cortex
8	前頭眼野	frontal eye fields
9	前頭前野背外側部	dorsolateral prefrontal cortex
10	前頭極	anterior prefrontal cortex
11	眼窩前頭野	orbitofrontal area
12	眼窩前頭野	orbitofrontal area
13, 16	島皮質	insular cortex
17	一次視覚野（V1）	primary visual cortex（V1）
18	二次視覚野（V2）	secondary visual cortex（V2）
19	視覚連合野（V3, V4, V5）	associative visual cortex（V3, V4, V5）
20	下側頭回	inferior temporal gyrus
21	中側頭回	middle temporal gyrus
22	上側頭回	superior temporal gyrus
23	腹側後帯状皮質	ventral posterior cingulate cortex
24	腹側前帯状皮質	ventral anterior cingulate cortex
25	膝下野	subgenual area
26		ectosplenial area
27	梨状葉皮質	piriform cortex
28	後嗅内皮質	ventral entorhinal cortex
29	脳梁膨大後部帯状皮質	retrosplenial cingulate cortex
30	帯状皮質の一部	part of cingulate cortex
31	背側後帯状皮質	dorsal posterior cingulate cortex
32	背側前帯状皮質	dorsal anterior cingulate cortex
33	前帯状皮質の一部	part of anterior cingulate cortex
34	前嗅内皮質	dorsal entorhinal cortex
35	嗅周囲皮質	perirhinal cortex
36	海馬傍回皮質	parahippocampal gyrus
37	紡錘状回	fusiform gyrus
38	側頭極	temporopolar area
39	角回	angular gyrus,
40	縁上回	supramarginal gyrus
41・42	一次聴覚野（ヘッシュル回）	primary auditory cortex（Heschl's gyrus）
43	味覚野	gustatory cortex
44	下前頭回　弁蓋部	pars opercularis, part of the inferior frontal gyrus
45	下前頭回　三角部	pars triangularis, part of the inferior frontal gyrus
46	前頭前野背外側部	dorsolateral prefrontal cortex
47	下前頭前野	pars orbitalis, part of the inferior frontal gyrus

2. 脳血管障害の画像診断

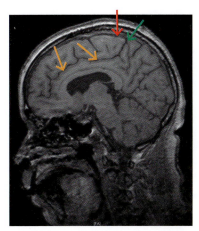

図Ⅳ·2·40　帯状溝辺縁枝と感覚野
→：帯状溝，→：感覚野，→：帯状溝辺縁枝

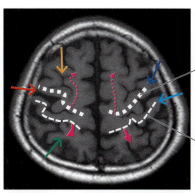

図Ⅳ·2·43　脳回のつながりで運動野を同定
→：中心前溝は上前頭溝とつながる。
→：中心溝はどの溝ともつながらない。
→：中心後溝は頭頂間溝とつながる。
→：運動野，→：感覚野

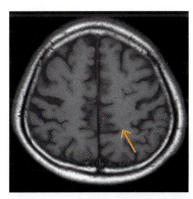

図Ⅳ·2·41　水平断での帯状溝辺縁枝
→：帯状溝辺縁枝

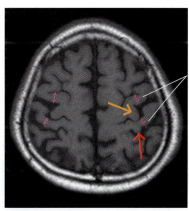

図Ⅳ·2·44　central knob と運動野・感覚野の幅
→：central knob（指の運動野），→：やや小さな central knob（指の感覚野）

E　脳回の同定法

1　運動野，感覚野の同定法

　矢状断で見ると，中央部に見える脳梁の周囲に帯状回があり，さらにその周囲に帯状溝がある。この帯状溝は大脳縦裂を上方に抜けており，この上方の溝を帯状溝辺縁枝という。この帯状溝辺縁枝の上方で抜けたところのすぐ前の脳回が感覚野（3・1・2野）である（図Ⅳ·2·40）。
　水平断で見ると，帯状溝のレベルで，内側部中央に脳溝が左右横につながって見えるところがあ

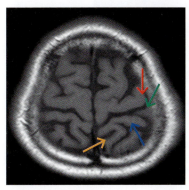

図Ⅳ·2·42　水平断上方での運動野の同定
→：帯状溝辺縁枝，→：運動野，→：中心溝，→：感覚野

117

IV. 主な老人性疾患のリハビリテーション

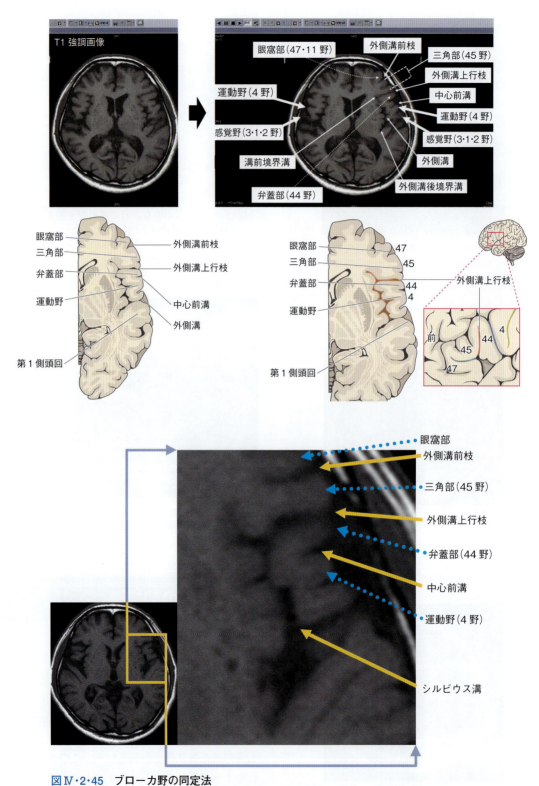

図IV・2・45　ブローカ野の同定法
外側溝上行枝から同定する。外側溝上行枝の前が三角部(45野)，後方が弁蓋部(44野)である。
〔文献1），p61より〕

るが,脳の1/3くらい後方に位置し,この密になった脳溝の最も後ろが帯状溝辺縁枝である(図IV・2・41)。

これを最も上のレベルに追いかけると,脳回と脳溝が明確に見える中心溝が大脳縦裂に達するレベルになる。そのレベルで見える帯状溝辺縁枝の1つ前の脳回が感覚野であり,その前の脳溝が中心溝,さらにその前の脳回が運動野と同定できる。あとはコンピュータ画像では外側部や内側部にカーソルなどを置き,上下のスライス画像に進めれば,運動野,感覚野などが同定できる(図IV・2・42)。

また,異なる方法として,高さ不明のレベルの上方のスライスで運動野と上前頭回あるいは中前頭回と逆Tの字でつながり,一方,運動野の後ろの中心溝はどの溝ともつながらず,その後ろの感覚野は上頭頂小葉とTの字でつながるような形を呈する。これを目安にして運動野などを同定してもよい(図IV・2・43)。

さらに,運動野と感覚野の後方に逆Ω型をしたふくらみのcentral knobが見えるレベルがある。central knobは指の運動神経や感覚神経が人間で多くなったために,太くなっている部位である。運動野と比べると感覚野がやや小さな同じ逆Ω型のふくらみが見える。これも同定の目印になる。

加えて運動野と感覚野の脳回の幅を比較すると運動野のほうがやや広くなっており,確認の手立てとして役立つ(図IV・2・44)。

これら種々の運動野の同定法で脳画像の運動野の位置がわかり,これを手がかりに他の脳回の同定を進めるとよい。

2 ブローカ野の同定

言語に関連するリハビリテーションを行う際に,ブローカBroca野の同定が必要である。ブローカ野は,モンロー孔あるいは脳梁膨大レベルくらいのスライスで同定しやすい。

まず,シルビウス溝が脳表面から中に入り島回などに接している。このシルビウス溝の最も前方で脳溝が脳表にまで達している。この脳溝が外側溝上行枝である。この溝と1本前の外側溝前枝との間に囲まれたところがブローカ野の前方部分の三角部である。外側溝前枝は内部のシルビウス溝まで達しない浅い溝である。したがって,外側溝前枝の前は前頭眼窩部であり,後方に外側溝前枝,三角部(45野),外側溝上行枝,弁蓋部(44野),中心前溝,運動野と続くのである。これをもとにするとブローカ野(44,45野)が同定できる(図IV・2・45)。

3 脳損傷と高次脳機能障害

　頭部 X 線 CT, MRI, SPECT, PET, f-MRI, 脳磁図, 拡散テンソル画像(DTI)など近年の診断技術などの発展により, かなり詳細な脳機能の分析がなされてきている。ここでは大脳局在論の発達に伴い, リハビリテーション上有用と思われる脳機能について, ブロードマン Brodmann の分野と対応させ概説する。

　大脳局在論については種々の変遷や全体論の展開, 皮質下ネットワークによる関連障害, また年齢による局在性の違いなどがあり, ここでは一般的な局在を取り上げた。しかし, 実際には血管支配領域の個人差も大きく, また側副血行路の発達の良し悪し, 神経可塑性により症状は大きく異なるものと考えられる。

　最近の言語学などの発達により左半球の言語野と称する部位については他の部位に比較し, 詳細な研究がなされてきた経緯がある。しかし, 前頭前野の一部である 9, 10, 11 野や, 側頭葉下部などに代表される部位などは現在盛んに研究されつつあり, 徐々にその機能が解明されてきている。

　また高次脳機能障害とは, 脳の病気や事故など何らかの損傷が原因で, 言語, 記憶, 行為, 視知覚, 注意, 感情などが障害された状態をいい, その種類には, ①失語, ②失行, ③失認, ④半側空間無視, ⑤前頭葉症状, ⑥感情障害, ⑦記憶障害などがある。これを正しく診察することで, 個々の高次脳機能障害の症状を, 脳の全般的な障害(例えば認知症)から区別し, 脳における病変を推定したり, 症状の重症度を判定できる。これらの症状の把握は有効なリハビリテーションの工夫に役立てることができる。

A 前頭葉

1 4野(運動野)

　中心溝(ローランド溝)の前に位置する4野 area 4 は, 中心前回, 運動野などといわれ, 運動線維である錐体路の出発点である。運動野の機能局在については, 言及するまでもなく, 内側面が足, 上方に向かって下腿, 大腿となり, 内側の上方角が股関節付近, 外側になるにしたがって体幹, 肩, 上腕, 前腕, 小指から母指へ, 上部顔面から口, 舌, のどへと分布している(図Ⅳ・3・1)。しかし, この部位に限局する損傷では痙性麻痺になることが少なく弛緩性麻痺になり, 腱反射が低下したりする。バビンスキー反射は陽性になることが多い。

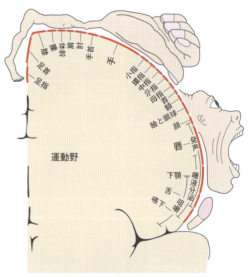

図Ⅳ・3・1　運動野の機能局在

〔文献1)より〕

4野は，ピアニストの演奏，フィギュアスケートの演技，バスケットボールのシュートなど習熟された運動記憶の場所で，何度も何度も練習・訓練された運動記憶などの手続き記憶の場所である。

ピアノやバイオリンなどを演奏するときに経験するが，いったん楽譜を覚えてしまえば，非常に細かな速い運動でも可能となるように，巧緻性を伴った運動をつかさどる部位である。その特徴として，ゴルフや野球のバットを振るときでもわかるが，止めようとしても急には止まらず，いったん開始された運動を最後までしてしまう"ballistic movement"と呼ばれる動きである。

2 6野（運動前野）

この部位は，主に運動野に送る運動のプログラムをするといわれている。その部位も4野と対応しながら，4野の足の前で足に関するプログラムを，4野の手指の前で手指の運動プログラムをする。そのため，手指の前あたりの外側面中央の6野 area 6 の損傷では手指失行（肢節運動失行の一部）が，内側面の足の前では歩行失行（特に両側性に障害を受けると出やすい）が，顔面の前であれば頬-顔面失行 bucco-facial apraxia が出現しやすいことが理解できる。

動きの特徴として，新しい字を覚えたり，知らない曲を最初にピアノなどで弾くようなときのフィードバックを常に必要とする運動，ゆっくりした巧緻動作で，"ramp movement"と呼ばれる。この動きは，6・8野と4野，小脳，赤核など多くの部位が関連する。そのため，巧緻動作，協調動作，熟練動作の学習に障害が出現する。

4野と6野を損傷すると腱反射の亢進した重度の麻痺がみられることが多い。

3 6～8野にかけて（補足運動野）

この部位の特殊性として，運動や感情を開始させるか，持続させるか，止めるかなど，運動・感情のスイッチのON-OFFの働きがある。そのため，運動開始困難や運動持続困難が生じ，それに関連する種々の症状が出現する。

損傷された場合，motor impersistence（運動持続困難症：閉眼10秒＋開口10秒）やemotional impersistence（感情易変容：右半球で強いが，自発性が低下し，種々の訴えが多く，行動上耐久力がなく，ちょっとした刺激で興奮しやすく情動失禁的色彩をもつ）などが生じることがある。

また，大脳障害側とは逆の空間や身体動作に対する反応性の低下や自発動作の欠如（intension, activationの障害）から，片側性無動症 unilateral akinesia, 運動性半側空間無視 motor hemineglect などの症状が出現することがある。重度になると無動・無言 akinetic & mute の状態となる。両側性にくると akinetic mutism とよく似た状態となることがある。

補足運動野の損傷によって運動無視が生じることが多い。例えば，「朝，洗顔の時，左手を使わないで右手のみで顔を洗っているのに気付きあわてて左手を使った」というように運動無視は病巣と対側の上下肢の低使用で不自然な肢位を示すが，指示すれば正常に近い運動が可能で，急性期にみられることが多い。

このように，運動無視は意識すると使え，無意識だと忘れるというように，自動性・意図性の解離現象がみられる。頻度は右半球損傷のほうが左半球損傷に比べて多い。

歩行に関する運動障害では，運動の開始困難から磁石歩行 magnetic gait（あたかも磁石のように地面に貼り付いたような歩行）という特異的なものもみられることがある。

言語面では，発語の開始困難から重度になると無言や全失語様になることがあり，次第に復唱ができるようになり超皮質性運動失語（TCM）を呈することもある。この超皮質性運動失語は，自発語は少なく，1つひとつの音は流暢，復唱は良好で語想起は高度に障害されているという特徴をもつ。この失語には言語の発動性に関与する皮質下線維として，補足運動野から運動野の前方の下前頭回弁蓋部に伸びる frontal aslant tract（FAT）の損傷が注目されている。

神経学的所見では，把握反射（手のひらを指先の方向に触れると握る反射）や病的把握現象（把握反射に加え，握りやすい対象物を手に近づけると

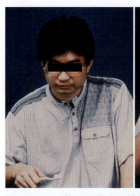

図Ⅳ・3・2　道具の強迫的使用の例
歯ブラシを持たせると，止めようとしても使ってしまう。

追いかける。また，握ったものを離そうとするとさらに強く握ろうとする現象），Gegenhalten現象（筋の受動的伸展で検者が感じる抵抗，上下肢に触れることで神経がそこに集中し筋収縮を生じるため随意的に弛緩させることが困難なための抵抗）などがみられる。

また，身近な道具を近くに置いたり触れさせたりすると，口頭で止めるようにしてもその道具を使ってしまう「道具の強迫的使用」などもみられることがある（図Ⅳ・3・2）。

この際，右手は意図する動きとともに動くことが多いが，意図しないで行動に引きずられて動くこともあるという，意思との乖離を呈することもある。

補足運動野・前部帯状回の損傷によって，脱抑制的，反射的，常同的な異常行動や行為が脳損傷の反対側の手にみられる。患者はこれらの異常行動・行為に気付いていて，同側の手はその運動を抑制しようとする行動がみられる。

前頭眼野といわれる8野に比較的特異的な機能としては，刺激のある方向に眼や頭をすばやく向けるように働き，危険回避などに関与している重要な部位である。ほかの神経現象としてRossolimo反射（足底2〜4指をハンマーでたたくと屈曲する）や，fanning sign（開扇現象：バビンスキー反射のときに2〜4指が開く）がある。

4　8野前方〜9, 10, 11, 12野（前頭前野）

a　前頭前野の解剖と機能

この部位は，前頭前野といわれ，その範囲として次のような範囲が提唱されている。

前頭前野領域の範囲（Mesulam）

① motor-premotor components area 46, supplementary motor area(medial 6)caudal area 8, parts of Broca's area(44)
② paralimbic cortex anterior cingulate, parolfactory, caudal orbitofrontal regions
③ heteromodal areas, area 9, 10, 11, 12(rostral), 45, 46, 47

〔文献2）より〕

ヒトのもつ高次脳機能として，Jackson以来most highest centerといわれており，PETができてから種々の水準で研究され解明が現在盛んに行われているところである。

現在までの研究から次のようなものが前頭前野の機能としてあげられている。

前頭前野の機能

① stimulus-boundness(Goldstein, 1939)
　具体的な刺激にしばられて，抽象的なことができない。
② 未来への投射イメージに反応(Denny-Brown, 1951)
　計画ができない。将来へ心像を投射して将来から現在を見返すことができない。
③ test-operate-test-exit説(Pribram, 1960)
　試行錯誤がうまくできない。
④ corollary discharge説(Teuber, 1964)[3]
　前頭葉が仕事をするときはいつももう1つdischargeを出していてcheckする。
⑤ 目的志向性行動の制御(Luria, 1973)[4]
⑥ supervisory attentional systems(Shallice, 1980)[5]
⑦ working memory説(Baddeley, 1988)[6]
⑧ temporal integration(Fuster, 1989)[7]
　時間軸の整理統合ができない。
⑨ response to somatic marker説(Damasio, 1990)[8]
⑩ 多様な認知ネットワークの前頭前野での統合(Mesulam, 1990)
⑪ supramodal association(Benson, 1993)

図Ⅳ・3・3　Stroop 課題
右上から順に文字を読むのではなく，色を言ってもらうが，うっかりと文字を読んでしまうことがある。前頭葉内側上部の損傷で，この習慣的傾向の抑制が難しくなる。

図Ⅳ・3・4　Wisconsin card sorting test
数，色，形の異なる4枚の基本カードを置く。検者が指定した分類を新しく渡されたカードから被検者は推測し，基本カードの前に置く。検者はその正誤を伝え，被検者は正しい分類を推測して答える．

しかし，この部位の損傷では，前頭前野だけが障害を受けても一側だけでは症状が出なかったり，行動的な異常は出ない場合が多く，silent area といわれてきた経緯がある。このように，前頭前野病変で特異的な症候が出現するのか，その行為障害には局在症状があるのかなど，まだ問題が多い。

いわゆる前頭前野症候群として，次のようなものがあげられている。

前頭前野症候群

① 感情変化 apathy, indifference, /depression/ euphoria
② 発動性障害 akinesia, /impulsiveness, /irritability
③ 知能障害
　ⓐ 注意障害
　ⓑ 記憶障害：working memory disturbance（背外側 area 46 中心）
④ 行動障害
　ⓐ impairment of "executive function"（遂行機能，管理者，管理機能の障害，まとめることがうまくできない）
　ⓑ environment dependency syndrome（環境依存する行動）：内側底部の症状
　ⓒ memory dependency syndrome（記憶に依存する行動，刺激があっても全然関係なく行動する；造語）：内側底部の症状
⑤ 遂行機能障害症候群 dysexecutive syndrome（Baddeley, 1983）
　以下の遂行機能 executive function（Lezak, 1986）の障害
　ⓐ 行動の目標設定 goal formulation
　ⓑ 計画 planning
　ⓒ 計画の実行 carrying out goal-directed plan
　ⓓ 効果的作業 effective performance

8野，特に外側面には単一の刺激では動かないが，2種類以上の刺激が同時に働くと動く神経がある。このことは，2つの負荷をかけると欠損があるが，1つの負荷だけだと出てこない可能性があるという前頭葉の特徴に結びつく。したがって，多くの複雑な要素をもつものの中からある複雑な条件に適合するものを選ぶときなどに関与しているものと思われ，日常生活上の複雑な判断がここで行われていることを示唆する。この部位の検査として Stroop 課題（図Ⅳ・3・3），Wisconsin card sorting test（図Ⅳ・3・4）や Vygotsky test などがある。

b 強迫的・反響的行為

強迫的・反響的行動，強迫的反復など以下に示す症状も生じやすい部位である。

強迫的・反響的行動，強迫的反復

① 反響行為
② 反響言語
③ 強迫的言語応答
④ 強迫的音読
⑤ ことわざなどの補完現象

⑥ 運動保続
⑦ 反復言語

ここで，反響行為，強迫的行動，模倣行動については以下のような症状を示す．

1. 反響行為 echopraxia

行為を模倣する．自動的・反射的性格を有し，強迫的である（Lhermitte）．模倣を禁止しても行為は継続される．

2. 強迫的行動

一定の刺激によって抵抗しがたく誘発される，反射的・非随意的・自動的な行動で，患者自身の自由意思がこれを押しとどめえない行動（波多野）．

3. 模倣行動 imitation behavior

模倣せよという指示がないにもかかわらず模倣する．患者は模倣すべきだと思っている（Lhermitte）．模倣しなくてもよいとの指示で中断する．

模倣行動と反響行為については鑑別することが困難であるが次のようにいわれている．また，反響行為の特徴を以下に示す．

模倣行動と反響行為
① 患者の面前で検者が一定の動作（単純肢位，習慣動作，パントマイム）を行う．
② 誘発された患者の反応を強迫性の有無から模倣行動と反響行為に区別．
③ 模倣しなくてもいいとの指示
　指示を理解していることを条件として，
　・行為が中断された場合は強迫性がないとして模倣行動とする．
　・行為が継続された場合は強迫性ありとして反響行為とする．

反響行為の特徴
① 検者の行為を模倣することを禁止しても模倣してしまう．
② 患者は，模倣しなくてもよい，模倣を禁止されていると理解していた．
　・模倣をしないように自分の手を押さえたり，口を閉じたり，検者の行為をみないようにし，模倣後「まねをしたらだめだと思っている」と言う．
③ 聴覚的刺激によっても反応は誘発される．
④ 反響言語を伴っている．

このような反響行為は前頭側頭型認知症，認知症を伴うパーキンソン病，進行性核上性麻痺に高頻度に出現するが，アルツハイマー型認知症にはほとんどみられない．

模倣行動はアルツハイマー型認知症にしばしば観察される．

反響行為は前頭葉機能障害や前頭葉病変，および錐体外路症状と関連していて，その存在は前頭葉障害および錐体外路障害を強く示唆する．

模倣行動の有無と前頭葉機能障害や前頭葉病変あるいはほかの認知障害や病変との間には関連がみられず，それ自体に病的意義があるか否かについては疑問がある．などと，これらの症状についてはまだ検討を要する．

C 環境依存症候群

また，関連する症状群として環境依存症候群（Lhermitte, 1986）[9]がある．これには，前述の模倣行動 imitation behavior と利用行動 utilization behavior が含まれる．例えば，注射器や聴診器があると医者でもないのに使ったり，ベッドに行くと自分の部屋でもないのに寝る，というような行動である．損傷部位として下部前頭前野 inferior-prefrontal lesions が考えられており，外的刺激に対する自動性の優位と考えられている．

前頭葉の内側〜底部の障害では，状況判断能力（雨が降っていても庭を掃除する）や「記憶」の障害（退職しているのに毎日決まった時間に出勤する），予定の理解能力や計画行動の能力（受診日の前夜から準備して出ようとする）の障害，人の意見や説得を全く受け入れないという説得される能力の障害など，種々の行動障害が出現する．これは前述の外的刺激に対する自動性の亢進に対して，内的刺激に対する亢進とも考えられる．病巣部位として両側前頭葉，側頭葉前部などがあげられる．

一方，前頭葉型認知症のなかには，何度も同じ行動を繰り返す症状を示すものがある．例えば，

表 IV・3・1 注意の側面

① 選択性 selectivity：無数の外在〜内在刺激のなかから必要な少数に機能を向ける。
② 持続性 coherence：選択した刺激に向けた機能を必要な時間持続させる。
③ 転導性 distractibility：必要が生じればこれまでの注意を中断し，ほかの刺激に機能を向ける。
④ 多方向性 universality：選択された刺激以外の刺激にも少量の機能を向けておく。
⑤ 感度 sensitivity：どの機能にどの程度注意を配分するか調節する。

表 IV・3・2 注意障害に関連する前頭葉以外の部位

① 視床：両側性に視床の内側核群が障害された場合，高頻度に注意障害が生じる。一側性の障害でも急性期に一過性に注意障害が生じることがある。
② 尾状核：尾状核の頭部（頭部のさらに腹側側）の病巣でも注意障害が生じることがある。
③ 右半球：特に右中大脳動脈領域の損傷で高頻度に注意障害がみられる（これが圧倒的に多い）。
④ 左半球：左後大脳動脈領域の腹側（海馬，海馬傍回〜後頭葉腹内側にかけて）の損傷で注意障害がみられることがある。

洗面所があると何度も手を洗いに行ったり，一日に何度も洗濯を繰り返したり，少量のごみを何度も捨てに行くといった症状である。洗面所に何度も行って手を洗うという症状は，手洗い場所を見つけると手を洗うのであるが，そこから出て振り返ったりすると，さっき洗ったばかりでも再び洗わなければということで繰り返す，と説明できる。

この行動は，日常生活において，刺激に対して一連の行動が反射的に繰り返されるといったように，外的刺激に対する行動制御の異常ととらえることができる。したがって，外的刺激（目に入ったもの，動作や言動）によって一定の行動が反射的に繰り返されている。このような運動・行動における被影響性や脱抑制の責任病巣については次のような部位が考えられている。

運動・行動における被影響性や脱抑制の責任病巣

① 刺激に対する運動・行為の抑制障害
　　補足運動野・前部帯状回
② 刺激に対する行動の抑制障害
　　両側前頭葉内側面
③ 外的刺激に対する行動の制御の異常
　　前頭葉穹窿面・内側面
④ 内的欲求とその実現における計略や思路の異常
　　前頭葉穹窿面・眼窩面・内側面

以上の行為・行動抑制障害をまとめると次のようになる。

行為・行動の抑制障害

・左右手の解離性運動障害
　　本態性把握反応
　　運動保続
　　拮抗失行
　　道具の強迫的使用現象
　　分類困難な異常運動（他人の手徴候）
・反響行為
・行為抑制障害
　　利用行動，模倣行動，環境依存症候群

d 注意機能障害

前頭前野は様々な注意機能障害に関連している。注意 attention は運動・感覚・言語・記憶・認知機能などに微細に調整ができることである。注意の側面には**表IV・3・1**のようなものがある。

したがって，注意が障害され，その側面が低下ないし亢進すると，様々な認知機能に特徴的な障害が生じる。主なものとして，① 首尾一貫性の消失，② 反応の遅さ，③ 記憶の障害，記憶錯誤，④ エラーの発生，⑤ 周辺刺激への無関心，⑥ 障害への無感知がある。

軽症意識障害としての注意障害以外にも，ある程度大きな病巣や多発性の病巣であれば，大脳のどの部位の局所損傷でも注意障害が生じる可能性がある。注意障害が生じやすい部位には**表IV・3・2**のようなところがある。特に視床・尾状核では脳幹網様体からの関連線維も多く，さらに左右頭頂からは上縦束，後頭葉からは下前頭後頭束などの皮質下線維を介した注意機能障害がある。

この注意機能の検査に，注意機能の質的分析を年齢平均と比較できるCAT標準注意検査法がある。ほかの知的機能の傾向として，一般的に注意覚醒，推理，判断，想像，創造機能の障害を伴うこともある。

図 Ⅳ・3・5　日本版 BADS（遂行機能障害症候群の行動評価）
台，水の入った蓋付ビーカー，コルクの入った管，先の曲がった針金，プラスチック容器およびねじ蓋を使用して行う．台やビーカー，管を持ち上げたり，ビーカーの蓋に直接手を触れてはいけないという規則を守り，コルクを管の外に出さなければならない課題の検査である．課題を達成するためには，いくつかの段階をクリアする必要があり，自らの行為を系列立てる計画能力や自己監視能力が必要とされる．

e　遂行機能障害

遂行機能 executive function は，言語，行為，対象の認知，記憶など，ある程度独立性をもった高次脳機能を制御し統合する「より高次の」機能で，日常生活における様々な場面において生じる問題や課題に対して適切に反応し，それらを上手に解決していく能力である．

この検査課題として，日本版 BADS（遂行機能障害症候群の行動評価：behavioural assessment of the dysexecutive syndrome）がある（図Ⅳ・3・5）．

ある運動を考えた場合，その行動のプログラムは，行動を起こそうとする意欲 motivation が高まり，前頭前野に伝わり頭頂連合野，側頭連合野とも連携をとりながら，小脳・運動前野などを経由して運動野に伝わり運動として実行される（図Ⅳ・3・6）．

また，この行為の発現を記憶・情動・注意などの内的情報などの処理過程と，感覚入力などの外的情報の処理過程と合わせて考えると図Ⅳ・3・7のようになり，前頭前野のもつ行為における役割が大きいことがわかる．

遂行機能障害は，このように自ら目標を定め，計画性をもち，必要な方略を適宜用い，同時進行で起こる様々な出来事を処理し，自己と周囲の関係に配慮し，長期的な展望で，持続性をもって，行動する前頭前野および脳全体の機能の障害を指す．遂行機能は単一な機能ではなく，目標に到達するための認知機能の柔軟性，必要な情報と反応を選択する集中力ないしは選択的注意，自ら方略を見いだし柔軟な思考で多くの要素を見いだす発散性思考ないしは流暢性などの代表的な機能がある．

認知リハビリテーションの理論的枠組に Shallice の情報処理モデル[10]がある．これは不適切な思考行動を抑制し最適なものが選択され，変更される理論である．それによると，行動開始時の誘発刺激に対していくつかの思考行動が活性化され，そのなかの競合により最適なものが選択される．もし新しい状況に遭遇した場合や競合選択に失敗したときには注意制御システム supervisory attentional system（SAS）が作動する．この SAS が前頭葉の遂行機能の本体であり，SAS の作動により最適な思考行動が選択されるとしている．

遂行機能障害のリハビリテーションとして Von

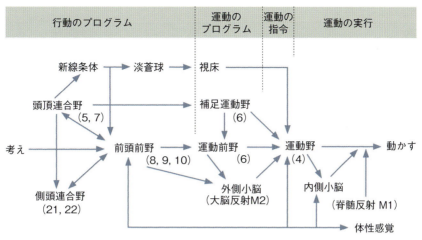

図Ⅳ・3・6　随意運動を発現させるときの脳内の情報の流れ　　（久保田，1982より）

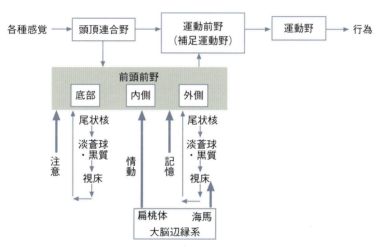

図Ⅳ・3・7　行為遂行の神経学的モデル　　（Cummings, 1993より改変）

Cramonの問題解決訓練[11]が推奨されている。これは，発見的手法と推論により問題解決に向けた代替の仮説形成を促す手法で，① 目標志向的思考（代案を考える）の課題，② 情報の詳細な分析を行う課題，③ 複数の情報を同時に処理する課題，④ 推論を促す課題，の4つのモジュールからなっている。

f　性格の変化

前頭葉の損傷によって性格の変化をきたすことも多い（表Ⅳ・3・3）。

人間も動物も環境に対応して行動しているが，動物がその場その場の外的環境に反応して行動するのに対して，人間の行動様式や方略は多彩である。また，人間は未来のことを予想することもできる。これら行動の制御は目標に向かって思考と行動を強調させることにより行われる。その制御機能が人間の知的行動の最も大切な作業である。この制御を前頭前野が行っていると考えられる。

ブロードマン46，9野を中心とする前頭葉背外側部の損傷では，行動や言語の発動性の低下や思考の停滞を認め，前頭前野腹外側部により維持されている情報の操作ないしは監視を行う部位とされている。

また，前頭前野損傷によって生じる認知行動障害には，① 前頭葉性行動障害（目標を喪失した行動，反復・繰り返し行動，計画性のない行動，危険な行動），② 記憶と言語の障害（working mem-

表IV・3・3 脳損傷による性格変化

左脳損傷の性格	右脳損傷の性格	両側障害
注意が自分に向く 自分に対してこだわる 頑固で生真面目になる 強迫的になる 注意深くなる うつ的になる 慎重になる 情動反応が強くなる 信心深く，倫理観が強い ささいなことにこだわる	注意が自分の外に向く 自分に対しては粗雑 他人に対しては何かとこだわる 多幸的 注意力散漫 多弁だが無動 衝動的 性的指向が強くなる	種々の人格・性格変化，記銘力低下，学習力低下（軽度知能低下） 多幸感を伴った無力感，主導性欠如，自己欠点の洞察力欠如（外観に無頓着，身だしなみの低下）無気力 感情易変性（感情表出コントロールの喪失）（喜怒哀楽がコントロールできず，全般的に感情がくずれ感情の偏りがない，感情失禁に近いが強くない，辺縁系障害で偏った感情失禁がみられる） 推理判断能力低下

表IV・3・4 前頭葉損傷患者の行動学的異常

順応性の欠如	感情的無関心
抽象的思考の欠如	多幸的感情
思考の欠落	感情的爆発
熟慮しない物事の決定	機転の利かない行動
決断力の不足	本題からの逸脱
不適切な調整	冗舌，多弁
自己修正の欠落	無気力
未熟な行動	
保続	探索する努力の欠如
規則違反	精神的努力の不足
手抜き思考・行動	自分の立場をかえりみない
使用行動 utilization behavior	性的行動の亢進
模倣行動 imitation behavior	性的行動の欠如

〔文献12）より〕

ory の障害，前頭葉性（長期）記憶障害および展望記憶障害，前頭葉性言語障害），③ 発散性・発動性の障害（流暢・発散性能力と流動性知能の障害，発動性障害）などが出現する（表IV・3・4）。

感情に関するものでは，「共感」がある。共感には，受身的要素であり他の人の心の状態に共鳴し相手の人と同じ感情になる感情の共鳴現象的な側面の sympathy と，能動的な要素で自分の感情を他者に反映して虐めている人に怒りを感じる感情移入的な側面をもつ empathy があり，いわゆる「心の理論」の現象などの機能があると思われる。この共感に関連する脳部位として，前頭前野内側面（MPFC），島前部（AI），帯状回前部（ACC），下頭頂小葉（IPL）などが考えられている[13]。

5 作業記憶（46野）

言語理解，学習，推理など複雑な認知作業に必要な情報の一時貯蔵およびこれら情報の処理を担当する大脳システムを考え，その時々の作業をする記憶を指して，Baddeley(1992)[14]は作業記憶 working memory の概念を提唱した。

作業記憶は視覚や聴覚的データをしばらく記憶にとどめておき，環境や文脈や長期記憶など様々なものを活用しながら作業や課題の遂行をする間働いている。そして実行されればその作業記憶はリセットされる。

例えば，英語を聞いて理解するときに最後まで聞かないとわからないことがある。その際，前の

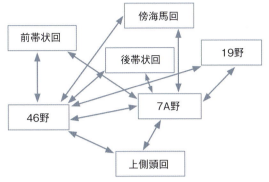

図Ⅳ・3・8 作業記憶に関連する領域

文章を判断できるまでしばらくの間覚えているときに働くとか，どこまで番号を押したかを記憶しながら電話をするときに働くような記憶である．英語が理解できたりや電話番号が押せた後は，その記憶が消え去りリセットされる．このような短時間の作業に必要な記憶である．

short-term memory は単に短時間記憶をするのみの記憶であるが，working memory はためて判断をするということで違いがある．この作業記憶をする部位として，46野を中心とした領野があげられている（図Ⅳ・3・8）．

これら前頭前野機能障害のリハビリテーションは，個々の症例に応じ1日の予定，1週間の予定などの生活リズムを確立する．背外側前頭皮質の遂行機能障害では，本人の生活・業務をパターン化・構造化する．中前頭回皮質損傷による意欲低下には，こだわりをなくし自覚・自発行動を促す．前頭眼窩皮質損傷による脱抑制には，失敗から学ばせることを避け，失敗することを減らすようにする．本人のできる範囲で現在と将来の生活に必要とされる能力の獲得を目指すようにしていく．

6 前帯状回〔33，（24）野〕

損傷により尿失禁が生じる部位ともいわれるが，排尿中枢は4，6野とも関連性がある．

7 眼窩回（11，12野）

ブロードマン10，11，12野を中心とする前頭葉眼窩部の損傷では，通常の前頭葉機能検査では異常を示さないが，失職，借金，薬物乱用，不適切情動，不道徳などの社会的行動障害が生じることがある．この部位の特異的な検査として，ギャンブリング課題 gambling task がある．ブロードマン47野はモラルに関与しているともいわれている．

内臓自律神経系が一部ここへ投写する．感情と胃潰瘍，過敏性腸症候群と関与するのかもしれない．

8 帯状回（24，32野）

帯状回は motivation の座であり，また7野もコントロールしている．そのため運動性を前面とした感覚性半側空間無視が随伴した無視症状（帯状回性半側空間無視 cingulate hemineglect）がみられる．

また，この部位の知見として，ある一定時間の文脈的記憶がなされ，短期記憶障害（分～時間～日単位の記憶障害）が特に内側部で生じる．したがって，前脳基底部は時間文脈情報からの適切な記憶内容再生に関与していると考えられている[15]．

9 25野

無嗅覚症：大脳内の嗅覚の中枢．

前交連により左右交叉している症例もあり，片麻痺側と同側または反対側の嗅覚低下があり，両側を損傷されないと低下しないものが多い．

10 中心前回下部皮質下と44，45野（下前頭回弁蓋部）

中心前回下部皮質下は，言語の非流暢性，音韻の組み立て，純粋発語失行 apraxia of speech・純粋語唖の責任病巣．この部位を含み内言語障害が伴うことで非流暢性失語となる．この部位を含まなければ前方損傷でも流暢性失語になる可能性がある．

44，45野いわゆるブローカ Broca 領域（下前頭回弁蓋部）だけが限局性に損傷されても Broca 失語の生じない可能性もある．下前頭回弁蓋部だけ

が損傷を受けると発話は流暢で構音も正常，喚語困難はあるものの復唱は良好で，文章の理解障害があるといった失語がみられる。

44，45野の上方に損傷が延びると超皮質性感覚失語（TCS）が生じることがあり，前頭葉損傷によってもTCSが生じる。

B 頭頂葉

1 3，1，2野（1次体性感覚中枢）

表在感覚，深部感覚の一般体性感覚識別：空間的関係の認識。対象物間の類似や相異の認識，強さの異なる刺激の認識。

1．視床よりの投射

体幹四肢の体性感覚：VPL（後外側腹側核）より投射を受ける。

顔面・舌の感覚：VPM（後内側腹側核）より投射される。

障害：知覚feed-backがないための運動失調（感覚失調）。視覚による矯正可能。

手足などの分布は運動野とほぼ同じである。したがって，足の運動野の後に足の感覚野があり，手の運動野の後に手の感覚野があるというように前後で対をなして分布している。

頭頂葉性筋萎縮（sensory-motorのfeed-backがいつも働いていないと筋萎縮が起きるのか？）が生じることがある。

2 43野（1次味覚皮質：中心前回・後回の最下部）

味覚領野：両側性に損傷されないと味覚障害が生じにくい。味覚失認，異味症，味覚錯誤などが生じることもある。人間の場合，QOLや行動に関与することもあるが，ADLには関与しづらいのも特徴である。

3 5，7，40野（頭頂連合野）

体性感覚の0.5～1.0秒以内の短期記憶。

この部位の損傷による障害の多くは，観念運動性失行，観念性失行，肢節運動失行，半側空間無視，病態失認，身体部位失認，構成失行など失行，失認の主なるものであるので，この詳細については，「失語症，失認，失行と記憶・回復」の項（141頁）に譲る。

4 7野の中心部の溝（頭頂間溝）

前庭神経の放射路，平衡感覚と構成能力の統合。左半球損傷では，純粋失書が生じることがある。

> **頭頂葉性純粋失書**
> ① 左頭頂間溝を含む上下の病変で生じる。
> ② 基本症状は孤立性の書字障害で，自発書字・書き取りに障害が明らかであるが，写字が保たれている点である。
> ③ 前方病変で仮名に，後方病変で漢字に障害が強い症例がみられる。
> ④ 発現機序は，病巣の位置から，左角回から前頭葉に向かう書字出力系の障害によると考えられ，それに加えて，左手に障害が明らかに強い症例がみられたことから，左右角回を結ぶ交連系の障害も関与するものと思われる。

5 7野

選択的注意集中selective attentionに関与しているのか。騒音の中で人と話ができるような注意集中力（カクテルパーティー現象：左半球視床も関与）に関連する低下もある。

7野の内側面：地理的方向定位障害（地誌失認）。その場所が何かがわかってもどちらへ行けばよいかわからない。一度に見渡すことができない空間内における各地点の位置の記憶・記銘障害によって発現する。責任病巣は右後頭頂領域と脳梁膨大後部領域損傷が重要視される。

右側頭葉・後頭葉内側部病巣によるもの：地理的方向定位障害。

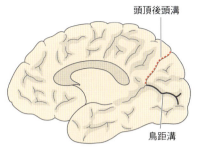

図Ⅳ・3・9　頭頂後頭溝

右海馬回周辺病変によるもの：地誌的記憶障害。

地理的方向定位障害の症候

1. 自覚症状
① 周囲の建物などを見て，それが何の建物かがわかる。
② そこからどの方向へ行けば目的地に着くのかがわからない。
2. 神経心理学的所見
① 視覚性記銘力障害（軽度）

6　39, 40野（角回，縁上回）

a. 右半球障害：視空間認知障害
b. 左半球障害
　文章の理解，統文能力の低下がみられる。
c. 失計算
　左半球障害：特に加減算のような構成的なものが障害されやすい。
　右半球障害：左側の見落としによる計算障害。
d. ゲルストマン Gerstmann 症候群，構成失行および身体部位失認
　この症状については，「失語症，失認，失行と記憶・回復」の項（171 頁）を参照されたい。

C　後頭葉

後頭葉と頭頂葉の境界は外側面では明確ではないが，内側面では頭頂後頭溝で明確に分けられる（図Ⅳ・3・9）。

図Ⅳ・3・10　視野
右眼右視野は視交叉で左側に，左眼右視野は左同側の外側膝状体を中継して左後頭葉に投射し，上下左右逆に映し出される。左視野も同様に右後頭葉に逆に映し出される。
〔文献 16）より〕

1　17野（1次視覚中枢）

右視野は左脳に，左視野は右脳に入る（図Ⅳ・3・10）。

同名性半盲
17野内側──周辺視野
17野後方──中心視野
鳥距溝上方：下方視野　下方：上方視野
　　　　　　　　　　　　　　──1/4半盲
内側の有線野（線条野）──瞳孔毛様体の調節

2　18, 19野（2次視覚連合中枢）

❶ 視覚の一次記憶中枢（数秒以内の短期記憶）
❷ 視覚性錯覚
　変形視，巨大視，微小視などが生じ，物が歪んで見えることもある。また17野の損傷も加わり，未熟なぼやっとした形の幻視（elementary unformed）が盲の部分や見えているところに出現することがある。
❸ 視覚像の認識
　障害されることにより視覚失認 visual agnosia が生じる。視覚対象とその認識障害ととらえると次のような関係となる。

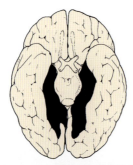

図Ⅳ・3・11　相貌失認の責任病巣

視覚失認

　失認が視覚的対象に生じたもので，聴覚や視覚を通せば認識できる。障害されるのは対象の形からの認識のみであり，動きなどの視覚情報からは認識できる。視野には対応していない。

視覚失認の分類(Lissauer, 1980 の分類)

	概念	見分け方
知覚型	視覚特徴を1つにまとめられない	模写できない
連合型	まとめた結果を意味と結び付けられない	模写できる

1. 知覚型(狭義)：要素的感覚を，部分的形態にまとめ上げることができない。模写不能。
　明暗(輝度)，色彩，運動，面積などの感覚は正常であるが形態はわからない。
2. 統合型：まとめ上げた部分的形態を，1つの対象全体の形と結び付けられない。模写はゆっくり。
3. 連合型：それ以上のレベルで，その視覚情報を意味と結び付けられない。模写正常
　〈視覚対象〉　〈無視症状〉
　　物体　　→　物体失認
　　顔　　　→　相貌失認
　　風景　　→　地誌的記憶障害
　　文字　　→　純粋失読

　視知覚障害をまとめると，以下のようになる。

視知覚障害

1. 明暗，色彩，広がり，深さ，運動などがすべてわからない要素性視知覚喪失
2. 要素性視知覚の選択消失(形態の模写ができない統覚型視覚失認)
　① 色彩知覚の消失(大脳性色覚異常：両側損傷，一側性大脳性色覚異常：反対側損傷)
　② 運動知覚の消失(運動盲)
　③ 深さ知覚の消失(立体視障害)
3. 連合型視覚失認
　明暗，色彩，広がり，深さ，運動などはわかり，物体・画像・相貌・文字などの形態の模写ができるのにその物体が何であるかわからない連合型視覚失認。両側後頭側頭葉病巣(紡錘状回・舌状回)が考えられる。
4. カテゴリー特異性連合型視覚失認
　要素性視知覚も形態の視認知も可能であるが，物体・画像・相貌・文字などの特定のカテゴリーの形態認知が不可能なもの
　① 物体：物体失認
　② 画像：同時失認
　③ 顔：相貌失認
　④ 文字：純粋失読

❶ 物体失認 object agnosia：物品の視覚的失認。
　① 見てわからないが触ってわかる。
　② 特徴的な動きを見ればわかる(秒針が動いていれば時計は認識できる)
　③ だいたいの形は把握しており，答えられる。
　④ 形態の似ているものと誤りやすい
　⑤ リハビリテーションは見ているものの特徴を多角的に認識する練習を行い，部分的な見え方からの推測を止める。
❷ 画像失認 picture agnosia：図形，絵画，写真，標識などの認知障害。
　・同時失認：情況画の意味把握が障害される(左半球側頭-頭頂-後頭葉病変によることが多い)。
❸ 相貌失認 prosopagnosia：顔の視覚的識別障害(両側後頭葉・側頭葉内側下面，図Ⅳ・3・11)。
　・十分知っているはずの顔が区別できない(既知顔貌)。
　・新たに出会った顔かたちが覚えられない(未知顔貌)。
　また，右脳優位といわれているが両側性との違いについて表Ⅳ・3・5のようなことがいわれている。
　相貌失認の経過については，① 両側後頭側頭葉内下部の病巣は一般的に重度で，持続的な相貌失認を呈することが多く，② 右側損傷で生じた相貌失認は，右後頭葉内側部(18野および19野を含む)広範にみられ，下縦束，脳梁一部にも及ぶ病巣は持続性である。病巣がさらに小さく，18野，19

表Ⅳ・3・5　相貌失認における両側後頭葉損傷例と右側損傷例の比較

	両側損傷例	右側損傷例
相貌失認の持続	持続性	一過性
未知顔貌の処理	軽度～中等度障害	高度障害
主要合併症状	色覚障害（高度）	地誌的失見当
covert認識	可能性あり	可能性なし
障害レベル	記憶像との照合	知覚レベル

野の下部を含み外側に位置するものは一過性で，1年以内に症状は改善されることが多い。

このメカニズムとして，紡錘状回顔領域 fusiform face area（FFA）が顔の識別に関与し，視覚刺激提示から約170 ms後に反応する。特に他者の顔を見たときに強く反応する。次に，上側頭溝周辺領域 superior temporal sulcus region（STS）が顔の表情を識別する。上側頭溝内には背側視覚路と腹側視覚路の両方の入力の情報を統合する。次に扁桃体が表情認知を行い，さらに側頭溝周辺領域は扁桃体と前頭眼窩皮質と強く結合がみられ，この3か所は皮質下線維の下後頭前頭束を介して社会的認知と関連している。

④ 色彩失認 color agnosia：色そのものがわからない。
⑤ 色彩呼称障害：色はわかっても色の名前が言えない。色彩名の選択的呼称障害（後頭葉）。
⑥ 地誌的記憶障害：よく知っている道路や場所を認知できなくなる障害（右半球海馬回）。
  ・地誌的失見当 topographical disorientation：方向定位障害も含む。
  ・地誌的記憶障害 topographical memory-loss
④ 視覚に対する病態失認
  ・アントン Anton 症候群：両側後頭葉の17野皮質や視放線の損傷で，両眼視力が全くなくなる（皮質盲 cortical blindness）が，盲を認識せず見えていると主張したり，見えないことに無感知になったりするもので，一種の病態失認である。
⑤ 視覚からの文字認識
① 左半球障害：視覚的文字言語認識障害
② 純粋失読 pure alexia（図Ⅳ・3・12）：左18，19野＋脳梁損傷

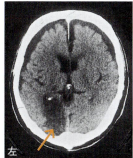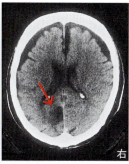

図Ⅳ・3・12　純粋失読を示した症例
左後頭葉障害（→）と脳梁線維の損傷（→）が認められる。

① 見た文字が読めない。
② 文字をなぞると読める。手のひらや背中に書いた文字でもわかる。
③ 空中に書いた文字も書いているのを見ているとわかる。
④ 文字を聴いたり，言ったり，書くことは正常。

純粋失読の回復については，Behrmannら（1990）[17]，ArguinとBub（1994）[18]，BehrmannとMcLeod（1995）などは「質的回復なし」としているが，KashiwagiとKashiwagi（1989），Sekiら（1995）[19]は「なぞり読みの効果」を指摘している。一般に純粋失読は徐々に回復し，次のような特徴を示す。

純粋失読の回復の特徴

① 仮名に「文字数の効果」，漢字に「画数の効果」がみられる場合がある。
② 仮名，さらに漢字についてもなぞり読みが有効である。漢字についてはなぞり読みを使わないで音韻に至る場合がある。
③ 文字の視覚性認知は可能であるが，音韻が喚起できない。
④ 日常生活では失読が消失しても，瞬間提示検査などで負荷を加えると，純粋失読に特徴的な障害が存在する。

純粋失読の回復機序については，Kashiwagi & Kashiwagi（1989）は右半球視覚野からの書字運動覚心像を通して音韻に至る経路が改善に関与しているといっている（図Ⅳ・3・13）。

⑥ バリント症候群 Balint's syndrome
視覚性注視障害，精神性注視麻痺，視覚失調（両

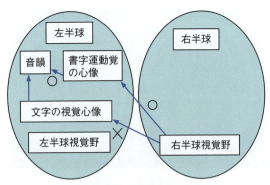

図Ⅳ・3・13　純粋失読の回復機序
（Kashiwagi & Kashiwagi, 1989 より）

表Ⅳ・3・6　大細胞系と小細胞系の生理学的性質

	大細胞系	小細胞系
空間分解能	低い	高い
時間分解能	高い	低い
色の識別	不良	良好
コントラスト感度	高い	低い

側後頭葉障害で出現しやすい）。

① 主要3症候
・注意の空間的障害：視覚的場面において，いくつかの対象を1時点で認知できないという症状で，1時点において1つの対象物しか認知できない。個々の対象の認知ができて全体像が把握できず，同時失認とは異なる。これが視覚性の注視障害によって生じている。
・精神性注視麻痺：眼球運動制限がないにもかかわらず，興味の対象へ注視を随意的に向けられない。
・視覚性運動失調：麻痺はないにもかかわらず，視覚制御下での物体への到達ができない。眼前の物体をつかもうとするが，定位ができない。位置感覚の障害でも，純粋な視覚的障害でもないとしている。

② バリント症候群の注意障害の機序
視空間性注意と時間的注意：後頭葉の腹側，背側（17，18，19野），側頭葉・頭頂葉との結合，前頭眼野・前頭前野のネットワークに支えられている。腹側路は対象の認知，記憶のボトムアップ処理（特徴抽出分析による認知）に重要である。また，迅速かつ連続的な視覚提示における対象認知能力は，背側路と頭頂葉結合によって行われる。そして，視覚対象と行為の間の切り替えにおいては前頭前野が重要な役割をもち，背側および腹側視覚路にトップダウン的に影響を与えている。

③ 視覚失調
視覚失調は，Balint（1909）により初めて用いられた言葉である。それは，後に呼ばれるバリント症候群の一連の症状のなかで，精神性注視障害，視覚性注視障害とともに，視覚性運動失調 optische Ataxie を記述している。これは，注視した対象物を手で把握することが困難な現象を指すものである。一方，Garcin らは Balint のいう optische Ataxie とは異なり，視覚制御下での物体把握障害 ataxie optique を観察し分離・提唱している。

両者の相違点は，Balint の optische Ataxie は注視下の標的を手でとらえることが困難なのに対し，Garcin の ataxie optique は注視に障害はなく注視点でものをとらえることができるが，周辺視野で物をとらえられないことにある。双方とも日本語では視覚性運動失調であるが，内容が異なるため，あえて，optische Ataxie と ataxie optique を分けて表現する。

❼ 大細胞系と小細胞系
視覚にかかわる神経細胞に大細胞系と小細胞系があり，その各々の生理学的性質を表Ⅳ・3・6に示す。

これらの細胞により，視覚情報の並列的処理がなされる。
・大細胞系：動きの知覚，動体視，視野→頭頂葉へ
・小細胞系：色の認知，形態視→側頭葉へ

18野までは並列に処理され，それ以降は分離していく。

主として大細胞系が損傷を受けると，動きの知覚が低下し，重度になると大脳性運動視覚喪失 cerebral akinetopsia[20]が生じる。

大脳性運動視覚喪失の例

43歳，女性
紅茶が凍って見え，コップに注げない。紅茶がコップからあふれてもわからないので，注ぎ続け

る。話し相手の口の動きがわからないので、会話ができない。

自動車の正確な位置がわからないので、道路を横断できない。渡り始めたときには車が遠くにあるのに、渡り出すとすぐそばに来ている。

視野欠損なし。他の視覚認知には問題なし。

患者は動いているものを見ないように対応しており、訓練方法は模索中。

また、小細胞系を主として損傷されると、大脳性色覚喪失 cerebral achromatopsia[21] をきたすことがある。

大脳性色覚喪失の例

白黒濃淡の世界

- 食べるか、匂いを嗅ぐかしないとピクルスとイチゴジャムを区別できない。
- 同じ大きさの銀貨と銅貨の区別がつかない。
- 何色かわからなくなる。
- 全部灰色、白黒、淡い色、汚れた感じの色などに見えると言う。右脳損傷だと左視野に限局し、障害された視野に対応している。色同士の違い(色コントラスト)はわかる。明るさが同じ色の判断ができないので、リハビリテーションではこれを練習する。

D 側頭葉 (図IV・3・14)

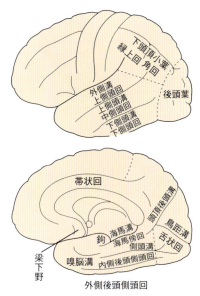

図IV・3・14 側頭葉周辺

1 41, 42野 (ヘッシュル回：1次聴覚中枢)

❶ 純粋語聾 pure word deafness

聴覚的語音把握の選択的障害(聴覚的言語了解、復唱、書取の障害)以外には言語症状はほとんどなし。内言語は温存されている。病巣は言語野(ウェルニッケ領野をはじめとする内言語野)は保たれ、左ヘッシュル Heschel 回(横側頭回)の損傷があるとき。

❷ 皮質聾 cortical deafness (両側性障害)

側頭葉損傷に基づく deafness (音に関する感度の障害という意味)。聴神経は同側大脳と反対側大脳に入る神経があり、この皮質部における両側障害で生じる。

・音の大小、高低。

・41野前部：高音部、41野後部：低音部。

2 22, 21野 (聴覚連合野)

左脳は言語音の認知、弁別に関与する。① 音響が同じかどうかの弁別(異同弁別)、② 音韻の分析(音韻の同定)、③ 語が存在するかどうかの分析が行われる。

右脳は環境音の弁別、認知(日常の音の同定)に関与する。

❶ 感覚性失語(左半球：ウェルニッケ失語)

自発語は流暢、錯語(字性・語性)が多い。復唱・理解不良、時としてジャーゴンとなる。

❷ 聴覚失認 auditory agnosia

両側性の22野、21野の一部の障害。

- 環境音・音楽の認知障害。
- 失リズム(右半球)。
- 感覚性失音楽症：音楽を知覚したり、記憶したり、楽しんだり、演奏したりする機能の喪失ないし退化した状態。両側の側頭葉(欧米人では右半球優位)。
- 聴覚0.5～1.0秒以内の短期記憶、抽象事象の長期記憶。

図Ⅳ・3・15　クリューバ・ビューシィ
症候群の症例
患者は手づかみで食事をしている。

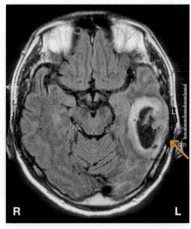

図Ⅳ・3・16　左37野の損傷（→）により，漢字の
特異的障害を呈した症例のMRI

3　20野（側頭葉下端）

　側頭，後頭，頭頂葉への連合野からの情報を辺縁系へ送る機能の障害。現在生じている現象と過去の記憶との統合。
- 総合情報失認
- 服装や音声による性別認識
- 複雑な現象の同時失認
- 情動障害
- クリューバ・ビューシィ症候群 Klüver–Bucy syndrome：情動解放と性的無抑制状態を特徴とする（図Ⅳ・3・15）。

4　37野（側頭葉後下部）

　左半球：漢字の選択的中枢。
　カナ・漢字を文字としてもつ日本人特有の障害。ここが損傷されると漢字の選択的な障害が出現する（図Ⅳ・3・16）。仮名は音韻的に読まれるのに対して，漢字は視覚的に読まれるとされる（Morton & Sasanuma, 1984）。
　失語症者では漢字は比較的温存されるが，この障害では逆に漢字が障害される（図Ⅳ・3・17）。

5　38野（側頭葉極）

　幻聴，幻視，幻想，恐怖感。

単語の音読	下後頭回〜後頭・側頭移行部
漢字の音読	紡錘状回〜下側頭回後部
仮名の音読	中後頭回
音韻処理に特異的にかかわる部位	シルビウス溝後枝深部の側頭・頭頂移行部

図Ⅳ・3・17　この症例の漢字の特異的障害
「眼鏡」「時計」「靴」の書字命令でカタカナは書けるが，漢字は書けない。

- デジャヴー déjà vu：初めて来たところでも以前に来たことがあるという錯覚。
- ジャメヴー jamais vu：昔から何度も来ているところ，あるいは自分の住んでいるところも初めてのように感じる錯覚。現在見ているものが以前に見たものかどうかの判断，既知なものか未知なものかの判断が側頭葉極で行われる。

　音楽の脳内処理として，協和音は両側の前頭葉

表Ⅳ・3・7 地誌的失認の発症機序

	半側空間無視に伴う地誌的失認	地誌的な記憶障害によって生じるもの	視覚失認のために，道に迷ってしまう
症状	左側を無視することによって道に迷う	自宅の間取りなどが言語表現できない。地誌的記憶障害，道順障害などともいう	言語的に陳述可能。地理的空間図式の障害 日本地図の場所名，間取りなどは書ける 地理的方向定位障害，街並失認などといわれる
病巣	右半球頭頂葉広範：MCA領域	側頭葉下面海馬回周辺	右帯状回後方内側面
リハビリテーション	半側空間無視に対するアプローチ	写真による代償	文字による代償

眼窩皮質と帯状回，右前頭極が関連し，不協和音は右海馬傍回と右楔前部が関連するといわれている。両側側頭葉前部の梗塞による失音楽例は和音の弁別の障害を示し[22]，PETの研究から和音の聴取時に両側側頭葉前部が活性化されることも知られている。

6 36野（前頭葉–辺縁系との連絡部）

感情，行動，人格の変化，情動障害，精神障害。
また，この周辺部位は統合失調症における脳萎縮が近年指摘されている。統合失調症では海馬回，扁桃体，海馬傍回，上側頭回，下前頭回，中前頭回，内側前頭回，島回の萎縮が認められている。

7 26野（海馬回）

地誌的記憶障害：写真を見て，実際に見えている場所と照合はできるが，その場所が何かはわからない（表Ⅳ・3・7）。

地理的な方向と場所はわかるが以前にもっていた地理的な記憶と照合できないための地誌的障害（図Ⅳ・3・18）。

地誌的記憶障害の例
① 駅〜自宅までの口頭陳述：ほぼ正確に言える。
② 自分で駅から自宅までの地図を描く：方向はおおよそ合っている。
③ 自宅の間取りの口頭陳述：ほぼ正確に言える。
④ 自宅の間取りの図：おおよそ描ける。

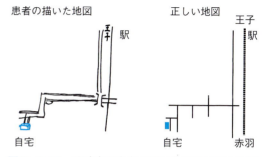

図Ⅳ・3・18 地誌失認患者が描いた自宅付近の地図
駅から自宅までの地図。

⑤ 実際の行動：ベッドから少しでも離れたら自分のベッドもわからなくなる。
⑥ 実際に発症7日目に自宅内で行動させたが，部屋から出られない。
⑦ 写真を見ての反応：自宅内も家から駅までの写真も全くみたことがないという。

E 島回

様々な身体の反応や状態の情報は，前頭葉皮質に伝わり意思決定に関与する。瞬時に不利な選択肢を排除し有利な選択肢を選び，合理的で熟慮的な過程より早い意思決定を行う。

言語機能にもかかわり語列挙が不良で，単語想起が駆動できない。

島回の関連領域（前頭前野，中心領域，Broca領域，基底核，頭頂葉下部）からの線維連絡を受け種々の失行に関与する。

右島後方部は自己身体が自分のものであるという感覚（body ownership）に関与し，常に自分の身

体状態を意識し，文脈や状況と統合することによって主観的感情を生み出しており，その活動量は感情の認識しやすさ（感じやすさ）に関連する。障害されると感情の平板化や感情認識力低下をきたす。さらに島回と帯状回内側部が痛みの感情をもつ脳であることが知られている[23]。

また，島回と帯状回前部は，仲間はずれにされて嫌な思いをしているときにも働き，加えて他の人の身になり感情移入して嫌な感じをもつときにも働く。さらに感情や身体がいつもと違った状態になることを感じ，心拍数増加など体の違和感を検知する部位とされている[24]。

F 辺縁系

1 34野，28野の前部（1次嗅覚野）

梨状前野，扁桃核周辺の皮質。
皮質性無嗅覚症が生じるのか？
においの強弱。

2 28野後部と35野（2次嗅覚野）

においの判別。
嗅覚短期記憶。

3 34野（海馬体）

海馬体腹側部：攻撃反応。
海馬体背側部：平穏反応。
短期記憶（10〜30秒）。
即時記憶から選別された情報だけが短期記憶に移り，一度に5〜10項目が10〜30秒程度保持される。
両側性海馬障害では最近の出来事に関する記憶が失われる。患者は全く正常に会話についていけるが，話題が変わるとたちまち前の話の内容を忘れてしまう。短期記憶では情報の大部分はコード化された語音として記憶される（忘却されると永久消失する）。

長期事象記憶も海馬に貯蔵される。また，前頭葉の皮質も関与し巨大容量をもっている。

抽象事象の長期記憶：側頭，頭頂，後頭葉の灰白質外層にあり，こちらも巨大な容量をもっている。

これら長期記憶は忘却や喪失することもあるが回復の可能性もある。

忘却については，記憶相互間の干渉と抹消であるとする説もあれば，脳に刻まれた記憶痕跡の消滅であるという説もある。

4 扁桃体

好き嫌い，愛情，憎しみ，怒り，恐れの感情の中枢。
停止反応（進行中の運動が突然停止する）arrest reaction。
内臓現象（頻脈と徐脈，嚥下，かむこと，なめること）。
怒りや不安の感情。
逆に，ゆったりとした静穏な気分になることもある。
破壊により馴化 taming の傾向をもち，孤立した生活を営むようになる。
A10神経（中脳→視床下部→前頭前野：快感を生じる神経）と扁桃体（好き嫌いをつかさどる中枢）：人を愛することができる。中枢視床下部から生き物としての欲求が生まれ，扁桃体によって快・不快が学習され，それらが前頭前野で統合されコントロールされている。

5 脳弓

皮質，視床下部への主要伝導路。情動と記憶に関与するらしい。

6 視床下部

背内側核：攻撃性の制御。
腹内側核：食欲調節中枢として，食物の摂取を制御する。
視束前核：自動体温調節の役割。

視索上核：口渇中枢。
後核：性衝動の制御。

G 脳梁 corpus callosum（図Ⅳ・3・19）

1 脳梁離断症状（図Ⅳ・3・20）

a. 左側症状
1 左側感覚情報の呼称障害
   ① 左視野の物品呼称障害
   ② 左手の触覚性呼称障害
   ③ dichotic listening 時の左耳刺激の呼称障害
2 左側性失読
   ① 左視野の失読
   ② 左手の触覚性失読
3 左側性の高次運動障害
   ① 口頭命令に対する左手失行
   ② 左手の失書

b. 右側症状
1 右手の構成失行，構成失書
2 右手の半側空間無視

c. 左右側間症状
1 左右側間の同種感覚情報の判断障害
   ① 左右視野間の視覚情報の判断障害
   ② 左右手間の立体覚情報の判断障害
   ③ 左右手間の位置覚情報の判断障害
   ④ 左右手間の部位覚情報の判断障害
2 左右側間の異種感覚情報の判断障害
   ① 左右側の視覚―立体覚情報の判断障害
   ② 左右側間の立体覚―視覚情報の判断障害
3 左右側間の感覚―運動連合障害

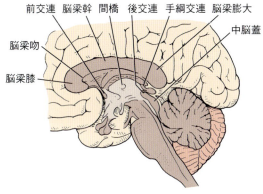

図Ⅳ・3・19　脳梁とその周囲

図Ⅳ・3・20　左右手による書字
左言語脳につながる右手は正常に名前が書けるが，つながっていない左手は書けない。

H 視床

視床については，図Ⅳ・3・21のように核を分けてみるとわかりやすい。また視床核と血管支配・機能について表Ⅳ・3・8のようにまとめた。

1 前核 anterior nucleus（A核）：前頭葉と関連（意欲障害など）。
2 背内側核 dorsomedial nucleus（DM核）：帯状回と関連（記憶障害など）。
3 前外側核 lateral-anterior nucleus（LA核）：6野などと関連（錐体外路症状など）。

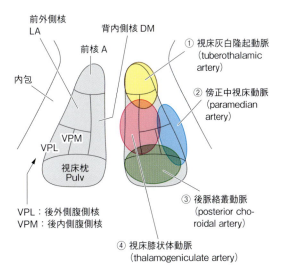

図Ⅳ・3・21　視床の核

表Ⅳ・3・8　視床核の血管支配とその機能

視床核	血管	入力	出力	機能	症状
前核：A	①	乳頭視床束	帯状回皮質	記憶・情動	健忘・自発性低下・見当識障害
背内側核：DM	①②	下視床核	前頭葉眼窩面皮質	記憶・情動	
前腹側核：VA	①	視床束	運動前野	運動の統制	不随意運動
外側腹側核：VL	①③	上小脳脚	運動領皮質	運動の統制	小脳失調
後外側腹側核：VPL	③	脊髄視床路・内側毛体・三叉視床路	四肢の体性感覚野	四肢の体性感覚	体幹・四肢感覚障害
後内側腹側核：VPM	③		顔の体性感覚野	顔面感覚	顔感覚障害
正中中心核：CM	②	網様体など	広範皮質	意識活動	意識障害
束傍核：PF	②				
外側膝状体：LGB	④	視索	視覚領皮質	視覚	同名半盲
内側膝状体：MGB	④	下丘腕	聴覚領皮質	聴覚	難聴・聾
視床枕：Pulv	④	上丘・視蓋前野	頭頂・側頭・後頭葉・視覚野	皮質間連絡・膝状体外視覚系	失語・失行・失認

前外側核(LA)は前腹側核(VA)と外側腹側核(VL)からなる．
①：視床灰白隆起動脈，②：傍正中視床動脈，③：後脈絡叢動脈，④：視床膝状体動脈

④ 腹側後外側核 ventro-posterio-lateral nucleus（VPL核）：3，1，2野上方と関連（体幹・四肢の知覚障害）．

⑤ 腹側前外側核 ventro-posterio-medial nucleus（VPM核）：3，1，2野外下方と関連（顔面・舌の知覚障害）．

⑥ 視床枕 pulvinar：頭頂連合野，側頭連合野と関連（視床性失語，視床性半側空間無視）．

⑦ 視床脚：この部位の損傷では，前頭葉下方や側頭葉極に向かう線維が損傷され，すべての脳機能が低下する．

4 失語症，失認，失行と記憶・回復

A 失語症 aphasia

1 失語症の定義

大脳の特定領域の損傷により既得の言語機能（音声・文字言語の理解表出［聞く・話す・読む・書く］）に障害が生じた状態（内言語障害）をいう。

2 失語症の主な原因疾患

表Ⅳ・4・1 を参照。

3 失語症の発生率

脳血管障害患者の20％前後で，日本高次脳機能障害学会（2016年）の踏査によると，脳梗塞53％，脳内出血30％，クモ膜下出血5％となっている（図Ⅳ・4・1）。

右利き失語症者の99％は左半球損傷，残り1％右脳損傷（交叉性失語）。

左利き失語症者の75％も左半球損傷，残り20％両脳支配（片側損傷では生じないか軽度，両側損傷で生じる），5％右脳損傷。

4 問診から診断へ

言語障害をもつ患者は「呂律がまわらない」「舌がもつれる」，あるいは家族から「意味不明のことをいう」「急にしゃべらなくなった」などの訴えで受診することが多い。まず最初に行うことは，失語症か構音障害かの鑑別である。そのためには，以下の質問を試みるとよい。

> ① 患者の氏名，年齢，住所を聞く（自発語）。
> 「あなたの名前は？」「ご年齢は？」「お住まいはどちらですか？」
> 「どこが悪いのですか？」「あなたの病気について話してください」などを聞く。
> ② 時計，ボールペン，眼鏡など日常使用している物を見せてその名称を言わせる（失語症の物品呼称テスト）。
> ③ 話し言葉の理解をみる。
> 　ⓐ 診察場面で：「手を挙げてください」「左手で右の耳に触ってください」

表Ⅳ・4・1 失語症の主な原因疾患

突発性	発作性の失語を反復するもの	緩徐進行性の失語症
脳血管障害 　脳梗塞 　脳内出血 　クモ膜下出血 　脳動脈瘤破裂 　脳動静脈奇形 脳外傷 ヘルペス脳炎	一過性脳虚血発作 部分性てんかん発作	脳腫瘍 変性疾患 　アルツハイマー型認知症 　前頭側頭型認知症

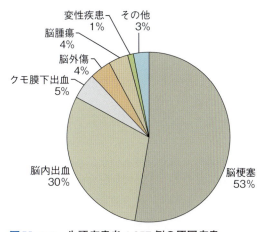

図Ⅳ・4・1　失語症患者4,357例の原因疾患
〔文献1）高次脳機能障害全国実態調査委員会：高次脳機能障害全国実態調査報告．高次脳機能研究 36：492-502，2016 より〕

表Ⅳ・4・2　失語症にみられる症状

① 発語失行：構音器官に麻痺や失行がないにもかかわらず，意図した音節(語)の表現ができない状態。単独症状で出現することもあるが，多くはBroca失語で特徴的にみられdysprosody(韻律障害)や非流暢な発話の原因となる。
② 残語：全失語あるいは重度の失語症にかろうじて残った語(音)。内容に関係なく発せられる。残語が連続して出てくるものを再帰性発話という。
③ 保続：前に発せられた語がそのまま繰り返されて出てくる状態。発語のみならず書字や聴・視覚においても生じる症状。
④ 語健忘：目の前のものが何であるかわかっているが，その語が想起できない状態。呼称障害や喚語困難の原因になりうる。
⑤ 迂言：語健忘のために回りくどい説明をする状態。
⑥ 錯語：発音の中で，本来意図された語(音韻)と異なる語(音)が表出するもの。その内容によって，字性(音韻性)錯語(えんぴつ→えんたつ，れいぞうこ→でいどうこ)，語性(意味性)錯語(めがね→とけい，自動車→電車)，新造語などがある。
⑦ ジャーゴン：発話は豊富であるが，意味がとれないものをいう。そのタイプによって，未分化ジャーゴン，意味性ジャーゴン，新造語ジャーゴンなどに分けられる。
⑧ 語音認知障害：聴力に問題がないにもかかわらず，正しく語音が認知・弁別できない状態。聴覚的理解・復唱も障害される。
⑨ 語義理解障害：語音は正確にわかるが，その意味が理解できない状態。
⑩ エコラリア：言語の意味を理解できずオウム返しに言語を繰り返すような状態。
⑪ 文法障害：発話や書字において助詞が省略または誤って用いられたり，動詞・助動詞などの活用が不正確になるといった文法障害，失文法，錯文法に分けられる。
⑫ 復唱障害：聞いた言葉を繰り返して発話するのが困難，不正確になる状態。失語症のタイプによりその要因は異なる。短期記銘力(聴覚的把持力)の障害ではない。

〔文献2)より〕

ⓑ「はい」「いいえ」で答える質問：「いま赤い服を着ていますか？」「象は犬よりも重いですか？」
ⓒ 系列動作を行わせる：「鉛筆を歯ブラシの左側においてから，時計を私に渡してください」
④ 復唱が可能かどうかをみる。
「犬」「ちゃわん」「雨が降っています」「海の向こうに船が浮かんでいます」
⑤ ベッドサイドなら名札やカルテに書かれた文字を読ませる。
⑥ 氏名，住所や身の回りにある「時計」「眼鏡」「歯ブラシ」などの文字を書かせる。
⑦「動物の名前をできる限り言ってください」と命じ，1分間に10語以上言えるかどうか調べる(失語症の語列挙のテスト)。

この程度の問診で，認知症などの全般的精神知的レベルの低下を伴うコミュニケーション障害か失語症か構音障害かの鑑別はおおよそつく。全般的精神知的レベルの低下を伴うコミュニケーション障害の場合，声や言葉を使うことが少なく，用いても"言葉"にならず，言葉以外に，人格変化，感情失禁，記憶障害，見当識障害，構成障害などを伴う。

①～⑦の質問がこなせなければ失語症の可能性は高い。失語症の場合，どのタイプの失語症であっても名詞の喚起が困難であるので②の質問で名称がなかなか出てこないか，間違った応答がみられることが多い。また，⑦の質問で想起できる語数が少ない場合も軽度ながら，失語症を疑うことができる。③，④の質問で，失語症のおおよその重症度とタイプ分類がわかる。これらにより失語症と判断した場合はさらに詳細な症状の検討をしていく必要がある。①～⑦の質問を一応こなすことができれば構音障害の鑑別を行う。

話すのに必要な構音機能は正常であるのに，意図的に構音することが困難な発語失行は，しばしば失語症と合併するが，独立して起こることもある。

5　失語症の診断

失語症と鑑別されれば，タイプ診断，重症度など，その言語障害の障害のされ方をより詳細にみる必要がある。そのために失語症検査を行うが，現在わが国で広く用いられているのは標準失語症検査(SLTA)，WAB(Western Aphasia Battery)などである。

また，失語症者の症状には，表Ⅳ・4・2に示すよ

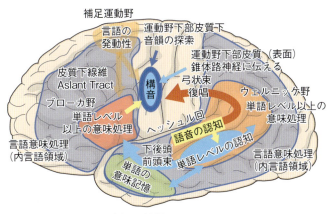

図Ⅳ・4・2　言語の脳内処理過程

6 言語の脳内処理過程（図Ⅳ・4・2）

　言語理解において，聴いた音はまず上側頭回後半のヘッシュル回に入り，語音が認知される。言語音と認識されると，その後は主に左半球優位で処理される。言語音は，その下方で単語レベルの認知がなされる。その情報は前方の側頭葉極を行き来して処理され，側頭葉でおおよその意味が理解される。それ以上の意味処理においては，ウェルニッケ領野や腹側系言語処理系である下後頭前頭束などの皮質下線維を介し，前頭葉やブローカ野などに入っていく。

　発話については，発語内容が内言語領域でまとまると，補足運動野で話そうと言語の発動性が高まり，運動野下部皮質下や弁蓋部（ブローカ領域後方部）へ皮質下線維のaslant tractを介して発語意欲が高まる。そして運動野下部皮質下で音韻の探索を経て組み立てられ，表面の運動野に伝わり，構音に関与する錐体路神経が駆動され，喉などの構音器官を動かし発話される。

　復唱については，ヘッシュル回から弓状束を介して音素の選択と配列がなされ（phonological level），運動野下部皮質下で音素配列の調音運動指令へモニタリングされながら変換され（phonetic level），運動野皮質の錐体路細胞で調音されたものを実行することで可能となる。この際，言葉の音に関する背側系言語処理過程の弓状束の障害によって復唱障害が出現する。

7 失語症のタイプ分類

　失語症の古典的分類とは，①古典的分類にしたがって失語のタイプ分けを行うと，失語を示す患者の病変部位をある程度推定できる，②脳における言語のメカニズムを想定している，といった特徴がある。

　まず最初に，日常の会話において発話が流暢かどうかをみる（表Ⅳ・4・3, 4）。流暢であれば，ウェルニッケ Wernicke 失語，伝導失語，超皮質性感覚失語，失名詞失語を考え，非流暢であれば，ブローカ Broca 失語，全失語，超皮質性運動失語を考えていく（図Ⅳ・4・3）。以下に，各失語タイプの特徴をあげる（表Ⅳ・4・5）。

a 流暢型

1. ウェルニッケ失語（図Ⅳ・4・4）

　発話は流暢であり，よどみのない発話の印象を受けるが，多弁で錯語が多い。意味不明なことが多く，言葉を理解する能力が発話の流暢性の印象に比べて低く，復唱したりすることもできない。ものの名称を言わせると間違った言葉や音がかなりでてくる。また，間違いに気が付くことが少なく，改善が悪い。

　病巣は側頭葉後上方から頭頂葉下方にかけての部位が多い。また，①中心前回下部皮質下の損傷が免れていること，②弓状束の損傷があること，③一定以上の広さの内言語野の損傷があること

IV. 主な老人性疾患のリハビリテーション

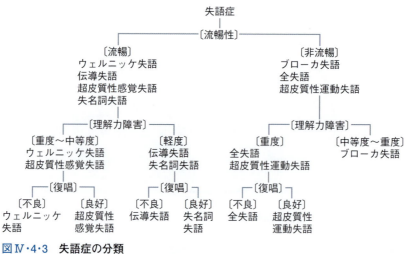

図IV・4・3 失語症の分類

〔文献3）より改変〕

表IV・4・3 言語の流暢・非流暢の特徴

非流暢				流暢
遅い	←	速度	→	速い
異常	←	韻律	→	正常
異常	←	発音	→	正常
短い	←	句の長さ	→	長い
顕著	←	努力性	→	極微
頻繁	←	途切れ	→	稀
ない	←	言語衝迫	→	ある
頻繁	←	保続	→	稀

表IV・4・4 非流暢な発話と流暢な発話の特徴

非流暢な発話	流暢な発話
・構音の運動が自動的ではなく，努力性で遅い ・時に歪む ・最初の子音に音韻性の誤りが目立つ 　例：とけい→こけい ・音韻の産生がスムースでなく，間があく（音が途切れる） ・文の抑揚(melodic line)が障害される	・話す速度は保たれているが，病前より遅いこともある ・構音に障害はなく，努力性もみられない ・ひと息で言う単語の数も正常であり，長い文章を作りだせる ・錯語が混じるために内容は伝わりにくい

表IV・4・5 各失語症の特徴

	流暢性	理解	復唱	喚語
ブローカ失語	×	○	×	×
ウェルニッケ失語	○	×	×	錯語×
失名詞失語	○	○	○	迂言
全失語	×	×	×	×
伝導失語	○	○	×	錯語×
超皮質性運動失語	×	○	○	×
超皮質性感覚失語	○	×	○	×

図IV・4・4 ブローカ領野とウェルニッケ領野

が条件となる。また中大脳動脈の後方の梗塞が原因になることが多いため，高年齢になるほど出現しやすい。

2. 伝導失語

言葉を理解する能力は高く，間違った言葉を言っても修正しようとする傾向が強い（言い直し

を伴う字性錯語が中核症状)が，軽度な理解力障害に比べ復唱が低下している。また，最初復唱ができなかった言葉でも一度再構成できれば，速い速度で再生可能であったり，再表象されたものを反復することは可能であるという特徴もある。発生機序に関しては言語の短期記憶(short-term memory)の障害で説明する試みもされている。病巣は，① 弓状束の損傷があり，② 中心前回皮質下の損傷がなく，③ 小さな内言語損傷の条件で出現するといわれている。

3. 超皮質性感覚失語

全体的には中〜重度のウェルニッケ失語とよく似ているが，きわだって復唱が保たれている。しかし，復唱された内容は理解されていないことが多い。病巣としては内頸動脈閉塞や中大脳動脈狭窄などで前・中・後大脳動脈の境界領域である分水嶺領域の障害と，視床損傷などの大脳基底核障害によるものが多く報告されている。病巣の条件として，中心前回下部皮質下と弓状束の温存，中等度以上の内言語野の損傷である。

4. 失名詞失語

理解する能力は高く，復唱も可能であるが，特に名詞など物の名称を言うときに困難を呈し，まわりくどい表現(迂言，迂回操作)を使ったりする比較的軽度な失語である。多くは間違いに気が付き，改善は比較的良好である。病巣は左大脳半球の前頭葉，頭頂葉，側頭葉のどの部位でも生じ，多くは小病巣のことが多い。

b 非流暢型

1. ブローカ失語

ぎこちない発話に比べて言語の理解能力があり，聞いたり読んだりしたことがある程度理解できるが，自分の思うことが話せない。自分の言いたいことはわかるが，それを言うことができない。病巣は中心前回(4野)下部皮質下を含むやや広範な病変や被殻などの深部皮質下の病変が指摘されている。① 中心前回下部皮質下，② 弓状束の一部，③ 中等度以下の広さの内言語の損傷の3つの条件が重なったときに出現する。

この「中心前回下部皮質下」が音素の置換に重要で非流暢性要素であることがわかっている。

また，ブローカ領域のみの損傷による失語は，① 文章があまりきれいにできない，② 流れるような文ではなくなることが多い，③ 急速に回復するが文がうまく作成できない，④ ごく初期には，無言〜発話量の低下が目立つ。⑤ すぐ改善し発語失行はない，などの特徴をもつ。

2. 全失語

非流暢で無意味な断片的な発声しかなく，音声および文字言語の理解も表出能力も極端に障害されている。経過とともにブローカ失語へ移行することもあるが，間違いに気が付くことはほとんどなく，予後は一般に悪い。病巣は左大脳半球の中心前回下部皮質下と弓状束を含めた広範な内言語野の損傷のことが多く，急性期に出現頻度が高い。

3. 超皮質性運動失語

ブローカ失語の症状を呈するが，ほかの言語症状に比べ復唱能力がきわだって良好である。超皮質性感覚失語と同様に復唱された言葉は理解できていない場合が多い。

発語の特徴は，言葉を出そうとしても，自発性がなくて非流暢に聞こえる傾向がある。しかし，発話意欲だけでは説明できないような言語レベルでの思考表現選択での躊躇もみられる。

病巣は中心前回下部皮質下あるいは前頭葉内側面(補足運動野)損傷に加え，弓状束の温存，中等度以上の内言語野の損傷が条件となることが多い。

8 失語症古典的分類と脳動脈閉塞症候群

これら失語症古典的分類は症状発生部位が特定され，各症状の独立性は失われつつある。しかしこの失語症古典的分類は脳動脈閉塞症候群として，極めて大きな病巣局在価値をもっている。

❶ ローランド前枝の閉塞：中大脳動脈の分枝でローランド前枝の閉塞では，中心前回下部皮質下とその周辺の組織が損傷を受け，非流暢性の責任病巣と弓状束前方部および内言語操作能

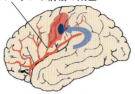

図Ⅳ・4・5　ローランド前枝の閉塞による軽〜中等症のブローカ失語

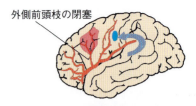

図Ⅳ・4・7　中大脳動脈外側前頭枝の閉塞による超皮質性運動失語

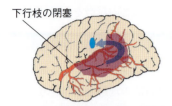

図Ⅳ・4・6　中大脳動脈側頭下行枝の閉塞によるウェルニッケ失語

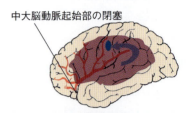

図Ⅳ・4・8　中大脳動脈起始部の閉塞による全失語

力をもつ領域が損傷されるために，ブローカ失語を呈する（図Ⅳ・4・5）。

❷中大脳動脈側頭下行枝の閉塞：側頭葉と頭頂葉下部を栄養する中大脳動脈の下行枝が閉塞すると，内言語を操作し言語理解をする側頭葉後半部と角回・縁上回周辺が損傷し，弓状束を含む損傷から，理解力は重度に障害され復唱も不可能となる。しかし，中心前回下部皮質下は損傷されていないので言語は流暢となり，ウェルニッケ失語を呈するようになる（図Ⅳ・4・6）。

❸中大脳動脈外側前頭枝の閉塞：血液灌流領域に補足運動野があり，損傷領域がやや広ければ内言語操作能力がある程度障害を受ける。また，言語の発動性が低下し，全体としては非流暢に聞こえる言語となる。しかし，弓状束や中心前回下部皮質下などの損傷は免れるために復唱能力は温存され，超皮質性運動失語となる（図Ⅳ・4・7）。

❹中大脳動脈起始部の閉塞：中大脳動脈起始部の閉塞では前頭葉下後半，頭頂葉下前半，側頭葉上部を含めた広範な損傷が生じ，内言語機能をもつ大脳の多くが損傷されるとともに，弓状束，中心前回下部皮質を包含するため，言語機能は重度に障害され，復唱も不可能で非流暢となり全失語を呈する（図Ⅳ・4・8）。

❺内頸動脈閉塞：前大脳動脈や中大脳動脈はウィ

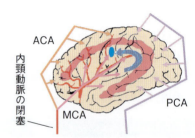

図Ⅳ・4・9　内頸動脈閉塞による超皮質性感覚失語

リス輪などを介した側副血行によりわずかながら血流があり，さらに後大脳動脈からも補われる。そのため各血管の先端である境界領域が低灌流になり梗塞を生じる（分水領域梗塞：watershed infarction）。それらは，前頭葉，頭頂葉，側頭葉の外側中央部にあたり，内言語操作能力の多くが損傷されるが弓状束および中心前回下部皮質下は免れる可能性があり，復唱能力が保持され発話は流暢となる。結果的には超皮質性感覚失語を生じることにつながる（図Ⅳ・4・9）。

❻流暢性や復唱に関与する部位以外：内言語機能をもつ部位の小さな損傷では失名詞失語が生じる（図Ⅳ・4・10）。

❼弓状束を中心とする復唱機能のみに関する部位：小さな損傷では，伝導失語を生じる（図Ⅳ・4・11）。

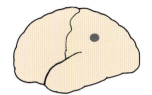

図Ⅳ・4・10　内言語にかかわる部位の小さな損傷による失名詞失語

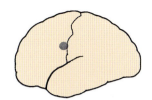

図Ⅳ・4・12　運動野下部皮質下（発話の流暢性にかかわる部位）の選択的損傷による発語失行

図Ⅳ・4・11　弓状束を中心とする復唱に関する部位の損傷による伝導失語

❽ 運動野下部皮質下を中心とする音素の選択機能にかかわる部位：選択的損傷では，発語失行が生じる（図Ⅳ・4・12）。

以上のように，ブローカ失語やウェルニッケ失語などの失語症は，1つひとつの病巣特異性をもった言語症状が集まった失語症候群から構成される複合症候群とみなすことができる。

9 失語の種類による治療法の相違

一般に高齢者の失語症は改善が悪く，また全失語・ウェルニッケ失語などは言語の誤り認識が困難なためフィードバックができず，治療に際しての刺激が入りづらく改善が難しい。それに比較すると失名詞失語，ブローカ失語，伝導失語は誤りを認識できるため改善がよい。さらに，発症後，年月の経過したものは当然ではあるが，回復は悪い（2年ぐらいが限度とされている）。また，男性に側性化が大であるので，いったん損傷を受けると，失語症は重症になりやすく，改善もよくないものが多い。

したがって，これらの失語症タイプによって治療プログラムは通常異なり，例えば全失語に対しては言語の改善よりも，非言語的コミュニケーションの確立，心理的支持やその他のマネージメントが重要となる。

10 失語症のリハビリテーションの考え方

大脳の特定領域の損傷により既得の言語機能に障害の生じた状態である失語症は，一過性の失語症を除いては，永久的に何らかの障害を残すことを考えなければならない。

そこで，完全治癒は望めないとしても，残された言語機能を最大限に引き出し，その患者の言語習慣，教育的背景を考慮し，また今後予測される日常生活のあり方（職業復帰できるか，以前と同じ職業か，別の職業か，退職後生活かなど），また同時に合併することがある他の高次脳機能障害などを考慮しなければならない。

そのため，治療はリハビリテーションの広い分野の一環として，ほかの障害と合わせて方針を立てる必要性がある。また，患者の個人的・社会的背景によって言語治療の方針の立て方，内容は異なるのが通常である。特に高齢者の失語症では多くは社会的活動を必要としないので，家庭内における家族とのコミュニケーションが最大のニーズであることが多く，要求されるレベルは，若年者に比べて低いことが多い。また，一般に仮名に比べ漢字のほうが回復が良好なことが知られており，患者に対応するときは漢字で応答するとコミュニケーションしやすく，五十音表などは最も困難なものであることをわきまえなければならない。

11 治療法の原則

根底を流れる基本原則は Wepman, Schuell らによって開発，発展された stimulation approach（刺激によるアプローチ）であろう。

表Ⅳ・4・6 言語訓練の内容

	訓練の目的	具体的な訓練内容
個人訓練	①障害された言語機能の改善 ②残存言語機能の改善 ③非言語的コミュニケーション能力の開発	呼称，自発話，音読，聴覚的理解，読解，写字，口頭説明，書字，書き取り，復唱，コミュニケーションカード・ノート，ジェスチャー，絵
集団訓練	①実用的コミュニケーションの開発，訓練	トランプ，オセロ，囲碁，歌など
	②代償的コミュニケーション能力の開発，訓練	自由会話，構音訓練，新聞などの音読など，日常場面での訓練
自主訓練	①訓練器具の活用	呼称，復唱，音読，書き取りなど
	②本，新聞記事の活用	読解，自発書字，音読など
	③プリント活用	読解，自発書字，写字など
	④日記，作文，手紙	自発書字

〔文献4〕より改変〕

失語症の治療法

① 失語症のタイプにより，また同じタイプでも重症度に応じて適切な言語刺激を与える。日常高頻度に使われる言葉のほうが適切である。
② 強力な刺激を与えるためには，聴覚だけでなく，視覚刺激も加え，それも絵，文字（日本語では漢字，ひらがな，カタカナなど多彩である）などを組み合わせて与える。刺激を何回も繰り返し与えると，さらに強力な刺激となる。
③ フィードバック機構を強化する。刺激に対して，何らかの反応を得るように指導する（指さし，復唱，呼称，音読，発話，書字など）。これらによって患者は眼または耳を介して刺激を再び受けることになり，positive feed back 回路を形成することになる。得られた反応をさらに選択的に繰り返しフィードバック機構をさらに強化することができる。
④ 矯正よりも刺激に重点を置く。正しい反応が得られないときは，刺激の与え方が適切でなかったのではないかと反省すべきである。

失語症の訓練方法

① プログラム学習法
　ⓐ man to man 法：訓練士と1：1で，絵・文字カード，ワークブックなどを用い，プログラムに準じた段階的訓練。
　ⓑ 自主訓練：訓練機材（ボイスレコーダ，コンピュータなど），絵カード，ワークブックなどを使用した方法。
② 刺激法：聴覚・視覚刺激を用い，適切なフィードバック系を促す強化法。
③ コミュニケーション能力促進法 programming Aphasics' communicative effectiveness (PACE)：絵カード，文字カードを用い患者と交互に引き説明し，相手に何であるか当てさせ，伝達内容を十分に相手に伝えることができるようにする。
④ 強化言語治療：通常の訓練時間の6〜7倍（1日4〜5時間）の集中訓練法。

12 集団訓練

ゴール直前あるいは慢性期の患者で，言語機能レベル，年齢，趣味など社会的環境などが似通った人たちを集めて行うことにより，さらに効果が上がる場合がある。特に社会との接触が必要な患者にとっては効果的であり，孤独から解放させるためにも役立つ。しかし，言語機能の改善のための言語治療という立場からは，急峻な回復を示しているときに行うべきでなく，あくまでも慢性期の補助的な方法と思われる（表Ⅳ・4・6, 7）。

13 発語失行の治療

発語失行 apraxia of speech は，発声発語に関与する筋の麻痺や協調性の障害がないにもかかわらず，大脳損傷によって生じる構音，抑揚の障害である。麻痺性構音障害は構音運動の実行過程の障害であるが，発語失行はその上のレベルの大脳における構音運動のプログラムの障害である。発語失行は失語症とは別に独立して起こりうるものであるが，一般には失語症と一緒に起こることが多い。

表Ⅳ・4・7　重症度別の失語症訓練内容

	到達目標	訓練原則	具体的訓練方法	訓練材料
重症	Yes-No 反応によるコミュニケーションの獲得	話し言葉以外の残存するコミュニケーション機能の探索とその利用	身振り・視線・ボディランゲージの利用，系列語の順唱，歌唱，絵画の指さし，日常高頻度文字のコピー・マッチング，氏名，住所の書字，漢字を中心に行う	日常物品絵カードなど
中等症	有効・確実なコミュニケーション手段の確保・利用	失語症状・残存能力の改善 話し言葉を中心としたコミュニケーション方法の多様化	文字の音読・復唱・書取(日常高頻度語→低頻度語，漢字・仮名，数字) 絵画の説明，絵画による表現，計算練習 ボディランゲージを含め多様な非言語性機能も同時に向上させる	文字・絵カード 小学生低～中学年用ドリル
軽症	実用的コミュニケーション能力の確保・向上	実際の家庭・職業場面に適したコミュニケーション手段の工夫・獲得	文章の音読・復唱・書取(短文→長文へ)，作文・文の要約・発表 計算訓練，実務書類作成，電話での応答練習，手紙・日記・新聞・雑誌の音読 実際の職業内容を用いての訓練	小学生高学年用ドリル，新聞，雑誌など

症状は失語症とは異なり発話に限定される。構音の誤りは，子音の置換が多く，その誤り方が一定でないことが特徴とされる。

発語失行の治療法

① 語音の発音がほとんどできない段階では口唇や舌の動かし方や構えについてよく説明し，実際に発語させてその際の構音器官からくる位置感覚や運動感覚を十分覚えさせることに重点をおく。
② 随意的に構音器官の動きが可能になったら，日常親しみのある言語パターン(歌，系列語など)を集中的に聞かせたり，言わせたりする。
③ 特定の品物の絵と文字を示しながら，20 回くらいはっきりと言って聞かせると，その後比較的楽に復唱できることが多い(intensive controlled auditory stimulation technique)。
④ 言葉全体としての抑揚 prosody，リズムに重点をおき，表出能力を刺激する。
⑤ 音節ごとにタッピング tapping をさせ，リズムを理解させる。
⑥ 患者自身の録音音声より聴覚的フィードバックを利用し，健常者のものと比較させる。

14　家庭，その他の環境の人たちへの教育

特に高齢者は退院後に家庭復帰することが多く，家庭は失語症に対しての理解と知識をもたなければ，その後の家庭生活に障害が生じる。そのため，家庭に具体的個別的な家族・家庭指導を行わなければならない。復職可能な程度の軽症の場合でも，職場の上司，同僚に，失語症についての基本的知識をもってもらうことが必要である。

付　構音障害の診断

麻痺性構音障害をきたす神経疾患の鑑別は，一般的な神経学的検査法や筋電図，筋生検などの臨床検査に基づいて行われるが，話し言葉の特徴からもその原因疾患を突き止めることができる。そのためには，次の点に注意しながら通常の会話を聞くことが大切である。

① 声質(嗄声)
② 声の高さ
③ 声の大きさ
④ 話す速さ
⑤ 最初の音が出にくくないか，発話が不自然に途切れないかなどの話し方の特徴
⑥ アクセント・イントネーションの異常，抑揚の有無・異常
⑦ 開鼻声の有無
⑧ 構音の異常の有無
⑨ 発音の明瞭度
⑩ 嚥下や呼吸の異常の有無など

また，以下のような質問をすると参考となる。
・「パ・パ・パ・パ・パ」「タ・タ・タ・タ・タ」「カ・カ・カ・カ・カ」「パタカ・パタカ・パタカ」と言わせ，どの音がしゃべりにくいかをみる(パ：口唇音，タ：舌音，カ：口蓋音)。

表Ⅳ・4・8　構音障害の種類とその特徴

構音障害	障害部位	障害の内容
麻痺性構音障害	顔面神経麻痺（口輪筋麻痺）	口唇音（パ・マ行）
	舌咽・迷走神経麻痺（口蓋筋・喉頭筋麻痺）	口蓋音（カ・ガ行）
	舌下神経麻痺（舌筋麻痺）	舌音（タ・ラ行）
運動失調性構音障害	小脳半球障害	断綴性・爆発性構音
錐体外路性構音障害	錐体外路障害	小声・抑揚に乏しい発話

表Ⅳ・4・9　麻痺性構音障害と失語症の違い

	麻痺性構音障害	失語症
誤り方	一定	一定せず錯語がみられる
理解障害	なし	あり
書字障害	なし	あり

・「るりもはりも照らせば光る」の舌音を主とした文とか，「パパもママもみんなで豆まきをした」の口唇音を主とした文を言わせてみると，例えば，舌の麻痺だと「ウイもはイもエアせばひかウ」のように音の脱落が起こる。

さらに，診察時に注意することとして，①軟口蓋の動きの良し悪し，②咽頭反射の異常の有無，③下顎反射の亢進の有無，④snout反射の有無，⑤その他の神経症状の有無，などが参考となる（表Ⅳ・4・8，9）。

15 失語症者とのコミュニケーションを円滑化するための方策

①短い文でゆっくり話しかける。早口で言わないこと。
②病前から使い慣れていた言葉や表現を使って話しかける。
③患者が現在関心をもっている具体的なことがらについて話しかける。
④抑揚や表現を豊かに話しかける。身ぶりを加えたり，実物を見せたり，文字（「漢字」のほうが「かな」より理解しやすい場合が多い）で示したりする。
⑤話しかけても1回で理解できないときは，繰り返すか，または別の表現で示したりする（繰り返すときは大声を出さないこと，患者は耳が聞こえないのではない）。
⑥1つのことが理解されたことを確かめてから次のことに進み，話題を唐突に変えない。
⑦うまく話せない患者に対してはYes-Noで答えられるように質問を工夫する。
⑧患者が話すための時間を十分に与え，ゆっくりと辛抱強く聞く。
⑨むりやり話させようとしたり，誤りを訂正したりしない。
⑩患者がうまく話せたり，理解できたりしたときは，はっきりとほめたり，一緒に喜んだりして励ます。

16 失語の純粋型

内言語障害を伴わないもので，狭義には失語に含まれない。

a 純粋語聾 pure word deafness

口頭言語の了解障害，復唱障害，書取障害のみを認める：両側側頭葉損傷。ヘッシュル回近傍損傷。他の言語野は保たれる。

b 純粋失読 alexia without agraphia

視覚領で受容された言語に関する視覚情報が左半球の言語中枢に到達しないために発現する症状：左後頭葉＋脳梁膨大損傷（左脳言語野との連絡線維）。

c 失読失書 alexia with agraphia

左角回の損傷によって読字と書字のみに障害が出現する。言語に以下のような特徴がみられる。①読む・書く能力の両方の障害がみられる。②なぞり読みはできない。③失書は左右の手に出現。④内言語障害はない（聴く・話すは良好，失語ではない）。⑤写字（字を絵を描くように写す）は比較的良好である。

d 純粋失書 pure agraphia

書字障害のみが単独に出現する病型：左前頭葉病巣。

e 純粋語唖 pure anarthria

発語失行にほぼ同じ。

17 その他

① 交叉性失語：右利き者の右大脳半球損傷による失語症。
② 小児失語：発達途上の小児に生じた後天性の失語（両側性損傷が多く，症状も話さない，無言などの症状が主である）。

B 失認 agnosia，失行 apraxia

中枢神経障害に随伴する症状として，失語症とならんで重要なものに失認・失行症があり，リハビリテーションを妨げる大きな因子の1つとなる。ゴールの設定上にもプログラムの樹立のためにも，評価に際しては失認・失行症についての十分な検索を行うことが重要である。

1 失認，失行とは

a 失認

視力低下，聴力低下，その他の感覚障害そのものがないにもかかわらず，あってもその障害では説明できないような聴覚などを通じての正しい認識が行えないこと（局在性大脳損傷によって出現する，視覚や聴覚などの単一の感覚様態を介しての，後天性の認知障害であり感覚障害，失語，失行，精神症状によるものではないか，またはこれらによって説明し難いものである）。

b 失行

麻痺その他の運動機能そのものの障害がないにもかかわらず，あってもその障害では説明できないような目的を持った意識的な行為を正しくできないこと〔局在性大脳損傷によって出現する後天性の行為障害であって，習得された随意的，合目的的，象徴的な熟練を要する運動行為を，なすべき運動行為が何であるかを十分に理解していながら遂行できない状態であり感覚障害（麻痺，失調，錐体路障害など），失語，失認，精神症状によっては説明されないものである〕。

2 失認の種類

a 空間の認知障害

① 半側空間無視 unilateral spatial neglect（USN）：半側空間にある対象物を無視する症状。病巣は多くは右頭頂葉。
② 地誌的失認
③ バリント Balint 症候群

b 身体の認知障害（頭頂−後頭葉移行部）

① 手指失認
② 身体部位失認
  ・全身の身体部分を指示したり名前を言うことができない。
  ・多くは両側半球にみられ，頭頂−後頭葉の広範囲に及んでいる。
  ・一側性の場合は左半球にあるとされている。
③ 左右失認
④ 半側身体失認
⑤ 病態失認
⑥ ゲルストマン Gerstmann 症候群（手指失認＋左右失認＋失算＋失書）：病巣は左半球角回

c 物体の認知障害

① 視覚失認
  ⓐ 視覚性物体失認
  ⓑ 色彩失認
  ⓒ 純粋失読
  ⓓ 同時失認
  ⓔ 相貌失認
② 聴覚失認
  ⓐ 皮質聾
  ⓑ 純粋語聾
  ⓒ 感覚性失音楽症
③ 触覚失認

3 失行の種類

① 観念運動性失行
② 観念性失行
③ 構成失行
④ 着衣失行
⑤ 肢節運動失行
　ⓐ 手指失行
　ⓑ 顔面失行
　ⓒ 体幹下肢失行，歩行失行
⑥ 頰・顔面失行（bucco-facial apraxia）
　ⓐ 眼球運動失行
　ⓑ 閉眼失行
　ⓒ 開眼失行
　ⓓ 嚥下失行

4 失認，失行の左右半球優位性

a 左半球障害

身体失認，左右失認，地誌的障害，観念運動性失行（前方），観念性失行（後方），細部の構成失行・視空間認知低下，手指失認，純粋失読。

b 右半球障害

病態失認，sensory hemineglect，半側空間無視，構成失行（格子部分の大きな崩れ），着衣失行，片側性身体失認，相貌失認，地理的方向定位障害（道順障害）。

c 両側どちらでも出現するもの

身体失認，触覚失認，視覚失認，聴覚失認，味覚嗅覚失認，素材失認，形態失認，2点識別覚低下，構成失行，肢節運動失行，物体失認，相貌失認，色彩失認，同時失認，相貌失認，感覚性失音楽症。

C リハビリテーションで問題となる失認

これらの失認のなかで，特にリハビリテーションに関与し阻害因子となるのは，半側空間無視，病態失認，着衣失行（右半球優位障害）などと思われる。

表Ⅳ・4・10 半側空間無視と半盲

半側空間無視	半盲
眼球の動きを制限しないときの，視覚の欠如	眼球を固定したときの視覚の欠損
空間における障害	視野における障害
探索すること（searching）に影響する	眺めること（seeing）に影響する
障害を否認（見えにくいのに気付かない）	障害を認識（見えにくいのに気付く）
代償動作を行わない	代償動作を行う
右半球損傷後に多い	大脳半球間の差はない
中大脳動脈領域の病巣が多い	後大脳動脈領域の病巣が多い
主に頭頂葉の病巣	視覚路の損傷
しばしば聴覚・触覚などにも障害が生じる	視覚のみの障害

a 半側空間無視 unilateral spatial neglect（USN）

半側空間無視は，損傷大脳半球と反対側の刺激に気付いたり，反応したり，その方向に向いたりすることが障害されている病態である。頻度は右半球損傷で報告が多く，特に急性期で70～80％程度，慢性期で40％前後，左半球損傷による右半側空間無視は0～38％といわれている[5]。

半側空間無視は脳損傷患者の医療を行うものにとって，頻回に経験する症候であるが，最も厄介な症候の1つである。

失語症に続くなじみの深い症候でありながら，いまだにその発生機序も仮説の域を出ない。運動麻痺が軽度であっても半側空間無視のためにADLに監視や介助が必要であったり，社会復帰を妨害したりする。また，その治療法も確立していない。

半盲との違いは，半盲は眼球を固定したときの視覚の欠損という視野における障害で，障害を認識し代償動作を行うが，半側空間無視は眼球の動きを制限しないときの視覚の欠如で，空間における障害で，障害を否認し代償動作を行わないことを特徴とする（表Ⅳ・4・10）。

図Ⅳ・4・13 半側空間無視患者の絵の模写

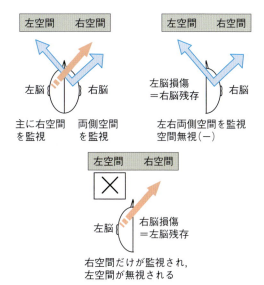

図Ⅳ・4・15 なぜ左側を無視しやすいか？
Kinsbourne の説

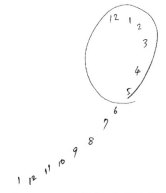

図Ⅳ・4・14 半側空間無視患者の時計の文字盤の描画

図Ⅳ・4・16 人物模写
紙は左を無視し右に寄せて描く。頭髪とメガネと耳は右側だけを描いて終了している。ホクロやヒゲの細かい観察と描写もできる。

絵の模写をさせると，左斜め下を無視する傾向が強い。時計の文字盤を描かせると崩れる（図Ⅳ・4・13, 14）。

Kinsbourne の説によると，右脳は左右空間を，左脳は右空間を主に監視しているため，左脳損傷の場合は残っている右脳が左右両側を監視するために無視は生じないが，右脳損傷の場合は左脳が残るため右空間しか監視できず，左半側空間無視が生じると説明されている（図Ⅳ・4・15）[6]。

症状として臨床的にとらえやすいのは絵画描画試験で図Ⅳ・4・16 のように用紙の左側を無視して右上に寄せて描くのが特徴である。そして，左下ほど無視されやすいことも指摘されている。

1. 臨床症状

臨床での行動観察からは，ベッドサイドでは「顔や視線が健側を向いている（right neck rotation）」，「斜めに寝て左側の手足の位置に無頓着」，「座っていても患側に傾く」，「患側にいる人に気付かない」などの症状がみられる（図Ⅳ・4・17, 18）。訓練室では「車椅子の患側ブレーキやフットプレートの操作忘れ」，「移動時に患側の壁や物にぶつかる，それでも強引に進もうとする」，「乗り移りのときにも患側上下肢の置き忘れ」があり，その操作も性急かつ強引である。ADL の場面でも「患側の食事の食べ残し」，「衣服の左袖を通さ

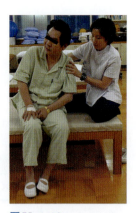

図Ⅳ・4・17　左半側空間無視患者の寝かた
顔や視線は右を向いている。頭を左に，足を右に斜めに寝る。左手足は無頓着におく。身体空間も左下を無視することが多い。

図Ⅳ・4・18　半側空間無視患者の座位
まっすぐに座るように指示しても患側に傾くことが多い。

図Ⅳ・4・19　食事動作における半側空間無視
全体として左側を食べ残すが，左下のごはんは右上だけが食べられており左側に視線を移せば，その中で左側を見落とす。

ない」などで気付くことが多い(図Ⅳ・4・19, 20)。

　半側空間無視においては空間軸が変形，移動する現象がよくみられ，健常者の体験する空間とは異なった，変形した空間に住んでいると考えられる。空間軸の移動は，回転移動と平行移動とに分けることができ，回転移動では反時計方向に移動することが多い(Pusher syndrome)[7]が，時計方向に回転したりすることもあるという。

　これらの患者に簡単な図形を描かせたり，時計文字盤の数字記入などを行わせると，左方無視現象のほかに，空間軸の移動のため，図Ⅳ・4・14のように手がかりcueとして与えた図形上からはみだして崩壊してしまう例が少なからずみられる(崩壊現象)。崩壊現象が高度にみられる患者の歩行機能やADLの改善は極めて悪く，要介助歩行か，歩行不能に終わるものが多い。これは左半球損傷による失語症では，重症な場合でも歩行の予後は影響を与えず，失語症のない群と有意な差がみられないことと比べて興味深い。

　左半側空間無視時の眼球の運動を同時に観察してみると，左側に物品を提示しているにもかかわらず，眼球は左側には向こうとしないことがよく観察される。このことから，半側の空間をみているが認識しないとする半側視空間失認という言葉より，半側空間無視のほうが適当な言葉と考えられる。

図Ⅳ・4・20　食事動作時のイメージ

　ADLの半側空間無視症状の評価として，Catherine Bergego Scale(CBS)が使われている(表Ⅳ・4・11)。

　文字言語の読字の障害では，①へんを忘れてつくりだけを読む(「体」→「本」)，②熟語の左を省略(「消しゴム」→「ゴム」)，③左側の文字の置換(「メダル」→「ペダル」)，④左側の文字の置換と付加(「5グラム」→「プログラム」)などの症状がみられる。書字の障害では，図Ⅳ・4・21のような①左右不均等な文字，②反復・付加，③欠損，④異質な空間・余白などのような症状がある。

　また，口頭言語の障害として，①談話内容を推論する能力の障害，②主な概念やテーマを理解したり作り出す能力の障害，③会話のルールや習慣の理解の障害，④冗長な発話，⑤雑な会話内容，⑥CIU数(Correct Information Unit. 情報伝達時

表Ⅳ・4・11　Catherine Bergego Scale(CBS)の日本語訳：ADLでの無視症状

1. 整髪または髭剃りのとき左側を忘れる
2. 左側の袖を通したり，上履きの左側を履くときに困難さを感じる
3. 皿の左側の食べ物を食べ忘れる
4. 食事の後，口の左側を拭くのを忘れる
5. 左を向くのに困難さを感じる
6. 左半身を忘れる（例，左腕を肘掛けにかけるのを忘れる。左足を車椅子のフットレストに置くのを忘れる。左上肢を使うのを忘れる）
7. 左側からの音や左側にいる人に注意をすることが困難である
8. 左側にいる人や物（ドアや家具）にぶつかる（歩行・車椅子駆動時）
9. よく行く場所やリハビリ室で左に曲がるのが困難である
10. 部屋や風呂場で左側にある所有物を見つけるのが困難である

各項目0～3点で評価（0～30点）
0：無視なし
1：軽度の無視（常に右の空間から先に探索し，左の空間に移るのはゆっくりで，躊躇しながらである。時々左側を見落とす）
2：中等度の無視（はっきりとした，恒常的な左側の見落としや左側への衝突が認められる
3：重度の無視（左側を全く探索できない）
　上記項目のうち，麻痺などでその動作が不可能な場合は，試行可能な項目の平均点を割り当てる　　〔文献8)より作成〕

図Ⅳ・4・21　半側空間無視患者の書字障害

左右不均衡な文字	
反復・付加	
欠損	
空間・余白	

に不要な単語を除いた単語数）の低下[9)]のような談話障害が知られている。

よくみられる精神症状として，「重度障害でも平気な表情で楽観的である」，注意の持続ができず「注意散漫・大ざっぱ」，問題意識がなく「他人の世話をやこうとする」，自分本位の行動で病態失認も伴うと「勝手に立ち上がろうとする」などがある。

食事のときに左側の皿に気付かず茶碗の右半分しか食べない，ヒマワリの絵は右半分しか模写しない，水平な線分を躊躇なく自信をもって右寄りに2等分する，などの症状がみられるが，認識できない空間を半側空間無視患者はどのように感じているのであろうか？

半側空間無視は主に右半球損傷で生じるので，左半球での言語応答は理路整然とし，「左側のものを見落とすので左側にいつも注意しています」という言動もある。

ヒトの顔やヒマワリを見て「左側がありません」という半側空間無視患者はいない。多くは左側のものを認識しないことを何度も指摘されたり，左側の物にぶつかり変だと思ったり，経験や体験から学習したと思われる。

「左側には不注意だと思いますか」と聞いても，「自分では十分注意しているつもりでも，何度も指摘されます」という態度がよくみられる。

急性期の半側空間無視患者は顔が右を向いている。右に注意を引きつけられるものがあれば，眼を右に向け，さらに気になるものがあれば，もっと右を向き，より右に引き寄せられる。

要するに，半側空間無視は「空間性注意」が身体から見て右に偏っていることが本来の原因と考えられる。そこで注意が向かないとどうなるのであろうか？　注意が向けられなかった物は意識に上がってこないので「あってもなくても関係ない」のであり，そのため認識できないのである。

ヒマワリの花びらを右半分描いておしまい。水平な線分の右寄りに印をつけ，まん中という。注意を向けた中心から右側だけの情報で全体が成立し，左の花びらがなく，線分では左に長く伸びても，それらは意識に上がらず，あってもなくても

関係ないのである。

無視される左側の空間は，意識から「失われた空間」であり喪失感はない。したがって，無視される空間は，見落としではない。半側空間無視患者本人にとって，健常者が普通に外界を見ているごとく，その空間は「普通」に見えていると考えられる。

2. 机上検査

机上検査には，線分二等分試験，抹消試験，絵画描画検査などがベッドサイドで行われている。また，標準化された検査としてBIT行動性無視検査（Behavioural Inattention Test）日本版（表Ⅳ・4・12，図Ⅳ・4・22）が一般的に用いられている[10]。半側空間無視を診断することは容易であり，これらの検査の1つでも無視を示せば診断が得られる[11]。

線分二等分も長い線分ほど右に寄り，徐々に短くすると中央に寄り，短くした25 mmではむしろ右に寄る現象もとらえられている[12,13]。さらに左に行くほど距離感が長くなるという報告もみられる[14]。

3. 注意集中と無視空間

半側空間無視の現象には，無視されていないような右の空間においても，注意をしてみているなかで左側を無視することがある。このように注意を向けたなかでの左，さらにそのなかで左を無視

表Ⅳ・4・12　BIT行動性無視検査（日本版）
（通常検査と行動検査からなる）

通常検査	最高点	Cut off 点
線分抹消試験	36	34
文字抹消試験	40	34
星印抹消試験	54	51
模写試験	4	3
線分二等分試験	9	7
描画試験	3	2
合計	146	131

行動検査	最高点	Cut off 点
写真課題	9	6
電話課題	9	7
メニュー課題	9	8
音読課題	9	8
時計課題	9	7
硬貨課題	9	8
書写課題	9	8
地図課題	9	8
トランプ課題	9	8
合計	81	68

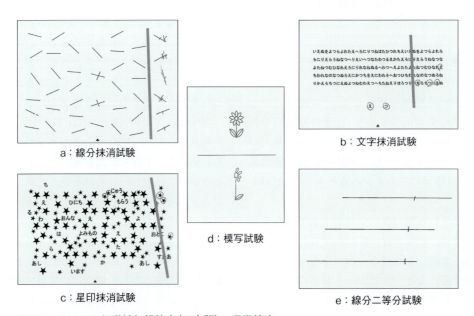

a：線分抹消試験　　b：文字抹消試験　　c：星印抹消試験　　d：模写試験　　e：線分二等分試験

図Ⅳ・4・22　BIT行動性無視検査（日本版）：通常検査

するという現象があり，入れ子現象，タマネギ現象などと呼ばれている（図Ⅳ・4・23）。

また，視覚座標系の処理法を図Ⅳ・4・24で考えてみる。課題は上下の図形が同じであるか否かを問うものである。左のまっすぐに立った図形では鑑別点が左にあるため，同じであると答える。中央のように45°右に傾けると，網膜の中では識別点が右側に位置するようになる。しかし，患者は同じと認識することが多い。これは右図のように刺激が固有の軸をもっていて，その左側に識別点があると正答できないと説明され，半側空間無視患者は網膜中心座標系より物体中心座標系でも認識しその左側を無視することがあるとしている[15]。

さらに，無視の現象の分析から，見えている全体の左半分を無視してしまう主体性半側空間無視と，全体はあまり見落とさないが注目した細部の左半分を見落とす対象依存性半側空間無視に分ける考え方がある[16]。しかし，この2つのタイプが入り混じって現れることも多い（図Ⅳ・4・25）。

注意を向けた中で左を無視しやすいかどうか，相貌の判別が主に眼や眉で行われるという特性を考慮し相貌回転課題を用いて実験し，眼や眉が左側や下側にあるほうが無視しやすいことが認められている（図Ⅳ・4・26）[17]。

では，左半側の刺激はどのように処理されているのであろうか。右視野，左視野にそれぞれ瞬間提示された物の名称は答えられるが，異なる物を左右視野同時に瞬間提示すると左視野の物が認識できない。そこで強いて左右視野の物が同じか否かを尋ねると，「何かわからないが右視野とは違

図Ⅳ・4・23　入れ子人形
マトリョーシカ人形。ロシアの民芸品。

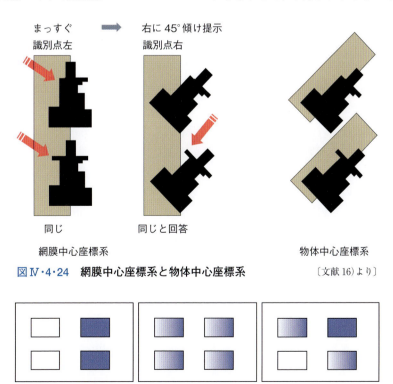

図Ⅳ・4・24　網膜中心座標系と物体中心座標系　〔文献16）より〕

図Ⅳ・4・25　主体性半側空間無視（左），対象依存性半側空間無視（中央）と両者の混在（右）した半側空間無視

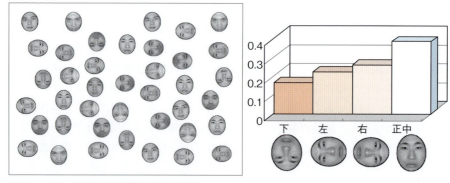

図Ⅳ・4・26 相貌回転課題とその正答率

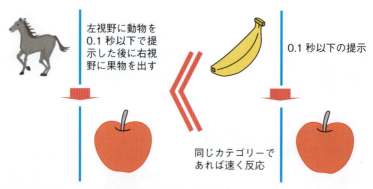

図Ⅳ・4・27 半側空間無視のプライミング現象
右視野が果物であるか答えさせる課題で，無視患者は同じカテゴリーを左視野に瞬間提示したほうが速く反応でき，プライミング刺激が影響しており，左視野の刺激もある程度まで処理されている。

うものである」と答える確率が偶然以上であるという。

また，左半側空間無視患者に同じカテゴリーと異なるカテゴリーの物を左視野に 0.1 秒以下で提示して，右視野に同じカテゴリーの物を提示すると同じカテゴリーの物のほうが速く反応できる。このことは，プライミング刺激が影響していると考えられ，脳内で左視野の刺激もある程度のところまで処理されている（図Ⅳ・4・27）[18]。

4. 責任病巣

皮質領域の病巣では①中大脳動脈領域が一般的で，頭頂葉性（側頭・頭頂・後頭葉接合部，角回，縁上回）のものは，多彩な消去現象，視覚的イメージの左半分の無視（知覚的無視），右側の刺激から離れることが困難，方向性運動低下などの特徴をもち，病態失認，重度左片麻痺・感覚障害などを伴い，予後不良のことが多い[19]。② 後大脳動脈領域の病変では左同名半盲，地誌的失認などを伴うことがある。③ 前大脳動脈領域の帯状回や補足運動野など，前頭葉病変で生じることがある。視覚スキャンや視覚定位における左側の運動性の無視，方向性運動低下などの特徴をもち，予後良好なことが多く，motor impersistence などを伴いやすい[20]。

皮質下病巣では，④ 前脈絡叢動脈領域の梗塞で生じることがあり，左片麻痺，感覚障害，記銘力障害などを伴い予後不良の場合もある。⑤ 視床病巣でも生じることがあり一過性のことが多く，皮質下線維の障害などが考えられている。対側性の刺激に注意を固定できない，網様体による注意覚醒障害に伴う無視という特徴をもつ[21]。⑥ 線条体・内包・外包など穿通枝系の障害でも皮質関連線維の損傷により生じることが知られてい

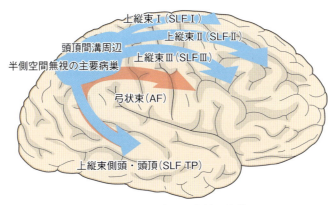

図Ⅳ・4・28　半側空間無視に関連する皮質下線維〔文献30）より作成〕

る[22-29]）。特殊なものとして⑦テント下の中脳網様体賦活系の損傷や⑧脳梁損傷によって右手に半側空間無視が生じるといった報告もある。このように責任病巣は多岐に及んでいることが半側空間無視の特徴ともいえる。

このように病巣は多彩で，神経ネットワークを考慮しなければならない。下頭頂小葉は主なる症状の発現部位であるが，下頭頂小葉，前頭葉，視床などを結ぶ皮質下線維の上縦束のもつ役割が重要視されている。注意探索障害依存性の半側空間無視に対して，上頭頂小葉・頭頂間溝皮質と前頭葉の上前頭回・前頭眼野皮質を結ぶ上縦束Ⅰ，さらに前方の前頭葉と結ぶ上縦束Ⅱや少し手前の前頭葉背外側下部を結ぶ上縦束Ⅲがつくる背側注意ネットワーク dorsal attentional network（DAN）は，行動上意義のあるものへ注意を向ける機能をもち，探索運動依存性の無視を呈し右半球優位である。下頭頂小葉と中・下前頭回とそれらを結ぶ上縦束Ⅲと弓状束からなる腹側注意ネットワーク ventral attentional network（VAN）は，主な半側空間無視の病巣であり，空間性注意のうち感覚表象依存性の無視を呈し，重度な障害を残すことが多い（図Ⅳ・4・28）。

また，興味深いのは運動系に対する半側空間無視が合併することが多いことで（半側性低運動症あるいは無動症，unilateral hypokinesia or akinesia），本来動かしうる能力をもっていても自主的には動かそうとしないものである。特に，両側性同時動作を命じられた場合，それが著明に現れる（motor extinction）。この半側性低運動症は知覚性半側空間無視がなくても起こりうるもので，黒質線条体（特に尾状核）が主役的病巣と考えられており，無動無言症 akinetic mutism やパーキンソン症候群と関連して興味ある分野となりつつある。

病巣の問題と並行して，男性に重症型が圧倒的に多く，女性に少ない。これは空間物体の配列に関する認知に関しては男性の脳のほうが，左右大脳半球の機能分化が大きい（laterality が強い）ことを意味するものであり，興味深いことである[31]）。

5．発現機序

半側空間無視の発現機序として，①方向性注意が右に向きやすく，左に向きにくいという「注意障害説」。②左方向への運動を開始・遂行することの障害とする「方向性運動減少説」，③脳内でイメージを再現する際に表象地図の左側が崩壊する「表象障害説」，これらの相互関連説などがある。その他，表Ⅳ・4・13のようなものがある。

ここでは，注意障害説と表象障害説について概説する。

a．注意障害説（図Ⅳ・4・15，153頁）

無視側へは注意が向きにくい，注意が右の対象に向きやすい[6]），注意を右の対象から解放できない，眼は注視点を向いていても，右のほうの刺激をするものにいつも注意が向いているなどの根拠に基づく説である。

つまり，左半球は両方向へ注意が向いているが，右半球は右に注意が向いているとしている。

線分二等分試験における無視は，右頭頂葉，右前頭葉いずれの損傷による左半側空間無視であっ

表Ⅳ・4・13　半側空間無視の発現機序

説明仮説	
注意障害説[32,33]	右脳は左右に注意を向けるが，左脳は右へ注意を向けるため，右脳損傷で左への注意が低下する左半分には注意が向かない
表象障害説[34]	意識の中で，外空間，自己の身体に関する表象が認識されない。脳内で左半分のイメージがない
方向性運動減少説[35,36]	左空間への運動をしようとしないために生じる
眼球運動障害説	左側への眼球の急峻な動き（サッケード）の立ち上がりが不良で，左右同時に刺激されると右へ引かれる
amorphosynthesis説	頭頂葉損傷で複数の感覚を空間処理できない
一側性記憶障害説	左半側空間に提示された刺激を忘れてしまう
感覚障害説	半盲により認識できない→しかし半盲は無視を増悪させないので[37]，この説では説明困難

ても方向性運動低下がその発現に果たす役割は小さいと考えられ，注意障害が主な原因と考えられる。また絵画模写においても，手本の左側に対する認知障害よりも，右側から書き始める点が重要であり，それに伴い注意が右側に集中すると左方への転換が困難となり，左側の書き落としが生じると考えられる。

　注意障害説による半側空間無視の特徴は次のようになる。

① 注意が自動的に定位され，運動・行為は右側から開始される
② 右側の刺激にひきつけられること
③ 左側空間で注意の集中が狭くなる
④ 左右空間における探索・走査行動が少ない
⑤ 左右空間で刺激の重要性が走査できない
⑥ 右側の刺激から解放されにくい
⑦ 左へ注意を喚起する手がかりの促進効果が少ない
⑧ 注意は運動・行為の遂行点に強く集中され，注意の独立した左方移動は困難となる

b. 表象障害説

　思考過程で脳内に事物をイメージとして描くときに半側を無視するという説で，Bisiachら[34]は，入院中でベッド上の患者に図Ⅳ・4・29のようなミラノ大聖堂前の風景を思い出して描く際，大聖堂の前に立って右側の建物の名前を言え，大聖堂を背にして説明させると先ほど言えなかった右側の建物の名前が言えた。視点を変えると無視される対象が相違するという報告をした。現前する刺激

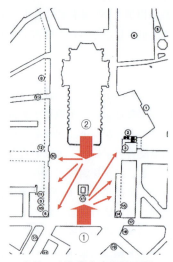

図Ⅳ・4・29　ミラノ大聖堂と表象障害説
① 大聖堂の前に立つと右側の説明をすることができ，② 大聖堂を背にすると先ほど説明できなかった建物が右になり，説明可能となる。

の認知と視覚イメージの想起に際して共通の表象が用いられている。このように，実体がないのに左を無視するというものである。

　したがって，
① 心的表象 mental representation が空間や物体を意識にのぼらせるのに必要である。
② 半側空間無視の基本的な障害は様々な感覚を用いて，あるいは記憶の中の情報を用いて mental image をつくる際に現れる

という説である。

　しかし，この表象障害説では，半側空間無視の患者は注意が病巣と同側に傾いていること（車椅

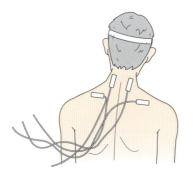

図Ⅳ・4・30　後頸部経皮的電気刺激訓練
〔文献42)より作成〕

図Ⅳ・4・32　対象物が10°右へシフトするプリズム眼鏡
フレネルプリズム4週間着用後，有意に改善[48]，2時間着用後無視空間で動作が改善[49]

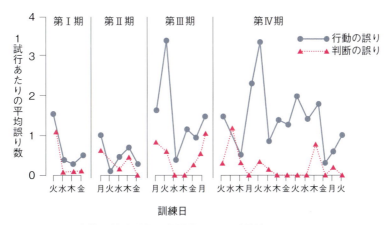

図Ⅳ・4・31　車椅子移乗動作の段階的ステップ訓練
① 移乗訓練を26ステップに分解：毎日午前・午後に各5回実施。② 紙に書いた26ステップを確認，自答させる。③ 訓練頻度を減らす。④ 26→13ステップに減らす。

子座位での右向きの顔)など，1つの機序で説明できないなどの問題点がある。

6. リハビリテーション

左半側空間無視のリハビリテーションには，以下のように多彩なものが試みられている。

1. visual scanning training 視覚探索訓練[38]，左側への注意集中指導 "look to the left" The New York studies
2. 左耳冷水刺激(Caloric stimulation)[39]
3. 視覚的課題による直接訓練[40]
4. 経皮的通電による刺激訓練(図Ⅳ・4・30)[41,42]
5. 足底接地(ブザー)フィードバックによる歩行改善，左上下肢にブザーやLEDなどを付けて注意を左に向ける訓練(Neglect Alert Device)[43]
6. 音楽療法[44]
7. 車椅子移乗動作の段階的ステップ訓練(図Ⅳ・4・31)[45]
8. Dynamic stimulation LEDの利用[46]
9. 健側の目に eye-patching(眼帯)装着[47]
10. フレネルプリズムの利用(対象物が10°右へシフトするプリズム眼鏡：図Ⅳ・4・32)
11. 半側サングラス[50]
12. 体性感覚に対する注意の喚起[51]
13. 人的介助(mental prosthesis)[52]

表Ⅳ・4・14　Left arm activation（左手の使用）

- 右手を使用することで左半球が活性化される→右手使用が無視に影響
- 片麻痺のない半側空間無視例では左手使用により描画成績が改善
- 左手使用が左半側空間への注意の手がかりになる（知覚の手がかり）
- 左空間での左上肢の使用→身体感覚と身体周辺空間の統合により，障害された身体周辺感覚が活性化

〔文献53）より〕

表Ⅳ・4・15　半側空間無視に対する体系的リハビリテーション（Diller）

1. 手がかり
   探索の手がかりを与える（本を読むとき，左側に赤線を引き，赤線を見てから右に読み始める）。
2. 追視速度の均一化
   左側へ探索した視線が衝動的に右側へ引き寄せられることを抑えるために，左側から右側へ一定の速度で追視させる。
3. フィードバックによる強化
   正しい反応が出たときは患者に伝え，正反応を強化する。
4. 反復練習
   自発的行動の習慣化に必要な反復練習
5. 刺激の工夫
   容易に認知できるように大きな刺激を用いたり，間隔を開けて刺激を工夫する。
6. 少ない情報で負荷課題遂行の処理過程を減らす。

〔文献53）より〕

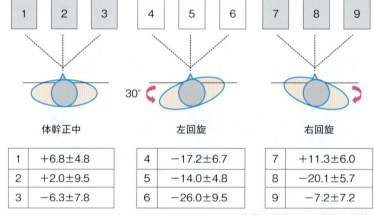

図Ⅳ・4・33　左半側空間無視患者の線分二等分課題に対する体幹回旋の影響
左への30°の体幹回旋。〔文献55）杉本諭，他：体幹回旋により見かけ上の右無視（左偏位）を示した左半側半側無視の1例．失語症研究15：209-214, 1995 より〕

14. 左上肢使用の活性化と空間運動の手がかり（表Ⅳ・4・14, 15）
15. 左への30°の体幹回旋（図Ⅳ・4・33）[54,55]
16. 神経薬理学的治療：ドパミン拮抗薬[56]
17. 低頻度反復経頭蓋磁気刺激[57]
18. 幹細胞移植

これら半側空間無視のリハビリテーションを組み立てるうえでは，①検査場面と自然状況下での行動の差，②できないことに対する悩みの有無，③時間的・空間的な動き方，④改善させるための適切な動きの内容などを詳細に観察することから始めるべきである。

患者にとっては，左側に注意が向かず「左を向きなさい」と言われても執拗だと思うだけであり，「左を見落とした」と指摘されても認識できず，「何度言ったらわかるの」と言われてもその解決法がわからない状態であることは容易に察しがつく。これらから，そのリハビリテーションを進めるに際には，対症的アプローチの限界を認識したうえで，以下のような点に注意するとよい。

①左側にとらわれずに感情的交流を工夫する
②「そのままでは見落としても10個の星印があ

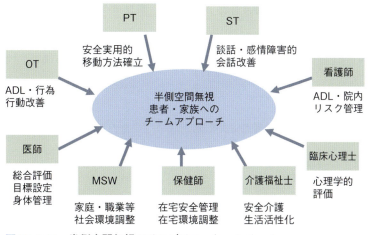

図Ⅳ・4・34 半側空間無視のリハビリテーションチーム

ります」と言えば見落とさない，多くの刺激だと見落とすが1つの刺激だと見落とさないなど，反応の仕方に注目して刺激提示を工夫開発する
③ できることの能力評価を正確に行い結果の肯定的再評価に努める
④ 半側空間無視以外の行動特性を分析する
⑤ 本人の意欲や関心に結びつく課題を設定し，自己意識化行動の援助をする
⑥ 環境調整・人的資源の確保・言葉の提供など，いわゆる概念的補装具の開発を行う

予後の報告では，消失する無視の回復期間の中央値は9週で，発症2〜4週に残存する例では6か月後の完全消失は13%であったという[58]。

半側空間無視は，発生機序を理解したうえで，以上の注意点を踏まえ，リハビリテーションチーム（図Ⅳ・4・34）で適切に対応すべきと考えられる。

b 身体失認（身体図式障害）asomatognosia

身体の空間的知覚像（身体図式 body schema）の障害であり，脳血管障害では日常遭遇することが多く，リハビリテーション上もその阻害因子として重要な関連をもつ。脳血管障害でみられる身体失認の主なものには次のようなものがある。

① 片側性身体失認 hemiasomatognosia
② 病態失認 anosognosia
③ 身体部位失認 autotopagnosia
④ 幻肢 phantom limb，第3幻肢 phantom third limb
⑤ その他

以上，これら身体図式に関する障害は，頭頂葉の障害が主役をなすが，加えて病前性格，知能，教養，意識のレベル，注意力などによって修飾される。

1. 片側性身体失認 hemiasomatognosia

1939年 Lhermitte の記載に始まるもので次の2種類に分けられる。

① 意識型 conscious type：患側は半身，あるいは片側上下肢の喪失感 sentiment d'absence を体験し，これを訴える。この症状は脳血管障害後早期に一過性に現れ，皮質下の障害に起因するものとされている。
② 無意識型 unconscious or nonconscious type：意識型のように，自ら体験し，意識するわけでなく，半身喪失のような行動をとることが特徴とされている。

Denny-Brown[59]によると，頭頂葉障害により，身体各部からの刺激を空間的に集積合成することができないための症状と考えられており（amorphosynthesis），片側性半側空間無視と合併して，片麻痺患者を寝たきり化する重大な因子の1つになっている。

表Ⅳ・4・16　Anton, Babinski による重症度評価

a) 自分の異常に気付いている
b) 自分の異常に気付いてはいるが，無関心
c) 自分の異常に気付いていない
d) 自分の異常に気付いていないだけでなく，指摘されるとその異常を否定する

表Ⅳ・4・17　Bisiach による病態失認の得点による評価

0点	患者の主訴に関する一般的な質問に対して，患者自身が自発的に自分の運動障害について言及する
1点	患者の麻痺側の手足の力について質問した場合にのみ，患者が本人の運動障害について話す
2点	通常の神経学的診察をした後に，はじめて自分自身の運動障害を認める
3点	麻痺による運動障害を認める言動や反応がない

〔文献63〕より〕

表Ⅳ・4・18　Cutting(1978)の病態失認に対する質問

一般的質問
 1. なぜここにいるのですか？
 2. 何があったのですか？
 3. 手足は悪くないですか？
 4. 麻痺やしびれはないですか？
 5. どのような感じですか？

一般的質問で病態の否認が認められた場合
 1. 麻痺した手を示して
 　これは何ですか？
 　上げられますか？
 　何か問題はありませんか？
 2. 上肢を持ち上げるように指示する
 　両手は同じようですか？

〔文献64〕より〕

　無意識型は意識型に比べて頻度は高く，一過性でなく，数週間あるいはそれ以上持続する。

　病巣は頭頂-後頭葉とされており，その他の頭頂葉症候群(病態失認，構成，着衣失行，触覚失認，片側性半側空間無視など)を伴っていることが多い。

　身体失認を伴う病態失認 anosognosia(Anton-Babinski syndrome)は，片麻痺の存在を否定する症状であり，脳血管障害の比較的早期にみられることがある。

　自己の片麻痺を頑固に否定するような例でも多くは数日間で軽快する。そして麻痺は承認するが，無関心になり，苦悩を示さない状態(疾病無関知 anosodiaphoria)に移行する。

　情動面は変動しやすく，多幸症 euphoria，抑うつ状態の間を往復する傾向がある。

　ほとんどに左片麻痺がみられるので，病巣は右半球に限られているようで，頭頂葉皮質，皮質下，あるいは視床部とされているが，Weinstein, Kahn[60], Ullman[61] などは病巣の局在性を否定し，コルサコフ症候群のように，総体的な知能障害によるものであると述べている。

2. 病態失認 anosognosia

　自分自身の病的な状態を認知できないことを病態失認という。この言葉は，明確な意識障害がないにもかかわらず，自分自身の麻痺に気付かないばかりか，その存在をも否定するという Joseph Babinski の1914年の患者報告から使われている[62]。しかし，この症状は自己の状態や病態に気付かないことであり，自分の運動機能の異常(運動麻痺)を認知しないもののほかに，視覚機能の異常，聴覚機能の異常，体性感覚の異常などに気付かないことも当てはまり，それぞれ，皮質盲(Anton症状)，皮質聾，身体失認ウェルニッケ失語における言語の誤りの自覚などの症状に対応している。

　病態失認は，狭義には脳損傷により自分自身の片麻痺の症状を否定する症状をいうが，広義には後述する麻痺に対する無関心な状態である病態無関知 anosodiaphoria も含むことがある。

a. 症状の評価法

　病態失認は，患者の言動から確認できる。したがって，意識障害があると，その評価は困難であるが，覚醒レベルがある程度高く，自発開眼と言語性応答が可能であれば，その存在は評価できる。当然ながら患者の自覚症状はほとんどないので，主として検者の質問などによって確認できる症状なので，質問に注意を払い患者の言動を詳細に観察することが必要である。

　患者が病態に気付く程度によって，Anton, Babinski や Bisiach は以下のように4つに分けており，重症度の評価として一般的である(表Ⅳ・4・16, 17)。

表Ⅳ・4・19 Starkstein(1992)の病態失認の評価項目

病態失認の存在確認のための質問 1. なぜここにいるのですか？ 2. どこか具合の悪いところはありますか？ 3. 手足の具合で悪いところはありませんか？ 4. 目は見えづらくありませんか？ 5. 手足に力が入りづらかったり，しびれたりすることはありませんか？ 6. あなたの手足はどのように感じますか？
病態失認の言動があった場合 1. 腕を持ち上げて「これは何ですか？」と聞く 2. 腕は上がりますか？ 3. 両手を持ち上げるように指示して，「両手とも同じように感じますか？」 4.（視野異常のあるところとないところで動きを認識させる）「どこか見えづらいところはありませんか？」
採点方法 0：患者の愁訴に関する一般的質問において，患者は自発的に報告または言及する 1：手の不具合や視野障害に関する特別な質問の後に障害が報告される 2：日常の神経学的診察において，障害が明らかにされた後，病態を認識する 3：障害を全く認識しない

〔文献65）より〕

表Ⅳ・4・20 Hecaenらの分類（1978）

①	麻痺（機能障害）に対する認知障害（狭義の病態失認）
②	麻痺した自分自身の半身に対する注意の配分障害（hemiasomatognosia）
③	麻痺した自分自身の半身の異常体験

〔文献66）より〕

実際の質問は段階的に行い，Cutting[64]やStarkstein[65]などの質問法が知られている（表Ⅳ・4・18, 19）。

b. 症状の分類

病態失認の症状については，Hecaenら（表Ⅳ・4・20），久保，Frederiksにより，分類が試みられている。

さらに，麻痺肢の自己従属性の否定に加えて，麻痺肢に対し妄想や作話などが出現する身体パラフレニー somatoparaphrenia がある。これは女性や高齢者が多く，重度の運動麻痺と感覚障害，脱抑制などを伴い，予後不良のことが多い。

また，麻痺側の変形感，異物感などもあり，CuttingやStarksteinの評価法（表Ⅳ・4・18, 19）にみられるような身体感を問うような質問をするとよい。

c. 病態失認と病態無関知

病態失認 anosognosia は患者本人の麻痺に対する完全な認知の欠如であり，「手足は普通に動きます」など通常言語性にも病態を否定する。しかし，そこまでは至らず，言語性にも「手足は動きません」などと片麻痺の存在は認識するものの，そのことの重大性にあまり関心を払わないといった状態がある。この状態を病態無関知 anosodiaphoria といっている。病態失認の発症の多くは重篤な意識障害を伴うことが多いが，病態無関知は意識障害の有無にかかわらず発症し，その機序が異なるという説もある。しかし，改善に伴い時間とともに，病態失認から病態無関知に移行する症例も多く，重症度の違いととらえるのが一般的である。

d. 発症頻度

発症は脳卒中の急性期で，右中大脳動脈領域の広範囲の梗塞，右被殻および視床出血によるものが多い。また脳腫瘍などの緩徐進行性の疾患で出現することはまれで，ほとんどが急性発症の脳卒中，特に脳梗塞による。発症後の時期によって頻度は異なり，1週間以内の右中大脳動脈梗塞の54%[67]に，右脳主幹部病変による脳梗塞の1か月以内では45%，1〜3か月で14%[68]に認めている。

また，左大脳半球損傷でも出現し，発症1週間以内の脳卒中で左片麻痺54%，右片麻痺14%という報告[20]がある。

予後は一般的に良好で，多くの例では数か月で症状は消失する。しかし，高齢者，広範な病巣，左右大脳両側性損傷，パラフレニー合併例などは

長期間症状が残存することもある。

e. 責任病巣

責任病巣については，古くから右頭頂葉が注目されている（図Ⅳ・4・35）。Hecaen[69]は縁上回・角回を含む右頭頂葉下部，森[67]は右頭頂葉下部・上側頭回・下前頭回，Hierら[70]は右頭頂葉下部・側頭葉・前頭葉の広範囲の病巣，Maeshimaら[71]は基底核・皮質下病変も重要視している。どの報告も頭頂葉が含まれる頻度が高いが，片麻痺を否認する病態失認のため，片麻痺をきたす病変が責任病変を含む必要があることも考慮しなければならない。

病態失認を呈する例は，呈さない例より通常病巣が広範囲であることが多いが，同じような大きさの症例でも発現する例としない例があることなどから，特定の部位だけではなく加齢による脳萎縮や他の損傷の有無なども考慮すべきである。

右中大脳動脈領域の梗塞は半側空間無視やmotor impersistenceの合併する頻度が高いが，単独に出現する例もある。この単独例との比較検討がBerti[72]やSakai[73]によってなされているが，頭頂葉よりBrodmann 6, 8野の前頭葉の関連性も示唆されている。

f. 発生機序

発生機序には表Ⅳ・4・21のように諸説あるが，統一された意見はない。

現在考えられているメカニズムとして，次のようなものがある。① 自分の右半身だけに注意が向く→② 自分の右半身は麻痺していないので動き，何の問題もないと感じる→③ 麻痺して動かない左半身の手足について「動くか」と尋ねられても，自分のものという認識がないので，動かないという認識は生じてこない→④ 自分の左手足のこと

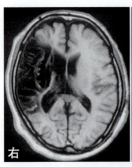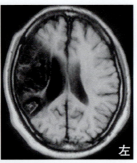

図Ⅳ・4・35　病態失認を呈した患者のMRI
病態失認を呈する患者は上下肢の運動麻痺の病巣と右頭頂葉を含むため，中大脳動脈起始部の閉塞などの病巣をもつものが多い。

表Ⅳ・4・21　病態失認の発生機序に関する説

	発生機序	内容
1	重度の感覚障害説[74]（体性感覚情報の統合機能障害説）	重度の感覚障害，特に体性感覚の頭頂葉損傷により，統合機能morphosynthesisが障害されたというamorphosynthesis仮説。
2	身体図式の障害説[75]	左大脳半球に身体図式の偏在しているという仮定のもとに，右大脳半球損傷よって，左大脳半球からの入力が断たれ，結果的に左大脳半球だけの身体図式となる。左大脳半球の活動だけで左右両側性の身体イメージを認識するために，麻痺側の情報はなくなってしまう。 左大脳半球に麻痺側の説明をさせると，適当に反応するために作話状態となる。左片麻痺の否認，幻肢，運動幻覚なども説明可能。
3	線維連絡の離断説[76]	右大脳損傷によって左半身からの体性感覚障害と左視野からの視覚情報が，左大脳半球の言語領野と離断されるために生じる。
4	感覚や視空間情報の不完全なフィードバック説[77]	固有知覚障害や認知障害によって片麻痺を発見することができない。感覚障害や半側空間無視，身体無認知により不完全なフィードバックが生じるために起こる。
5	運動予測の障害説[78]	運動予測が正確にできないために，運動の結果としての求心性の感覚入力との間に誤差が生じない。そのために片麻痺があっても認知されない。
6	防衛的心因反応説[79]	患者自身に生じた片麻痺という重大な出来事から，心理的に逃避しようとする防衛的心因反応から生じる。
7	注意能力の左右非対称説[80]	意識awarenessに注目し，左右大脳半球の注意能力の差が病態失認に関連し，注意の方向性に関連する脳幹網様体，前頭葉，頭頂葉，帯状回に障害が生じた場合に，注意の偏りが生じ脳損傷側の反対方向に対して注意が不十分となるために生じる。

は認識していないので，動く動かないに関係なく，右手足のみを感じて「自分は何ともない，動けるし歩ける」と答える。

このメカニズムは半側空間無視と同様に考えられ，初めは，身体意識は左右両側半球で均等であったと考えられる。進化の過程で言語などの出現に伴い，右半球へと身体意識が側性化し，右半球が左右両側身体の「身体意識」を支えることになり，一方，左半球は右半身のみの身体意識を支えることになったと仮定できる。その結果，左半球損傷では右半球が残り左右両側の身体意識が残存するので，左半身も右半身も否認は生じない。しかし，右半球損傷では，左半球のみのため右半身しか認識できなくなり，左半身の「身体意識」が消失してしまうことになる。→左半身が自分のものでないことになる左半球には左右両側の「身体図式」があるので，右半身のみの身体意識が身体全体の身体図式に組み込まれることになる。したがって，右半球損傷者は左半身のない右半身のみの身体意識を感じることになる。このことは，右半身のみが自分の身体で，左半身は自分の身体意識に属さなくなってしまう。そのため，右半球損傷では，もはや自分の「身体意識」に属さなくなった左半身についてではなく，動く右半身の「身体意識」に組み込まれた左半身（実際には右半身）について聴かれているということになるので，「麻痺はありません」「立てます，歩けます」と言い，そのように認識すると考えられる。

g．リハビリテーション

リハビリテーションには①注意・覚醒レベルを上げる，②認知リハビリテーション，③人的介助，環境整備，などがあるが確立されたものはない。

片麻痺の病態失認に関連の深い因子として，広汎な右半球病変，急性期，高齢（脳萎縮），対側病変の存在，感覚障害，無視症候群，作話があり，その改善には困難を極め，リハビリテーションにおいても，フィードバックがかからず重大な阻害因子となる。

3．身体部位失認 autotopagnosia

全身の身体部分を指示したり名前を言ったりす

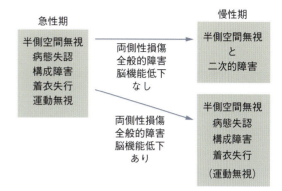

図Ⅳ・4・36　右半球症状の経過

ることができない。多くは両側半球にみられ頭頂-後頭葉の広範囲に及んでいる。一側性の場合は左半球損傷，ゲルストマン症候群のときに出現することが多く，両側性の症状を示す。しかしリハビリテーション上は大きな支障になることは少なく，多くは失語症を伴っているため，そのほうの障害が重視される。

4．幻肢 phantom limb

幻肢は四肢あるいはその一部，乳房，外陰部，眼，顔の一部などに現れるもので，胃腸などの内臓には起こらない。幻肢感覚としては，痛みの場合もあれば，暖かい，冷たい，重い，軽いなどの感じが混合したもので，切断，末梢神経損傷，脊髄損傷などでは珍しくない現象であるが，脳血管損傷でも頭頂葉，脳幹部，視床などの障害の場合にみられることがある。

麻痺した上下肢のほかに別に上肢または下肢が新しく生えてきたような感じを経験するものを第3幻肢と呼んでいる。

脳卒中発作後早期に出てくる点は片側性身体失認の意識型や病態失認と同様であり，多くは一過性であるので（脊髄損傷によるものは長く続くものがあるが），脳卒中リハビリテーションにおいて幻肢そのものが問題になることはない。

5．右半球症状

前述の半側空間無視，病態失認に着衣失行や構成失行を合わせた右半球症状の経過については図Ⅳ・4・36のように急性期で生じる症状が，その病

D リハビリテーションで問題となる失行

リハビリテーション上問題となる失行には以下のようなものがあるが，ほとんどの失行には認知障害が関与していることは確かであり（例えば観念性失行では物品利用に関する失認が，観念運動性失行では空間失認からくる運動障害が関与すると考えられる），失行認 apractognosia なる言葉を提唱している．また，これらの失行症を検査するものとして標準高次動作性検査 standard performance test for apraxia(SPTA)（表Ⅳ・4・22）がある．

a 失行の臨床的諸型

1. 運動失行 kinetic apraxia

一部の筋肉群を使うある特定の動作，速度などに障害がみられる，最も低次の失行である．病巣は前頭葉運動前野とされているが，臨床的には基底核の多発ラクナ梗塞例が多い．

Denny-Brown[81]のいう磁石症候群 magnetic syndrome とは前頭葉障害に現れる症状であり，手掌・足底に触れるものを離そうとしない失行様症状である．手掌については把握反射 grasp reflex としてよく知られているが，足底については，歩行に際して，必要な筋力があるにもかかわらず，足底が床についたまま離れにくい症状を呈するものである(Petren's gait)．

Denny-Brown によると，側頭葉障害では逆に，触れるものから離れようとする傾向があり，健常者ではこの側頭葉と前頭葉のバランスがとれているという．

付 歩行失行 walking apraxia[82]

運動失行の一種と考えられ，筋力や麻痺から予想される歩行より低いレベルの歩行しかできず，歩行パターンに関する協調運動の失行と考えられる．前頭葉内側面障害によると思われる．

表Ⅳ・4・22　標準高次動作性検査(SPTA)によってチェック可能な失行症，動作障害

① 口部顔面失行	⑦ 左手の失行
② 観念運動性失行	⑧ 使用行動または利用行動
③ 観念性失行	⑨ 道具の強迫的使用現象
④ 構成失行	⑩ 拮抗失行
⑤ 着衣失行	⑪ その他
⑥ 肢節運動失行	

2. 観念性失行，観念運動性失行，肢節運動失行（左半球優位障害）

観念性失行，観念運動性失行，肢節運動失行の症状は，以下のような道具の使用動作の検査や行動にみられる．

道具の使用動作の障害
① 道具（複数物品）を系列的に使用できない．
　例：机の上に置いたマッチをすって，ロウソクに火をつける．
　　　急須に茶葉を入れて，お茶を湯飲みに注ぐ．
② 単一物品の使用障害
　例：鉛筆，はさみ，金づちなどの日常物品を単一で使用させる．
③ 実際の道具は使用可能である場合，道具を持たずに使用動作をさせる（パントマイム）とできない．
　例：ノコギリを持ったつもりで，切るまねをさせる．
ⓐ 複数物品の系列的使用障害：観念性失行
ⓑ 単一物品の使用障害：観念性失行(De Renzi など)，観念運動性失行(Poeck など)，概念失行(Heilman など)
ⓒ パントマイムの障害．単純行為（敬礼，さよならなどの動作）の障害，運動の忘却，錯誤，保続「意図性-自動性の乖離」：観念運動性失行
ⓓ 肢節運動失行：肢節の運動拙劣，粗雑化

また，その責任病巣については図Ⅳ・4・37のような部位が考えられている．

3. 観念性失行 ideational apraxia

単純な単一的行為は可能であるが，いくつかの単一的行為を含み複数の物品を用いる複雑な系列行為（例えば，マッチをすってタバコに火をつけて吸う）が障害され（マッチの軸を口にくわえ，タ

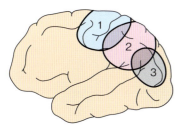

図Ⅳ・4・37 肢節運動失行，観念運動性失行，観念性失行の責任病巣（Liepman）
1：肢節運動失行，2：観念運動性失行，3：観念性失行

表Ⅳ・4・23 観念性失行（道具の使用障害）のスクリーニング検査

1．ボールペンを実際に持たせて，字を書かせる。 2．実際に紙とハサミを目の前に置いて，紙をハサミで切らせる。 3．水の入ったポットと，茶の葉の入った茶筒と，湯のみを渡し，「お茶を入れてください」と指示して行わせる。

実際に道具を用いた検査で，道具自体の使用障害と系列動作の使用障害が含まれる。

バコをマッチ箱にこすって火をつけようとするなど），日常生活場面でも失行症状が認められる（表Ⅳ・4・23）。

観念性失行の定義について山鳥[83]は「拙劣症によるものでない客体（単数，複数）操作の障害」としている。また，道具を使うことから「道具の使用障害」といわれることもある。

観念性失行の検査として1つまたは2つ以上の物品を使用する動作を言語命令，模倣命令，自然状況下で観察する。その反応には正常反応から，拙劣，修正，保続，錯行為，部分反応，無反応などがあり，有意味性が認められない場合，観念性失行と判定する。

これら観念性失行の説明仮説として，系列動作の障害や道具使用障害（記憶の障害，認知障害，道具を扱う様々な過程の障害：Morlaas は物品利用に関する失認 agnosia of utilization を示唆）が考えられている。

責任病巣は左半球頭頂葉，観念運動性失行の生じる部位のやや後方と考えられているが，側頭葉，後頭葉も関与し，障害部位は広範囲にわたるとされている。

4. 観念運動性失行 ideomotor apraxia

比較的単純な単一的動作（威嚇するなどの表出的動作，敬礼などのシンボリックな慣習的動作，金づちを使うなどの他動的動作など）が検査場面では障害されるが，日常生活場面での自動的行為の障害はみられない（表Ⅳ・4・24）。自然な状況下では可能な動作が意図的状況下ではできないという自動性-随意性の乖離（Baillarger-Jackson の法則）がみられるのが特徴の1つである。しかし，他

表Ⅳ・4・24 観念運動性失行のスクリーニング検査

1．「さよなら」と手を振ってください 2．「おいでおいで」の手まねきをしてください 3．警察官の敬礼をしてください 4．「しーっ」と静かにさせるまねをしてください 5．歯ブラシで歯をみがくまねをしてください 6．櫛で髪の毛をとかすまねをしてください 7．鍵を持ってドアに鍵をかけるまねをしてください 8．金づちで釘を打つまねをしてください

道具を用いないで実行させる。

人が行う同様の動作についての意味も理解できるし，誤りも指摘できるものである。通常，両側性に出現するが片側性のこともある（左側観念運動性失行）。また，動作のみを再現させることから「パントマイム障害」ともいわれる。

自動性-意図性の乖離についての機序は，意図的行為にかかわる感覚情報依存性の運動調節が頭頂側頭連合野から運動前野の経路によってなされ（外的情報依存性行為：頭頂葉・運動前野系），自動的行為にかかわる内的情報依存性の運動が帯状回から運動野にかけての経路で処理され（内的情報依存性行為：帯状回・補足運動野系），この2つの処理機構の障害の差によって乖離現象が生じると考えられる。

自動性-意図性の乖離現象のみられる失行症
① 肢節運動失行（−） ② 観念運動性失行（＋） ③ 観念性失行（±） ④ 構成失行（−） ⑤ 着衣失行（±）

観念運動性失行の定義を山鳥[83]は「言語性に喚

表Ⅳ・4・25　肢節運動失行のスクリーニング検査

1. 母指と示指でリング（1・2リング）をつくる
2. 母指と小指でリング（1・5リング）をつくる
3. キツネの指（1・3・4指リング）をつくる
4. グー，チョキ，パーの手の形をさせる

表Ⅳ・4・26　頬・顔面失行（口顔面失行，口腔顔面失行）の症状

1. 口を開けてくださいと指示しても開かないが，食事のときやあくびでは開く
2. 「舌を出してください」と指示してもできないが，「あっかんべー」とすると出る
3. 舌を口角につけてと指示してもできない
4. 頬を舌で膨らましてと指示してもできない

起が可能で社会的慣習性の高い客体を使用しない運動を対象とし，言語命令または視覚的模倣，命令によって要求された目標行動を達成できない状態」としている．

観念運動性失行の検査として物品を使用しない社会的慣習動作やパントマイム動作を言語命令，模倣命令，自然状況下で行わせ，その反応を正常反応，拙劣，修正，保続，錯行為，部分反応，無反応などと分析し，有意味性が認められない場合，観念運動性失行と判定している．

観念運動性失行の説明仮説としては，象徴機能の障害説，運動の組み立ておよびプログラミングの障害，運動能力の障害，運動記憶の障害などが考えられている．

これらの失行症状は下肢，躯幹に比べて，上肢，顔面に強く出ることが多い．病巣は左半球頭頂葉下部，縁上回と考えられており，片側性のものは脳梁離断症状 disconnection syndrome とする考え方が理解しやすい．

5. 肢節運動失行 limb-kinetic apraxia

二次感覚野（3, 1, 2野後方）と運動前野などとを結ぶ皮質下の線維の損傷によって生じるといわれており，四肢，特に上肢の随意的な運動が拙劣で粗雑化や巧緻性低下がみられ，運動・感覚麻痺，観念・観念運動性失行などによっても説明できないものである．スクリーニングには表Ⅳ・4・25のようなものがある．

同様な機序によって生じるものに以下のようなものがある．

```
肢節運動失行および頬・顔面失行
① 肢節運動失行
    ⓐ 手指失行
    ⓑ 顔面失行
```

　　ⓒ 体幹下肢失行　歩行失行
② 頬・顔面失行
　　ⓐ 眼球運動失行
　　ⓑ 閉眼失行
　　ⓒ 開眼失行
　　ⓓ 嚥下失行

6. 頬・顔面失行 bucco-facial apraxia

口唇についた食物片などを自然に舌で口中に取り入れることはできても，舌を出す，口唇をなめる，などの指示された動作ができないものを頬・顔面失行と呼んでいる（表Ⅳ・4・26）[84]．病巣は顔や舌の運動野・運動前野皮質下周辺，縁上回，島回周辺といわれている．

7. 構成失行 constructional apraxia

最も出現頻度の高い失行で，口頭指示に従って，または与えられた手本を見つつ，様々な空間的形態（幾何学的図形，具体物の絵）を二次元的（描画，マッチ軸の配列）または三次元（積み木）で構成することができない（表Ⅳ・4・27）．左右半球損傷ともに30％程度の頻度でいずれにもみられるが，左片麻痺に多く出現し，重症のものも多い．このような例には片側性視空間失認，片側性身体失認などを伴っていることも多く，リハビリテーション上重大な阻害因子となる．

内容的には，絵，地図などを描かせた場合，右片麻痺と左片麻痺では基本的な差がみられる（表Ⅳ・4・28）．

左半球損傷型：注意深く，ていねいに行われる．形態の大枠はよいが平面化や細部の脱落または貧弱化する（図Ⅳ・4・38）．重度になると絵画の模写などで別の場所に描かずに，手本の上をなぞってしまうか，重ねないとできないようなクロージン

表Ⅳ・4・27　構成失行のスクリーニング検査

1. 鉛筆で紙に図を描かせる(三角，四角，立方体，家など)
2. マッチ棒で三角や四角を作らせる
3. 積み木を組ませる

表Ⅳ・4・28　構成失行の左右大脳半球損傷による違い

左半球損傷	右半球損傷
① 構成作業の際に，全般的な空間関係は保たれる	① 構成作業の際に全般的な観点を欠く
② 動作にためらいを生じる	② ためらいなく進行し，粗雑で余分な操作が多い
③ 模写課題では，細部の省略，簡略化　角が描けない　輪郭が不完全	③ 模写課題では，図形の左側が欠落　右側への重ね書き　粗大な空間関係の誤り
④ 積み木課題では，外側の輪郭はまとめることができる　内部の模様が異なる	④ 積み木課題では，左側の脱落　右側への積み重ね　左右のデザインが混乱

〔文献85)より一部改変〕

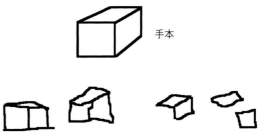

図Ⅳ・4・38　構成失行の左右半球差

図Ⅳ・4・39　クロージングイン現象

図Ⅳ・4・40　断片的接近現象

グイン closing-in 現象(図Ⅳ・4・39)をみることがある．右片麻痺の場合，手本をすぐ近くに置くと比較的上手にできる．失語症に合併すると読字・書字に障害が強くなる．

右半球損傷型：動作は粗雑で，急いで不注意に行われ，全体的な位置関係が崩れる．また，左側視空間失認を合併することが多く，脱落する．手本を傍に置いてもあまり効果がない．しかし，一度書いたところは短い線で何度でも上からなぞるような現象がみられる(断片的接近現象：図Ⅳ・4・40)．

構成失行は左右片麻痺の検査としてはKohs立方体などが有名である．障害部位は，角回近傍の頭頂～後頭葉とされている．

8. 着衣失行 dressing apraxia

衣服の各部分と身体部位との関連付けが困難なために起こるものである(図Ⅳ・4・41)．片側性身体失認や構成失行を伴っていることが多い．病巣としては，左右どちらの大脳半球でも生じるが，右半球に多く，頭頂葉(特に中心溝の後部)，側頭葉の障害によるとされている．

着衣失行には次の2種類がある．

① 片側性着衣失行：左片麻痺にみられ，左片側性身体失認を合併し，右半分を着ただけで中止し，左半分を無視する．
② 両側性着衣失行：左右・表裏の混同がみられ，構成失行などを伴う(狭義の着衣失行)．

リハビリテーションとしては，衣服の認知を含めたアプローチを行うが，衣服に左右や上下，表裏の印をつけるような代償的なアプローチも有効性が高い．

9. ゲルストマン症候群
（Gerstmann syndrome：**左半球角回障害**）

手指失認，左右障害，失算，失書の4症候からなる症候群である．Gerstmannは1927年にこの4症候が同時に生じることと，左角回近傍に限局した脳損傷と関連することを報告し[86)]，以後この

図Ⅳ・4・41　着衣失行

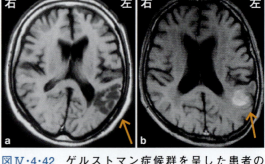

図Ⅳ・4・42　ゲルストマン症候群を呈した患者のMRI-T1強調画像
a：脳梗塞，b：脳内出血

4症候の組み合わせをゲルストマン Gerstmann 症候群と呼んでいる（図Ⅳ・4・42）。

a. 手指失認 finger agnosia

手指失認は身体部位失認の一症状とされ，左右いずれの手指にも出現し両側性である。患者は自分自身の指の呼称ができないばかりか他人の手指や絵に描いた手指についても障害を示す。この障害は，口頭で指示された手指を指し示すことができないといった指の選択障害と，指の呼称障害が含まれる。指の絵を描かせてみると異常はより明確となる。失語の場合には，2本の指に同時に触れて，その間の指の数を言わせる指間指数検査も行うとよい。

b. 左右障害 right-left disorientation

左右障害は，患者自身あるいは検者の身体の左右を区別できない状態である。この検査は患者あるいは検者の身体の左右を言葉で問う言語性の方法と，検者が自分の身体の部分を指し，患者に患者自身の同じ部位を指してもらうといったような非言語性の検査をすべきである。臨床場面では口頭で左右を問う検査で明らかとなる場合のほか，少し複雑にして右手で左耳を触るなどというような方法でより顕著となる。

c. 失算 acalculia

脳損傷によって計算能力が障害されることを失算といっている。計算能力については，入院中であれば計算の必要性が少ないことから，計算能力障害を見落としやすい。計算能力は，数をかぞえたり，数の概念の検査，暗算，筆算などで調べる。

計算能力には種々の能力が必要であることから，その障害としての失算も，①数字の失読失書に基づくもの，②数字の空間的配置の間違いから生じる視空間的失計算，③演算操作そのものの障害としての失演算に分けられている。

①の数字の失読失書は失語の有無にかかわらず生じる。単語と数字の失読失書は同時に生じたり，どちらか一方だけでも生じることがある。②は演算に際して数字の空間配置を誤るもので半側空間無視などの空間障害を伴う。③は加減算と乗除算では九九表の使用の有無，作業記憶の関与の程度によって計算障害に違いが生じる。まれではあるが引き算のみが障害されたり，逆に残存したりする例がある。九九のような算術情報は言語性短期記憶として縁上回などに貯蔵されているといわれており，丸暗記されているものはこの部位が残っているか否かで障害が異なる。したがって，丸暗記されているだけでできるかけ算のほうが，作業記憶を使わなくてすむので，引き算より簡単であることもありうる。臨床場面でも1桁の加減算や九九の乗算は比較的容易でも，繰り上がりや繰り下がりのある計算を実施すると障害が明らかとなりやすい。

ゲルストマン症候群の失算は②の視空間的失算とは異なると思われるが，これらのいずれに属するか明確な回答は得られていない。

責任病巣は，数字の失読失書および失演算は左角回上部から上頭頂小葉下部付近，視空間的失計算は右半球中心回後方病巣と推定されている。

d. 失書 agraphia

失書は自発書字，書き取り，写字などで障害がみられる。自発書字に比べ写字のほうがよい場合が多い。失書に関しては，視覚的入力による情報と聴覚的入力による情報が左角回で統合されるという考えや，機能的 MRI（fMRI）や脳磁図（EMG）などの所見から角回・縁上回を中心とする部位で書字の機能があることが示されている。また，純粋失書の責任病巣である左上頭頂小葉も近く，角回を中心とした損傷によるゲルストマン症候群が失書をあわせもつことは容易に考えられる。本邦では左側頭葉後下部病変による漢字の失読失書が注目されているが，漢字に限局したものということでゲルストマン症候群の失書とは異なるものと考えられる。

なお，手指失認，左右障害，失算，失書の4症候すべてが揃って出現する頻度は 17～21%[87,88]と低く，むしろ4症候がそろわず，独立したり部分的な組み合わせで生じる場合のほうが多い。ゲルストマン症候群およびその部分症状と診断できるのは，物を見て名前が出てこない呼称障害や，言いたい言葉が出てこない喚語困難があっても軽度の失名詞失語の場合である。中等度以上の失語症では，その言語障害のために明確な診断が困難となる場合が少なくない。

手指失認は日常生活の障害因子となることは少ないが，左右障害，失算，失書は日常生活の障害となる。失算や失書は，職業内容によっては復職の妨げとなることもある。

e. 責任病巣

責任病巣は角回を中心とした部位があげられる。この部位は中大脳動脈の最末端である角回動脈に灌流される領域であり，梗塞として単独で生じやすい場所である。また，出血ならば皮質下出血の形をとることが多い。臨床でゲルストマン症候群のいくつかの症候がある場合は，左角回の病巣が推定できる。

画像所見の特徴は後方に脳梁膨大が見えるスライスの，斜め後方の側脳室外側の病巣である（図IV・4・42）。

10. 失認，失行と麻痺肢機能との関係

高次脳機能障害のうち失語症と比較し，失認・失行がある場合，上肢機能の回復はさらに良くない。特に，重度の失認がある場合，遷延性弛緩性麻痺 prolonged flaccid paralysis（Peszczynski）であることが多く，筋力回復が非常に悪く，上肢は廃用，歩行も極めて低いゴールに終わる例が多い。

遷延性弛緩性麻痺と失認

弛緩性麻痺/左半側失認左片麻痺例
　＝15.3%（22/144）
弛緩性麻痺/失認のない左片麻痺例
　＝2.6%（8/303）
弛緩性麻痺/失語を伴う右片麻痺例
　＝4.1%（6/147）
弛緩性麻痺/失語のない右片麻痺例
　＝3.5%（13/369）

失認のない左片麻痺では左上肢は約50%が廃用であるのに対して，重症失認のある左片麻痺では90%が廃用に終わっている。

次に歩行に関して達しえたゴールに比較すると，次のようになる。このことは，失認の有無（特に半側空間無視）は歩行のゴールに大きい影響を及ぼすことを示している。これに対して，失語症では，介助歩行，歩行不能に終わったものが約5%で，非失語単純片麻痺患者に比べて差がみられない。

失語，失認（左半側空間無視）と実用歩行獲得率との関係

＜麻痺側＞	＜失語・失認屋外実用歩行獲得率＞	
右片麻痺	全例	69.4%（358/516）
	非失語	68.8%（254/369）
	失語症	72.2%（104/147）
左片麻痺	全例	57.4%（260/453）
	非失認	67.3%（204/303）
	失認例	38.9%（56/144）
全症例		63.8%（618/969）

〔文献89）より〕

失認の重症度と歩行ゴール	
	＜要介助歩行，歩行不能の％＞
重～中等症失認型	90%
軽症失認型	5%($p<0.01$)
失認のない左片麻痺	3%($p<0.05$)

　一般的に，左片麻痺は右片麻痺に比べ，歩行改善成績の悪いことが知られているが，これは左片麻痺に左半側空間無視，左片側性身体失認などが合併しているためと考えられる[90]。したがって，評価に際しては，ゴール決定を大きく左右する失認・失行の有無，種類，程度などを十分に検索することを忘れてはならない。特に高齢者ほど重症失認例が多いことを念頭に置くべきである。

　失認・失行の検査については，わが国においても標準高次動作性検査[91,92]など種々のテストがある（詳細については専門書を参照されたい）。しかし，各種の失認，失行について一式詳しい検査を行うとなると，多大の時間と労力を必要とするし，特に高齢者は疲労のため，その検査に耐えられない場合が多い。

E 失認，失行のリハビリテーション

a 現状と問題点

　失認，失行のリハビリテーションについてはまだ確立されたものはなく，試行錯誤的に行っている段階である。

　失認，失行においても上肢，下肢と同様に自然治癒過程がみられる。その機序の主なものは脳損傷部位およびその周辺の循環・代謝の改善などの脳の可塑性によるものと考えられる。

　例えば，左半側空間無視では，失認に対して直接に訓練を行っていなくても，発病後5～6か月程度まではかなり改善を示すことが知られている。したがって，失認，失行のリハビリテーションを行うことにより，①自然治癒過程を促進し，さらに質の良いレベルまで導くことができるか，②自然治癒過程終了後においても機能改善を促進できるか，などの問題を解決することが現段階の大きな課題である。このことについて，Weinbergら[93]は訓練群と非訓練群に視覚的探索訓練を行った結果，訓練群で有意に成績が良いことを示している。つまり，自然治癒機構はあるが，積極的な訓練は，自然回復によって得られるレベルよりもさらに多くのものを，より早期にもたらすことを示唆している。

　Luria[94]によると，脳損傷後の機能の改善，回復などを"機能の再編成 functional reorganization"と呼んでおり，また近時脳の可塑性について多くの成果がみられ，視覚・聴覚・体性感覚などを介した，末梢からの刺激（再教育・再学習など）が中枢における可塑性改善に合目的的効果を与える可能性を示唆している。

　しかし，高齢者においては訓練により再学習・再獲得されたようにみえた能力であっても，加齢に伴う神経細胞の減少が持続するので，常に利用されなければ容易にその機能は低下する可能性を秘めている。また，応用力が乏しく訓練の成果は類似の課題に及ぶのがせいぜいで，新しい課題になると途端に失敗を重ねる結果となる。そのため訓練プログラムを立てる際には，日常頻回に反復利用・汎化されるような課題を選ぶほうがよいと思われる。

失認，失行のリハビリテーションアプローチ
① 自己の障害に対する認知，心理的障害受容
② 障害改善のための訓練手がかり cue の探索
③ 手がかり cue を利用した訓練の反復，汎化
④ 代償的・補助的手段の活用
⑤ 家族，周囲の人々の障害に対する理解
⑥ 社会・家庭生活における環境調整

b 治療法，訓練法

1. 失認，失行の自然治癒・改善過程の促進

　脳循環，代謝の改善を目的とするすべての内科的・外科的治療法は，同時に失行，失認の改善にもつながり，加えて脳の可塑性改善にも役立つ可能性がある。

2. 感覚統合アプローチ[95]

　視覚的・空間的・形態的認識過程は，視覚，前庭覚，触覚，固有受容器覚などからの情報が統合させられた結果，得られるものと考えられている。したがって，ある特定の感覚系の障害がある場合，他種の知覚刺激を各種各方面から与えて統合能力を高め利用し，障害された機能を促進しようとするものである[96,97]。

　このアプローチは脳の可塑性の問題から，小児に比較すると成人の脳血管障害では，効果が少ないといわれている。しかし，成人でも手に触覚刺激と強い圧刺激を加えることにより手指認知と形態認知の成績が有意に向上することも知られている[98]。

3. 機能的アプローチ

　ADLのなかで，これに密着して機能を高めるテクニックを教えることにある。作業療法（OT）部門，看護部門で好んで用いられる。

a. 代償

　半側空間無視に対し，患側に頭や眼を向けるよう，ADLのなかで根気よく，何度も指導する。

　まず，単純作業で半側空間無視を改善させ，続いて同一課題を横に複数並べ，全体的半側空間無視と個別的半側空間無視の両方の改善を図り，漸次段階的に課題数を増やしていく方法も簡便で効果的である[99]。

b. 順応

　患者に欠けている面を，外部条件を変えることにより順応を容易にする方法である。例えば半側空間無視に対しては，食事中，食物をできるだけ左側に置くとか，途中で左右を逆にすることにより，左半分を食べ残すということは少なくとも改善される。また，文章や行の左端を見落とさないように，定規を左端に置いて，必ずそれを見てから読んだり，紙の方向を上下さかさまにしたりして書いたり読んだりするように習慣づける方法がよく用いられる[58]。

　また，着衣失行に対しては，衣服の左右，前後，表裏など必要に応じて印を付けたり，衣類のたたみ方や置き方を定めて，着衣の順序を一定にして習慣化するなどの工夫が着衣動作を改善する。

　問題点は，このような目印をなくしても改善状態が続くかどうかであるが，その目印に代わるべき特異的手がかりを書物や衣服のなかに見いだす能力を獲得することができるか否かで決まる。

　しかし，そのレベルまでに至らないとしても，目印が杖や自助具と同様な意味をもつと考えれば，リハビリテーション的意義は十分あるものと考えられる。

4. 転移効果

　ある動作，行為，認知などに改善が認められれば，それと類似，同列にあるADLも改善するであろうとの仮説のうえに立つものである。

　例えば，五目並べ，オセロゲームでは平面空間的認知能力や構成能力を高めるであろうから，食卓上の食物認知や食事動作能力は向上するであろう，机上の小作業にも進歩をみるであろうという具合である。

　同様にジクソーパズル，スティックによる図形構成，積木など数多くの作業療法的アプローチはADLの多くの側面に転移的効果をもつものと思われる。

　以上，失認，失行に対する訓練，治療の主なものについて述べてきたが，1人の患者あたりの時間もかなり長く（1日30分程度），障害のある高齢者にとって精神的・身体的負担になることは確かである。また重症なものほど，各種の頭頂-後頭-側頭葉症状が重複しており，さらに認知症状も加わって，訓練をいっそう困難にする。また，セラピストが1人の患者に長時間占有される形となることなど，いくつかの問題が残されている。

F 記憶

1 記憶の分類

　記憶については，次のように分類される。

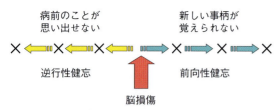

図Ⅳ・4・43　逆行性健忘と前向性健忘
新しいことを覚えられない前向性健忘と，脳の病気や損傷が起こる以前のことを思い出せない逆行性健忘がある。

図Ⅳ・4・44　作業記憶，運動記憶，エピソード記憶の場

記憶の分類

① 時間的経過からみて
　ⓐ 即時記憶 immediate memory（数秒〜数分以内で直後の記憶）
　ⓑ 近時記憶 recent memory（数分〜数日以内の記憶）
　ⓒ 遠隔記憶 remote memory（数日・月〜年の記憶）
② 内容からみて（Squireの記憶分類）
　ⓐ 陳述記憶 declarative memory
　・エピソード記憶 episodic memory：ある時間・空間に起こった個人の生活史や社会的出来事の記憶，しばしば感情を伴っている。
　・意味記憶 semantic memory：いわゆる知識に相当し，思考の材料となる。辞書に相当。
　ⓑ 非陳述記憶 non-declarative memory
　・手続き記憶 procedural memory：記憶にのぼらないが反復により次第に習熟する技能 skill
　・プライミング効果（priming）：以前に体験した刺激が再度出現した際に，その知覚同定が促通される効果（先行刺激が想起意識を伴わない場合）。

1. 逆行性健忘と前向性健忘

　健忘発生時点から過去の記憶障害を逆行性健忘（古い記憶の再生障害 retrograde amnesia）といい，健忘発生時点から以降の記憶ができず現在に至っているものを前向性健忘（新しい出来事の記銘力障害 anterograde amnesia）という（図Ⅳ・4・43）。
　脳損傷後の記憶障害の多くは，前向性健忘である。

2　記憶障害（健忘症候群）とは

　記憶障害（健忘症候群）とは以下のような特徴を示す。
① 記憶障害（数唱，visual memory spanは正常）
② 発症以後に経験した新しい事柄を再生することができない（前向性健忘）
③ 発症以前に経験した事柄を再生できない（逆行性健忘）
④ 知能テストの成績は良好

3　記憶の場

　記憶の部位については，刺激を受けた直後の数秒〜数分以内の即時記憶は聴覚，視覚，体性感覚などの感覚中枢のすぐ近くでなされる。それが視床（前核・背内側核），帯状回，海馬などを経由して，ある程度の時間記憶される。出来事のエピソード記憶などは左右側頭葉前〜側頭葉極にあったり，ある作業をしている一定時間だけ記憶しているような作業記憶は46野を中心とした部位で，ピアノを弾いたり，スポーツをしたりというような運動記憶は運動野周辺でなされる（図Ⅳ・4・44）。

4　記憶の回路

　エピソード記憶の回路として，パペッツ（Papez）の回路が考えられており，海馬の働きが重要視されている。海馬CA1の損傷では2〜3分しか記憶がもたないことも報告されている。
　また，情動記憶の回路としてヤコブレフ（Yakovlev）の回路が重要視されている。例えばい

やな記憶は残るので心地よい体験を通してケアしていくということにつながる。リハビリテーションの学習治療のなかで，いわゆるerrorless leaning(誤りのない学習課題を与えて成功体験をしながら学習させる方法)につながるものである。また，情動的な記憶は海馬の体積ではなく，扁桃体の体積と関連しているともいわれている。

G 回復の機構

中枢神経の改善はほとんどないといわれてきたが，最近の研究から中枢神経にもわずかながら側芽の形成など可塑性が確認されている。

脳の機能修復には，①自然治癒，②他回路による代償，③他回路の機能抑制の解除，④機能回路の再生などが考えられている。そのためには，言語をはじめとする記憶のメカニズムと繰り返し刺激が重要であるといわれている。

この繰り返し刺激の効果は活動に伴って何らかのメカニズムがあると考えられており，その活動依存性の分子メカニズムとして，①シナプス形成の促進：ATP，②シナプス形成の抑制と競合：ATPとアデノシンなどがかかわり，繰り返し刺激によってATPが放出されている。

このことを長期記憶にかかわる神経でみると，繰り返し(同期)刺激で起こるシナプスの可塑性変化として，以下のような分子メカニズムが確認されている。

1つひとつのシナプスの伝達効率の変化に，長期増強(LTP)，長期抑圧(LTD)があり，その分子メカニズムとして，蛋白質のリン酸化などシナプス機能分子群の修飾がみられる。また，シナプスの数，形態の変化としては，シナプスの数の変化(発芽，新しいシナプスの形成)により，シナプス形成にかかわる遺伝子群発現の変化ならびにシナプス面積の変化(シナプス形態の変化)をみることができる。このように，細胞外のリン酸化によってLTPやシナプス形成を促進し，アデノシン化合物に変化しシナプス競合を行うATPの役割は重要である。

神経機能の再編成については，まず，ほぼランダムなシナプス結合による神経回路網の形成が繰り返し刺激によって形成される。次に，繰り返し刺激によって正しい学習刺激が繰り返されると，シナプス結合の増加や脱落が適正に行われ，機能神経回路が成立する。

したがって，シナプスの再生による機能修復には，ランダムな神経回路網形成と繰り返し刺激による機能回路成立が重要である。しかし，ランダムな神経回路網形成は時間がかかり，自然回復の速度では限界があるように思われる。機能回路成立には訓練などの繰り返し刺激が重要であり，ここにリハビリテーションの必要性が考えられる。

5 パーキンソン病のリハビリテーション

　パーキンソン病はJames Parkinson（1817）がshaking palsyと表現したことに始まる慢性進行性の神経変性疾患である。無動を主症状とし，振戦と筋強剛（固縮）で3大症状，さらに姿勢反射障害を加えて4大症状とする[1]。発病年齢は50〜65歳に多く，加齢とともに有病率が高くなり，80歳以降がピークとなる。高齢人口の増加に伴い，患者数が増加している。中脳の黒質緻密層におけるドパミン含有神経細胞の変性に基づき，黒質の投射経路となる線条体のドパミンが不足すると運動症状が生じる。L-ドパによるドパミン補充療法やドパミンアゴニスト，MAO-B阻害薬などの投与が有効である。加えて，リハビリテーション治療行うことで症状のさらなる改善やQOLの向上が期待できる。なお，神経変性が非ドパミンニューロン系へ広がると非運動症状が出現する。

　L-ドパによって10年以上もの自立生活を保てるようになったが，長期投与による種々の不随意運動の出現，wearing-off現象，on-and-off現象，すくみ足現象の増悪，幻視・せん妄などの問題もある（表Ⅳ・5・1）。

A 臨床症状

a. 無動 akinesia，動作緩慢 bradykinesia
　動作が緩徐となり，動作開始が困難となる。また，動作パターンの切り換えがスムーズにいかなくなる。

b. （筋）強剛，（筋）固縮 rigidity
　他動運動時に，鉛管様 lead pipe phenomenon または歯車様 cog-wheel phenomenon の抵抗を

表Ⅳ・5・1　L-ドパの長期服用上の問題点と原因

問題となる現象	原因
1. wearing-off現象：薬の効果時間が短くなること	L-ドパ効果時間短縮
2. on-and-off現象：服薬時間に関係なく症状が急に良くなったり，悪くなったりすること	L-ドパ血中濃度の変動と対応
3. ジスキネジア dyskinesia 　a) peak dose dyskinesia 　b) off period dyskinesia（early morning dyskinesia） 　c) end of dose dyskinesia 　d) onset dyskinesia	a) ドパミン過剰 b) ドパミン不足で線条体の受容体に supersensitivity c) L-ドパ血中濃度下がり始め d) L-ドパ血中濃度上がり始め
4. すくみ足：歩行開始時に足が床に接着剤でくっついたかのように離れず，第1歩が出ない	脳内ノルアドレナリンの低下
5. 精神症状：幻視・せん妄など	mesocortical dopaminergic system でのドパミン過剰

〔文献2）より〕

示す．四肢のみでなく体幹，項部などにもみられる．

c. 静止時振戦 resting tremor
特徴的には 4～6 Hz の母指と他の指をすりあわせるような振戦(pill-rolling)が静止時にみられ，随意運動時には消失する．主に手指，下肢にみられる．

d. 姿勢反射（保持）障害 postural instability
病初期に少なく，疾患の進行にしたがい出現する．押された方向への突進現象 pulsion がみられ，後方突進 retropulsion が特徴的である．バランスを崩したときの立ち直り反射の消失と固縮のため，瞬時にバランスを保てず転倒しやすく，手で支えられなくなる．

e. 前屈姿勢 stooped posture
背を円く，体幹をやや前屈位にして歩き，肘，膝関節も軽い屈曲位をとる．同時に両腕の振りも小さくなる．腰曲がり(camptocormia)や首下がり(dropped head)を呈することもある．

f. 仮面様顔貌 masked face
表情に乏しく固い顔貌になり，瞬目も少ない．喜怒哀楽が表情に出なくなる．

g. 歩行障害
小刻み歩行 petit pas や，すくみ足現象 frozen gait などが特有である．横断歩道の白線のように目印(視覚的手がかり刺激)があると足が出やすくなることを逆説性歩行 paradoxical gait（もしくは奇異性歩行）といい，メトロノーム音などの聴覚刺激とともに歩行訓練に活用できる．

h. 自律神経障害
便秘，流涎，多汗，脂顔，顔面紅潮，多尿，陰萎，起立性低血圧，四肢循環障害などがみられる．

i. 精神症状
抑うつ傾向，自発性欠如，不安，幻覚症状などをみることがあり，知能の低下を伴うこともある．

j. 言語症状
小声で単調で低い話し声(monotonous speech)になり，身振りも交えない会話となる．

k. 書字障害
手指固縮・振戦のため，字がしだいに小さく拙劣となる（小字症 micrographia）．

日常生活動作障害には陽性徴候（振戦，固縮）の

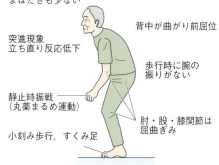

図Ⅳ・5・1　パーキンソン病特有の姿勢

程度よりも陰性徴候（無動，姿勢反射障害）に相関が強いことが知られている．

これらの症状により，以下のような特有の姿勢を示す（図Ⅳ・5・1）．① 歩く障害より寝返りや起き上がりに障害をきたす．いったん立ってしまえば，歩行は可能だが，寝ると寝返りも打てず，ベッドから起き上がることもできない．② 立ち直り障害のために，体がいったん傾き始めると，そのままの格好で倒れてしまう．③ 倒れ始めたときに，手などを着いて防御できないので，顔や頭を打ち，大きなケガにつながってしまう．④ 構音筋群の固縮のため，小声になりコミュニケーションが取りづらくなる．⑤ 徐々に嚥下機能にかかわる筋群の固縮により，ムセが生じやすくなり，次第に嚥下障害が明瞭となる．

B 診断，評価

前述の症状をもとに，薬剤の既往，頭部 CT，MRI などによりパーキンソン病様の症状を呈する症候性パーキンソニズムの原因疾患を否定することで本態性パーキンソン病の診断をする．また，パーキンソニズムで最も多い脳血管性パーキンソニズムの鑑別点を表Ⅳ・5・2 に示す．

症候性パーキンソニズムの原因疾患
① 脳血管障害
② 脳炎後
③ 外傷後

表Ⅳ・5・2 パーキンソン病と脳血管性パーキンソニズムの鑑別点

	パーキンソン病	脳血管性パーキンソニズム
発症および経過	緩徐進行性	階段状進行
安静時振戦	片側発症	稀
筋強剛（筋固縮）	片側発症	両側性
無動（動作緩慢）	早期より認める	多少進行してから出現
表情	仮面様顔貌	表情も少ないが感情失禁も伴いがち
前傾姿勢	＋	±
歩行	小刻み歩行	歩行失行なども伴うことがある
仮性球麻痺	なし	多い
腱反射	正常ないしやや亢進	亢進していることが多い
知能低下	あっても軽度	多い，認知症へ移行しやすい
危険因子	ないことも多い	糖尿病，高血圧，脂質異常症など多彩
薬剤の効果	L-ドパが著効することが多い	薬剤に反応しないことも多い
MRI, CTなど画像所見	脳萎縮は認めることもある	多発性ラクナ型脳梗塞など多発病巣

④ 正常圧水頭症（NPH）
⑤ マンガン中毒
⑥ 薬剤性
　ⓐ 抗精神病薬
　　・フェノチアジン系
　　　chlorpromazine：コントミン，ウインタミン
　　　fluphenazine：フルメジン
　　　perphenazine：ピーゼットシー
　　・ブチロフェノン系
　　　haloperidol：セレネース
　　・その他
　　　sulpiride：ドグマチール
　　　pimozide：オーラップ
　　　oxypertine：ホーリット
　ⓑ 制吐薬，鎮暈薬
　　　prochlorperazine：ノバミン
　ⓒ 胃腸機能調整剤
　　　metoclopramide：プリンペラン，テルペラン
　　　domperidone：ナウゼリン
　ⓓ 降圧薬
　　　α-methyldopa：アルドメット

⑦ 多系統萎縮症（MSA）
⑧ 進行性核上性麻痺（PSP）
⑨ 大脳皮質基底核変性症（CBD）
⑩ レビー小体型認知症（DLB）
⑪ Creutzfeldt-Jakob病

　高齢者に多くみられる脳血管性パーキンソニズムでは，静止時振戦が明らかでないことが多く，突進現象，小刻み歩行なども本態性のものに比べてあまり著明ではない。また，L-ドパも一般に無効なことが多い。
　評価として，Yahr（ヤール，1967）の5段階ADL重症度分類と生活機能障害度がよく用いられる（表Ⅳ・5・3）。

C 治療

1 薬物療法

　パーキンソン病に対する主な治療薬を表Ⅳ・5・4に示した。また，早期パーキンソン病治療のアルゴリズムを示す（図Ⅳ・5・2）。これらの薬物療法が長期間経過すると，症状の日内変動やジスキネジアなどの運動合併症が併発し，薬物調整が困難になることも多い。

2 デバイス補助療法
device aided therapy（DAT）

　体内への医療補助器械（デバイス）を用いた治療で以下の2つを指す。

ａ 深部脳刺激術（DBS）

　薬物療法が長期経過すると，症状も増悪し合併症などのために内科的治療で治療困難になった患者に対して，深部脳刺激術deep brain stimulation（DBS）が行われることがある（図Ⅳ・5・3）。
　脳深部に電極を埋め込み，視床下核subthalamic nucleus（STN）や淡蒼球内節globus pallidus interna（GPi），視床Vim核を，高頻度で持続的に刺激することで過剰興奮を抑制するものである。

表Ⅳ・5・3　Yahrの5段階ADL重症度分類と生活機能障害度

	Yahrの5段階ADL重症度分類		生活機能障害度
stage Ⅰ	一側性症状のみ。通常機能障害は軽微またはなし	Ⅰ度	日常生活・通院にほとんど介助を要さない
stage Ⅱ	両側または身体中心部の症状となるが，身体のバランス障害は伴わない。日常生活，職業は多少の制限はあるが行える		
stage Ⅲ	姿勢反射障害の初期徴候がみられるもの。これは歩行時に向きを変えるときや，眼を閉じ足をそろえて立っている患者を押したときにみられる不安定さで判定できる。身体機能はやや制限されているものの，職業の種類によっては，ある程度の仕事も可能である。身体的には独立した生活を送ることができ，その障害度は軽度ないし中等度にとどまる	Ⅱ度	日常生活・通院に部分介助を要する
stage Ⅳ	病状が完全に進行し，機能障害高度。かろうじて起立，歩行が介助なしで可能であるが，日常生活は高度に障害される		
stage Ⅴ	介助がない限り，寝たきり，または車椅子の生活を余儀なくされる	Ⅲ度	日常生活に全面的な介助を要し，独力では歩行起立不能

表Ⅳ・5・4　パーキンソン病の主な治療薬

			一般名	商品名	作用メカニズム
ドパミン系薬剤	L-ドパ	L-DOPA製剤	レボドパ	ドパストン，ドパゾール	ドパミンの直接補充
		L-DOPA/末梢性ドパ脱炭素酵素阻害薬配合剤	レボドパ＋カルビドパ	ネオドパストンL，メネシット	ドパミン分解酵素阻害によりL-ドパ製剤の作用増強や作用時間延長
			レボドパ＋ベンセラジド	イーシー・ドパール，ネオドパゾール，マドパー	
	ドパミン受容体刺激薬（ドパミンアゴニスト）		プラミペキソール	ビ・シフロール	ドパミン受容体を刺激し，ドパミン分泌と類似した反応を起こす。徐放剤や貼付剤もある。
			ロピニロール	レキップ	
				ハルロピテープ	
			ロチゴチン	ニュープロパッチ	
非ドパミン系薬剤	モノアミン酸化酵素B阻害薬（MAO-B阻害薬）		セレギリン	エフピー	ドパミン分解酵素であるMAO-Bを阻害し脳内のドパミン濃度上昇
			ラサギリン	アジレクト	
	カテコール-O-メチル基転移酵素阻害薬（COMT阻害薬）		エンタカポン	コムタン	末梢でのドパミン分解を遅らせ，ドパミンの作用時間延長
	抗コリン薬	ムスカリン受容体遮断薬	トリヘキシフェニジル	アーテン	ドパミン減少に伴い相対的に強くなっているアセチルコリン神経の働きを抑制する
	ドパミン放出促進薬	NMDA型グルタミン酸受容体拮抗作用	アマンタジン	シンメトレル	ドパミン神経からドーパミン放出を促す
	ノルアドレナリン補充薬	ノルアドレナリン前駆物質	ドロキシドパ	ドプス	ドパミンからつくられるノルアドレナリンを補充

刺激装置とバッテリーは胸部に植えられ，5年程度でバッテリーは交換される。これにより，振戦やon時間の延長，ジスキネジアの抑制が期待できる[3]。

IV. 主な老人性疾患のリハビリテーション

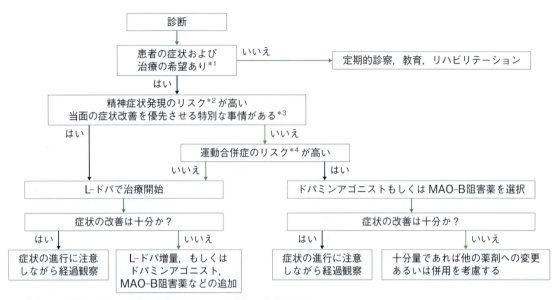

*¹ 背景，仕事，患者の希望などを考慮してよく話し合う必要がある
*² 認知症の合併など
*³ 症状が重い(例えばYahr重症度分類で3度以上)，転倒リスクが高い，患者にとって症状改善の必要度が高い，など
*⁴ 65歳未満の発症など

図IV・5・2　早期パーキンソン病治療のアルゴリズム　　　〔文献1), p107 より〕

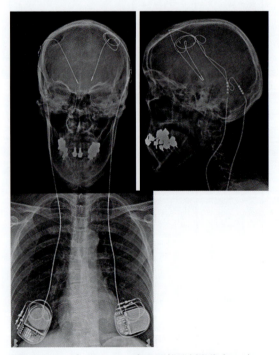

図IV・5・3　パーキンソン病の深部脳刺激術(DBS)
左右の視床下核まで電極を植え込み，胸部の刺激装置から刺激している。

なお，MRガイド下集束超音波治療(FUS)は，皮膚を切開せずに脳深部の凝固を行う治療法で，デバイスを体内に埋め込まない外科治療として近年注目されている。

b　L-ドパ持続経腸療法

L-ドパ持続経腸療法 Levodopa-carbidopa continuous infusion gel therapy(LCIG療法)とは，空腸投与用L-ドパ/カルビドパ配合剤専用のポンプと経胃瘻腸管内チューブ(PEG-Jチューブ)を使用して，L-ドパが吸収される小腸上部に直接薬剤を持続的に投与することで，血中L-ドパ動態の変動をほぼなくすものである(図IV・5・4)。進行期患者でのウェアリングオフ現象やジスキネジアなどの運動合併症を著明に改善するが，胃瘻造設やデバイスに関連する有害事象が比較的多く，導入には経験のある病院，脳神経内科医，使用環境が望まれる。

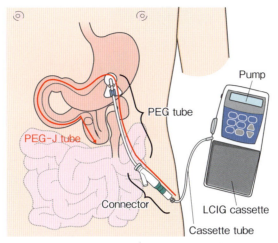

図Ⅳ・5・4 L-ドパ持続経腸療法(LCIG療法)
〔文献4)より〕

D リハビリテーション

　早期から進行期まで病期や症状に合わせた指導や訓練が必要である。緩徐進行性の疾患であるため，現在の能力の維持と廃用症候群などの二次性障害の排除が主な目標となる。実際には，医学的管理(抗パーキンソン薬の調整，自律神経障害の管理)，運動機能維持，日常生活の活動性維持，嚥下障害への対応，抑うつや不安の心理的支持，社会資源の活用を含めた社会・経済的問題の対処などを総合的に行う必要がある。そのため，医師だけでなく，理学療法士，作業療法士，言語聴覚士，臨床心理士，管理栄養士，看護師，ソーシャルワーカーを含めたチームアプローチで対処していく。

パーキンソン病のリハビリテーション

1. YahrⅠ(片側のみの障害)・Ⅱ(両側・体幹障害+平衡障害なし)
① 生活指導(生活リズムを崩さず規則正しい生活，散歩など)
② ストレッチ体操(パーキンソン体操：立位，座位)
③ ADL訓練(ズボンのファスナーが上げにくいなど)
④ 生活関連動作(家事動作：包丁で固いものが切れない，皮がむけない，皿洗いができないなど)
⑤ 保健・福祉サービスの導入，家屋環境整備検討

2. YahrⅢ(立ち直り障害あり+ADL自立)
① ストレッチ体操(パーキンソン体操：立位，座位，臥位)
② 関節可動域訓練
③ 姿勢矯正訓練
④ バランス訓練(立位，座位，四つ這い)
⑤ 歩行訓練(方向転換訓練を含む)
⑥ 呼吸訓練
⑦ ADL訓練
⑧ 杖や靴型装具・歩行器，車椅子など補装具の検討
⑨ 保健・福祉サービスの活用，家屋環境整備

3. YahrⅣ(ADL介助)
① ストレッチ体操(パーキンソン体操：座位，臥位)
② 関節可動域訓練
③ 姿勢矯正訓練
④ バランス訓練(座位，四つ這い)
⑤ 歩行訓練
⑥ 呼吸訓練
⑦ ADL訓練
⑧ 言語・嚥下訓練
⑨ 保健・福祉サービスの活用，家屋環境整備
⑩ 心理的サポート(うつ傾向になりやすい：患者・家族両方)

4. YahrⅤ(寝たきり・ケア中心)
① 起立訓練(斜面台などを使って)
② 関節可動域訓練
③ 筋力維持増強訓練
④ 呼吸訓練
⑤ 言語・嚥下訓練
⑥ 保健・福祉サービスの活用，家屋環境整備
⑦ 心理的サポート(患者・家族両方)

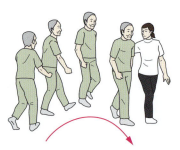
弧を描きながら方向転換する。

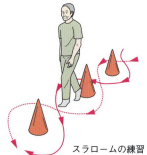
スラロームの練習

坂道をおりる練習

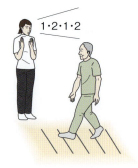
床に目印をつけ，それをまたがせたり，拍手や号令をかける。また，腕を大きく振らせる。

手すりを使っての階段昇降

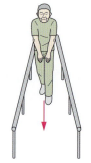
狭いところを歩く練習

椅子から台への移動の練習

図Ⅳ·5·5　歩く練習のいろいろ

　パーキンソン病のリハビリテーションでは，以下のことに注意すべきである。
　① 患者は疲労しやすい。振戦によるエネルギー消耗，固縮に抗しての運動など，疲労しやすく，頻繁に休憩をとりながら訓練を行わねばならない。
　② うつ傾向のあることが多く，積極性に乏しく，意欲に欠ける面があるので，できるだけ鼓舞激励すると同時に，必要に応じて抗うつ薬も併用する（ただし，MAO-B 阻害薬の使用時には抗うつ薬の多くが併用禁忌となるので要注意）。
　③ 姿勢異常や異常歩行パターンに関しては，早期からその矯正を指導し，随伴しやすい ROM 制限，筋拘縮・萎縮を予防すべきである。
　すくみ足に対する訓練指導については図Ⅳ·5·5, 6 を参照されたい。

すくみ足，小刻み歩行に対する訓練指導

1. 関節の拘縮や固縮に対して
① 事前に十分なストレッチングを行う

2. 体幹の前屈前傾障害に対して
① すくみ足が起こった時点で介助者が少し体幹を伸展させるだけで，すくみ足現象が軽減する
② 腰の後ろに手を回し，背中を伸展させることを意識させる
③ 踵を高くする

3. リズム形成障害に対して外的手がかり刺激を活用する
① 聴覚的な刺激を与える
　ⓐ メトロノーム，手拍子，かけ声（「イチニー，イチニー」）を用いる
　ⓑ 場合によっては IC レコーダーでの声かけ，音楽療法も試みる
② 視覚的な手がかり刺激（Cue）を与える
　ⓐ 歩くところに線状にテープを貼る
　ⓑ 杖などをＬ字型にして工夫する
　ⓒ レーザー光の照射が可能な杖，歩行器を用いる
　足を斜めに出す"斜め歩行"も場合によって利用できる
③ 患者の歩き方を指導する
　ⓐ 歩行前

すくみ足 　　　　　　　　　具体的方法

視線は足先を見つめ，足が床に張り付いたようになり，第一歩目がなかなか踏み出せない。

視線を足元から遠くへ反らす。

深呼吸をする。前かがみの姿勢から背すじを伸ばす。

つま先を上げ，踵からつくようにする。

床に目印をつけ，それをまたぐように歩く。

レーザー光が照射可能な杖を用いて歩く。

介護者がいる場合
・号令をかける（1，2，1，2や右，左，右，左など）。
・具体的な動きを指示する。
（第一歩目を大きく踏み出す，踏み出す足を1歩後ろに引く，など）

図Ⅳ・5・6　すくみ足を防ぐには

・その場で足踏み
・障害物に足を乗せる訓練
・障害物をまたぐ訓練
ⓑ 歩行開始時
・開始時に号令をかける
・いつも同じ足から踏み出す
・一方の足を一歩後方に引くか前に出すと，次の一歩が出やすくなることがある
・号令をかけてリズムに乗ってから歩く
ⓒ 歩行中
・歩行時の足は高く大きく前に出すように指導する
・上肢を足に合わせて前後に振るように指導する（足とリズムが合わないときには中止。棒を利用することもある）
・目印，目標をまたぐようにしながら歩く
ⓓ 方向転換時
・方向転換の際には決して足を交差させない。また足を肩幅程度開いた状態で方向転換を行う
ⓔ 停止時
・合図で停止する訓練
④ 歩行介助法
　ⓐ 後方から肩甲骨を保持しながら左右方向へリズムをつけて振ってあげると，足が出やすく

なることがある（その反復周期の適度な速さとタイミングが重要である）
4. 精神的な問題に対して
① 十分深呼吸を行う
② 不安を取り除くような言動をする

④ 小声に対しては，呼吸運動や発声訓練なども行う。
⑤ 認知症症状の出現は脳障害部位が広範囲に及んでいることを意味し，リハビリテーションをさらに困難にする（「認知症のリハビリテーション」の項，255頁参照）。
⑥ 嚥下障害，呼吸障害の出現も病勢の進行を意味し，それぞれに対する積極的なリハビリテーションが必要である（「嚥下障害」の項，394頁参照）。
⑦ 暦年齢に比較し生理的老齢化現象の著明な場合は，経過はあまり良くない。
⑧ 日常の運動については，どう運動するかを考

⑨ パーキンソン病をはじめとする神経難病で，根本的治療の成し遂げられるものはあまり多くない。このため，リハビリテーションも進行をできるだけ遅らせ，合併症を防ぐように行われる。患者の状態をよく観察し，疾病の状態に合わせながら行う必要がある。

えるより，生活の中にどのような運動を取り入れるかを考え，自然に運動できるようにする配慮が必要である。

1 理学療法

伸張訓練 stretch exercise（図Ⅳ・5・7）は，関節拘縮の予防・改善や筋緊張を緩和する。種々の治療体操があるが，特に大きな動作を伴った首・体幹の回旋運動や伸筋の強化が有効であり[5]，四肢・体幹の全関節可動域をゆっくりと屈伸，回旋する。ボールを投げたり蹴ったりなど明確な視覚目標があるものや，リズミカルな動きのある課題もよい[6]。姿勢反射障害に対しては，立ち直り反射，バランス・防御反応などを引き出す運動を反復させ，姿勢保持・変換の訓練を行う。四つ這い位での重心移動や，両上肢と一下肢による3点支持などを行わせる。また，臥位→座位→膝立ち→立位の連続的姿勢変換を反復訓練する。無理や疲労がなく，継続して行えるような，最適な運動・体操を個々の患者にホームプログラムとして与え，外来ごとにその経過を評価チェックする。

2 作業療法

種々の作業やゲームを通じてよりよい身体機能や精神反応を引き出す治療法としての作業療法は，心理的・支持的治療の意味も大きく，より効果的に患者のモチベーションを高めることができる。さらに，ADL訓練や適切な自助具の製作処方も行われる。これらのことを円滑に行うためには，患者に残存機能を自覚させ，創造性を育てたり余暇活動を開発できる課題がよい。作業内容は患者の機能障害の状態と生活環境や趣味・嗜好を十分配慮する。また，ネット編み手芸や木工作業など長時間同一姿勢をとらず，全身の粗大運動と上肢の細かい協調動作が組み合わされたものが勧められる。

さらに，部屋や家に閉じこもりがちにならないように，家庭や社会の一員としてできる範囲で参加活動できるよう患者・家族に指導する。パーキンソン病患者を集めてグループ訓練することもよい[7,8]。

3 言語聴覚療法

パーキンソン病患者の構音障害は，単調で抑揚に乏しく，周囲の人々には知的低下を伴ったり，抑うつ的であるかのような印象を与えるが，言語はむしろ早口で聞き取りにくいため，周囲との交流はますます阻害される。治療は心理的に自信と安定感をもたせることから始め，プロソディ（強勢，速度，高低）の改善のために，顔・口・舌の運動，深呼吸訓練などを行い，さらに，ゆっくりと語尾明瞭に話すことを指導する。

言語訓練

1. 顔面の筋肉の訓練
① 母指，示指で頬をつねる
② 指先で顔全体を軽くたたく
③ 額にしわをよせる
④ まゆにしわをよせる
⑤ 目の開閉，両目を一緒に／片目ずつ
⑥ 目を上下左右に向ける
⑦ 頬をふくらませる，左右交互，同時に
⑧ 口の開閉
⑨ 唇を突き出す，横に引く／その繰り返し
⑩ あごを左右に動かす
⑪ 舌を思いきり出す
⑫ 舌先を上げたり下げたりする
⑬ 舌で頬の内側を押す

2. 呼吸・発声訓練
① 腹式呼吸の訓練：お腹の上に手を置いて呼吸する
② 発声持続訓練：息を十分吸ってなるべく長く「アー」と言う
③ 声の強弱，高低の発声訓練：歌などを歌いながら強弱高低をつける

3. 話し方の訓練
① ゆっくりと1語1語はっきり話す練習
② 早めの息つぎで，ゆっくり話す習慣
③ 口を大きく開け，はっきり話す練習

①
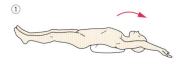
枕を背中の下に敷く。
肘を伸ばしながら腕を上げる。
頭は床につけ，背中に敷いた枕で胸を反らす。
注意：円背や痛みのある人は，枕をはずす。

②
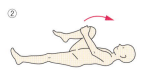
膝を胸に引きつける。反対の足は伸ばす。
左右交互に行う。

③
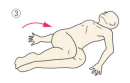
あおむけで両膝を立て倒す。両肩は床につけたままにする。
左右交互に行う。

④
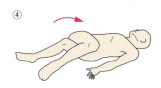
あおむけで足を組んで倒す。両肩は床につけたままにする。
左右交互に行う。
また足を組み替え，同様に行う。

⑤

片方の足をのせ，下になったほうの膝を伸ばす。
ゆっくり体を前に倒す。

⑥

両方の足を伸ばし，片方の足のつま先にタオルをかける。
足先が手前に反るように引く。左右交互に行う。

⑦

片方の足を伸ばす。
もう一方の足を外へ倒して開くように手で押す。

⑧
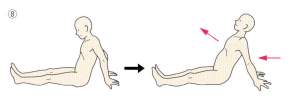
長座位で肘を少し曲げて，両手を後ろに引く。手先は後方に向ける。
そこから肘を伸ばしながら胸を反らす。

⑨
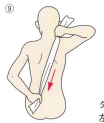
タオルを背中で持ち，下の手で上の手を引く。
左右交互に行う。

⑩
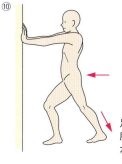
足を前後に開き，壁に両手をつく。
胸を反らしながら腰を壁に近づける。
左右交互に行う。

図Ⅳ・5・7　パーキンソン病のストレッチ体操
〈体操を効果的に行うポイント〉
・この体操は体を柔らかくするためのもの。
・この体操は，1日2回（朝，晩）行い，1つの体操につき5回ずつ行う。
・最大に伸ばしたところで各10秒止める。
・止めている間は楽に呼吸をする。
・筋肉を伸ばすことで多少痛みを伴うが，我慢できない痛みや，残るような痛みが出ない範囲で毎日行う。

4 その他のアプローチ

その他，精神・心理的アプローチも大切であり，特有のうつ的・依存的傾向に対して医療にあたるものは十分な配慮が必要である。それと同時に家族やその周辺の人達に対しても患者への接し方について教育し，その協力を得ることも大切である。

また，振戦のためにエネルギー消費が多いにもかかわらず，うつ的傾向は食欲を減退させ，さらに手指の振戦のために食事がとりにくいなどの理由により，栄養状態が不良になることが多いので，十分なケアが必要である。

食事の影響や，非活動性などは一般に便秘状態を生じやすく，嚥下障害のために流涎がみられるようになると，食物残渣が口腔内に常に存在し，肺炎などの原因となることもあるので注意が必要である。

E 食事動作に対する対応

1 食器などの配慮

① 箸は筋固縮や振戦によって使用が困難になることが多く，軽くて大型の持ちやすいスプーンなどに替えたほうが使いやすい。
② 湯のみやコップは軽くて持ちやすく壊れないものがよい。
③ 茶わんやおわんは軽くて持ちやすく，保温がきいて，安定性がよく，滑りにくいものがよい。
④ 皿はやや深く，すくいやすいものがよい。

表Ⅳ・5・5　ADLにおける問題点とその対応

ADL	問題点	対応策
食事	・体幹が側方へ倒れる ・摂食嚥下困難 ・長時間口腔内に食物が残る ・おかずを取ると茶わんを落とす ・魚，めん類が食べにくい	・座位姿勢の評価と椅子の工夫 ・摂食嚥下機能の評価・訓練：嚥下訓練，舌・下顎・頸部の可動域訓練 ・2動作遂行障害の評価 ・1動作ずつに分ける指導 ・自助具，福祉用具の検討
整容	・歯磨き動作困難 ・爪切り動作困難 ・洗面動作困難	・電動歯ブラシなどの利用 ・自助具の利用 ・タオルなどでの拭き取りで代用
更衣	・ボタン動作困難 ・下着の着脱困難 ・ズボンの上げ下ろし困難	・大きめのボタンを使用 ・マジックテープにする ・ゆったりした下着に変更 ・すそが狭くないものにする ・腰ゴムなどで調整
排泄	・トイレ出入り口付近でのすくみ足 ・ドア開け閉めの際の不安定 ・トイレ内での立ち上がり，方向転換障害 ・便秘	・すくみ足の対処法指導 ・床に目印 ・トイレ出入り口改造 ・ドア開閉時の位置指導 ・ドア・手すりの改造 ・立ち上がり困難に対する指導，方向転換の指導 ・便器設置位置の変更，流し（フラッシュ）の位置を含めた工夫 ・食事・運動・服薬指導
入浴	・浴槽の出入り困難 ・浴槽内転倒，溺水	・浴槽内手すりの設置 ・浴槽のまたぎ動作の指導 ・手すり，すべり止め，緊急コールなどの設置 ・on-off現象などと入浴時間の工夫

2 嚥下障害への配慮

① 食物形態に対する配慮。
　ⓐ いり卵，おからなどパサパサして乾燥したものは避ける。
　ⓑ 固くて大きな食物を避け，柔らかいものやペースト，ミキサー状のような形態にする。
　ⓒ 噛み切りにくい食物は避ける。
　ⓓ プリンやヨーグルトなどゼリー状のものや，増粘剤でトロミをつけたものが食べやすい。
② 食べやすい姿勢をとる。ベッド上で食べるより，座位のほうが食べやすい。
③ 嚥下障害が進行して経口摂取が困難となった場合は，経管栄養や胃瘻（経内視鏡的胃瘻造設術）などで栄養を確保する。

F 排泄に対する対応

1 排便障害

① 生活のリズム，排便習慣を保ち，適当な運動量を保つ。
② 食事量の維持と水分補給，繊維質の多いものを心掛ける。
③ 抗パーキンソン薬の副作用もあるので減量・中止も考える。
④ 緩下剤などの調整。

2 排尿障害

① 無動，動作緩慢のために間に合わずに失禁することに対して
　ⓐ トイレまでの距離の配慮
　ⓑ ポータブルトイレの利用
　ⓒ 水分摂取時間の計画的配慮
　ⓓ 脱ぎやすい衣服の工夫
　ⓔ 失禁に対する心理的配慮
② 自律神経障害に基づく排尿障害。排尿開始時間の遅延，頻尿，尿意切迫，無抑制性膀胱など多彩。
　ⓐ 膀胱充満感，排尿時間間隔，飲水管理などの排尿訓練
　ⓑ 神経因性膀胱に対する薬物治療
③ トイレの改造
　ⓐ 和式トイレから洋式トイレへ
　ⓑ 立ち上がりやすくするための手すりの設置
　ⓒ ポータブルトイレは肘かけ，背もたれのあるものを使う

表IV・5・5にADLにおける問題点とその対応を列挙した。

6 心臓疾患のリハビリテーション

A 高齢者の心臓の生理，病理

　加齢に伴う動脈硬化による冠動脈の狭小化は，いわゆる心筋虚血の状態をもたらし，心電図上ではST-Tの変化をきたすようになる。また，刺激伝導系に変性や線維化を生じ期外収縮，心房細動，洞機能不全，房室ブロックが増加する。

　特に高血圧を伴う高齢者では，年齢とともに心拍出量と脈拍数が低下し，運動負荷に対する心拍数，1回拍出量の増加は少ない。これは，心筋内の交感神経系の受容体が減少することで，カテコラミンに対する反応性が低下していること，心筋肥大と弾性力低下による心収縮力の低下，末梢血管抵抗の増大などによるものと考えられる。

　そのため，加齢とともに心予備力，循環調節力が低下する。心予備力の低下している場合には，安静時にはあまり問題はないが，労作時に動悸，息切れ，易疲労性が出現し，いわば潜在性の心不全状態にあるということを示唆している。

　形態学的には心筋細胞は萎縮し，核周辺にリポフスチン色素が沈着する。このような萎縮した心筋は高齢者の心臓の特徴ではあるが，動脈硬化，高血圧症などにより負荷が高まるとかえって心肥大，特に左室肥大をきたすことのほうが多い。心肥大は虚血性心疾患を助長する因子である。

B 高齢者の心臓疾患

1 うっ血性心不全

a 原因と症状

　うっ血性心不全は，大きく左心不全と右心不全とに分けられるが，その主な原因としては，次のようなものが考えられる。

> **1. 左心不全**
> ① リウマチ性心疾患：若いときからのものが加齢とともに増強してくる場合
> ② 高血圧性心疾患
> ③ 虚血性心疾患：加齢とともにみられる冠動脈硬化によってもたらされるもの
> ④ 高齢者特有の，弁の石灰化による僧帽弁閉鎖不全，大動脈弁狭窄，房室伝導障害など
>
> **2. 右心不全**
> ① 慢性肺疾患，慢性肺性心といわれるものであり，慢性肺疾患のために右心の負担が増加し，心不全症状を呈するもの
> ② 肺梗塞
> ③ 心外膜炎

　うっ血性心不全の症状としては，左心不全と右心不全とで異なる。

　① 左心不全の場合：肺うっ血症状が主体となり，咳，痰，呼吸困難，肺下部の湿性ラ音，肺門部の蝶様陰影，チアノーゼなどがみられる。

　② 右心不全の場合：体循環系の静脈うっ血症状が主であり，浮腫，尿量減少，肝腫大，脾腫大，静脈圧上昇，腹水，胃腸機能障害などがみられる。

　高齢者では，これらの心不全が容易に脳循環低

表Ⅳ・6・1 心不全の診断基準

大症状	発作性夜間呼吸困難 頸静脈怒張 肺ラ音 心拡大 急性肺水腫 S3 ギャロップ 静脈圧亢進（＞160 mmHg） 肝静脈・頸静脈逆流
小症状	くるぶし浮腫 夜間咳嗽 労作性呼吸困難 肝腫大 胸水貯留 肺活量減少（1/3 以下） 頻脈（＞120/分）
どちらにも属すると考えられる症状	体重増加（5 日で 4.5 kg 以上） 治療に対する反応性低下
明らかな心不全は，大症状 2，あるいは大症状 1＋小症状 2 をもつ	

（Framingham 調査より）

表Ⅳ・6・2 Killip 分類

class	症状
Ⅰ	心不全なし
Ⅱ	軽度〜中等度心不全（肺ラ音聴取が肺野の 50% 未満）
Ⅲ	肺水腫（肺ラ音聴取が肺野の 50% 以上）
Ⅳ	心原性ショック（血圧 90 mmHg 未満，尿量減少，冷たく湿った皮膚，チアノーゼ，意識障害を伴う）

表Ⅳ・6・3 NYHA の心機能分類

分類	身体活動と症状
Ⅰ度 (class 1)	器質的心疾患はあるが身体活動を制限する必要のない心疾患患者。通常の身体活動では症状は生じない 例：歩行や階段昇降では症状は出ない
Ⅱ度 (class 2)	身体活動を軽度ないし中等度に制限する必要のある心疾患患者。通常の身体活動で，疲労，動悸，息切れ，狭心症が生じる 例：日常生活では全く症状はないが，長時間の運動，レクリエーションなどで症状が出る
Ⅲ度 (class 3)	身体活動を高度に制限する必要のある心疾患患者。通常の身体活動で，疲労，動悸，息切れ，狭心症が生じる 例：安静時は快適であるが，平地を 1〜2 区画歩いたり，階段を上がったりすると症状が出る
Ⅳ度 (class 4)	身体活動を禁止する必要のある心疾患患者。安静時にも心不全症状や狭心症が生じる 例：トイレに行く動作でも不快感が生じる

下をもたらすことがある。基礎としてもつ脳動脈硬化，脳機能の低下に心不全による低酸素状態が合併すると，意識障害，認知症様症状（仮性認知症），精神錯乱状態などの症状を呈することがあるが，心不全の改善とともに症状は回復する。

b 心不全の診断

心ポンプ機能としての収縮力や拡張障害，心伝導系の障害など種々の障害によって心不全をきたすため，症状や身体状況を参考にして診断する（表Ⅳ・6・1）。また，心不全の評価として臨床では Killip 分類がよく使われる（表Ⅳ・6・2）。

さらに，リハビリテーションの観点からみて，日常生活における身体活動を加味した心機能の評価として，New York Heart Association（NYHA）の心機能分類は臨床上非常に有用な指標と思われる（表Ⅳ・6・3）。

c うっ血性心不全のリハビリテーション

1. 急性期

この時期の目的は，① 早期離床を行うことで過度の安静が引き起こす身体機能低下，認知機能低下，せん妄，褥瘡，肺塞栓などの予防，② 早期の安全な退院と再入院予防を配慮した計画を立て実行することの 2 点である。急性期の心臓リハビリテーションの導入は，退院後の心臓リハビリテーションへの参加・継続の動機付けを図るためにも重要である。

① 強心利尿薬の使用
② 血圧の管理（中心静脈圧の管理も含む）
③ 血清電解質の管理
④ 合併症（肺炎，尿路感染など）に対する予防，治療
⑤ 随伴症状（精神，神経症状，胃腸症状など）に対する対症療法

表Ⅳ・6・4　慢性心不全患者で運動療法が禁忌となる病態・症状

絶対禁忌	相対禁忌
① 過去3日以内における自覚症状の増悪 ② 不安定狭心症または閾値の低い心筋虚血 ③ 手術適応のある重症弁膜症，特に症候性大動脈弁狭窄症 ④ 重症の左室流出路狭窄 ⑤ 血行動態異常の原因となるコントロール不良の不整脈（心室細動，持続性心室頻拍） ⑥ 活動性の心筋炎，心膜炎，心内膜炎 ⑦ 急性全身性疾患または発熱 ⑧ 運動療法が禁忌となるその他の疾患（急性大動脈解離，中等度以上の大動脈瘤，重症高血圧，血栓性静脈炎，2週間以内の塞栓症，重篤な他臓器障害など）	① NYHA心機能分類Ⅳ度 ② 過去1週間以内における自覚症状増悪や体重の2kg以上の増加 ③ 中等症の左室流出路狭窄 ④ 血行動態が保持された心拍数コントロール不良の頻脈性または徐脈性不整脈 　（非持続性心室頻拍，頻脈性心房細動，頻脈性心房粗動など） ⑤ 高度房室ブロック ⑥ 運動による自覚症状の悪化（疲労，めまい，発汗多量，呼吸困難など）

ここに示す「運動療法」とは，運動耐容能改善や筋力改善を目的として十分な運動強度を負荷した有酸素運動やレジスタンストレーニングを指す。

〔文献1）より〕

姿勢について知っておくべきこととして，安楽椅子に腰掛けている場合，必要とする心拍出量は背臥位に比して少なくてよい（0.85倍）。しかし，ギャッチベッドで，膝を立てて半座位をとる場合には，必要とする心拍出量は増加し，背臥位の1.10倍となる（ただし，心代謝量の増加はみられない）。このような急性期の間でも，患者の状態を管理しながら，最低限の他動的関節可動域訓練を愛護的・緩徐に行うことが望ましい。

2. 運動負荷期

心不全が改善してくれば，早期に離床を進めなければならない。特に高齢者では，長期臥床により，四肢拘縮，筋骨の萎縮，尿路感染，沈下性肺炎，認知症の出現あるいは進行，褥瘡，血栓あるいは塞栓，起立性低血圧症，意欲喪失，食欲不振，うつ状態などの一般的な廃用症候群のほかに，心臓機能そのものもさらに低下させることになる。

座位での食事動作では心代謝量1.5倍，ベッド，椅子の移乗で1.65倍程度であるが，初期の運動を始める場合の参考になる。

もちろん，この時期においても薬剤による管理は必要であり，適切な維持量を選ぶことが大切である。特に高齢者では，有効量と中毒量の幅が狭く，腎機能が悪い場合にその傾向が強い。ジギタリス投与の際など特に注意が肝要である。

また，食事療法（量，質，時間，Na量など）も重要であるが，高齢者は理解も悪く，また食事に対する偏見も多いので，家族にも細かな指導が必要

である。

一般に高齢者のゴールは家庭内で身辺自立させる程度ですむことが多く，エネルギー代謝率は低く，適切な治療と指導により目的を達することができる。

d 慢性心不全に対する運動療法

慢性心不全の運動療法の禁忌は，表Ⅳ・6・4のようであり，具体的なプログラムについては，表Ⅳ・6・5のようである。その効果には，表Ⅳ・6・6のようなものがある。

e 在宅における生活指導

在宅生活に移っても自己管理は非常に重要である。表Ⅳ・6・7のような注意事項に沿って行うとよい。

2 虚血性心疾患

高齢者では，時に虚血性心疾患の診断が困難である。虚血性心疾患の診断は狭心症あるいは心筋梗塞の症状が手がかりとなるが，高齢になるにしたがい典型的な症状を示さない無痛性心筋虚血 painless myocardial ischemia が増加する。あるいは，呼吸困難や胃腸症状などの非典型的症状で起こることもあり，症状だけで診断すると誤診を招きやすいので注意する必要がある。

表 Ⅳ・6・5　慢性心不全患者に対する運動プログラム

構成 運動前のウォームアップと運動後のクールダウンを含み，有酸素運動とレジスタンス運動から構成される運動プログラム	レジスタンストレーニング ・様式：ゴムバンド，足首や手首への重錘，ダンベル，フリーウェイト，ウェイトマシンなど ・頻度：2～3回/週 ・強度：低強度から中強度 　上肢運動は1 RMの30～40％，下肢運動では50～60％，1セット10～15回反復できる負荷量で，Borg指数13以下 ・持続時間：10～15回を1～3セット
有酸素運動 心肺運動負荷試験の結果に基づき有酸素運動の頻度，強度，持続時間，様式を処方し，実施する． ・様式：歩行，自転車エルゴメータ，トレッドミルなど ・頻度：週3～5回（重症例では週3回程度） ・強度：最高酸素摂取量の40～60％，心拍数予備能の30～50％，最高心拍数の50～70％，または嫌気性代謝閾値の心拍数 →2～3カ月以上心不全の増悪がなく安定していて，上記の強度の運動療法を安全に実施できる低リスク患者においては，監視下で，より高強度の処方も考慮する（例：最高酸素摂取量の60～80％相当，または高強度インターバルトレーニングなど） ・持続時間：5～10分×1日2回程度から開始し，20～30分/日へ徐々に増加させる．心不全の増悪に注意する． 心肺運動負荷試験が実施できない場合 ・強度：Borg指数11～13，心拍数が安静座位時+20～30/min程度でかつ運動時の心拍数が120/分以下 ・様式，頻度，持続時間は心肺運動負荷試験の結果に基づいて運動処方する場合と同じ	運動負荷量が過大であることを示唆する指標 ・体液量貯留を疑う3日間（直ちに対応）および7日間（監視強化）で2 kg以上の体重増加 ・運動強度の漸増にもかかわらず収縮期血圧が20 mmHg以上低下し，末梢冷感などの末梢循環不良の症状や徴候を伴う ・同一運動強度での胸部自覚症状の増悪 ・同一運動強度での10/分以上の心拍数上昇または2段階以上のBorg指数の上昇 ・経皮的動脈血酸素飽和度が90％未満へ低下，または安静時から5％以上の低下 ・心電図上，新たな不整脈の出現や1 mm以上のST低下
	注意事項 ・原則として開始初期は監視型，安定期では監視型と非監視型（在宅運動療法）との併用とする． ・経過中は常に自覚症状，体重，血中BNPまたはNT-proBNPの変化に留意する． ・定期的に症候限界性運動負荷試験などを実施して運動耐容能を評価し，運動処方を見直す． ・運動に影響する併存疾患（整形疾患，末梢動脈疾患，脳血管・神経疾患，肺疾患，腎疾患，精神疾患など）の新規出現の有無，治療内容の変更の有無を確認する．

〔文献2）日本循環器学会，日本心臓リハビリテーション学会：2021年改訂版心血管疾患におけるリハビリテーションに関するガイドライン https://www.j-circ.or.jp/cms/wp-content/uploads/2021/03/JCS2021_Makita.pdf（2021年11月閲覧），pp48-49より〕

表 Ⅳ・6・6　慢性心不全に対する運動療法の効果

① 運動耐容能：改善
② 心臓への効果
　ⓐ 収縮機能：安静時左室駆出率不変，運動時改善
　ⓑ 拡張機能：改善
　ⓒ ポンプ機能：運動時心拍出量増加改善
　ⓓ 左室リモデリング：悪化させない
　ⓔ 冠循環：運動時心灌流量改善，冠側副血行路改善
③ 末梢効果
　ⓐ 骨格筋：筋量増加，ミトコンドリア密度増大，代謝改善
　ⓑ 呼吸筋：機能改善
　ⓒ 血管内皮：内皮依存性血管拡張反応改善，EcNOS発現増加
④ 中枢神経系
　ⓐ 自律神経機能：交感神経活性抑制，副交感神経活性増大，心拍変動増加
　ⓑ CO_2感受性：改善
⑤ QOL：健康関連QOL改善
⑥ 長期予後：心不全入院減少，死亡を含む心事故減少

a　狭心症 angina pectoris

1. 症状と誘因

前胸部の疼痛，胸背部絞扼感，左上肢，左肩甲部への放散痛などを主症状とする．

運動時心負荷の増大によって生じる"労作時狭心症"と，運動に関係なく安静時にも生じる"安静時狭心症"とがあり，後者の亜型として異型狭心症がある．安静時狭心症のほうが予後は悪い．

誘因は身体的労作のみでなく，怒り，恐怖，興奮，緊張などの精神的ストレスや，喫煙，食事，排便などによっても誘発される．発作持続時間は1～5分，長くて10分以内であり，ニトログリセリンが著効を呈する．それ以上続くときは異型狭

表Ⅳ・6・7　慢性心不全の生活上の自己管理

心不全の症状を自分でチェックし(記録する)，医師に報告する ① 自覚症状をチェック 　胸痛，疲労感，息切れ，呼吸困難，動悸，下肢のむくみ，めまい，失神 ② 血圧・脈拍をチェック 　家庭血圧を起床時・就寝時に測定・記録する ③ 体重をチェック 　毎日同じ時刻に測定・記録する 　急激な増加は要注意(心不全の前兆) ④ 心不全の誘因を避ける 　感染，過労，塩分・水分摂取過多，服薬中断，不整脈，心筋虚血など ⑤ 規則正しい服薬 ⑥ 高血圧(血圧<140/90〜130/80 mmHg)，糖尿病(HbA1c<6.5%)，肥満(BMI<25)の管理	日常活動について ① 心臓に負担のかかる動作(重量物運搬，階段昇降，拭き掃除や浴槽洗い，洗車，子供を抱くなど)を避けるか，休み休み行う ② 肉体作業・スポーツは長時間の継続を避け，途中で休憩を取り入れる
	水分バランス管理と体重測定について ① 体重を毎日測定し，退院時体重などのベスト体重±1 kg 以内に保つ ② 飲水量：軽症心不全 1,600 mL/日，中等症 1,200 mL/日，重症 800 mL/日 ③ 2週間以内で2 kg 以上の体重増加は心不全の前兆→水分・塩分制限を強化する
	塩分制限：1日6 g 以下について ① 塩，しょうゆ，塩辛い食べ物を避ける ② 高血圧がなくても塩分制限が必要：塩分制限せずに水分制限するのは困難
オーバーワーク・過労を避け，適度な運動療法を行う ① 目安は1日30〜60分，週3〜5回，歩行・体操など目標心拍数で行う ② 前日の疲れが残っているときや体調不良の日は，運動を休むか活動を控える ③ 強く過度な運動は医師に相談する	

〔文献3)より〕

心症や心筋梗塞を考え警戒しなければならない。

診断には運動負荷試験などが有効であるが，高齢者には困難な場合が少なくない。

2. 狭心症の治療およびリハビリテーション

① 安静，臥床，保温
② 薬剤(ニトログリセリン，亜硝酸アミル(ニトロール)など)：しばしば潜在性のうっ血性心不全が認められるので，強心利尿薬の併用が必要である。
③ 精神的ストレスの排除：精神的ストレスは狭心症の誘因にもなり，また，発作時に不穏状態になることもあるので，病状の説明と生命に対する安心感を与えることが大切である。不安のために睡眠が障害されることも多いので，鎮静薬などによる睡眠管理も重要である。
④ 食事の管理：脂質異常症患者や糖尿病患者には適切な食事内容で，肥満者には低カロリー食で体重軽減を図る。
⑤ 便通の調整：便秘や排便時の努責を避けるようにする。

以上が狭心症発作後の主な治療法であるが，適切な運動負荷は，運動の耐容性を増すためには極めて有用である。再発を恐れて，必要以上に長期臥床することは，廃用症候群をもたらすのみでなく，冠動脈の側副路の形成を抑制することにもつながる。

適切な運動量を決めるためには狭心症の重症度分類を行い，発作を生じる運動量をよく把握したうえで，その運動量の75%程度の運動量で許容することも1つの方法である(表Ⅳ・6・8)。

狭心症は経皮的冠動脈インターベンション(PCI)により狭窄した血管を修復することが多く，PCI後の運動療法は心肺運動負荷試験の結果に基づいて，個別のプログラムで患者に応じた運動療法を施行することが望ましい。推奨される運動は1週間に5日以上，1日30〜60分程度，中〜高強度の有酸素運動である。運動強度の設定を表Ⅳ・6・9に示した。

また，狭心症予防のために日常生活の仕方に以下のような指導が必要である。

① 過労を避ける(身体的および精神的)。
② 禁煙。
③ コレステロール，中性脂肪のように冠動脈硬化に関連の深い脂質を減らすよう努力する。動物性脂肪，卵黄，バター，モツなどの摂取

表Ⅳ・6・8 狭心症重症度分類と活動量

重症度分類	許容活動量
Ⅰ度：日常の労作，例えば歩行，階段昇降では発作は生じない 運動時，急なあるいは激しい活動か，長びいたときに発作を生じる	≧7 METs
Ⅱ度：日常生活がわずかながら制限される 速足歩行，階段昇降，坂道，食後，寒冷，精神緊張下 起床後2時間以内の歩行階段昇降で発作が生じる	≧5 METs～ ≧7 METs
Ⅲ度：日常生活は著しく制限される 通常の速さでの30～60 mの平地歩行，1階程度の階段昇降で発作を生じる	≧2 METs～ ≧5 METs
Ⅳ度：どのような動作でも疼痛を生じる 安静時に狭心痛をみることがある	≧2 METsの活動不可能

1 MET：安静座位の酸素消費量 3.5 mL/kg/分

〔文献4〕より改変〕

表Ⅳ・6・9 狭心症，PCI後患者に対する心臓リハビリテーションにおける運動強度の設定

- 無症候性心筋虚血であればSTが1 mm低下する心拍数の70～85％または10/分低い心拍数
- ATレベル（最高酸素摂取量 peak VO_2の40～60％程度）
- Karvonenの式〔(最高心拍数－安静時心拍数)×(0.4～0.6)＋安静時心拍数〕
- 自覚的運動強度Borg指数11～13を目標

〔文献2〕日本循環器学会，日本心臓リハビリテーション学会：2021年改訂版心血管疾患におけるリハビリテーションに関するガイドライン https://www.j-circ.or.jp/cms/wp-content/uploads/2021/03/JCS2021_Makita.pdf（2021年11月閲覧），p44より〕

を控え，植物油のような不飽和脂肪酸を多く含むものを与えるように指導する。
④ コーヒーの飲用を控える。
⑤ 関連ある他疾患があれば，その治療を併用して行う（糖尿病，高血圧，痛風，慢性気管支炎など）。
⑥ 適度な運動を行う。

b 心筋梗塞 myocardial infarction

わが国において，心筋梗塞が年々増加しつつあり，高齢になるほどその増加率は著しく，高齢者のリハビリテーション上，ますます重要な位置を占めてきている。

1. 成因，病態生理

血栓形成，アテローム斑の崩壊などに続く冠動脈の血流の途絶により心筋梗塞が生じる。

病巣が心内膜より心外膜まで，心筋全層に及ぶ貫壁型と，一部にとどまる非貫壁型とがあり，後者では心内膜下梗塞がよく知られている。冠動脈は，前下行枝，回旋枝，右冠動脈の3主要枝から構成されており，直径10 mm以上の心筋壊死ではこれらの1枝に75％以上の閉塞が証明される。

しかし，左室後壁は冠動脈入口より見て，最も末梢部にあたるため，50％程度の狭窄でも後壁の梗塞は起こりうるとされており，65歳以上の高齢者では，このタイプの後壁梗塞の割合が多くなる。

心筋梗塞の前駆症状としては，胸骨下部に漠然とした不快感を訴えることもあるが，多くは突如として起こり，運動中よりも，安静時や睡眠中に起こることが多い。典型的な場合には，胸部，心窩部の絞扼感，背部，肩，腹部，上肢，時には下肢にまで放散する疼痛を訴え，持続時間も30分以上，数日に及ぶこともある。

狭心症とは異なってニトログリセリンは効かず，モルヒネを用いないと痛みが取れない場合が多い。呼吸困難，胃腸症状（嘔気，嘔吐）もよくみられる症状で，胃腸症状が前景に出てショック状態にある場合は急性腹症と誤ることがある。

そのほか，血圧低下，意識障害，ショック，不整脈，うっ血性心不全症状などを呈し，さらに脳塞栓，肺塞栓，腹部臓器塞栓，中隔穿孔，乳頭筋断裂などの合併症を起こすこともあり，心臓破裂を起こせば心タンポナーデをきたし，急死する。

心電図上の変化は，発症後1～2時間の超急性期でT波の増高がみられ，6時間くらいでSTが上昇し，2日程度たつと異常Q波が，2週間程度で冠性T波へと変化する（図Ⅳ・6・1）。

血液検査所見では，白血球増多，赤沈亢進，CRP上昇，尿糖，高血糖などのほかに血清酵素の変化などがあげられる。心筋マーカーの変動の主なものを次にあげる（図Ⅳ・6・2）。

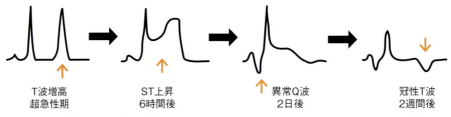

図Ⅳ・6・1　急性心筋梗塞の心電図の経過

① 心臓型脂肪酸結合蛋白（H-FABP）：心筋細胞質に存在する小分子蛋白で，心筋が障害されるとすぐさま流出する。発症後1～2時間で上昇し，5～10時間でピーク。
② トロポニンT：心筋細胞に特徴的に存在する収縮蛋白で特異性が高いので，早期心筋障害が疑われるときは，最初に検査する。発症後3～6時間で上昇，12～18時間でピーク，2週間程度検出できる。
③ CK-MB（心筋型アイソザイム）：発症後4～8時間で上昇し，12～24時間でピーク，3日で正常値に戻る。肝疾患では増加しないので鑑別に役立つ。
④ 心筋ミオシン軽鎖Ⅰ：心筋の筋線維を構成する蛋白，心筋壊死で上昇。発症後4～8時間で上昇，2～5日でピーク，1～2週間検出できる。
⑤ AST(GOT)：発症後6時間頃より上昇し始め，1～2日で最高値に達する。上昇値は梗塞の大きさにほぼ比例する。
⑥ LDH：やや遅れて24時間以内に上昇し始め，2～3日で最高に達し，10日くらいで徐々に低下する。LDHには1～5のアイソザイムがあるが，心筋梗塞時にはLDH 4・5，特にLDH 5が上昇する。
⑦ 白血球：2～3時間で増加が始まり，1～3日がピークで，1週間以上増加している。

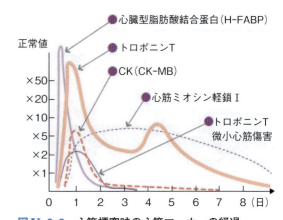

図Ⅳ・6・2　心筋梗塞時の心筋マーカーの経過

〔文献5）より〕

化は，容易に意識障害や脳梗塞を起こし，その症状のために，心筋梗塞を見落とすことがある。
④ 精神・神経症状：③と同様の原因で錯乱状態，認知症症状などを呈することがある。
⑤ うっ血性心不全，特に呼吸困難：急速に起こった左心不全によるもので，起座呼吸の形をとるものも少なくない。高齢者の約1/3にみられる。
⑥ 胃腸症状・心窩部痛：嘔気，嘔吐，心窩部痛などが主症状で，急性腹症と誤診されやすい。高齢者によくみられる症状である。
⑦ 四肢末梢壊疽：既往の末梢動脈硬化や血栓性動脈炎が，心筋梗塞による末梢循環障害で不可逆性の壊疽を生じる。高齢者ほど多くなる。

2. 高齢者の心筋梗塞の特異性

高齢者の心筋梗塞は以下のような特徴と非定型的な症状を呈するものがあるので，診断を誤らないように注意すべきである。

① 後壁梗塞：冠動脈末梢部ということから高齢者ほど，その頻度は増す。
② 無痛性心筋梗塞：高齢者では，約20％しか典型的な疼痛発作を生じないという報告もあり，加齢に伴い無痛性のものが増加する。
③ 意識障害，心脳卒中：基礎としてもつ脳動脈硬

3. 高齢者の心筋梗塞の治療とリハビリテーション

心筋梗塞を含めた心疾患のリハビリテーションとは「心疾患に罹患した患者が，可能な限り良好な身体的・精神的・社会的状態を確保するためのactivityである」としている[6]。

心筋梗塞患者のリハビリテーションは，通常，発症早期の急性期，退院準備期，回復期（社会復帰）に分けられる（表Ⅳ・6・10）。

表Ⅳ・6・10　心筋梗塞のリハビリテーションにおける評価・訓練のポイント

	急性期	退院準備期	回復期(社会復帰)
目的	・deconditioning を改善させる ・低い強度の運動負荷試験での心機能評価 ・運動能力評価	・許容最大運動量を増大させる ・在宅環境情報の収集と問題点の抽出 ・回復期運動療法の説明と退院後プログラムの計画作成	・許容最大運動量を維持 ・環境や社会復帰後の労働内容の把握 ・在宅復帰後の運動プログラム作成 ・運動耐久性の向上
評価	・運動量増大に伴う心血管反応の評価 ・運動能力(下肢筋力,バランス能力,歩行能力など)	・環境情報 ・退院時心機能評価と身体機能評価	・慢性期の病態と心機能の評価 ・心血管系のリスクの層別化を行う ・心肺運動負荷試験 ・生活習慣,社会環境の評価 ・服薬内容
運動プログラム	・歩行距離を延ばすことでの運動範囲の拡大 ・定常状態に近い歩行時の心血管反応から自主トレーニングの安全域を設定 ・運動能力の評価に基づく,運動療法・指導	・病前の環境条件を把握し,必要な身体能力を考慮したプログラム作成 ・心肺運動機能向上のための歩行・トレッドミル訓練 ・運動強度の漸増は,運動機能負荷試験の結果で決定・施行	・トレッドミルなどによる有酸素運動で定期的に運動強度を決定・実施 ・職業や社会生活に必要な運動プログラムの作成 ・自主トレーニングの安全確認と運動内容の決定
患者への説明	・プログラムに沿った運動療法拡大の予定を説明する ・運動療法時の心血管反応の説明 ・歩行距離の説明と自主トレーニングの説明を行う	・病変部位により個々の身体活動範囲を指導 ・準備運動,筋力増強運動,有酸素運動,整理運動を説明指導 ・危険因子とその注意点を説明	・病変部位および運動負荷試験の結果から運動内容を説明・指導 ・危険因子とその注意点,服薬内容を説明 ・日常生活における運動とその注意事項 ・復職における心臓負荷の説明
看護師への情報交換	・プログラム進行可否の基準 ・ADL の把握とその運動量 ・自主トレーニングの内容と計画	・自主トレーニングの状況と評価 ・退院後の運動プログラムの作成 ・心理的状態の把握	・在宅生活における活動状況 ・在宅運動プログラムの実施と経過 ・心理的状態の把握
循環器科医師との情報交換	・運動負荷時の病態 ・下肢運動機能の評価 ・ベッドサイドから訓練室への移行時期についての意見と指示	・運動負荷時の病態と耐久性について ・運動許容量 ・退院に際しての注意事項	・在宅運動負荷時の心臓機能の情報 ・在宅生活の運動許容量 ・通勤などを含めた復職内容の状況とその運動負荷量
プログラム施行中の問題点	・心拍血圧反応異常,血圧低下 ・運動誘発性ST低下(心筋虚血の指標) ・運動量増加に伴う心室性期外収縮 ・胸痛,動悸,息切れ,めまい,ふらつきなどの自覚症状の出現	・危険因子:食事(高血圧,脂質異常症,高尿酸血症など),タバコ,アルコール,過労,睡眠不足,運動過多,高温多湿などの生活習慣の教育および環境調整 ・不安除去 ・復職,日常生活の再構築。通院,通勤,勤務内容,家庭環境など生活全般の運動強度の把握・調整	・病院内訓練ではみられなかった血圧反応や不整脈の発見・早期治療 ・運動量漸増後の心血管反応の観察 ・職業に合わせた作業強度 1)事務職:運動負荷試験で虚血性ST変化の出現する負荷量の80%までの作業強度を許可する(NYHAⅠ度,6〜8 METs,胸痛・息切れ・ST変化なしの場合,復職可能)。 2)一般的な肉体労働職:NYHAⅠ度,9〜11.5 METs,胸痛,息切れ,ST変化なし。等尺性運動の要素少ない。作業環境良好の場合は復職可能 3)重労働者,公共的職業(電車・バスの運転手,パイロットなどは原則として復職不可能→配置転換の必要性あり

〔文献7〕より作成〕

表Ⅳ・6・11　心血管系のリスク層別化

低リスク	中等度リスク	ハイリスク
① 有意な左室機能不全がない（左室駆出率＞50％） ② 安静時にも運動時にも重篤な不整脈がないこと ③ 合併症のない心筋梗塞，冠動脈バイパス，血管形成術後，ステント後心不全や虚血の症状がないこと ④ 運動時と運動終了後回復時の血行動態が正常 ⑤ 最大運動時と運動終了後回復時に無症状であること ⑥ 運動耐容能＞7.0 METs ⑦ うつ状態でないこと これらのリスクファクターをすべて満たすときに低リスクと考えられる。	① 左室機能不全は中等度（左室駆出率40〜49％） ② 5〜6 METsの運動や運動終了後回復時に狭心痛などの症状がある ③ うつ状態でないこと 低リスク，ハイリスクに含まれないもの。	① 左室機能不全（左室駆出率＜40％） ② 心停止や突然死の生存者 ③ 安静時または運動時に心室性の重症不整脈 ④ 心原性ショックを合併した心筋梗塞後または心臓外科手術後 ⑤ 運動時の異常血行動態（負荷が増加するが収縮期血圧は変化しない，または低下，chronotropic incompetence） ⑥ 5 METs以下の運動時や運動終了後回復時に狭心痛などの症状がある ⑦ 運動耐容能＜5 METs ⑧ うつ状態 これらのリスクファクターのうち1つでも当てはまるものがあればハイリスクと考えられる。

〔文献8）より〕

　また，運動に伴う心血管系の事故のリスク層別化を表Ⅳ・6・11に示す。ハイリスク患者ほど運動中の厳重な監視が必要とされ，低リスクに分類されると在宅や職業復帰への移行が進められる。

4. 運動負荷試験

　虚血性心疾患の身体機能評価，重症度評価を行うために，運動負荷試験が行われる。これは動的な機能評価が簡単にでき，再評価も容易である。運動負荷試験における事故を未然に防ぐには，適応と禁忌を見極める必要がある。

運動負荷試験の適応，禁忌，中止基準

1．運動負荷試験の適応
① 冠動脈効果の診断（潜在性あるいは胸痛例）
② 既知の虚血性心疾患における病態評価
③ 既知の虚血性心疾患における重症度や治療効果の判定
④ 既知の虚血性心疾患における運動許可条件や運動処方の設定

2．運動負荷試験の禁忌
表Ⅳ・6・12参照。

3．運動負荷試験の中止基準
① 症状：狭心痛，呼吸困難，失神，めまい，ふらつき，下肢疼痛（跛行）
② 徴候：チアノーゼ，顔面蒼白，冷汗，運動失調，異常な心悸亢進
③ 血圧：収縮期血圧の上昇不良ないし進行性低下，異常な血圧上昇（225 mmHg以上）
④ 心電図：明らかな虚血性ST-T変化，調律異常（著明な頻脈ないし徐脈，心室性頻拍，頻発する不整脈，心房細動，R on T心室性期外収縮など），2〜3度の房室ブロック

　そのためには詳細な病歴と身体所見の把握，服薬内容の確認，検査の目的の確認，安静時心電図と血圧チェック，検査に対するインフォームドコンセントなどが必要である。また，施行中も中止基準（表Ⅳ・6・13）を厳守し，Borg指数（表Ⅳ・6・14）などを参考にしながら慎重に進めなければならない。さらに，事前の運動能力を把握するために，specific activity scaleなどで評価するとよい（表Ⅳ・6・15）。

　運動負荷試験の方法はマスター2階段法，トレッドミル，自転車エルゴメーターがよく用いられ，Bruceのプロトコールで判定することが一般的である（表Ⅳ・6・16）。

表Ⅳ・6・12　運動負荷試験が禁忌となる疾患・病態

絶対的禁忌
1. 2日以内の急性心筋梗塞
2. 内科治療により安定していない不安定狭心症
3. 自覚症状または血行動態異常の原因となるコントロール不良の不整脈
4. 症候性の重症大動脈弁狭窄症
5. コントロール不良の症候性心不全
6. 急性の肺塞栓または肺梗塞
7. 急性の心筋炎または心膜炎
8. 急性大動脈解離
9. 意思疎通の行えない精神疾患

相対的禁忌
1. 左冠動脈主幹部の狭窄
2. 中等度の狭窄性弁膜症
3. 電解質異常
4. 重症高血圧*
5. 頻脈性不整脈または徐脈性不整脈
6. 肥大型心筋症またはその他の流出路狭窄
7. 運動負荷が十分行えないような精神的または身体的障害
8. 高度房室ブロック

＊：原則として収縮期血圧＞200 mmHg，または拡張期血圧＞110 mmHg，あるいはその両方とすることが推奨されている．

〔文献2）日本循環器学会，日本心臓リハビリテーション学会：2021年改訂版心血管疾患におけるリハビリテーションに関するガイドライン https://www.j-circ.or.jp/cms/wp-content/uploads/2021/03/JCS2021_Makita.pdf（2021年11月閲覧），p36 より〕

表Ⅳ・6・13　運動負荷試験の中止基準

自覚症状	進行性に増悪する狭心痛（本人が経験した最大の痛みの3/4） 呼吸困難や下肢疲労感（Borgスケールで17〜19以上） 患者の要請
他覚症状	運動続行困難，チアノーゼ，冷汗
収縮期血圧下降	収縮期血圧が連続して10 mmHg以上下降する 負荷前の血圧より増加しない
不整脈	心室頻拍の発生 高度房室ブロック・心房細動・上室頻拍の発生 心拍数の下降 狭心痛やST変位を伴う心室性期外収縮の頻発
ST上昇	異常Q波のない誘導におけるST上昇（aV_Rを除く）
ST下降	0.2 mV以上の虚血性ST下降
収縮期血圧過大上昇	収縮期血圧250 mmHg以上
目標心拍数	年齢別予測最大心拍数の85〜90%以上に到達
電極異常	電極不良や外れたりしてモニターできなくなったら即時中止

〔文献9）より改変〕

表Ⅳ・6・14　Borg指数

指数	自覚度
20	もうだめ
19	非常にきつい
18	
17	とてもきつい
16	
15	きつい
14	
13	ややきつい
12	
11	楽に感じる
10	
9	かなり楽に感じる
8	
7	非常に楽である
6	安静

〔文献11）より〕

5. 心筋梗塞のリハビリテーションプログラム

a. プログラム

基本的心筋梗塞リハビリテーションプログラムには表Ⅳ・6・17（202頁）のようなものがあり，これに基づき個々の患者に合わせ修正を加えながら進める。

各段階について共通していえることは，運動量を急激に変化させずに徐々に上げていくこと，また途中，患者の状態をよく観察・把握すること，各種データをフィードバックしてプログラムを修

表Ⅳ・6・15　specific activity scale

あなたの症状について以下の質問に答えて下さい。（はい，つらい，？不明　のいずれかを○して下さい。）		
① 夜楽に眠れますか	1 MET 以下	はい・つらい・？不明
② 横になっていると楽ですか	1 MET 以下	はい・つらい・？不明
③ 1人で食事や洗面ができますか	1.6 METs	はい・つらい・？不明
④ トイレは1人で楽にできますか	2	はい・つらい・？不明
⑤ 着替えは1人で楽にできますか	2	はい・つらい・？不明
⑥ 炊事や掃除ができますか	2〜3	はい・つらい・？不明
⑦ 自分でふとんが敷けますか	2〜3	はい・つらい・？不明
⑧ ぞうきんがけはできますか	3〜4	はい・つらい・？不明
⑨ シャワーは浴びても平気ですか	3〜4	はい・つらい・？不明
⑩ ラジオ体操しても平気ですか	3〜4	はい・つらい・？不明
⑪ 健康な人と同じ速さで平地を100〜200 m 歩いても平気ですか	3〜4	はい・つらい・？不明
⑫ 庭いじりや軽く草むしりをしても平気ですか	4	はい・つらい・？不明
⑬ 1人でお風呂に入れますか	4〜5	はい・つらい・？不明
⑭ 健康な人と同じ速さで2階まで階段を昇っても平気ですか	5〜6	はい・つらい・？不明
⑮ 庭掘りなど軽い農作業はできますか	5〜7	はい・つらい・？不明
⑯ 平地を急いで200 m 歩いても平気ですか	6〜7	はい・つらい・？不明
⑰ 雪かきはできますか	6〜7	はい・つらい・？不明
⑱ テニスや卓球をしても平気ですか	6〜7	はい・つらい・？不明
⑲ ジョギング（8 km/時程度）を300〜400 m しても平気ですか	7〜8	はい・つらい・？不明
⑳ 水泳をしても平気ですか	7〜8	はい・つらい・？不明
㉑ 縄跳びをしても平気ですか	8 METs 以上	はい・つらい・？不明

〔文献10）より〕

正することである。また，次の段階へは自覚症状や血圧，心電図変化をみてプログラムを進めるようにする（表Ⅳ・6・18）。

　高齢のため予備力も少なく，褥瘡や肺炎，尿路感染など心臓以外の合併症も起こしやすいので，プログラムはさらに遅れ気味となりやすい。

b. エネルギー消費量 energy cost

　上述の各種の運動を負荷するに際して，どの程度のエネルギー消費量を必要とするか，これを知ることは，運動の種類，量，速度などを適宜選ぶ際に大変重要なことである。

　その主なものを表Ⅳ・6・19 に示す。

c. ADL とエネルギー消費量

　ADL の動作も同様に段階を上げながら具体的にある動作をさせて問題がなければこれと同様，あるいはそれ以下のエネルギー消費量の動作ならばやらせてよいということになる。

d. 心臓に関連するプログラム修正・中止基準

　心臓機能をモニターしながら活動性を上げていくが，その際プログラムを修正・中止する基準を次に掲げる。

運動訓練実施中の中止基準

絶対的中止基準
- 患者が運動の中止を希望
- 運動中の危険な症状を察知できないと判断される場合や意識状態の悪化
- 心停止，高度徐脈，致死的不整脈（心室頻拍・心室細動）の出現またはそれらを否定できない場合
- バイタルサインの急激な悪化や自覚症状の出現（強い胸痛・腹痛・背部痛，てんかん発作，意識消失，血圧低下，強い関節痛・筋肉痛など）を認める
- 心電図上，Q 波のない誘導に 1 mm 以上の ST 上昇を認める（aVR，aVL，V1 誘導以外）
- 事故（転倒・転落，打撲・外傷，機器の故障など）が発生

相対的中止基準
- 同一運動強度または運動強度を弱めても胸部自覚症状やその他の症状（低血糖発作，不整脈，めまい，頭痛，下肢痛，強い疲労感，気分不良，関節痛や筋肉痛など）が悪化
- 経皮的動脈血酸素飽和度が 90％未満へ低下または安静時から 5％以上の低下
- 心電図上，新たな不整脈の出現や 1 mm 以上の ST 低下
- 血圧の低下（収縮期血圧＜80 mmHg）や上昇（収縮期血圧≧250 mmHg，拡張期血圧≧115 mmHg）
- 徐脈の出現（心拍数≦40/min）

表Ⅳ・6・16　トレッドミルによる Bruce のプロトコール（NYHA 分類との対比）

stage	速度 (km/時)	角度%	METs	NYHA
			22	I
VII	9.7	22	21	
			20	
			19	
VI	8.8	20	18	
			17	
			16	
V	8.0	18	15	
			14	
IV	6.8	16	13	
			12	
			11	
III	5.5	14	10	
			9	
			8	
II	4.0	12	7	
			6	II
I	2.7	10	5	
	2.7	5	4	III
			3	
	2.7	0	2	
			1	IV

・運動中の指示を守れない，転倒の危険性が生じるなど運動療法継続が困難と判断される場合

〔文献 2）日本循環器学会，日本心臓リハビリテーション学会：2021 年改訂版心血管疾患におけるリハビリテーションに関するガイドライン https://www.j-circ.or.jp/cms/wp-content/uploads/2021/03/JCS2021_Makita.pdf（2021 年 11 月閲覧），p37 より〕

e. 心臓リハビリテーション

心臓リハビリテーションはメディカルチェック，運動処方，冠動脈危険因子の是正，教育とカウンセリングからなる長期間にわたる包括的なプログラムである。

その目的は，個々の患者がもつ心臓病に起因する身体的・精神的影響をできるだけ軽減し，突然死や再発のリスクを是正し，症状を調整し，動脈硬化の過程を抑制あるいは逆転させ，精神心理ならびに職業の状況を改善させることとしている。

通常は表Ⅳ・6・20 のような 3 相に分かれる。

包括的心臓リハビリテーションは，運動耐容能・日常生活活動度・精神的満足度・社会的適応と機能を改善させ，禁煙・脂質・血糖・肥満・血圧に効果があり，全死亡率・心血管系の死亡率を減少させる[13]。

心臓リハビリテーションの適応には，以下のようなものがある。

① 医学的に安定している心筋梗塞後
② 安定型狭心症
③ 冠動脈バイパス術
④ PTCA またはほかのカテーテル治療
⑤ 代償性心不全
⑥ 心筋症
⑦ 心臓または他の臓器移植
⑧ 弁膜症手術もしくはペースメーカー挿入術を含む他の心臓手術
⑨ 末梢動脈疾患
⑩ 手術困難な高リスク心臓疾患
⑪ 心臓突然死症候群
⑫ 末期腎臓疾患
⑬ 糖尿病，脂質異常症，高血圧などの冠動脈疾患危険因子

安全管理の面から心臓リハビリテーションの禁忌には以下のようなものがある。

心臓リハビリテーションの禁忌

・不安定型狭心症
・安静時血圧が 200/110 mmHg を超える場合
・20 mmHg を超える起立性低血圧で症状を伴う場合
・危険な大動脈弁狭窄（弁口面積 0.75 cm^2 未満でピーク圧較差 50 mmHg を超える場合）
・急性の全身性疾患または発熱
・コントロールされていない心房性または心室性不整脈
・コントロールされていない心房性頻脈（心拍数 120 を超える場合）
・非代償性心不全
・第 3 度房室ブロック（ペースメーカー非挿入）
・活動性心膜炎または心筋炎
・亜急性期の塞栓症
・血栓性静脈炎

表Ⅳ・6・17　急性心筋梗塞クリニカルパス（国立循環器病研究センター例）

病日	10日パス / 14日パス	PCI当日	2日目	3日目	4日目	5日目	6日目	7日目	8日目 / 8〜10日目	9日目 / 11〜13日目	10日目 / 14日目
達成目標		・急性心筋梗塞およびカテーテル検査に伴う合併症を防ぐ		・急性心筋梗塞に伴う合併症を防ぐ	・心筋虚血が起きない	・心筋虚血が起きない ・服薬自己管理ができる ・退院後の日常生活の注意点について知ることができる			・心筋虚血が起きない ・退院後の日常生活の注意点について理解できる	・亜最大負荷で虚血が起きない ・退院後の日常生活の注意点について言える	
安静度		圧迫帯除去後, 床上自由	室内自由	負荷合格後トイレまで歩行可	200 m 病棟内自由（200 m×3回/日歩行を促す）				亜最大負荷試験合格後は入浴可および院内自由 リハビリテーション棟でリハビリ実施		
清潔		・洗面介助 ・全身清拭	・洗面は室内洗面台使用 ・全身清拭・洗髪・足浴		・洗面は室内洗面台使用 ・清拭は背部のみ介助・洗髪	・シャワー浴					
患者教育		・急性心筋梗塞パンフレット・患者用パスに基づき説明 ▶安静度・二重負荷回避 ▶症状出現時のナースコール ・排便コントロール		・安静度, 二重負荷回避, 排便コントロールについて説明 ・心臓リハビリテーションについて説明 ・日常生活上の注意点について説明 ・服薬指導・内服自己管理			・緊急受診方法 ・発作時の対処方法 ・服薬・食事・禁煙について説明		・指導内容を確認		退院
処置・負荷試験	10日パス	・採血（CK最高値到達まで3時間ごと） ・ECG（6時間ごと） ・心エコー ・ヘパリン持続 ・シース抜去 ・圧迫帯除去	・採血 ・ECG（6時間ごと） ・心エコー ・ヘパリン終了 ・尿カテーテル抜去	・ECG（1回/日） ・50 m 歩行負荷試験	・ECG（1回/日） ・200 m 歩行負荷試験	5日目 ・ECG（1回/日） ・心臓リハビリテーションエントリーテスト	6日目	7日目	8日目 ・ECG（1回/日）7日目まで ・心臓リハビリ室で運動療法（非エントリー例ではマスターシングル試験またはシャワー浴負荷試験）	9日目	
	14日パス					5日目 ・ECG（1回/日） ・心臓リハビリテーションエントリーテスト（非エントリー例では6日目に500 m 歩行負荷試験）	6日目	7日目	8〜10日目 ・ECG（1回/日）7日目まで ・心臓リハビリ室で運動療法（非エントリー例ではマスターシングル試験またはシャワー浴負荷試験）	11〜13日目	

〔文献12）日本循環器学会：急性冠症候群ガイドライン（2018年改訂版）https://www.j-circ.or.jp/cms/wp-content/uploads/2020/02/JCS2018_kimura.pdf（2021年11月閲覧），p79 より〕

・安静時ST低下が2 mmを超える場合
・コントロールされていない糖尿病（血糖値300 mg/dLを超える，または250 mg/dLを超えてケトーシスを伴う場合）

・運動を禁止されている重度な整形外科的疾患
・急性甲状腺炎，低カリウム血症，高カリウム血症や脱水などの代謝性病態

f. 心臓以外の諸因子

❶ 年齢：基準プログラムは高齢者向きに，時期的にも遅めに，また内容も，職業復帰を前提とせず，高齢者のセルフケアを中心に運動の種類を取り上げてある。しかし60歳以上になると，暦年齢は同じでも生理的年齢の個人差は大きくなり，また，各種の合併症を有する率も高くなるので，1人ひとりに合わせプログラムを大幅に変更しなければならない場合が多くなる。

特に65歳以上になると基準プログラムが使える例は少なくなる。だいたいの見当としては，運動開始およびstep upの時期は通常の1.5倍ぐらいにかけて，運動量は2/3ぐらいに落とし

表Ⅳ･6･18　急性心筋梗塞患者に対する心臓リハビリテーションのステージアップの判定基準

① 胸痛，呼吸困難，動悸などの自覚症状が出現しないこと。
② 心拍数が120/分以上にならないこと，または40/分以上増加しないこと。
③ 危険な不整脈が出現しないこと。
④ 心電図上1mm以上の虚血性ST低下，または著明なST上昇がないこと。
⑤ 室内トイレ使用時までは20mmHg以上の収縮期血圧上昇・低下がないこと
　（ただし2週間以上経過した場合は血圧に関する基準は設けない）。

負荷試験に不合格の場合は，薬物追加などの対策を実施したのち，翌日に再度同じ負荷試験を行う。
〔文献2）日本循環器学会，日本心臓リハビリテーション学会：2021年改訂版心血管疾患におけるリハビリテーションに関するガイドライン https://www.j-circ.or.jp/cms/wp-content/uploads/2021/03/JCS2021_Makita.pdf（2021年11月閲覧），p42より〕

表Ⅳ･6･19　身体活動に必要なエネルギー

METs	職業内容	娯楽など
1.5〜2	事務 車の運転 ワープロ	起立，座位，食事，洗面，歩行（1.6km/時），縫いもの
2〜3	車の修理 テレビの修理 バーテンダー	歩行（3.0km/時） 自転車（8.0km/時） ゴルフ ピアノ・弦楽器の演奏
3〜4	レンガ工 機械組立工 トレーラの運転	歩行（5km/時） サイクリング（10km/時） バレーボール（6人制） バドミントン
4〜5	石工，大工	歩行（6km/時） サイクリング（13km/時） 卓球 ダンス テニス（doubles） 美容体操
5〜6	土掘り	歩行（7km/時） アイススケート
6〜7	土掘り（4.5kg/分）	歩行（8km/時）
7〜8	荷物の運搬（36kg）	ジョギング（8km/時） 乗馬（ギャロップ） サイクリング（19km/時） スキー（滑降）

表Ⅳ･6･20　急性心筋梗塞の心臓リハビリテーションの3相の時期区分

区分	第Ⅰ相	第Ⅱ相		第Ⅲ相
時期	急性期	前期回復期	後期回復期	維持期
場所	入院監視下 ICU/CCU/病棟	入院監視下 病棟/リハビリ訓練室	在宅非監視下 外来・通院リハ	地域施設監視下 在宅非監視下
目的	日常生活復帰	退院・家庭復帰	社会生活復帰・復職 新しい生活習慣	快適な生活維持 再発予防
主な内容	急性期合併症の監視・治療 機能評価 療養計画 段階的身体動作負荷 床上理学療法 座位・立位負荷 30〜100m歩行試験 心理的サポート	病態・機能評価 （冠危険因子評価・急性増悪因子同定） 精神・心理評価 生活一般・食事・服薬指導 運動療法 （運動負荷試験・運動処方） カウンセリング 復職支援	病態・機能評価 精神・心理評価 運動負荷試験 運動処方 運動療法 生活一般・食事・服薬指導 集団療法 カウンセリング 冠危険因子是正 急性増悪因子是正	よりよい生活習慣の維持 冠危険因子是正 急性増悪因子管理 自己管理支援 カウンセリング 運動処方 運動療法 集団療法

〔文献1より改変〕

てといったところであろうが，もちろん自覚症状や心電図(モニター)，血行力学的所見などにより加減すべきである。

❷ 感染：尿路，呼吸器など。
❸ 糖尿病があって梗塞が進行性のもの：安定するまではプログラムに入れない。
❹ 老年期認知症：高度のものは訓練はできない。軽度のものでも進行性であり，指示に従うことも難しく，いずれ継続が困難となる。
❺ 慢性呼吸器疾患：高齢者では慢性気管支炎，肺気腫，肺梗塞などが多くなり，肺高血圧症，肺性心，右心不全などの率も高くなるので，その程度に応じてプログラムを時期的に遅らせたり，減量せざるをえない。

　胸部X線写真，心電図，動脈血O_2分圧ならびにCO_2分圧，exercise factor などをチェックしながら，1人ひとりに合わせて試行錯誤的に行わざるをえない。

❻ 四肢の障害：麻痺，欠損などがあって諸動作にエネルギー消費量が多くなるので，プログラムの後半を大幅に延期，縮小，あるいは中止せざるをえない。

呼吸分析によるエネルギー消費量を測定しながら，基準運動エネルギー消費量と等価な低次の運動で代償していくことになる。もし，四肢障害のリハビリテーションを実施中に心筋梗塞を起こしたものであれば，本来の四肢障害のためのプログラムの調整は大変複雑になり普遍的に述べることはできない。

入院中のプログラムを終了し，退院となった後は徐々に生活空間を拡大するように退院指導を行い，外来で経過を観察する必要がある。

心筋梗塞患者の退院時指導と家庭内リハビリテーション

① 行動範囲の目安
- 1～2週間：退院直前の病棟内活動を家庭で延長
- 2～4週間：屋外での歩行(無理のない範囲で)
- 1か月以降：自動車の運転，復職(軽作業)
- 6か月以降：肉体労働，スポーツなど

② 生活習慣
- 入浴：疲労を避け，長湯と熱い湯(38～40℃が適温)を避ける。
- 睡眠と休養：退院後2～3週間は1日6～8時間の睡眠をとり，日中も2回くらい30～40分の昼寝をする。
- 心拍数：目標の心拍数を超えないようにする。指示された服薬を行う。
- 運動：疲労時を避け，夏は夕方，冬は日中の暖かい時間に運動する。
- 便秘にならないように便通の習慣をつける。

③ 危険な症状に注意し，以下の症状があれば主治医に連絡をする。
- ⓐ ニトロールなどで改善しない狭心痛，15分以上の胸痛
- ⓑ 著明な息切れ
- ⓒ めまい
- ⓓ 重度の疲労感
- ⓔ 安静で改善しない動悸・徐脈・頻脈
- ⓕ 食べ過ぎでないのに1～1.5 kgの体重増加
- ⓖ 下肢の浮腫
- ⓗ 尿量の減少
- ⓘ 起座呼吸

〔文献14)より作成〕

維持期運動療法

① 社会復帰後のため職業や日常生活レベルなど個人的背景に影響される
② ホルター心電図で運動療法中，職務中，日常生活中の心拍数，心電図変化をチェック
③ 定期的に運動負荷試験を施行

---

c　不安定狭心症 unstable angina（96頁参照）

心筋梗塞に移行していく場合があるので，前梗塞症候群 preinfarction syndrome や切迫心筋梗塞 impending myocardial infarction などの言葉が使われることもある。

多くは臥床安静，ニトログリセリン，β遮断薬などにより軽快するが，10～20％は心筋梗塞に進展する。リハビリテーション中に発症することもあり，注意を要する。リハビリテーションより医学的診断・治療が優先される。

d　無痛性虚血性心疾患

高齢者の心疾患のうちで，リハビリテーション上最も問題になるのは，非定型的臨床症状を呈する心筋梗塞と思われる。高齢者ほど非定型的なものが増え，村上[15)]によれば，60歳以下(47例)で25.5%であるのに対して，60歳以上(84例)では

57.1％が非定型的発作であったという。

　胸痛やその他の症状が全くなく，平常と変わらない日常生活を送っているものが偶然心電図で発見されるということも多い（silent myocardial infarction）。

　このような症例は小梗塞によるものが多く，浴風会の報告（1991）によると，小壊死巣が集合する散在型の58.1％が無症状であったという。

　このような例を発見したとき，問題は梗塞の時期が不明なことが多いことである。古いものであればすでに回復していることになるので，リハビリテーションに関して急性期の問題はない。心電図，その他の諸検査から心機能を評価し，治療，管理を行うようにする。しかし，認知症，心脳卒中などのために発作時のエピソードを銘記していない場合があるので，これを混合しないように注意しなければならない。

　非定型的症状で始まるものは，そのほかにうっ血性心不全症状，心脳卒中症状（てんかん様発作を含む），不整脈，血圧低下，胃腸症状などがあり，特に高齢者では注意しなければならない。

7 呼吸器疾患のリハビリテーション

A 高齢者に多い慢性呼吸器疾患

高齢者に多い慢性呼吸器疾患としては，慢性閉塞性肺疾患 chronic obstructive pulmonary disease（COPD），気管支拡張症，肺線維症，無気肺，肺がんなどがある。主な疾患の各介入の推奨レベルは表IV・7・1のようである。

1 COPD（慢性閉塞性肺疾患）

COPDは，死亡原因の日本の男性では第8位（2019年），男女全体では2010年には第9位だったが，2014年から順位を下げ，現在は10位以下になっている。世界では第3位（2019年）を占め，加齢と関係の深い疾患で喫煙などに関連し，今後高齢化とともに有病率・死亡率が増加すると予測されている疾患である。この危機感から米国国立心肺血液研究所（NHLBI）と世界保健機関（WHO）が共同でCOPDのためのGOLD（The Global Interactive for Chronic Interactive Obstructive Lung Disease）を作成している（表IV・7・2）。

COPDの呼吸リハビリテーションを行うにあたり，評価を行うことが重要で，「必須の評価」，「行うことが望ましい評価」，「可能であれば行う評価」に分けられる。必須の評価に禁忌やリスクの評価も含まれ，歩行試験として6分間歩行試験，シャトルウォーキング試験などがよく行われる（表IV・7・3）。

COPDは，長期にわたる持続性または断続性の咳，痰を主症状とし，呼吸困難，喘鳴，易疲労感などが加わり，右心不全症状を起こすようになると肝腫大や浮腫がみられるようになる。肺気量分画では，残気量，機能的残気量，全肺気量は著明に増加する。努力性呼気曲線から1秒率（$FEV_{1.0}$％）が70％未満に低下することが診断の根拠となる（表IV・7・4）。

動脈血ガス分析ではO_2分圧は減少し，換気量低下が加わるとCO_2分圧は上昇，pHは低下し，呼吸性アシドーシスの状態となる。CO_2分圧上昇は

表IV・7・1 主な呼吸器疾患の介入の推奨レベル

疾患など	コンディショニング	全身持久力トレーニング	筋力（レジスタンス）トレーニング	ADLトレーニング
COPD	++	+++	+++	++
気管支喘息	+	+++		+
気管支拡張症	++	++	++	+
肺結核後遺症	++	++	++	++
神経筋疾患	++			+
間質性肺炎	++	++	+	++
術前術後の患者	+++	+++	++	+
気管切開患者	+	+	+	+

空欄：現時点で評価できず，+：適応が考慮される，++：適応，+++：適応かつエビデンスあり
〔文献1）より〕

表Ⅳ・7・2　GOLD に基づく COPD のステージとその治療法

ステージ	検査所見とその症候	治療法	呼吸リハビリテーション
0：リスクを有する状態	・咳・喀痰の慢性症状 ・リスクファクターへの曝露 ・正常な呼吸機能		
Ⅰ：軽症 COPD	・$FEV_{1.0}/FVC<70\%$ ・$FEV_{1.0}$予測値≧80% ・咳・喀痰・呼吸困難の慢性症状	・短時間作用型β_2刺激薬（気管支拡張薬）の頓用	
Ⅱ：中等症 COPD	・症状の有無にかかわらず $FEV_{1.0}/FVC<70\%$ ・50%≦$FEV_{1.0}$予測値＜80%	・気管支拡張薬の定期的使用（抗コリン薬，β_2刺激薬，徐放性テオフィリン薬の単独・併用） ・重大な症状あるいは，症状や呼吸機能の改善がみられるときは吸入ステロイドを考慮 ・呼吸リハビリテーション	・呼吸法：口すぼめ呼吸，腹式呼吸，動作時呼吸法指導 ・リラクゼーション ・胸郭柔軟性拡大運動 ・呼吸筋ストレッチ ・上肢筋力・持久力トレーニング ・上下肢筋力増強訓練 ・トレッドミルなどによる持久力トレーニング
Ⅲ：重症 COPD	・症状の有無にかかわらず $FEV_{1.0}/FVC<70\%$ ・30%≦$FEV_{1.0}$予測値＜50%	・気管支拡張薬の定期的使用（抗コリン薬，β_2刺激薬，徐放性テオフィリン薬の単独・併用） ・重大な症状あるいは，増悪が繰り返される場合は吸入ステロイドを考慮 ・呼吸リハビリテーション	・呼吸法：口すぼめ呼吸，腹式呼吸，動作時呼吸法指導 ・リラクゼーション ・胸郭柔軟性拡大運動 ・呼吸筋ストレッチ ・上肢筋力・持久力トレーニング ・上下肢筋力増強訓練 ・トレッドミルなどによる持久力トレーニング ・ADL 指導（入浴，階段，排泄） ・エネルギー節約指導
Ⅳ：最重症 COPD	・症状の有無にかかわらず $FEV_{1.0}/FVC<70\%$ ・$FEV_{1.0}$予測値＜50%または呼吸不全あるいは右心不全を有する	・気管支拡張薬の定期的使用（抗コリン薬，β_2刺激薬，徐放性テオフィリン薬の単独・併用） ・重大な症状および呼吸機能に反応がみられるとき，または増悪が繰り返されるときは吸入ステロイドを考慮 ・合併症の治療 ・呼吸リハビリテーション ・呼吸不全を有する場合は在宅酸素療法を実施 ・外科的治療を検討する	・呼吸法：口すぼめ呼吸，動作時呼吸法指導 ・リラクゼーション ・胸郭柔軟性拡大運動 ・上肢筋力・持久力トレーニング ・上下肢筋力増強訓練 ・トレッドミルなどによる持久力トレーニング ・ADL 指導（入浴，階段，排泄） ・エネルギー節約指導
全ステージ共通		・喫煙などの危険因子の回避 ・インフルエンザワクチンの接種	

〔文献2）より作成〕

本来，呼吸中枢を刺激し換気を増す方向に作用するものであるが，長期にこの状態が続くとこの作用が失われ，呼吸中枢はO_2不足にのみ反応して呼吸が維持されるようになる。この状態に高濃度のO_2吸入を行うと，呼吸中枢が機能停止をすることがあるので注意しなければならない。

経過は一時改善することはあっても，また増悪進行し，肺線維症，右心不全，肺性心などを併発すると予後不良である。さらに，急性肺感染，急性呼吸不全（O_2分圧 55 mmHg 以下，CO_2分圧 50

表IV-7-3 COPD患者の呼吸リハビリテーションの評価

必須の評価	フィジカルアセスメント スパイロメトリー 胸部単純X線写真 呼吸困難(安静時,日常生活活動時,歩行時など) 心電図 経皮的酸素飽和度(SpO_2) ADL 歩数(身体活動量) フィールド歩行試験(6分間歩行試験,シャトルウォーキング試験) 握力 栄養評価(BMI, %IBW, %LBWなど)
行うことが 望ましい評価	上肢筋力,下肢筋力 HRQOL(健康関連QOL:一般的,疾患特異的) 日常生活活動時におけるSpO_2モニタリング
可能であれば 行う評価	身体活動量(活動量計) 呼吸筋力 栄養評価(質問票,体成分分析(LBM:除脂肪体重 lean body mass など),エネルギー代謝,生化学的検査など) 動脈血ガス分析 心理社会的評価 心肺運動負荷試験 心臓超音波検査

BMI:Body Mass Index 体重(kg)÷身長$(m)^2$
理想体重(IBW)=身長$(m)^2 \times 22$
%IBW(理想体重との比率)=現在の体重/IBW×100
80〜90%=軽度栄養障害,70〜79%=中等度栄養障害,69%以下=高度栄養障害
%LBW(体重減少率 Loss of Body Weight)=(以前の体重-現在の体重)/以前の体重×100

〔文献3), p98より一部改変〕

表IV-7-4 スパイロメトリーによる病期分類

病期	特徴
I期(軽症):軽度の気流閉塞	80%予測値≦$FEV_{1.0}$%
II期(中等度):中等度の気流閉塞	50%≦$FEV_{1.0}$%<80%予測値
III期(重症):高度の気流閉塞	30%≦$FEV_{1.0}$%<50%予測値
IV期(最重症):極めて高度の気流閉塞	「$FEV_{1.0}$%<30%」,または「$FEV_{1.0}$%<50%でかつ呼吸不全合併」

mmHg以上の状態,CO_2ナルコーシス),自然気胸などを起こすことも多い。

2 気管支拡張症

高齢者にみられるものは気管支の狭窄および感染を原因とした後天性のものが大部分である。ほかに線維化,無気肺なども関与するものもある。

気管支が,分泌物,気管支粘膜の腫脹,異物などの原因で閉塞され,それに感染による気管支壁の破壊,無気肺による気管支拡張作用(無気肺により胸腔内陰圧が増加し,無気肺部の気管支内圧は相対的に増加したことになり,気管支腔を広げることになる)が加わって気管支拡張症を起こすと考えられる。

長期に及ぶ多量の痰の喀出があり,感染を合併すると膿状となる。気管支に狭窄があるときには喘鳴を伴うことがある。太鼓のばち指 clubbed finger も特有な症状であり,爪も彎曲する。気管支造影法により診断は確定される。

3 肺線維症 pulmonary fibrosis

原因のいかんにかかわらず,肺にびまん性に線

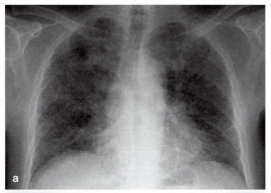
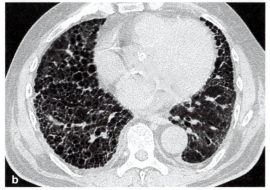

図Ⅳ・7・1 肺線維症のX線画像(a)とCT(b)

維増殖をきたし，胸部X線上もびまん性粒状ないし網状陰影を呈し，％VCの著明な低下をきたすような拘束性障害を示す(図Ⅳ・7・1)．加齢によるものは気道の慢性炎症が多いが，ほかにも腫瘍，粉塵，放射線，肺うっ血，膠原病，サルコイドーシスなどによるものもある．肺は硬くなり，血管抵抗は増大し，肺高血圧症，右室肥大，肺性心を続発してくる．症状は咳，痰，息切れなどであり，呼吸困難やチアノーゼなどを呈することもある．

リハビリテーション治療，酸素療法では，症状の緩和，運動耐容能の改善，健康状態の改善が望める．

4 無気肺

肺の一部に全く空気が入らないか，あるいは不十分な状態をいい，気道内の炎症，腫瘍，異物などによって気道が閉塞された場合や，外部からリンパ節，腫瘍，動脈瘤などで圧迫される場合にみられる．

特に高齢者は気道内の痰や異物を喀出，浄化する能力が低下するために無気肺を生じやすく，それも体力が衰弱した状態に起こりやすい．高齢者が何らかの理由で長期臥床をする際には常に無気肺に対する注意が必要である．

主気管支は解剖学的に右のほうが急傾斜であるため，無気肺は右に多く，なかでも有名なのは"中葉症候群"である．

無気肺の範囲が狭い場合は無症状のこともあるが，中等度では漠然とした胸部不快感を訴え，広範なものでは呼吸困難を呈する．初期には乾性の咳であるが，次第に粘稠性の痰，さらに膿性の痰を伴った咳となる．また，広範な無気肺では肋間腔の狭小，縦隔や心臓などの無気肺方向への偏位などがみられる．

B 高齢者の慢性呼吸器疾患の治療とリハビリテーション

慢性呼吸器疾患の特性からも，また加齢による変化が加味されていることからも，根治的治療は困難である．むしろ，体力，生命をできるだけ長く維持させ，それと同時に寝たきりの生活ではなく，少なくとも身の回り動作程度は自立できるように導くことが大切である．

さらに，残された肺機能を十分に活用するために，患者自身が肺の構造や病態生理，リハビリテーションについて知識をもつための患者教育も重要である．

呼吸器疾患のリハビリテーション的アプローチ

① 日常生活活動
② 過剰な負荷になる例や活動不足に陥る例がある
③ 身辺動作，家事動作，趣味的活動，散歩など
④ 協調的動作技能の向上
⑤ 省エネルギーの物品や道具の改善・整備
⑥ 適性活動度合：心拍数モニターは指標となる

また高齢者の場合は，本来の呼吸器疾患だけではなく，脳卒中，骨関節疾患や，手術後などで臥床中にいろいろな呼吸器疾患を併発してくること

表 IV・7・5　COPD の呼吸リハビリテーションの効果

- 呼吸困難の軽減
- 運動耐容能の改善
- HRQOL（健康関連 QOL）の改善
- 不安・抑うつの改善
- 入院回数および期間の減少
- 予約外受診の減少
- 増悪による入院後の回復を促進
- 増悪からの回復後の生存率を改善
- 下肢疲労感の軽減
- 四肢筋力と筋持久力の改善
- ADL（生活機能）の向上
- 長時間作用性気管拡張薬の効果を向上
- 身体活動レベル向上の可能性
- 相互的セルフマネジメントの向上
- 自己効力感の向上と知識の習得

〔文献 3），p97 より一部改変〕

があるので，その予防，早期治療にも努力すべきである。また，一応のリハビリテーションプログラムが終わった後でも，定期的な内科的管理やリハビリテーション的指導は必要であり，しかも半永久的に続けねばならない。

また COPD では，コンディショニング，全身持久力トレーニング，筋力（レジスタンス）トレーニング，ADL トレーニングが，気管支拡張症では，コンディショニング，全身持久力トレーニング，筋力（レジスタンス）トレーニングの介入が推奨される[4]。

COPD の呼吸リハビリテーションの効果は，呼吸困難の軽減，運動耐容能の改善，HRQOL の改善などがある（表 IV・7・5）。

1 感染症の治療

閉塞性・拘束性呼吸器疾患いずれも感染症の原因になる。痰が膿状であったり，急に増量するときには，抗菌薬を使用せざるをえない。長期間の抗菌薬投与を余儀なくさせられることが多いので，真菌感染や緑膿菌感染などに注意すべきである。

2 喀痰の減少・排出

喀痰を除去するための喀痰溶解薬，去痰薬，消炎酵素薬，抗菌薬，気管支拡張薬などを適宜用い

ることで，臥床を余儀なくされるような肺炎などを予防する。高齢者では適当な身体活動を保つことで，気道を確保でき，急速な廃用症候群の進行を予防できる。

3 気道に対する刺激の軽減

禁煙は当然のこと，刺激的ガスを発生する化学物質からも遠ざける。大気汚染が引き金になっている場合は転地が必要なこともある。

4 急性呼吸不全に対する治療

O_2 分圧 55 mmHg 以下，CO_2 分圧 50 mmHg 以上の状態では O_2 吸入が必要となる。ただこの際には，前述のように呼吸中枢は CO_2 には反応しなくなり，O_2 不足のみに反応して働いている状態になる。高濃度の O_2 を与えると呼吸停止をきたすおそれがあるので注意が必要である。気管内挿管も必要に応じて行う。よく用いられるのは間欠的陽圧呼吸 intermittent positive-pressure breathing (IPPB) で 5〜10 cmH$_2$O の圧で O_2 を送り込み肺を膨張させ，収縮は肺の自然収縮にまかせる。送入される O_2 は適当な湿度と温度が保たれ，また O_2 と同時に喀痰溶解薬，抗菌薬，気管支拡張薬などを吸入させることも行われる。

副腎皮質ステロイドは気管支けいれん，気管支浮腫などの軽減の目的で用いることがある。

5 アシドーシスに対する治療

慢性呼吸器疾患は主に呼吸性アシドーシス acidosis がみられるが，これに，特に乳酸の蓄積による代謝性のもの（metabolic acidosis）が加わる。

基本的な治療方法としては，
① 産生される CO_2 の抑制
② 肺からの CO_2 排出の増加
③ HCO_3^- 濃度の増加

の 3 つにしぼることができることは次の式からも明らかである（Henderson-Hasselbalch による）。

$$pH = 6.1 + \log\frac{[HCO_3^-]}{0.03\,PCO_2}$$

a　CO_2産生の抑制

①呼吸運動に必要なエネルギーの減少：呼吸に必要な仕事量は正常では，全エネルギー量の2％程度であるが，慢性呼吸器疾患では40％に達することもあり，呼吸の効率を高め仕事量を減らす必要がある。

②身体的運動を必要以上に行わず，CO_2産生を抑制する。

b　CO_2排泄の増加

①分泌物除去，感染治療，気管支拡張薬などにより，肺の換気状態を改善する。

②呼吸中枢の刺激：呼吸中枢を刺激し，過呼吸 hyperventilation や肺胞換気を促すことで，アシドーシスの改善が期待され，各種薬剤が用いられる。しかし，原疾患の状況によってその効果には限界があるのはやむをえない。

③レスピレータ respirator の使用：CO_2の産生を抑制する意味でも，また排泄を促進する意味でも，最も有効な方法である。各種のレスピレータがある。

c　HCO_3^-濃度の増加

低酸素状態が生じると，無気性のグリコーゲン分解 anaerobic glycolysis のために大量の乳酸が産生され，血液や組織中の buffer として存在する HCO_3^- を消費し，代謝性アシドーシスを引き起こしてくる。したがって，その治療はまず原因となっている低酸素の状態を改善することであり，また HCO_3^- を補給することも行われる。

6　肺性心に対する治療

肺疾患，肺血管障害などが原因で右室肥大，右室不全状態をきたしたものを肺性心という。肺性心を起こす基礎疾患としては広範な COPD が最も多い。

右心肥大，心電図上（特にⅡ，aV_F）の肺性 P，チアノーゼ，浮腫，太鼓のばち指などの特有な症状に注意すべきである。治療は上述の肺基礎疾患および，うっ血性心不全に対する両面からの治療を強力に行わなければならない。

7　理学療法

慢性呼吸器疾患の治療ならびにリハビリテーション上，重要な役割を果たすもので，近年盛んに用いられるようになってきている。その目的は，

①体位ドレナージ，振動，叩打などにより気管支分泌物の排泄を促す

②訓練によって効率のよい呼吸パターンに変える

③身体的労作を次第に増やし，体力の増強，耐久性の向上を図る

などである。

a　体位ドレナージ postural drainage

体位ドレナージは，各気管支の解剖学的構築に基づき，種々の体位により重力によって少ないエネルギーで効率よく喀痰排出する方法である。痰の多い慢性呼吸器疾患患者にとってリハビリテーション上重要な療法の1つである。

下側肺障害 dependent lung disease
①圧迫性無気肺 ②気道分泌物の沈下 ③血流増加によるうっ血肺 ④肺水腫液の沈下 　＊同一体位長時間持続

体位ドレナージには各種の方法があるが，要するに痰の出やすい体位を工夫することで，排出を促すようにすることである（図Ⅳ・7・2）。

体位変換の効果
①肺血流の再配分：健常肺へ血流シフト，換気血流比改善 ②換気の再配分：障害肺胞の拡張，肺胞換気増加 ③体位ドレナージ：障害肺の分泌物，貯留水分排出

谷本[5]は病変が肺および気管支全体に広がるときの体位ドレナージ練習を以下のように行っている。

IV. 主な老人性疾患のリハビリテーション

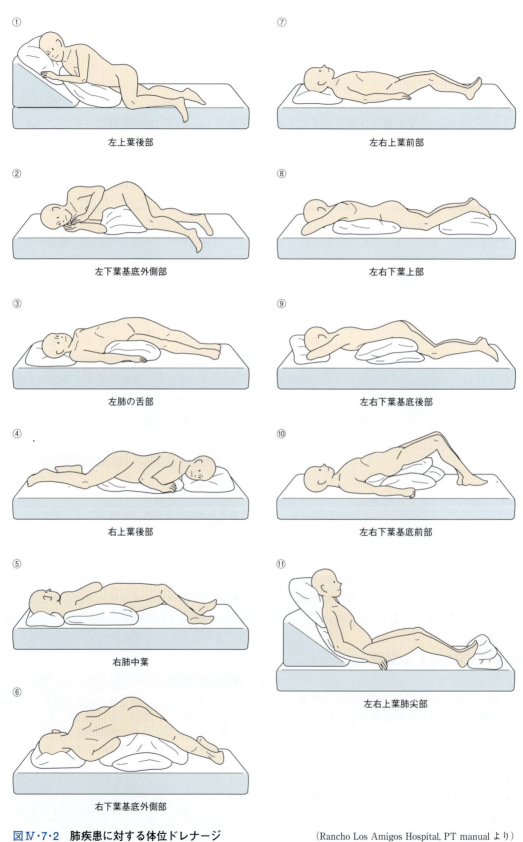

図IV・7・2 肺疾患に対する体位ドレナージ　　　　（Rancho Los Amigos Hospital, PT manual より）

❶ 上葉
　座位で上体を左右に45°傾け，次に30°後方へ，45°前方へ傾ける動作をそれぞれ10秒くらい続ける。上葉の排痰。

❷ 上葉前部および上葉後部，下葉
　枕なしの背臥位および腹臥位。上葉前区および下葉の排痰。

❸ 上葉，下葉側部
　頭を枕にのせ，右側臥位をとる。右肩を軸にして，左肩と上体をできるだけ回す。次に，左側臥位の練習。上葉，下葉側部の排痰。

❹ 下葉
　下腹部に枕を入れ腹臥位になり，腕を組んで額をのせる。下葉の排痰。

❺ 中葉・上葉舌部
　約15°の傾斜のある頭低位のベッドで背臥位になり，殿部に小さな枕を入れ，下肢をベッドに直角に立てる。中葉・上葉舌区の排痰。

❻ 外側肺底部
　⑤同様のベッドに右側臥位になり，側腹部に小さな枕を入れる。次に，左側臥位の練習。外側肺底区の排痰。

❼ 腹筋強化
　⑤同様のベッドに枕なしで背臥位となり，下半身をベッドから離さないようにして，上体だけを左に回転させ，右肩がベッドから45°離れるようにする。もとに戻し，上体を右へ回転する。中葉・舌区の排痰および腹筋強化。

❽ 各肺葉，特に下葉
　ベッドに直角方向にうつぶせになり，上体をベッドから床に下げ，腰から下をベッドに残す。両腕を組んで床の上におき，額をその上にのせ，上体が45°の傾斜となるように保つ。特に下葉からの排痰。最初1～2分から始め，慣れることで5分程度まで延長する。

［回数］
　ドレナージを行う回数は多いほどよいが，実際には1日4回ぐらいが適当であろう。
　朝：就寝中にたまった痰を排出するため，覚醒直後がよい。
　昼：昼食前に施行。
　夕：夕食前に施行。
　夜：就寝前に施行。安眠を得るためにも必要である。

b 振動，叩打

　体位ドレナージに際して胸壁に振動 vibration，叩打 percussion を与えることにより気管支分泌物は排出されやすくなる。セラピストの手掌を胸壁（特に分泌物が多いと想定される部位）にあて，4～5回/秒の振動を与える。叩打は，セラピストの手指を椀状に軽く曲げ，その状態で胸壁を叩打する。バイブレータとしては市販の電気マッサージ器が適当である。これらの方法を行った後，咳をさせて痰を排出させる。

c 呼吸訓練 breathing exercise

1. 呼吸訓練の目的

　健常者の呼吸を使う筋は，以下のとおりである。
① 安静時呼吸～中等度の呼吸：横隔膜，内外肋間筋
② 深呼吸：上記の筋に加えて，胸鎖乳突筋，背筋

　もし，呼気も強制的に行うならば，さらに，腹筋，仙棘筋が加わる。

　慢性閉塞性肺疾患患者においては，肺容積が増大し，横隔膜は平坦な形となり，動きは大変悪くなる。これを代償するために患者は，上部肋間筋や頸部周辺筋，肩周辺筋などを努力して使うことになり，多くのエネルギー消費を必要とし，そのために余計に呼吸困難をきたし，疲労が加わる結果となる。呼吸訓練の主な目的は，この横隔膜の機能を高め，より効率のよい呼吸パターンを教え，肺胞換気を高め，呼吸に必要なエネルギー消費を減少し，呼吸困難を緩和するだけでなく，あえぎながら吸気することによる肺の膨張やトラップ trap 現象を抑制し，また精神的にも不安感から解放すること，などにある。

2. 呼吸訓練の実際（図Ⅳ・7・3）

① まず，あらかじめ体位ドレナージを行い，気道を清浄化する。
② 体位は，どのドレナージの体位のままでも行

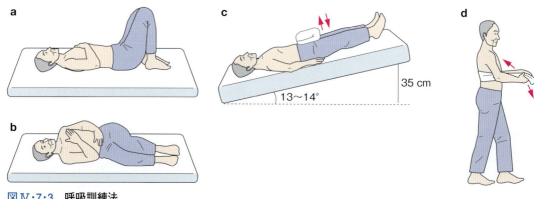

図Ⅳ・7・3　呼吸訓練法

えるが，通常，背臥位が行いやすい．
③セラピストや患者の手掌を剣状突起の下においで圧力を加え，吸気に対して抵抗を与え，患者に横隔膜を下げて吸気する感覚を覚えさせる（図Ⅳ・7・3-a）．
④セラピストや患者の手を前胸部あるいは側胸部にあてて，吸気による胸郭の拡大に抵抗を加える．鎖骨下に抵抗を加えれば上葉部の，また，下部肋骨部に抵抗を与えれば下葉部の拡張を強化することができる．
⑤次いで，胸郭を動かさないで，腹式呼吸をすることを練習させる（1回約3分間）．患者の片手を胸部に（動かないことを確認する），他方の手を腹部に（動くことを確認する）置かせることは，この練習に大変有用である（図Ⅳ・7・3-b）．
⑥立位で同様な操作を行わせる．
⑦両膝を両手でできるだけ抱えこみ，呼気をさせる．次いで膝を伸ばして吸気をさせる．
⑧もしできるならば，ベッドの足のほうを35 cmほど高くした状態で腹式呼吸の練習を行わせる（図Ⅳ・7・3-c）．
⑨幅7～8 cmの布バンドを肋骨下部～上腹部に巻きつけ，前方で交差した端を患者の両手に握らせ，吸気に際してはゆるめ，呼気に際しては締めつけさせる（図Ⅳ・7・3-d）．
⑩肋骨下部～上腹部を患者の手掌で押さえるか（母指後方，ほかの指は前方）両腕を胸腹部に巻きつけ，呼気に際しては圧迫させる．
⑪口すぼめ呼気の練習 pursed lip blowing：気道の弾力性がなくなると，呼気の途中で急に気道がつぶれた形になって呼気が十分できなくなることがある．これを解決するには，口をすぼめて呼気をさせ，気道内の圧をあるレベル以上に保つことが効果的であると同時に，横隔膜の訓練にも効果的である．口のすぼめ方により抵抗の程度を加減することができる．

以上より，呼吸リハビリテーションの目的，標的，方法をまとめると表Ⅳ・7・6のようになる．

3. 酸素吸入下運動療法

酸素吸入を行いながら歩行する方法（walking with oxygen）が通常用いられる．酸素は8～10 L/分で流し，当初100歩は酸素吸入下で行い，後の50歩は吸入マスクをはずして歩かせる．

歩行時の状態，その後の疲労状況など問題がなければ，吸入下100歩，マスクをはずして50歩ずつを増加していき，それぞれ1,000歩および500歩に至るまで増加していく．トレッドミルを用いる場合には酸素ボンベを固定できるが，そうでない場合にはセラピストが手押し車にボンベを乗せて一緒に歩くか，携帯用ボンベを持たせて歩くか，いずれかの方法が用いられる．患者の年齢，症状によって一概にはいえないが，通常1日2回程度が適当である．この方法によって，呼吸機能上，通常では運動不可能な患者にも運動が可能になり，二次的な廃用症候群の予防にも有意義である．

表IV・7・6 呼吸リハビリテーションの目的，標的，方法

目的	標的	方法
① 肺活量増大	最大呼気位上昇 肺胸郭伸張性増大	吸気筋力増強訓練 深呼吸訓練 胸郭ROM訓練 ストレッチ
② 気道閉塞改善	気道内圧上昇 気流速低下 分泌物除去	口すぼめ呼吸 体位ドレナージ
③ 筋持久力改善	呼気筋，横隔膜 腹筋	吸気筋訓練 呼気筋訓練
④ 筋緊張改善	補助呼吸筋 全身性緊張	リラクゼーション
⑤ 換気パターン改善	呼吸数減少 1回換気量増大	呼吸介助手技 腹式呼吸訓練
⑥ 体力改善	運動負荷能の向上 最大酸素摂取量↑	全身持久力トレーニング
⑦ 活動拡大	ADL	ADLスキルトレーニング
⑧ QOL向上	内的過程	

8 日常生活上の指導，看護

理解可能な患者には，疾患に対する基礎的な知識を与えることがまず必要であり，特に理学療法がどのような意味をもっているかを理解させないと，高齢患者は注射や薬などのいわば受身の治療のみを希望し，苦痛な訓練を積極的に受け入れようとはしないであろう．家族に対しても同様な指導，教育を行うことが必要であり，特に退院後や外来の場合には重要である．禁煙の意義についても，説明の良否は，その実行に影響することが多い．

また，気道感染には特に注意し，インフルエンザの流行時などには特にインフルエンザ患者との接触を避け，極力予防すべきである．やむをえず感染した場合には，抗菌薬などを用いてその進行を食い止めねばならない．肺炎を起こすと数時間の経過で重態となり，生命を脅かすことは，高齢者では珍しくない．

冷たい空気は気管支を狭くし，呼吸困難を誘発するので，冬は室内を暖かくし，また戸外で寒気にさらされることを避ける．夕食は軽めにし，夕食後の水分摂取も控え，十分な安眠をとらせることも夜間の呼吸困難予防上大切であろう．

さらに，在宅酸素療法が徐々に普及しはじめ，家庭内で病院と同じようにして酸素を使って家庭生活をする患者も珍しくなくなってきている．このような患者には，体位ドレナージなど家庭でできるリハビリテーションをよく指導する必要があり，そのことはさらに患者の自由度を広げることにつながる．

看護上注意すべき点は以下の通りである．
① 高齢者で重篤な場合ほど気道の確保は重要である．エアウェイ air way の使用，気管内挿管，気管切開（特に呼吸が浅く換気量が減少している場合）などが必要となる．
② 分泌物の吸引（体位ドレナージ，叩打後吸引）．
③ 誤嚥の予防（口腔内の清浄化）．
④ 静脈圧の上昇（肺性心），胸腔内圧の減少などがあると，起座位，半起座位のほうが背臥位より呼吸が楽である．
⑤ 過換気症候群は高齢者には少ないが，神経質な人にはみられることがある．鎮静薬の投与，呼吸法指導，CO_2吸入などのほかに，説明や暗示により安心感を与えることが看護上必要である．
⑥ 意識障害，肺性脳症：高齢者では特に，CO_2蓄積 hypercapnia，O_2欠乏 hypoxia の影響を受けやすく，容易に意識障害を生じる．高齢者の呼吸器疾患では肺胞低換気のためにCO_2分圧が上昇し，呼吸性アシドーシスを起こし，CO_2ナルコーシスの症状を呈するようになる．高濃度のO_2吸入によって，O_2不足のみに反応していた呼吸中枢が働かなくなり，呼吸停止を起こすことがあるので，適切なO_2濃度を投与しなければならない．

CO_2ナルコーシスの症状としては，不穏状態，頭痛，錯乱，振戦，動悸，発汗，縮瞳，乳頭浮腫，昏睡などがあるので，中枢神経疾患や循環器疾患と混同しないように注意しなければならない．またこれらの症状がある場合にはO_2分圧，CO_2分圧，pHの測定をすぐに行わなくてはならない．

IV. 主な老人性疾患のリハビリテーション

> **呼吸リハビリテーションにおける心理的諸問題**
> ① 呼吸困難感，呼吸のリズム，身体機能，人間行動に悪影響を及ぼす。
> ② 疾患によっても心理的変化がもたらされる。
> ③ 閉鎖的で，神経質なこだわり状態か，開放的合理的な展開を進みうるか，大略判断しておく。

C 呼吸障害患者に対する訓練法

呼吸障害患者に対する訓練法には5つの方法がある。以下に患者への説明文を示す。
① 口すぼめ呼吸
② 腹式呼吸(横隔膜呼吸)
③ パニック呼吸(息切れが起きたときの呼吸法)
④ リラクゼーション
⑤ 体力の維持

1 口すぼめ呼吸

a 口すぼめ呼吸とは

肺の病気におかされた気道が肺に空気を閉じ込める原因になることがあります。
口すぼめ呼吸は，
① 気道に予備圧力を生じさせ，息を吐くとき，気道を広く保ちます。
② 息切れを楽にします。
③ 二酸化炭素を取り除き，血中酸素を増加させます。

疲労を感じたり，ふらついたりはしないはずですが，このような症状が出たら，それ以上の訓練は医師や看護師，訓練士の指導を受けてください。あなたは口すぼめ呼吸を練習して，体得しなければなりません。この方法は注意深く練習をしなければ簡単にはできません。

b 口すぼめ呼吸の方法(図Ⅳ・7・4)

① リラックス：鼻から，深呼吸ではなくて普段通りの呼吸を1回します。そのとき自分で「1, 2」と数えてください。
② 今度は，息を吐き出しやすいように，口をゆ

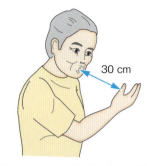

図Ⅳ・7・4　口すぼめ呼吸の方法

るめたまますぼめてください。これは「プー」という音に近いと思います。無理に空気を絞り出してはいけません。自分で「1, 2, 3, 4」と数えながら息を吐き出します。
③ 意識して息を吸う必要を感じるまで，自然に息を吸ったり吐いたりするのに集中しているほうが簡単なときもあります(これは1回息を吸うときの約2倍の時間をかけます)。あなたに合った方法をとってください。
④ 数字に集中したほうがうまくいくことがあります。頭の中で数えながら，口すぼめ呼吸を行ってください。

c 口すぼめ呼吸の練習

口すぼめ呼吸が最も有用なのは，
① 日常の活動をしているとき(口すぼめ呼吸をまず試してください)
② 急に息が詰まったとき
③ リラックスするため

です。最初のうちは口すぼめ呼吸をできるだけ数多く，息切れしていなくても練習してください。毎日少なくとも3回，寝た姿勢，座った姿勢，立った姿勢で5分ずつ練習してください。これを2日くらい続けます。自然にできるようになってください。

2 腹式呼吸(横隔膜呼吸)

a 腹式呼吸とは

静かに呼吸している人を観察してみてください。赤ちゃんは腹式呼吸をまだ知らないのに，お

図Ⅳ・7・5　腹式呼吸の練習（臥位）

図Ⅳ・7・6
腹式呼吸（吸気）

図Ⅳ・7・7
腹式呼吸（呼気）

腹をへこませて呼吸をしています。息を吸い込むときにどのようにお腹がふくらむか見てください。横隔膜がお腹のほうに下がり，そのぶんお腹がふくらみます。胸はわずかしか動きません。息を吐き出したらお腹はへこみます。横隔膜は弛緩し，ドーム型の休息状態になります。

b　腹式呼吸の練習（図Ⅳ・7・5）

横隔膜を意識的にコントロールすることはできません。息を吸うとき，横隔膜は下に下がり，息を吐くとき，横隔膜は弛緩して上に戻ります。

お腹と胸を緊張させると横隔膜の動きを抑えることができます。横隔膜の動きを抑えると息切れが起こります。運動の最中でも，息が切れているときでも，正しい呼吸を学ぶことができるので，生活のあらゆる場面に取り入れましょう。

まず，1日3回この運動を練習してください。朝起きたときに数分間，横になったまま腹式呼吸をしてください。車で誰かを待っているときなどにも腹式呼吸を取り入れましょう。

練習すればするほど上達します。腹式呼吸はあなたの呼吸をもっと楽にします。だからあきらめずに頑張りましょう。始める前に，ベルトを緩めたり，楽な衣服に着替えましょう。きついベルトやパンティストッキング，特にガードルをつけていると横隔膜がうまく動きません。

c　腹式呼吸の方法

① 座ってください。胸に軽く片手を当ててください。この手は呼吸するとき，ほとんど動かないはずです。

② もう一方の手は腹部の肋骨のすぐ下にあててください。

③ お腹は楽にしてください。

④ 息を吸ってお腹がふくらむのを確かめてください（図Ⅳ・7・6）。お腹の中の風船をいっぱいに膨らませる感じを想像してください。無理にギュッとお腹を内側や外側に動かそうとしてはいけません。もっと一生懸命呼吸しなくてはいけなくなります。

⑤ 息を吐き出しお腹が引っ込むのを確かめてください（図Ⅳ・7・7）。風船がしぼむのを想像してください。これを5分間繰り返してください。

⑥ 立ち上がって，同じ運動を5分間繰り返してください。

⑦ 横になり，同じく5分間繰り返してください。

疲れたり，息が切れるようなら，お腹の動かし方がきつ過ぎるのでしょう。お腹をリラックスさせて，横隔膜が動けるようにしてあげましょう。

d　腹式呼吸のコツ

腹式呼吸を5分間続けたあとで疲労を感じるようなら，お腹を無理に動かそうとしているのでしょう。お腹をリラックスさせるのが鍵であることがおわかりでしょう。胸と腹部の筋肉が緊張していると，肺の動きを妨げます。

リラックスして，横隔膜が自由に動けるようにしてやりましょう。腹式呼吸は自然なものです。緊張するとその自然な動きを制限するので，これに逆らうことになります。静かに眠っているときは，腹式呼吸をしているのです。

この運動の目的は，あなたに正しい呼吸法を知ってもらうことです。将来息切れしたときにも，口すぼめ呼吸と腹式呼吸を用いることで，息切れの強さや持続時間を低減できるはずです。

3 パニック呼吸

a パニック呼吸とは

　急激な息切れが起こったとき，呼吸パターンをコントロールできるようにならなければなりません。パニック時に口すぼめ呼吸と腹式呼吸が同時にできるようになること，これをパニック呼吸といいます。これらの呼吸法に習熟すればするほど，本当に必要なときに役立ちます。

1. 強い息切れが起こったとき

a. リラックスしましょう

　座って，腕で身体を支えながら，前かがみになってください（図Ⅳ・7・8）。

　反り返ったり横になったりすると，胸の動きを制限します。

b. 座るところがなければ

　何かに寄りかかってください（図Ⅳ・7・9）。

　頭の前で腕を組むと少し楽でしょう。お腹，胸やあごの筋肉をできるだけ楽にしてください。これらの筋肉に手をあてて，リラックスするように言い聞かせてください。

b パニック呼吸（呼吸困難時の呼吸）の方法

① 目をつぶってください。
② 鼻か口から，精一杯息を吸い込んでください。鼻で呼吸できるようになるまでは，口で息をするとよいでしょう。
③ 口から息を吐いてください。必要なだけ息を吸い込んでください。楽に呼吸できるようになるまでは，息を吐く時間を徐々に長くします。これには15分もかかります。しかしこの方法をやめないでください。そうでないと，もっと長い時間息切れを感じながら座って待っているだけのことになるのですから…。
④ 飲むべき薬はきちんと飲んでください。

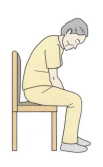
図Ⅳ・7・8
前かがみによる息切れへの対応

図Ⅳ・7・9
寄りかかりによる息切れへの対応

c 軽い息切れが起きたら

　軽度〜中等度の息切れは，肺にとって害はありません。もちろん，少しも楽にならずに救急手当が必要だと感じたときには，緊急用の番号に電話してください。パニック呼吸を続けながら住所を伝えるまで電話を切らないでください。

4 リラクゼーション

a リラックスするためのコツ

1. リラックステクニック

　このテクニックは筋肉を最大限に収縮させれば，その筋肉を最大限にリラックスさせることができるという原理を使います。このテクニックによって不安や緊張をやわらげることができます。

　呼吸器系はストレスの影響を受けやすいシステムです。納得のいかないことなどをしなければならないと，息切れがしたり，ゼーゼーいったり，疲れ果ててしまったりすることがあるのです。

　緊張した筋肉はより多くの酸素を使ってしまうことを忘れないでください。次に示す簡単な体操によってリラックスしましょう。

a. ステップ1

　頭をつけることのできる高い背もたれのついたゆったりできる椅子に座ってください。鼻から

ゆっくりと，深く長く息を吸い込みながら1…2…と数えてください。口をすぼめて，ゆっくりと心の中で4まで数えながら，息を吐き出してリラックスしてください。

b. ステップ2
顔と口の筋肉に力を入れて緊張させて，力を抜いてください。鼻からゆっくりと，深く長く息を吸い込みながら1…2…と数えてください。口をすぼめて，ゆっくりと心の中で4まで数えながら，息を吐き出してリラックスしてください。

c. ステップ3
両手にこぶしを握って肘を曲げ，腕を胸にきつくつけて肩に力を入れて肩の筋肉を緊張させてください。

腕を前に伸ばして，こぶしを広げ，指を伸ばして…，パッと力を抜いて椅子の肘掛けに腕を落としてください。鼻からゆっくりと，深く長く息を吸い込みながら1…2…と数えてください。口をすぼめて，ゆっくりと心の中で4まで数えながら，息を吐き出してリラックスしてください。

d. ステップ4
足を前に伸ばしてつま先を上にあげてください（片足ずつやったほうがよい人もいるでしょう）。足を床に戻して力を抜いてください。鼻からゆっくりと，深く長く息を吸い込みながら1…2…と数えてください。口をすぼめて，ゆっくりと心の中で4まで数えながら，息を吐き出してリラックスしてください。

e. ステップ5
次に，まだ力の入っている筋肉の力をゆっくり抜いてください。鼻からゆっくりと，深く長く息を吸い込みながら1…2…と数えてください。口をすぼめて，ゆっくりと心のなかで4まで数えながら，息を吐き出してリラックスしてください。

b 胸郭の柔軟性を高める運動

① 体の側屈（図Ⅳ・7・10）
② 体の回旋（図Ⅳ・7・11）

5 体力の維持

a 体力の維持とは

体力を消耗せずに日々の生活を送る方法を身に

図Ⅳ・7・10　体の側屈

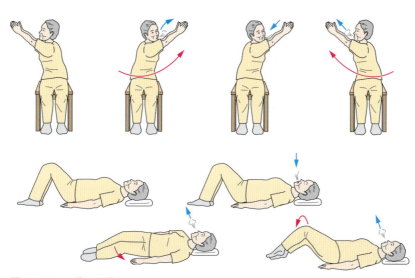

図Ⅳ・7・11　体の回旋

つけるには，訓練と工夫が必要です。これは生活習慣を完全に変えてしまうということではなく，体力を維持するために，もっと簡単なやりかたを身につけたり工夫したりすることです。

体力の維持とは「怠ける」ことではありません。これは体力を有効に使うことを意味しています。処方通りに酸素を使用すれば，もっと体力がついてくるはずです。口すぼめ呼吸や腹式呼吸をしましょう。動作が楽になる道具をできるだけ使ってください。

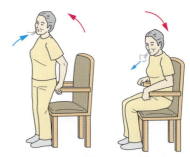

図Ⅳ・7・12　椅子からの立ち上がり

b 優先順位をつける

最も体力がある時間帯に，最も重要な活動もしくは体力の必要な活動を計画しましょう。人によって午後に体力のある人，あるいは午前に体力のある人がいます。柔軟に行動しましょう。

その日の体調によって必要でない用事は省くとよいでしょう。天気のように変えることのできないことは心配しないことです。屋根つきのショッピングセンターでも日課の散歩はできるでしょう。

c 自分のペースで行う

休憩も予定に組み入れましょう。仕事の予定を組むように，座ってゆったりする時間も設けましょう。自分本位に考えて，この時間を自分のために使いましょう。作業を区切って，間に休憩をとりましょう。緊張しながら仕事するともっと体力を消耗します。

d くつろいで行う

できるだけ座った姿勢で仕事を片付けてください。皿洗いは高い椅子に座って行いましょう。運んだり持ち上げるのではなく，押したり滑らせて物を動かすことも，1つのコツです。

e 計画を立てる

必要のない移動は省きましょう。お皿は重ねて片付けます。最も短い近道を探し出します。同じ所を何度も行き来するのを避けましょう。身体障害者用の駐車場使用の資格がとれるかもしれません。医師に相談してください。医師の受診や，商店街へは福祉タクシーなどの利用も考えられます。役所の福祉課にお尋ねください。

f ボディメカニクスを有効に使う

正しい動作によって時間と呼吸を節約し，痛みを避けることができます。ボディメカニクスとは身体に余計な負担をかけないように，姿勢や身体の動かし方に工夫することを意味します。

息を止めて力む必要があるような重い物を持ち上げたり，押したり，運ぶことは避けてください。誰かに手伝ってもらってください。いきなり動いたり急いだりするのではなく，動作はスムーズにゆっくり落ち着いて行います。何か作業をするときは少し息切れするのは普通ですが，過労は避けましょう。

g しゃがむ，持ち上げる，押す，引く

まず，息を吸います。息を吐きながら，背中をまっすぐにしたまま膝を折り曲げます。息を吸います。物を拾い上げます。動作をしながら（しゃがむ，持ち上げる，押す，引く），息を吐きます。できるだけ動かす物を身体の近くに置きます。

h 椅子から立ち上がる

息を吐きながら椅子から立ち上がり，また座るときに息を吐きながらゆっくり座りましょう（図Ⅳ・7・12）。

i 物を運ぶ

口すぼめ呼吸を行いながら，物を運びます。手に持った物は身体に引き付けて運ぶと楽になります。荷物を腕に持って歩くときは，身体の後ろに重心をかけます。肩を楽にします（肩が下がるよ

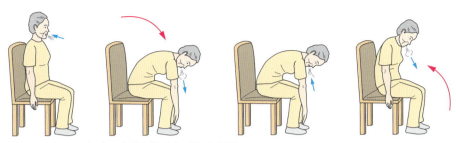

図Ⅳ・7・13　口すぼめ呼吸を続けながらの前屈

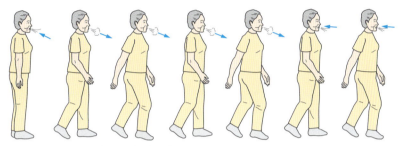

図Ⅳ・7・14　歩行時の口すぼめ呼吸

うに)。

j　身体を前に折り曲げる

　口すぼめ呼吸で息を吐きながら身体を曲げます。身体を折り曲げている間は口すぼめ呼吸を続けます(図Ⅳ・7・13)。

k　歩行(今からでも運動能力を改善できる)

① 楽な歩行用の靴を履いてください。
② 散歩の15分前に気管支拡張薬を吸入してください。
③ 1日に2回散歩しましょう。ゆっくり歩きましょう。重要なのは，どれくらい長い時間歩けるかであってスピードや距離ではありません。1～2分から始めて，毎日1～2分ずつ増やしていき，数週間から数か月の間に30分を1日2回か，1時間の散歩へと増やしていきましょう。
④ 涼しい朝と夕方に平坦なところを歩きましょう。もし雨が降っていたら室内用自転車に乗ったり，ショッピングセンターへ散歩に行きましょう。
⑤ 軽いまたは適度の息切れは害にならないことを覚えておきましょう。
⑥ 口すぼめ呼吸をしましょう。長期の管理プログラムとして，1週間3～4回，1時間の散歩を1日おきに行うか，週に4回，1日30分の散歩などを計画するとよいかもしれません(図Ⅳ・7・14)。

l　歩いている途中で息切れがしたら

① 歩調を落としましょう。
② 立ち止まらなければならないほど息切れがひどいなら，壁や木に寄り掛かるか，両手を太ももや腰において，少し前かがみに座ります。そしてパニック呼吸をしてください。呼吸が早くなっているなら，徐々に息を吐き出す時間を延ばします。横隔膜の動きを邪魔しないよう，お腹のベルトをゆるめて楽にしましょう。

m　階段の昇りかた(図Ⅳ・7・15)

n　シャワーやお風呂

① 安定した椅子に腰掛けて，シャワーやお風呂

IV. 主な老人性疾患のリハビリテーション

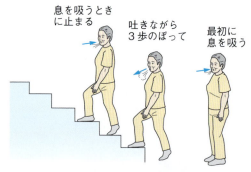

図IV・7・15　階段の昇りかたと呼吸法

図IV・7・17　長柄ブラシを使った洗い動作

図IV・7・16　上半身を出した浴槽の入りかた

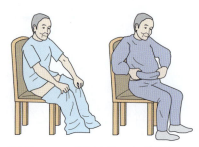

図IV・7・18　椅子を使った着替え

に入ってください。口すぼめ呼吸を行ってください。
② 余分な湿気が抜けるように，扉や窓を少し開けておきましょう。あるいはお湯の温度を下げましょう。
③ 滑らないようにバスマットを敷きましょう。
④ 歯を磨くときや髪の毛をとかすとき，髭を剃るときなどは高い椅子に腰掛けましょう。電気カミソリを使いましょう。
⑤ 歩くときに酸素を処方されているのなら，入浴時も使用してください。口で呼吸しても大丈夫です。鼻の前につけたカヌラから酸素をとれます。カヌラに水が入っても乾きますが，そうでなければ取り替えてください。
⑥ 浴槽に体全体をつからせず，上半身を出してつかりましょう。上半身はかけ湯ですますようにしましょう（図IV・7・16）。
⑦ 髪を洗うときは，（もし息苦しい感じがすれば）水が顔にかからないように，シャンプーハットをかぶりましょう。また，1回で済むようにリンスの入ったシャンプーを利用してください。
⑧ 長い柄のついたブラシで背中や足を洗いましょう（図IV・7・17）。
⑨ 自由に動かせるシャワーのホースを取り付けるのもよいでしょう。
⑩ 風呂上がりには軽いタオル地のバスローブを羽織って身体を乾かすとよいでしょう。

o　寝室の掃除

① ほこりやダニがつかないように，マットレスにビニールのカバーを使います。防ダニ加工のふとんも効果的です。
② 羽毛ふとんや枕で症状が悪化するようなら使用を避けましょう。
③ ほこりっぽい環境で呼吸が悪化するような気がしたら，毎週カーペットを取りはずし，網戸のほこりを掃除しましょう。
④ ベッドカバーは，毎朝手間がかかるので外してしまいましょう。起きたとき，ベッドに寝たまま，首までふとんを上げ，ベッドから体を滑らせて出れば，ベッドはきれいに使えます。

p　着替え（図IV・7・18）

① 椅子に腰をかけて着替えましょう。

② 下にかがむ回数を少なくするため,座って足を組んだまま靴下,下着,ズボン,靴を履きましょう。
③ ズボンの中に下着を入れて,同時にはきましょう。膝まで上げたら立ち上がり,腰まで上げて止めます。
④ ベルトで呼吸や身体の屈曲が妨げられるようでしたら,ズボン吊りを使いましょう。

8 腎臓・尿路疾患のリハビリテーション

A 腎臓のリハビリテーション

腎臓機能障害者数は，内部障害のなかで心機能障害に次いで多い。2019年には透析患者は34万人を超え，国民360人に1人の割合となり，超高齢社会のため平均年齢69.1歳と年々高齢化している。新規透析患者の平均年齢は70.4歳である。原疾患は糖尿病性腎症（41.6％），腎硬化症（16.4％），慢性糸球体腎炎（14.9％）である。

1 CKD（慢性腎臓病）

a CKDのステージ分類

慢性腎臓病 chronic kidney disease（CKD）は，3か月以上続く尿や血液検査・画像・病理学的腎障害と（and/or），GFRが60 mL/分/1.73 m²未満となる腎機能低下の包括的呼称である。

日本人の場合は腎機能をeGFR（GFR推算）で評価しステージ分類している（表Ⅳ・8・1）。

・日本人（成人）のGFR推算式
  eGFR mL/分/1.73 m² = $194 \times$ 酵素法 $Cr^{-1.094} \times$ 年齢$^{-0.287}$（女性であれば$\times 0.739$）

表Ⅳ・8・1 eGFRとステージ分類

ステージ		eGFR
G1	正常または高値	90≦
G2	正常または軽度低下	60〜89
G3a	軽度〜中等度低下	45〜59
G3b	中等度〜高度低下	30〜44
G4	高度低下	15〜29
G5	末期腎不全	<15

b CKDの運動処方

CKD患者の身体活動の低下は心血管疾患などによるリスクを拡大させるため，運動療法が必要になる。CKD患者に推奨される運動療法を表Ⅳ・8・2に示す。CKD患者は種々の合併症を伴っているため，リハビリテーションを進めるにあたってはそれらのリスク管理も必要である（表Ⅳ・8・3）。

通常行われる，監視下・非監視下の具体的な運動療法を表Ⅳ・8・4に示す。

2 透析患者の運動療法

透析患者は，腎性貧血，尿毒症性低栄養，筋力低下，骨格筋機能異常，運動耐容能の低下，易疲労感，活動量減少，QOL低下などが認められる。透析患者の運動耐容能は，心不全患者やCOPD患者と同程度に低下している。透析患者における運動療法の効果は最大酸素摂取量の増加，心機能改善などの効果をもたらす（表Ⅳ・8・5）。

透析患者に対する運動療法は，できる限り有酸素運動とレジスタンストレーニングを併用する。高齢者やフレイル患者では有酸素運動が困難なことがあるので，レジスタンストレーニングやバランストレーニングを優先して行うことで，短時間でも有効な効果につながる。その際，臥位で透析時間中に行うより，透析時間外に座位や立位での抗重力位で行うほうが効果は高い。具体的な運動療法を表Ⅳ・8・6に示す。

腎臓リハビリテーションは，腎臓疾患や透析医療に基づく身体的・精神的影響を軽減させ，症状を調整し，生命予後を改善し，心理社会的ならびに職業的な状況を改善することを目的として，運動療法，食事療法と水分管理，薬物療法，教育，

表Ⅳ・8・2　CKD患者に推奨される運動療法

頻度	持久力(心肺機能)訓練：3〜5日/週 筋力増強訓練：2〜3回/週
強度	持久力(心肺機能)訓練：中等度の強度(酸素摂取予備能の40〜60％。Borg指数11〜13) 筋力増強訓練：1 RM(最大1回反復負荷)
時間	持久力(心肺機能)訓練：持続的な持久力筋力増強訓練で20〜60分/日，困難な場合：3〜5分間の間欠的運動曝露で計20〜60分/日 筋力増強訓練：10〜15回反復で1セット，患者の耐容能と時間に応じて何セット行ってもよい。大筋群を動かすため8〜10種類の異なる運動を選ぶ 柔軟体操：健常人同様の内容が勧められる
種類	持久力(心肺機能)訓練：ウォーキング，サイクリング，水泳など 筋力増強訓練：トレーニング機器やフリーウエイトを使用する
特別な配慮	① 血液透析を受けているCKD患者： 　訓練は非透析日に行う。透析中は低血圧反応を避け，透析時間の前半に行う 　心拍数よりBorg指数を重視する。動静脈シャントのある腕で運動を行ってもよい ② 腹膜透析を受けているCKD患者 　持続的携帯型腹膜透析の患者は，透析液を除去することが勧められる ③ 移植を受けているかCKD患者 　拒絶の期間中は，運動の強度と時間は減少されるべきであるが，運動は継続して実施してもよい

〔文献1)より〕

表Ⅳ・8・3　CKD患者の運動療法時のリスク管理

1. 動脈硬化
① 心臓：心筋梗塞の既往や冠動脈の有意狭窄病変の有無，負荷心電図の結果を把握しておく。負荷心電図で陽性であれば，その時点の収縮期血圧と心拍数を確認する
② 下肢：閉塞性動脈硬化症があればABI(ankle-brachial Index)の結果や足病変の有無を確認する
2. 糖尿病の合併症
① 低血糖：腎機能が低下するとインスリンの分解と代謝機能が低下するために低血糖になりやすい
② 糖尿病性網膜症：増殖性網膜症では積極的な運動は禁忌。眼底出血を避けるため，血圧上昇(バルサルバ手技)と低血糖(交感神経を刺激)に注意する
③ 糖尿病性神経障害：多発性神経障害があれば足部の感覚障害による足病変の出現に注意する。自律神経障害があれば起立性低血圧や無自覚性低血糖に注意する
3. その他
① 水分貯留：全身の浮腫(四肢や胸水)，高血圧，心不全の徴候に注意する
② 高カリウム血症：重症不整脈の出現に注意する
③ 貧血：頻脈，息切れ，易疲労感が出現しやすい
④ 自覚症状：尿毒症になると食思不振，倦怠感，息切れ，易疲労感が出現しやすい

〔文献2)より〕

精神，心理的サポートなどを行う．長期的にわたる包括的なプログラムによるリハビリテーションである．

B 尿路疾患のリハビリテーション

1 高齢者の尿路疾患の種類

　65歳以上の高齢者の10〜30％に，入院高齢者の15〜45％に，中枢神経疾患患者の60〜80％に排尿困難，尿閉，尿失禁などの排尿障害を認め，リハビリテーションを行ううえで問題となっている．

　脳の機能障害としての尿失禁は，高齢者では前内側前頭葉の排尿抑制系神経活動の減弱によるという考えがあり，アルツハイマー病などの認知症の尿失禁も前頭葉排尿中核の皮質核(上前頭回の一部，帯状回の一部と傍中心回)から脳幹排尿神経核への抑制障害と考えられている．

　高齢者の尿路疾患として，以下のようなものによく遭遇する．

❶ 感染
　① 局部の不潔による上行性感染
　② カテーテル使用に起因した急性・慢性感染
　③ 全身的衰弱と他部位感染巣からの下行性感染
❷ 尿路通過障害
　① 前立腺肥大症

表 Ⅳ・8・4　CKD 患者に対する監視下・非監視下の運動療法

		有酸素運動	レジスタンストレーニング
監視下運動療法	頻度	3～5 回/週	2～3 回/週
	強度	中等度レベル %HRmax：50～70% カルボーネン法：40～60% Borg 指数：11～13	中等度レベル 1 RM の 40～60%
		運動習慣のない患者や低体力患者は軽負荷の運動から開始し，疲労や痛みがなければ徐々に強度を上げる	
	持続時間	持続的な運動を 20～60 分/日 運動習慣のない患者や低体力患者は 5～10 分程度から開始し，疲労がなければ徐々に延長する	1 セット 10～15 回を 1～3 セット
	種類	歩行，自転車，水中運動，水泳，トレッドミル，自転車エルゴメーター	トレーニング機器，重錘バンド，自重トレーニング(スクワットやカーフレイズ)，チューブ
非監視下運動療法	頻度	歩数計を使用し定量化する。運動療法開始前にベースラインを評価し，目標歩数を設定する。まず 1 日 500～1,000 歩の増加を目標とし，最終的には 1 日 6,000～10,000 歩を目標とする	2～3 回/週
	強度		低～中強度
	持続時間		1～20 回を 1～3 セット
	種類		トレーニングチューブや自重負荷

カルボーネン法(目標心拍数の設定法)：目標心拍数＝(予測最大心拍数−安静時心拍数)×運動強度＋安静時心拍数

〔文献 2〕より〕

表 Ⅳ・8・5　透析患者の運動療法の効果

① 最大酸素摂取量($\dot{V}O_2$max)の増加
② 左心室収縮能の亢進(安静時・運動時)
③ 心臓副交感神経系の活性化
④ 心臓交感神経過緊張の改善
⑤ 低栄養・炎症・動脈硬化複合症候群の改善(蛋白質エネルギー障害の改善)
⑥ 貧血の改善
⑦ 睡眠の質の改善
⑧ 不安・うつ，QOL の改善
⑨ ADL の改善
⑩ 前腕静脈サイズの増加(特に緊張性運動による)
⑪ 透析効率の改善
⑫ 死亡率の低下

〔文献 3〕より〕

② 前立腺がん
❸ 神経因性膀胱 neurogenic bladder
　① 脳血管障害，脳動脈硬化症などによるもの
　② 糖尿病による末梢神経障害によるもの
　③ 腫瘍(脊椎，脊髄)，脊髄損傷
❹ 尿失禁
❺ 膀胱腫瘍

　これらのうち，リハビリテーションに関連の深い事項をいくつか取り上げる。

2 排尿機構とその神経系

a 排尿に関する神経系

　正常の排尿機能は以下の要素からなる。

1. 蓄尿期
① ある程度の尿が膀胱にたまると尿意を感じる(初発尿意 150 mL 前後)。
② 尿意を生じてからある程度我慢ができる。排尿の条件・態勢が整うまで大脳皮質からの抑制命令で，排尿反射を抑制する。
③ 十分な量の尿を膀胱に蓄えることができる。
④ 尿失禁はない。

2. 排出期
① 排尿を意図すればいつでも排尿できる。
② 排尿に際し特別な努力を要しない。
③ 排尿中，尿線をある程度中断できる。
④ 残尿はない。

　これらは膀胱壁排尿筋，膀胱三角部，頸部平滑筋，括約筋などの協調的な収縮として弛緩が円滑に行われて初めて排尿が順調に制御されるもので，そのためには，大脳皮質をはじめ，大脳辺縁

表Ⅳ·8·6　透析患者の運動療法

	種目	運動時間	運動頻度	運動強度
有酸素運動	エルゴメーター トレッドミル	20～40分	3～5回/週	Borg指数11～13 嫌気性代謝閾値の心拍数 運動負荷試験での最大心拍数の50～70%
	散歩(自宅)	30分/日	4～7回/週(非透析日中心に)	息切れが生じない速さ
	身体活動量(自宅)	4,000歩	4～7回/週(非透析日中心に)	Borg指数11～13
レジスタンストレーニング	重錘，セラバンド	10～20分	3～5回/週	Borg指数13～17
	自重トレーニング(スクワット，カーフレイズ)，椅子からの立ち上がり			1 RM(最大1回反復負荷)または5 RMの60～70%
	神経電気刺激	20～40分	3回/週	耐えうる最大の出力
バランストレーニング	バランスマット上 片脚立位，タンデム立位，セミタンデム立位，閉脚立位	5分	3～5回/週	上肢支持なしで，最低10秒以上は保持可能な姿勢

〔文献4)日本腎臓リハビリテーション学会(編)：腎臓リハビリテーションガイドライン．南江堂，p40, 2018 より〕

系，脳幹，小脳，脊髄，末梢神経など極めて広範囲の神経系が関与している。

自律神経系が主役であるが，外括約筋(横紋筋性外括約筋)は会陰筋の麻痺と関連し体性神経が支配している。

b 高位中枢

大脳皮質における排尿中枢は主として前頭葉にあるといわれ，Brodmann 4, 4 s, 6, 8, 9が関係深いといわれている。随意性排尿中枢は運動領域の傍中心回 paracentral lobe 付近にあると考えられており，これが両側性に傷害を受けたときに排尿障害を起こすものと考えられている。前頭葉性失禁と呼ばれているものはこれに相当し，両側前頭葉の動脈硬化性変化，脳血管障害，退行性変性疾患などの際によく遭遇する症状である。

大脳辺縁系では，急激な恐怖の際に尿失禁が生じたり，興奮・緊張・不安時に頻尿を伴うことから，大脳辺縁系と関連していることが想像できる。例えば，類扁桃核 amygdaloid nucleus の刺激で，排尿量減少，排尿筋の緊張が，海馬の刺激で排尿筋の収縮力の増強がみられる。また，中隔野 septal area や視床下部 hypothalamus の刺激でも排尿筋の弛緩緊張がみられる。パーキンソン Par-kinson 病にみられる頻尿などの研究から，大脳基底核は排尿筋を抑制しているとも考えられている。

脳幹部では，膀胱収縮中枢と膀胱弛緩中枢の2種類があるとされている。延髄の膀胱収縮中枢は延髄外側核の一部にあり，仙髄からの求心線維と，橋・中脳からの遠心線維を受け，外側網様体脊髄路により仙髄へ遠心路を送っている。一方，延髄の膀胱弛緩中枢は網様体背内側にあり，中脳の膀胱収縮に関連する部位から多くの線維連絡を受け，腹側網様体脊髄路を介して仙髄と連絡している。小脳はヒトにおいては，高度な小脳症状があっても排尿障害の報告は見いださないことから，少なくとも小脳は排尿機能にあまり重要な働きをしていないのではないかと考えられる。

area 4からの遠心性線維は錐体側索路の近傍を通り，S2～S4の体性神経運動中枢に至り，会陰筋などの外括約筋の収縮を制御しているのに対し，area 6から大脳辺縁系を経て錐体外路を通り，脳幹部に至る線維は収縮あるいは弛緩の二面性をもっている。

大脳皮質排尿中枢が障害されると，脳幹部排尿中枢の制御機能の平衡が失われ，反射収縮の亢進(失禁)または弛緩症状(尿閉)がみられるようになる。

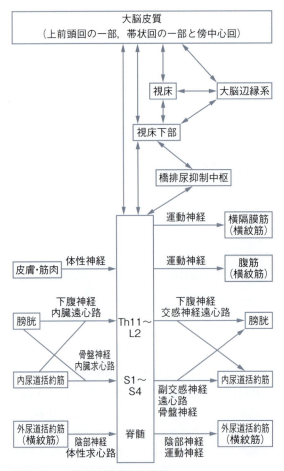

図Ⅳ・8・1　排尿に関連する神経

c 脊髄内排尿中枢

　高位中枢, 胸髄, 腰髄, 仙髄と末梢神経支配の関係は, 図Ⅳ・8・1のようであり, 同時に各神経とも反射弓を形成する。

　外傷などによる脊髄損傷のほか, 脊髄腫瘍, 脊髄炎, 退行性変性疾患, 悪性腫瘍の転移などによって障害され, その状態を脊髄膀胱 cord bladder という。

　脊髄排尿中枢より上部の損傷(核上型)と排尿中枢部の損傷(核型)では, 脊髄膀胱のタイプは異なり, 損傷が完全な場合には, 前者では反射性膀胱になり後者では自律性膀胱となる。

d 末梢神経支配

1. 下腹神経 hypogastric nerve

　下胸および腰部交感神経幹から出て主に膀胱壁のβ受容器に分布し, 膀胱壁の弛緩, 伸展をもたらし, また, 膀胱三角部や頸部, 尿道に集中しているα受容器にも達して, 膀胱頸部, 尿道の平滑筋を収縮させる。

2. 骨盤神経 pelvic nerve

　副交感神経であり, 下部腰神経, 仙骨神経に源を発している。膀胱脊髄反射の主役をなすもので, さらに膀胱知覚, 血管運動にも関与する。

　膀胱壁に広く分布するムスカリン受容器 muscarine receptor を支配し, 排尿筋の収縮を促す。

3. 陰部神経 pudendal nerve

　一部自律神経を含む体性神経 somatic nerve である。腰仙髄から発する点は骨盤神経と同様で, 腰仙神経叢から陰部神経叢を経て, 尿道, 尿道周囲筋, 骨盤底筋などに分布する。尿道外括約筋を支配していることは重要で, 排尿機構のなかで唯一の随意性収縮の可能な部位である(括約筋を開くことは随意的にはできない)。仙髄の核は第2仙髄の前角にある Onuf 核が知られており, 筋萎縮性側索硬化症で他の前角が萎縮しても例外的に保たれることが注目されている。

　以上の末梢神経性の障害(核下型)は, 高齢者では子宮がん, 直腸がんなどの根治手術後にみられることが多い。

e 排尿機構

　排尿機構のなかで, 蓄尿機能は全く無意識的に行われるが, 排出機能は意識的に行われる。この機構は, 自律神経系, 体性神経系, 中枢機構, 腹圧など複雑な要素が絡み合っている。しかし, ほとんどは反射的に支配されていると考えられ, Mahony らは以下のような反射機構を考えている(表Ⅳ・8・7)。

　正常の排尿は, 排尿の意思が働けば(条件・態勢が整ったら), 大脳皮質からの抑制がとれ脳幹部

表IV・8・7　Mahonyらの反射性尿保持・排尿機構

	反射	刺激	求心線維	反射中枢	遠心神経	効果	機能
1	交感神経排尿抑制反射	排尿筋の緊張増加	骨盤神経	胸腰髄	下腹神経	排尿筋反射抑制	尿保持
2	交感神経括約筋収縮反射					括約筋反射	
3	会陰排尿筋抑制反射	骨盤底筋群の緊張	陰部神経	仙髄	骨盤神経	排尿筋反射抑制	
4	尿道括約筋防御反射	近位尿道への尿の流入			陰部神経	括約筋反射	
5	会陰球排尿筋促通反射	骨盤底筋群の弛緩，横隔膜の収縮	陰部神経と後索	延髄	外側網様体脊髄路と骨盤神経	排尿筋反射	排出開始
6	排尿筋排尿筋促通反射	排尿筋圧上昇	骨盤神経と後索	橋			排尿筋収縮と括約筋弛緩による排出持続
7	排尿筋尿道抑制反射		骨盤神経	仙髄	骨盤神経	括約筋反射	
8	排尿筋括約筋抑制反射				陰部神経		
9	尿道排尿筋促通反射	尿道への尿の流入	陰部神経と後索	橋	外側網様体脊髄路と骨盤神経	排尿筋反射	
10	尿道排尿筋促通反射		骨盤神経	仙髄	骨盤神経		
11	尿道括約筋抑制反射		陰部神経		陰部神経	括約筋反射	排出中止
12	会陰球排尿筋抑制反射	骨盤底筋群の収縮	陰部神経と後索	延髄	腹側網様体脊髄路	排尿筋反射抑制	

〔文献5)より〕

表IV・8・8　成人の正常排尿

1回の排尿量：200～400 mL
1回あたりの排尿時間：20～30秒
1日の排尿量：1,000～1,500 mL
1日の排尿回数：5～7回
排尿間隔：3～5時間に1回
異常でない排尿は：
　①必要なときに随意的に排尿できる
　②排尿に努力を要しない
　③残尿がない（患者にはわからない）
　④我慢ができる（失禁がない）

の排尿中枢からの命令で，一気に膀胱の出口・尿道のまわりの筋肉（括約筋）がゆるんで膀胱が収縮し，排尿が始まる．排尿が始まってしまえば，特別な努力を要しない．そして排尿中の尿線を中断できる．20～30秒以内に膀胱尿のすべてを排尿でき，残尿はない（表IV・8・8）．

このメカニズムは膀胱に尿が貯留して，膀胱壁の張力受容器が刺激されると，これが骨盤神経→脊髄→脳幹中枢に達する．この刺激量がある一定量（ただし，この量は大脳皮質，辺縁系からコントロールされている）に達すると，下行性に再び脊髄を下り，仙髄の副交感神経運動中枢を刺激し，骨盤神経を経て膀胱を収縮させる．この収縮自体が膀胱壁の張力-受容器を次々と刺激し，膀胱が空虚になるまで続く．

また，排尿中断の機構としては，まず，外尿道括約筋・会陰筋が収縮し，排尿を中止させる．このままでは膀胱壁の張力受容器に対する刺激は依然続いているから，再び排尿が起ころうとするが，数秒後に大脳皮質からのインパルスが脳幹中枢を抑制し，排尿の再開を抑えて蓄尿期の状態に戻る．

f 尿失禁の病態生理

これらの機構の障害に伴い高齢者にみられる尿失禁の病態生理について表IV・8・9に示した．

3 神経因性膀胱

膀胱・尿道の神経障害によって生じる各種の排尿障害を神経因性膀胱 neurogenic bladder という．疾患と膀胱の状態を表IV・8・10に示す．

表Ⅳ・8・9　高齢者にみられる尿失禁の病態生理

タイプ	機序	原因	症状など
運動性切迫性尿失禁（排尿不安定症，不安定膀胱，痙性膀胱，無抑制膀胱）	尿道抵抗を超える無抑制膀胱収縮による尿失禁	中枢神経系からの抑制の欠如，求心性神経路の過興奮，排尿反射の脱条件づけ	高齢者で最もよくみられる尿失禁，切迫性，頻尿，夜尿，少量排尿
溢流性尿失禁	膀胱内圧が尿道内圧を超えることができないため，膀胱に充満した尿がもれる	膀胱からの排出閉塞，排尿筋不全，求心性知覚障害	触診可能な膀胱，恥骨上部の圧痛，排尿力の著明な減少
腹圧性尿失禁（尿道括約筋不全，緊張性尿失禁，切迫性尿失禁，起立性尿失禁）	尿道内圧が不随意に膀胱内圧以下になる	女性で尿道粘膜の維持に必要なエストロゲンの分泌の不全，骨盤・尿道の筋力減弱，泌尿器の手術，重篤なニューロパチー，尿路感染	突然の腹圧上昇（咳，笑い，力むなど）により起こる少量の漏尿，夜間の漏尿はあまり起こらない。不安定膀胱は通常ないが，高齢女性では不安定膀胱と尿道括約筋不全の合併が多い
機能性尿失禁	トイレに間に合うように行けない	心理的要因，動けない，不都合な家屋環境（トイレなど），不適切な失禁看護	認識力・肉体的機能・精神的意欲・環境的なものの障害により尿器に適切に排尿できない状態
尿原性尿失禁	尿意の気付きを妨げたり，膀胱や括約筋の緊張の低下をきたすような，あるいはトイレへの移動を妨げるような薬剤など	利尿薬，鎮静薬，自律神経系薬や身体の運動の抑制薬など	高齢者は血中アルブミン濃度，肝臓の薬剤代謝能が低下しており，薬剤の主作用・副作用ともに強く出現することが多い

〔文献6）より〕

表Ⅳ・8・10　神経疾患と膀胱・尿道括約筋の状態

神経疾患	膀胱と尿道括約筋の状態
脳疾患	膀胱が縮まない 尿道括約筋がゆるんでしまう 膀胱がふくらんだら出てしまう
脊髄損傷	膀胱が収縮してしまう 尿道括約筋は閉じている
末梢神経疾患	膀胱はゆるみ 尿道括約筋もゆるむ

a 神経因性膀胱の種類

新しい分類として表Ⅳ・8・11のようなものがあるが，一般的に知られていないために現在でも次の古い分類法がよく使われている。

Lapidesの分類（1939）
① 無抑制膀胱 uninhibited bladder
② 反射性膀胱 reflex bladder
③ 自律性膀胱 autonomous bladder
④ 運動麻痺性膀胱 motor paralytic bladder
⑤ 知覚麻痺性膀胱 sensory paralytic bladder

以下，Lapidesの分類に従って述べる。

1. 無抑制膀胱 uninhibited bladder, unrestricted bladder（図Ⅳ・8・2）

高齢者の観点からいえば最も多いものであり，一般に高齢者の失禁として片づけられているもののなかには相当数これが含まれているものと考えられる。症状として，頻尿，尿意切迫，切迫性尿失禁があり，尿意はあるが一度尿意を感じるとあまり我慢できない。大脳から仙髄に至る核上性運動路が障害されていて，仙髄神経が保たれているときにみられる。原因としては，脳血管障害，脳腫瘍，脊髄腫瘍，頸椎症など多岐にわたる。

［検査所見］
① 随意性排尿開始はできるが，排尿抑制はできない。
② 残尿がしばしばみられる。
③ 最大膀胱容量は100～300 mLと減少。
④ 膀胱内圧曲線で，無抑制収縮がみられる。
⑤ 肛門周囲の知覚は正常，球海綿体筋反射は亢進。

日常よくみられることとしては，尿意がある場

表 IV・8・11　神経因性膀胱の新しい分類法

膀胱機能		尿道機能	
蓄尿機能	排出機能	蓄尿機能	排出機能
1. 排尿筋の活動性 　① 正常 　② 過活動 　　ⓐ 排尿筋反射亢進 　　ⓑ 不安定排尿筋 2. 膀胱知覚 　① 正常 　② 亢進 　③ 減弱 　④ 欠如 3. 膀胱容量 　① 正常 　② 高容量 4. コンプライアンス 　① 正常 　② 高 　③ 低	① 正常 ② 低吸収 ③ 無吸収 （排尿筋無反射） （脱中枢）	① 正常 ② 機能不全	① 正常 ② 閉塞 　ⓐ 尿道括約筋活動 　　（排尿筋括約筋協調不全） 　ⓑ 物理的閉塞

（International Continents Society, 1988 より）

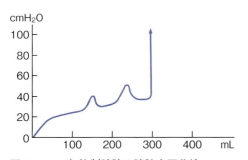

図 IV・8・2　無抑制膀胱の膀胱内圧曲線
膀胱に水を注入していくと排尿筋の無抑制収縮が起こり膀胱内圧が上昇する。強い無抑制収縮が起こると排尿が起こる。　　　　　　〔文献5）より〕

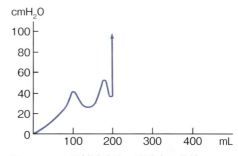

図 IV・8・3　反射性膀胱の膀胱内圧曲線
無抑制膀胱の曲線と似ているが、患者に尿意がない点が異なる。　　　　　　　〔文献5）より〕

合でも抑制がきかず、調節ができない。したがって、尿意をもよおしてもトイレに行く途中で排尿が起こったり、付添者や家人に告げる間がなく突然排尿したりする現象がみられる。

2. 反射性膀胱 reflex bladder（図 IV・8・3）

仙髄から上位で高度な脊髄障害が生じたときにみられ、仙髄排尿中枢の上位コントロールを失った状態である。そのため、尿意もなくなり、排尿は不随意に反射的に生じる。主なる疾患として、脊髄腫瘍、頸椎症などがある。

［検査所見］
① 身体の一部をたたいたりつねったりすることで反射的に排尿が誘発される
② 残尿は 50〜200 mL のことが多い
③ 膀胱内圧曲線は無抑制膀胱と同様な収縮で、最大膀胱容量は 50〜300 mL と減少
④ 膀胱知覚と肛門周囲知覚の消失
⑤ 球海綿体筋反射は亢進

排尿は突発性に起こり、尿意は欠如するが、膀胱に尿が貯留すると、上半身の非麻痺領域に、発汗などの自律神経反射が起こり、排尿を予知できることがある。

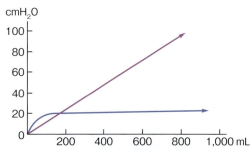

図IV・8・4　自律性膀胱の膀胱内圧曲線
2種類の上昇がみられる。1つは急性期にみられ、運動麻痺性膀胱や知覚麻痺性膀胱と同様に内圧が上昇しないもので、他方は急性期を過ぎてからみられ、内圧が徐々に上昇していくものである。　〔文献5)より〕

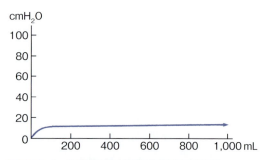

図IV・8・6　知覚麻痺性膀胱の膀胱内圧曲線
膀胱の知覚が障害されているため、膀胱に多量の水を注入しても尿意を生じず、膀胱内圧も低い。
〔文献5)より〕

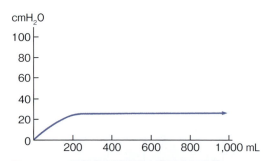

図IV・8・5　運動麻痺性膀胱の膀胱内圧曲線
膀胱内に多量に水を注入しても排尿筋の収縮は起こらず、膀胱内圧は上昇しない。　〔文献5)より〕

② 残尿は200〜800 mLと増加
③ 最大膀胱容量は800〜1,000 mLと増加
④ 膀胱知覚と肛門周囲知覚の消失
⑤ 膀胱内圧曲線は2種類
⑥ 球海綿体筋反射は消失

4. 運動麻痺性膀胱 motor paralytic bladder（図IV・8・5）

仙髄と膀胱を結ぶ反射弓のうち、運動神経だけが傷害されたときに生じる型で、膀胱の知覚は保たれているので尿意はあるが、排尿筋の麻痺のために排尿することができないものである。主な疾患としては、脊髄円錐や馬尾への外傷・腫瘍、ギラン・バレー Guillain-Barré 症候群などである。
［検査所見］
① 随意的排尿困難
② 最大膀胱容量増加、残尿も増加
③ 膀胱知覚と肛門周囲知覚は正常
④ 膀胱内圧曲線は圧は低く、初発尿意も最大尿意も遅れる
⑤ 球海綿体筋反射は消失

3. 自律性膀胱 autonomous bladder（図IV・8・4）

膀胱仙髄の反射弓が傷害された場合に生じる。また、病変が仙髄排尿中枢より上にあっても、脊髄ショックのときにはこれが生じる。膀胱壁内神経叢の活動や、軸索反射 axon reflex（＝偽反射 pseudoreflex）で膀胱運動がみられるもので、核型脊損の場合の典型的なものである。十分な排尿効果をあげることができず、残尿も多く、用手圧迫、いきばりなどを行っても、尿は出るが、尿線は途切れがちで、ある程度の残尿はやむをえない。多量の残尿がある場合には横溢性尿失禁 overflow incontinence や緊張性尿失禁 stress incontinence をみることがあり、また、感染を起こしやすく、膀胱尿管逆流 vesicoureteral reflux（VUR）をみることも少なくない。
［検査所見］
① 随意的排尿開始不能

5. 知覚麻痺性膀胱 sensory paralytic bladder（図IV・8・6）

仙髄と膀胱を結ぶ反射弓のうち、求心路である知覚神経が傷害されたときに生じる型で、尿意の消失のために持続的な膀胱の拡張をきたすものである。糖尿病で時にみられ、横溢性尿失禁を伴うことがある。

表Ⅳ・8・12 排尿障害の診断と治療の概略

	排尿障害	蓄尿障害
膀胱	診断：低活動性膀胱 治療：① 抗コリンエステラーゼ剤 　　　　1) ベタネコール塩化物 　　　　　（商品名：ベサコリン） 　　　　2) ジスチグミン臭化物（ウブレチド） 　　　② 自己導尿	診断：過活動性膀胱 治療：① 抗コリン薬 　　　　1) コハク酸ソリフェナシン（ベシケア） 　　　　2) フェソテロジンフマル酸塩（トビエース） 　　　　3) イミダフェナシン（ウリトス） 　　　② $β_3$刺激薬 　　　　ミラベグロン（ベタニス） 　　　③ 膀胱拡大術 　　　④ 膀胱訓練
尿道	診断：膀胱下部通過障害 治療：① $α_1$受容体選択的遮断薬 　　　　1) プラゾシン塩酸塩（ミニプレス） 　　　　2) タムスロシン塩酸塩（ハルナール） 　　　　3) ナフトピジル（フリバス） 　　　　4) ウラピジル（エブランチル） 　　　② 5α還元酵素阻害剤 　　　　デュタステリド（アボルブ） 　　　③ 逆行性尿管拡張術（手術） 　　　④ 自己導尿	診断：腹圧性尿失禁 治療：① $β_2$刺激薬 　　　　クレンブテロール塩酸塩（スピロペント） 　　　② 尿道スリング術 　　　③ 人工括約筋埋め込み術 　　　④ 自己導尿

表Ⅳ・8・13 神経因性膀胱の治療

1. 蓄尿障害に対する治療
① 膀胱容量を増加させる
　ⓐ 薬物療法
　　(1) 抗コリン薬
　　(2) 平滑筋弛緩薬
　　(3) 筋遮断薬
　　(4) β刺激薬
　ⓑ ボツリヌス毒素膀胱壁内注入療法
　ⓒ 神経外科的治療
　　(1) 脊髄クモ膜下神経ブロック
　　(2) 神経根切断術
　　(3) 膀胱周囲神経剝離術
　ⓓ 膀胱ふくらまし術
　ⓔ 膀胱電気刺激
　ⓕ 膀胱形成術
② 尿道抵抗を高くする方法
　ⓐ α刺激薬
　ⓑ β刺激薬
　ⓒ 尿道圧迫法
　ⓓ 骨盤底筋電気刺激

2. 膀胱排出を促進する方法
① 膀胱内圧を高める方法
　ⓐ 徒手的訓練法
　　(1) 圧迫法
　　(2) trigger zone をたたく
　　(3) 膀胱訓練
　ⓑ 薬物療法
　　(1) 副交感神経刺激薬
　　(2) コリンエステラーゼ阻害薬
　ⓒ 膀胱電気刺激
② 尿道抵抗を低くする方法
　ⓐ α遮断薬
　ⓑ TUR
　ⓒ 括約筋切開
　ⓓ 横紋筋弛緩剤
　ⓔ 尿道拡張
　ⓕ バイオフィードバック法
③ その他
　ⓐ 自己導尿
　ⓑ 尿路変更

〔文献7）より改変〕

［検査所見］
① 随意的排尿可能
② 最大膀胱容量増加，1,000 mL 以上
③ 残尿は著明に増加
④ 膀胱知覚と肛門周囲知覚は消失
⑤ 膀胱内圧曲線は圧は低く，運動麻痺性膀胱と似ている
⑥ 球海綿体筋反射は消失

b 神経因性膀胱の尿路管理およびリハビリテーション

排尿障害の診断と治療の概略を表Ⅳ・8・12に，また神経因性膀胱の治療を表Ⅳ・8・13に，また薬物療法を示す。

脳卒中の自覚症状として，大きな脳内出血ではほぼ全例に，大梗塞では68％に刺激症状が認められ，脳幹梗塞・小脳出血では刺激・閉塞症状の双方がみられるという報告がある[8]。膀胱内圧測定でも無抑制性膀胱が多いことが認められている。

また，病巣別では，前頭葉病変をもつものの67％，被殻を含む基底核病変の67％，視床病変の60％，内包病変の92％に排尿筋無抑制収縮がみられる[9]。前頭葉への投射路をもつ内包障害では，外尿道括約筋の随意的収縮ができず，膀胱の不随意収縮に対して外尿道筋の反射性弛緩が生じ尿失禁になる。また，基底核の障害では排尿筋反射亢進はあるものの，外膀胱括約筋の働きが保たれて

いるので，頻尿であっても尿失禁になることは少ないといわれている[10]。

1. 急性期

脳血管障害，脊髄損傷，骨盤内手術など脳・脊髄・末梢神経損傷のいずれにしても，急性期は，無緊張性，無反応性膀胱の形をとり，外尿道括約筋は逆に弛緩できず，尿閉となる。この時期の主なケアは，

① 残尿をできるだけ少なくし，また感染を避けること
② 麻痺して抵抗力の低下している下部尿路粘膜を保護すること
③ 膀胱壁に過度の伸展を与えないこと（膀胱壁筋，受容器の破壊の防止）
④ 同時に適度に膀胱壁に伸展を与えること
⑤ 外尿道括約筋の機能を保持すること

である。これらのためにはカテーテルの留置は極力避ける必要がある。留置により下部尿路粘膜をいため，分泌物貯留による炎症や感染の機会を高め，括約筋の機能を失わせることにつながるからである。この時期には，間欠的無菌導尿法が推奨され，簡略化された方法がよく用いられている。完全無菌閉鎖法は無菌カテーテルセットを外界から完全に遮断して留置する方法があるが，下部尿路や括約筋に与える悪影響は免れないし，膀胱訓練開始時期の判定に困難がある。

2. 亜急性期

神経系および排尿機能異常が一応安定してくる時期であり，と同時に膀胱訓練開始の時期でもある。高位中枢の障害によるものは，失禁，尿閉の状態が改善し，多くは起座，起立などが可能になるにしたがって正常の排尿パターンに移行していくものであるが，留置カテーテルを持続使用したものでは，それが困難である。また，前頭葉性失禁と称されているものは，歩行レベルに達した後までも失禁が持続することが多い。同時に合併する認知症症状や意欲低下，注意力低下はその改善をより困難にする。このような例に対しては根気よく，4～5時間ごとに，トイレに連れていくか，ベッドサイドなら座位で排尿訓練を行うことが必要である。膀胱部の叩打，trigger領域の発見などが役立つことがある。

脊損の核上性のものについては，排尿反射を誘発する意味で，やはり膀胱部の叩打，trigger領域の発見が有用である。核性，核下性のものでは排尿は不十分で残尿があるので，腹圧，手圧を中心とする排尿訓練を行い，さらに完全排尿されない残尿分を無菌的・間欠的に導尿する。ただ，手圧を強くすると膀胱尿管逆流（VUR）を生じるため，あまり強く行わないようにする。

3. 慢性期

症状が固定し，排尿症状がほとんど変化しない。したがってこれを改善するためには手術的療法が多くなる。この時期には導尿は不要であるが，残尿が50 mL以上ある場合には外尿道筋の弛緩不全によることが多い。残尿量は膀胱の排出力と，外尿道括約筋の弛緩度の相関によって決まるものであるが，前者を腹圧，手圧で補うとするならば，ほとんど外尿道括約筋の弛緩度が残尿量を決定すると考えてよい。

したがって，陰部神経ブロックまたは切除，外尿道括約筋の切開，または内視鏡下に膀胱頸部または内尿道口を一部切除する方法〔経尿道的切除術 transurethral resection（TUR）〕が用いられる。高齢男性では同時に前立腺切除も行うと効果的である。

膀胱-尿管逆流により腎盂腎炎を起こす場合にも，外尿道括約筋切除やTURが適用される。

痙性の強い，容量の小さくなった膀胱に対しては，仙骨神経ブロック，クモ膜下フェノールブロック，ボツリヌス毒素膀胱壁内注入療法が用いられる。しかし，女性については下部尿路が短く太いため，上述の手術は男性ほどの必要はなく，金属ブジーによる尿道拡張だけでも目的を達することもある。

4 認知症に伴う尿失禁

認知症と直接関連する尿失禁として，機能性尿失禁がある。この原因には，

① 空間認知の障害（トイレの場所がわからな

い，トイレに行く方向がわからない，トイレと他の場所の判別ができない）
② 失行的要因（便器や尿器の使用法，衣服の着脱の仕方がわからない）
③ 思考・判断力の低下によるもの（衣服を着たままで排尿ができない，便器以外の場所で排尿してはいけないなどの判断の欠如）
④ 自発性の欠如（失禁に対する無関心，羞恥心の欠如）

などが組み合わさって尿失禁をきたすことが多い．そのため，その対処方法としてそれぞれに沿った対応が必要となる．

5 尿閉，排尿困難

高齢者の尿閉，排尿困難の原因には種々のものがあるが，よくみられるものは前立腺肥大によるもののほかに膀胱頸部硬化症がある．症状は前立腺肥大症とほとんど同じであるので，前立腺触診でその肥大を証明できないで前立腺肥大症と同様の症状があるときには，膀胱頸部硬化症を鑑別しなければならない．

夜間頻尿を訴える程度のものはジアゼパム diazepam，ニトラゼパム nitrazepam などを就寝前に投与することで間に合う．一般に完全に尿閉になることは少なく，残尿も多くはない．尿道ブジーによる膀胱頸部拡張は姑息的であり，いずれ観血的方法に頼らざるを得ない．

軽度なものは TUR が有効であるが，高度のものに対しては，膀胱高位切開で，膀胱頸部周辺を切開し，前立腺を摘出，頸部の硬化組織を除去する方法が用いられる．内尿道口が広く形成されるので，成績は良好である．

前立腺肥大による排尿障害には，女性ホルモン，ある種の植物エキス（エビプロスタット）などが用いられ，一時的改善が得られる．肥大の高度なものには TUR による腺腫の摘出または切除が行われる．

前立腺がんはホルモン依存性がんであり，高齢者には少なくない．病理組織学的には腺がんがほとんどであるが，必ずしも全部が悪性腫瘍的臨床症状を呈するというわけではない．

根治療法は手術によるほかないが，そのためにはがん組織が前立腺被膜直下に限局している段階で発見される必要があるので，90％以上は根治手術は望み難い．したがって，下部尿路を確保し，続発する腎不全を予防する目的で行われることが多い（経尿道的前立腺切除術など）．

しかし，前立腺がんは悪性腫瘍のなかでは最も長く生きのびられるものの1つである．しかも女性ホルモン療法が大変有効ながんであるので，手術による侵襲や，その後の臥床期間中の種々の合併症などを考えると，余命の短い高齢者には，女性ホルモン療法を first choice とすべきと思われる．

機能的排尿障害は，いわば神経因性のものの1つとも考えられ，精神因性排尿異常ともいわれる．排尿に際して腹圧を加えても，外括約筋が逆に緊張状態になり，弛緩できないもので，器質的な障害がなくても精神的興奮，緊張によって尿閉が起こったり，逆に失禁がみられることもある．これが繰り返し起こるようになれば病的であり，薬剤により緊張を取り除いてやるとともに精神療法も必要である．

女性では腹圧，手圧を加える排尿訓練を行うことで目的を達するが，男性では頑固に尿閉が持続する場合がある．このような場合，第2，3仙骨神経のフェノールブロックにより外括約筋の痙縮状態を緩和する方法が推奨される．また，排尿訓練について共通していえることであるが，排尿機構は背臥位では十分に働きにくいものであるので，ベッド上で行わずに，ベッドより足を垂らした座位や立位，あるいはしゃがんだ姿勢で行わせることが1つのコツである．

6 尿失禁，特に真性腹圧性尿失禁

不随意に尿が流出する状態を尿失禁 urinary incontinence という．子供では遺尿症，夜尿症など機能的なものが大部分であるのに対し，高齢者では器質的なものが多くなる．その一部に前述の神経因性膀胱によるものもある．

以下に尿失禁に対する主な薬物療法について述べる．

表Ⅳ・8・14　高齢女性に生じやすい尿失禁

尿失禁の原因	尿失禁のタイプ
① 女性特有の原因による尿失禁	
真性腹圧性尿失禁	腹圧性尿失禁
子宮がんの治療	溢流性・切迫性・腹圧性尿失禁
萎縮性腟尿道炎	切迫性尿失禁
② 女性に生じやすい尿失禁	
膀胱炎	切迫性尿失禁
間質性膀胱炎	切迫性尿失禁
萎縮膀胱（放射線治療後）	切迫性尿失禁
③ 男女同程度に生じる尿失禁	
脳血管障害	切迫性・溢流性尿失禁
糖尿病	溢流性尿失禁
直腸がん術後	溢流性尿失禁
認知症	機能性尿失禁
ADL障害	機能性尿失禁

〔文献11）より〕

なることがある。

臨床における真性腹圧性尿失禁の予防として，括約筋の機能低下をきたさないためにも，長期の留置カテーテルを避けることである。これは特に中年以降の女性には大切なことである。すでに症状があるものに対しては，できるだけその進行を食い止めるために，以下のような指導，リハビリテーションを行う。

① 括約筋の強化。排尿中断訓練を排尿のたびごとに行わせる。
② 膀胱底筋の強化。肛門閉鎖訓練を1日に数回行わせる。
③ 膀胱内があまり充満しないうちに排尿する習慣をつけさせる。
④ 肥満を避ける。
⑤ 便秘を避ける。

尿失禁に対する薬物療法

① 溢流性尿失禁：α遮断薬
② 切迫性尿失禁：抗コリン薬，Ca拮抗薬
③ 反射性尿失禁：抗コリン薬，Ca拮抗薬
④ 腹圧性尿失禁：α刺激薬，β刺激薬

そのほか高齢者，特に女性によくみられる尿失禁（表Ⅳ・8・14）として，腹圧性尿失禁がある。これは男性ではまれであるが，女性では若年層からみられることも多い。短い尿道，尿道括約筋・骨盤底筋群の構造上の問題から尿道の締まりが悪く，加えて出産に伴う筋肉・神経系の損傷，閉経後の卵巣ホルモンの低下などから腹圧性尿失禁が多くなっている。これを真性腹圧性尿失禁 true stress incontinence として1つの疾患単位としている。特に出産やその他の手術などにより，骨盤底組織が弛緩している中年以降の女性にみられる。これは骨盤底横紋筋群の収縮機構が尿排出を阻止するのに，重要な役割を持っていることから推察できる。加齢に伴い外尿道括約筋の機能が低下してくると，咳，くしゃみ，笑い，泣き，物を持ち上げた際など，日常諸動作の中で腹圧亢進をみるような動作によって尿失禁をみるようになる。軽いものはわずか1〜2滴程度で問題ないが，次第に進行して，常時下着が濡れている状態にも

7　薬剤の副作用による排尿障害

高齢者では多種の疾患を併存してもつことが多いため，多くの薬物を服用することがある。また，風邪などの際に自律神経に作用する薬剤を服用して排尿障害に悩む場合も少なくない。表Ⅳ・8・15に排尿障害をきたす薬剤を示した。

8　尿失禁に対するリハビリテーション

尿失禁を生じる原因には様々な要因があり，それぞれ泌尿器科，婦人科，神経内科，精神神経科，整形外科，一般内科，リハビリテーション科，老人科などで扱われる。さらに医師に加え看護師，保健師，理学療法士，作業療法士，ソーシャルワーカーなどがかかわり，多種医療職によるチーム医療でアプローチする場合が多い。

高齢者の尿失禁の原因

1. 神経学的要因
① 脳卒中
② パーキンソン病
③ 神経筋疾患
④ 脳腫瘍

表Ⅳ・8・15 排尿障害をきたす薬剤

種類	一般名（商品名）	排尿障害
催眠・鎮静薬	ニトラゼパム（ネルボン，ベンザリン）	夜尿，頻尿
抗めまい薬	ジフェニドール塩酸塩（セファドール）	排尿困難
抗うつ薬	イミプラミン塩酸塩（トフラニール）	排尿困難，尿閉，尿失禁
抗精神病薬	プロクロルペラジン（ノバミン）	排尿困難，尿閉，尿失禁
抗てんかん薬	バルプロ酸ナトリウム（デパケン）	排尿困難，尿失禁，夜尿
抗パーキンソン薬	ビペリデン（アキネトン）	排尿困難，尿閉
抗痙縮薬	バクロフェン（ギャバロン，リオレサール）	排尿困難，尿失禁
骨格筋弛緩薬	ダントロレンナトリウム水和物（ダントリウム）	排尿困難，尿失禁
風邪薬	（PL配合顆粒）	排尿困難，尿閉
副交感神経抑制薬	ブチルスコポラミン臭化物（ブスコパン）	排尿困難，尿閉
抗アレルギー薬	クロルフェニラミンマレイン酸塩（ポララミン）	排尿困難
抗不整脈薬	メキシレチン塩酸塩（メキシチール）	排尿困難
降圧薬	ヒドララジン塩酸塩（アプレゾリン）	排尿困難，尿失禁
冠血管拡張薬	硝酸イソソルビド（ニトロール）	尿失禁
気管支拡張薬	エフェドリン塩酸塩（エフェドリン）	排尿困難
消化性潰瘍薬	シメチジン（タガメット）	排尿困難
抗がん剤	シクロホスファミド（エンドキサン）	排尿困難，尿失禁

⑤ 慢性硬膜下水腫，水頭症
⑥ 末梢神経障害（糖尿病，アルコール性ニューロパチーなど）
⑦ 後縦靱帯骨化症，椎間板ヘルニアなどによる脊髄障害
⑧ 意識障害

2. 内科・整形外科的要因
① 関節炎など運動器障害に伴う移動能力低下
② 肺炎，大腿骨頸部骨折などによる長期臥床による廃用症候群
③ 睡眠薬や利尿薬の服用
④ 便秘・大便失禁
⑤ アルコール過剰摂取

3. 泌尿器・婦人科的要因
① 尿路感染
② 膀胱がん，大腸がん
③ 前立腺肥大
④ 婦人科的腫瘍
⑤ 骨盤筋群筋力低下
⑥ 妊娠，出産後の脱力

4. 心理的要因
① 認知症
② うつ状態
③ ストレス，不安
④ 行動障害（周囲の人の注意を引くためなど）

5. 家屋・環境要因
① 不適切な家具・設備（ベッド，トイレの高さなど）
② トイレまでの距離が遠い
③ 照明が暗い
④ わかりづらいトイレの場所
⑤ 衣服着脱困難

⑥ 不適切な部屋の温度環境（寒気，暖房など）

〔文献12）より改変〕

a 排出障害に対するリハビリテーション

　排出障害が高度であれば，残尿のための感染や膀胱の過拡張が生じ，ひいては上部尿路変形や腎機能障害につながる危険性がある。

1. カテーテルによる方法

　尿失禁や排尿困難が生じるとFoleyのバルーンカテーテルなどを留置する方法がよくとられる。たしかに看護する側にとっては大変楽であり，寝具を汚すことも少ないが，後で以下のようないろいろな問題を引き起こすことが多く，決して安易に長期使用するものではないことを銘記すべきである。

　カテーテル留置は消毒を十分行っても上行性感染は必発であり，また，カテーテルは異物であるため，尿中の塩類が析出して結石を生じさせたり，尿道に存在することで尿道分泌腺の出口を塞ぐことになり，尿道粘膜に対する物理的圧迫を伴って，容易に炎症を起こしやすく，ひいては，腎盂腎炎，敗血症などを誘発する危険性もある。また，膀胱がんの発生頻度も高くなる。

男性では精囊腺炎，精管炎，精巣上体炎，精巣炎などを起こすこともあり，特に脊髄損傷ではこれらをみることは珍しいことではない．いずれにしても，これらの感染が固定化すると治癒は大変困難となり，一時的には抗菌薬で症状が軽快しても再発を繰り返し，菌も耐性を獲得したり，緑膿菌感染，真菌類の感染も加わって，その対策に頭を悩ます結果となる．また，膀胱括約筋の機能を低下させないためにも以下の場合以外にはカテーテルの長期留置は避けるべきであろう．

留置カテーテルをせざるを得ない状態
① 全身状態が不良で尿量の厳重な監視が必要な場合
② 創傷や褥瘡のため汚染や湿潤を避けるため陰部・殿部の清潔を必要とするが，頻回で高度な尿失禁がある場合：全体型おむつより，布製パンツ＋尿パッドのほうが刺激が少ない
③ 膀胱尿管逆流現象の伴った腎盂腎炎の急性期
④ 間欠的導尿が不可能な場合
⑤ 排尿困難：抜去すると尿閉になり排尿できない場合，残尿が多い場合

カテーテル留置期間中の注意事項
① カテーテルを強く引っ張らないこと
② 飲水は多少多めにする
③ カテーテル交換は2〜4週ごと
④ 尿混濁が強いときは1日1〜数回洗浄する
⑤ アルカリ尿のときは尿酸化剤を投与する

留置カテーテル抜去の手順
① 前日までに本人に説明する
② 早朝に抜去する→尿意の出現・失禁を期待する
③ 失禁や尿意のない場合は，2時間おきの排尿誘導を行う
④ 6時間程度または膀胱容量300 mL以内で導尿を行う
⑤ 夜間も同様に少し間隔をあけて対応するか，再度留置カテーテルとする
⑥ 初日にはうまくいかなくても，できれば誘導を2〜3日続ける
⑦ 自尿あるいは失禁があった場合でも，残尿を超音波などでチェックしておく

尿路感染は上述のように固定化すると大変厄介なものであり，生命の危険にもつながるものであるので，これを極力予防しなければならない．その原則は，次のようである．

① 残尿を極力少なくする．
② カテーテルによる細菌導入を避けるための十分な消毒．
③ カテーテルの留置は避ける．やむをえず使用する場合には，できるだけ短期間にとどめる．
④ 常に開放とせず，可能ならば1〜2時間カテーテル閉鎖して尿を膀胱内に一定量ため，その後に開放する方法を1日数回繰り返すとよい．
⑤ 膀胱訓練の早期開始．

これらの目的のために急性期で尿路感染を起こしやすい状態のときなどに医療者が行う1日数回の無菌的間欠導尿法 intermittent catheterization がある．

① 外陰部の剃毛と十分な消毒．
② 使用器具をはじめ，術者の手の十分な消毒．
③ 1回導尿量が400 mLを超えないようにする．
④ 最終的に外陰部を滅菌袋またはガーゼで覆っておく．
⑤ 抗菌薬は極力使用しないようにする（一時的には効果があるが，早晩耐性菌が生じ有益とは思えないため，むしろ，物理的に洗い流したほうが有益と思われる）．

以上の操作などを必要とし，バルーンカテーテルの場合に比較すると，はるかに多くの時間と手間がかかる欠点はあるが，膀胱訓練が早期に可能であり，自立排尿可能になるのが早いことと，感染を予防しうる利点を考えるならば，総合的には省力化につながるものと考えられる．

回復期，慢性期には患者や家族などによって，やや清潔度は低下するが物理的排尿に伴う尿路感染防止などを目的とし清潔間欠導尿が行われる．これには，カテーテルとそれを収めるキャップとケースが一体になった市販製品（セルフカテ：富士システムズ）を用いる．方法は以下のようである．

表IV・8・16 種々の排尿方法の適応とその指導

通常トイレ	可能な例では，なるべく日中トイレを使用 通常の洋式トイレが使えれば外出など生活空間が拡大する 自宅のトイレの環境チェック．必要に応じ改造も考慮する トイレ誘導や介助方法の適切な指導
ポータブルトイレ	自宅内トイレまでの通路などに問題がある場合 夜間のトイレへの誘導の省略と転倒などの安全管理のため，手すり，背もたれがあり，滑らず扱いやすいものを選択
尿器（しびん）	車椅子などへの移乗が困難な場合（夜間や介助者の時間帯に応じた選択），ベッド上でとったり，腰掛け座位で使用 女性は当てにくいこともあるので，何種類かを試して選ぶようにする 尿器を置く際にこぼしてしまうようなら，安楽尿器を用いる
安楽尿器	尿器にたまった尿の処理の簡素化 電動のものもあるが，ベッドの下に置いて使用するのが使いやすい
コンドーム型集尿器	男性の夜間の排尿や，外出時に使用 周囲への汚染がなく，排尿のために起きる必要がない 皮膚のかぶれにも注意が必要
おむつ，尿とりパッド	介助できる時間帯によって，尿とりパッド，パンツタイプ，おむつ式などを選択する 皮膚の湿潤，汚染，かぶれなどに注意が必要．特に褥瘡の誘発に注意
バルーンカテーテル留置	周囲の汚染がなく管理が容易であるが，感染や尿道損傷に注意が必要 自己抜去に注意（尿道損傷が生じる可能性がある） 入浴時や便失禁時の処理の仕方を家族に指導する必要がある
夜間のみバルーンカテーテル留置	夜間のみ，家族や訪問看護師によってバルーンカテーテルを留置する 夜間尿量の多い症例や，残尿のある症例で適応になる

① 導尿をする患者・家族は石鹸あるいはアルコール綿で手指を消毒する．
② クロルヘキシジンやベンザルコニウムで尿道口を消毒する．
③ 尿道口をよく確認しカテーテルを挿入し排尿する．
④ カテーテルを抜き，流水（水道水）で洗う．
⑤ 0.025％ハイアミン＋グリセリンの入ったケースにカテーテルを入れ保管する．
⑥ 溶液の交換は，1日1回汚れたらそのつど交換する．

2. 膀胱訓練

① 尿意がない場合：大腿内側や下腹部のトリガーポイントを刺激して排尿を促す．
② 手圧排尿：排尿に際して下腹部へ手圧などを加えて排尿を促す方法であり，残尿のほとんどない場合は有用であるが，残尿のある場合は膀胱の過伸展につながるため注意が必要である．
③ 留置カテーテル抜去前訓練：留置カテーテルを抜去できるかどうかみるために，一定時間あるいは尿意を感じるまでクランプし，尿意を確認

する．

b 蓄尿障害に対するリハビリテーション

何時にどれくらいの尿量で排尿したかを記録させ，その排尿記録をもとに膀胱の容量を推定し，排尿時間を計画する．そして，膀胱許容量に近づけるように我慢させたりする．その際，膀胱内圧が上がっていないことを確認する必要がある．

c 身体機能障害からくる排尿障害に対するリハビリテーション

リハビリテーションとして主にアプローチできる方法であり，様々な理学・作業療法が有効となる（表IV・8・16）。

1. 作業療法

主に上肢機能や高次脳機能障害に基づく排尿障害に対して行う．
① 上肢機能改善
② 座位保持・耐久訓練

③ 更衣動作訓練（ボタンの代わりのマジックテープなどの衣服の工夫も含む）
④ トイレ動作訓練（衣服の操作から後始末まで具体的な訓練）
⑤ 高次脳機能障害に対する訓練（着衣失行，半側空間無視など）

2. 理学療法

① 下肢筋力増強・機能訓練：片麻痺の健側下肢筋力増強訓練など
② 下肢関節可動域の改善・確保：痙性麻痺による内反尖足，伸展・屈曲拘縮の改善
③ 座位（立位）バランス訓練
④ トランスファー訓練（立ち上がり，乗り移り訓練）

3. 環境改善

① トイレとベッドの距離の短縮化
② 手すりや段差の改善による移動の容易化
③ 洋式便器の使用や便座の高さの改善
④ 背もたれや手すりのあるトイレ
⑤ 介助人の確保，家族介護の指導
⑥ 生活リズムの改善
⑦ トイレへの道順の明示化

9 生活習慣病のリハビリテーション

A 生活習慣病（表Ⅳ・9・1）

食事習慣，運動習慣，休養，喫煙，飲酒など，生活習慣が主な発症・進行原因に考えられている疾患の総称である。生活習慣病の発生要因は，加齢や遺伝因子の内的因子，ストレスや有害物質などの外的因子，さらに，食生活，運動習慣，喫煙，飲酒などの生活因子が複雑に関与している。

主な疾患は，糖尿病（2型糖尿病），高血圧，脂質異常症，肥満症などである。その他，高尿酸血症や動脈硬化症，脳卒中，心臓病（狭心症，心筋梗塞），COPD（慢性気管支炎，肺気腫），大腸がん，アルコール性肝障害，歯周病，骨粗鬆症などがある。

表Ⅳ・9・1　生活習慣病にかかわる生活習慣

食事習慣	過食や高脂肪食，高塩分食，偏食，野菜不足など
運動習慣	運動不足など
休養	過度のストレス，過労，睡眠不足，不規則な生活など
飲酒	大量のアルコール摂取
喫煙	タバコ全般

表Ⅳ・9・2　メタボリックシンドロームの診断基準

1. ウエスト周径
   男性85 cm以上，女性90 cm以上
   これらの値はCTスキャンでも内臓脂肪面積100 cm^2に相当する。
2. 1に加え，以下のうち2項目以上のリスクを有する場合をメタボリックシンドロームと診断する。
   1) リポ蛋白異常
      A) 高中性脂肪（TG）血症（150 mg/dL以上）
      B) 低HDLコレステロール血症（40 mg/dL未満）
   2) 血圧高値
      A) 収縮期血圧（130 mmHg以上）
      B) 拡張期血圧（85 mmHg以上）のいずれか，または両方
   3) 高血糖
      A) 空腹時血糖（110 mg/dL以上）

〔文献1）より〕

B メタボリックシンドローム metabolic syndrome（表Ⅳ・9・2）

代謝異常症候群（メタボリックシンドローム metabolic syndrome）とは，基準以上のウエスト周径に加え，脂質異常症，高血圧，肥満，糖尿病のうち2つ以上に該当する場合をいい，複数の危険因子が重なり，動脈硬化疾患，冠動脈疾患の発症率が高くなるといわれている。

C 糖尿病のリハビリテーション

インスリン分泌不足やインスリン作用不足を原因とする持続的な高血糖によって，時に口渇・多飲・多尿などの症状を伴って発症するが，多くの場合は症状は軽く無症状であるため，健康診断などで発見される場合も少なくない。糖尿病はインスリン注射を必要とする1型糖尿病〔インスリン依存型糖尿病 insulin dependent diabetes mellitus（IDDM）〕と，治療には必ずしもインスリンを必要としない2型糖尿病〔インスリン非依存型糖尿病 non-insulin dependent diabetes mellitus（NIDDM）〕に分けられる。

糖尿病は全身疾患であり，網膜，腎臓，神経に合併障害が出現しやすく，10年以上の長期罹患者にその頻度が高くなり，失明や腎不全，脳血管障害，心疾患，閉塞性動脈硬化症などの重大な障害をきたすことがある。

表Ⅳ・9・3　血糖コントロール目標（妊娠例を除く，成人例に対する目標値）

目標	血糖正常化を目指す際の目標	合併症予防のための目標	治療強化が困難な際の目標
HbA1c(NGSP)	6.0% 未満	7.0% 未満	8.0% 未満
内容	適切な食事療法や運動療法だけで達成可能な場合，または薬物療法中でも低血糖などの副作用なく達成可能な場合	合併症予防の観点から HbA1c を 7.0% 未満。対応する血糖値を，空腹時血糖値 130 mg/dL 未満，食後 2 時間血糖値 180 mg/dL 未満を目安とする。	低血糖などの副作用，その他の理由で治療の強化が難しい場合

表Ⅳ・9・4　糖尿病網膜症による網膜所見の変化

分類	網膜血管症	網膜所見
単純性網膜症	血管拡張 ↓ 毛細血管瘤 ↓ 血管壁脆弱化 ↓ 透過性亢進	毛細血管瘤 点状，しみ状出血 硬性白斑 網膜浮腫
前増殖性網膜症	↓ 血管床閉塞 ↓	綿花様白斑（軟性白斑） 線状出血 網膜内毛細血管異常 高度の静脈変化
増殖性網膜症	血管新生 ↓ 硝子体剝離 ↓ 硝子体出血 網膜剝離	新生血管 線維性増殖 硝子体出血 牽引性網膜剝離

1 糖尿病のコントロール

　糖尿病の血糖コントロールの指標として HbA1c を用い，治療目標は年齢，罹患期間，低血糖の危険性，サポート体制などを考慮して個別に設定する。特に高齢者では，認知機能や ADL などの考慮が必要である（日本糖尿病学会）。コントロール基準を表Ⅳ・9・3 に示す。

2 糖尿病の 3 大合併症

　3 大合併症の糖尿病網膜症による網膜所見の変化を表Ⅳ・9・4 に，糖尿病性腎症の病期分類を表Ⅳ・9・5 に，腎不全による透析の導入基準を表Ⅳ・9・6 に，糖尿病性神経障害の分類を表Ⅳ・9・7 に示す。これらの状態によっては運動負荷量に留意が必要となる。

3 糖尿病のリハビリテーションの実際

　糖尿病患者のリハビリテーションは，全身管理と運動処方によって行われる。実際の運動処方の流れは，運動療法適応決定→運動負荷試験・身体組成計測・メディカルチェック→運動プログラム作成→運動実施，のように行われる。その効果は，次のようなものがあり，適切な運動処方のもとに行われる。

糖尿病における運動の効果

① 血糖降下の効果
・運動時のエネルギー源として血中のブドウ糖（血糖）を使用するため，運動すると血糖が下がり，その効果は翌日まで持続する。
・運動を継続することで肝臓・筋肉・脂肪組織のインスリン感受性が改善し，インスリン量を節約でき，膵臓の負担も軽減する。
・グリコヘモグロビンの低下
② 体重減少の効果
・運動時のエネルギー源として遊離脂肪酸も使用するので，運動を継続すると体重を減らすことができる。
③ 脂質代謝の改善効果
・運動により血液中の中性脂肪や動脈硬化の原因となる LDL コレステロールを減らし，その代わり動脈硬化を軽減予防する HDL コレステロールが増加する。
④ 心臓や肺の働きを強化する効果
⑤ 軽・中等度の高血圧の改善
⑥ エネルギー消費の増加
⑦ 下肢筋力を強くして，老化を予防する効果
⑧ 血液循環改善効果
⑨ ストレス解消など気分転換効果
⑩ 体力と柔軟性の向上
⑪ QOL の向上

表 Ⅳ・9・5　糖尿病性腎症の病期分類（改訂）

病期	尿アルブミン値（mg/gCr）あるいは尿蛋白値（g/gCr）	糸球体濾過率（GFR）（mL/分/1.73 m^2）
第1期（腎症前期）	正常アルブミン尿（30 未満）	30 以上
第2期（早期腎症期）	微量アルブミン尿（30～299）	30 以上
第3期（顕性腎症期）	顕性アルブミン尿（300 以上）あるいは持続性蛋白尿（0.5 以上）	30 以上
第4期（腎不全期）	問わない	30 未満
第5期（透析療法期）	透析療法中	

注1：糖尿病性腎症は必ずしも第1期から順次第5期まで進行するものではない。本分類は，厚労省研究班の成績に基づき予後（腎，心血管，総死亡）を勘案した分類である（URL：http://mhlw-grants.niph.go.jp/, Wada T, Haneda M, Furuichi K, Babazono T, Yokoyama H, Iseki K, Araki SI, Ninomiya T, Hara S, Suzuki Y, Iwano M, Kusano E, Moriya T, Satoh H, Nakamura H, Shimizu M, Toyama T, Hara A, Makino H：The Research Group of Diabetic Nephropathy, Ministry of Health, Labour, and Welfare of Japan. Clinical impact of albuminuria and glomerular filtration rate on renal and cardiovascular events, and all-cause mortality in Japanese patients with type 2 diabetes. Clin Exp Nephrol. 2013 Oct 17.［Epub ahead of print］）
注2：GFR 60 mL/分/1.73 m^{2}未満の症例はCKDに該当し，糖尿病性腎症以外の原因が存在し得るため，他の腎臓病との鑑別診断が必要である。
注3：微量アルブミン尿を認めた症例では，糖尿病性腎症早期診断基準に従って鑑別診断を行った上で，早期腎症と診断する。
注4：顕性アルブミン尿の症例では，GFR 60 mL/分/1.73 m^{2}未満からGFRの低下に伴い腎イベント（eGFRの半減，透析導入）が増加するため注意が必要である。
注5：GFR 30 mL/分/1.73 m^{2}未満の症例は，尿アルブミン値あるいは尿蛋白値に拘わらず，腎不全期に分類される。しかし，特に正常アルブミン尿・微量アルブミン尿の場合は，糖尿病性腎症以外の腎臓病との鑑別診断が必要である。

【重要な注意事項】本表は糖尿病性腎症の病期分類であり，薬剤使用の目安を示した表ではない。糖尿病治療薬を含む薬剤特に腎排泄性薬剤の使用に当たっては，GFR等を勘案し，各薬剤の添付文書に従った使用が必要である。

〔文献2）糖尿病性腎症合同委員会：糖尿病性腎症病期分類2014の策定（糖尿病性腎症病期分類改訂）について．糖尿病 57：529-534, 2014 より〕

表 Ⅳ・9・6　慢性腎不全透析導入基準

Ⅰ．臨床症状
　①体液貯留（全身性浮腫，高度の低蛋白血症，肺水腫）
　②体液異常（管理不能の電解質・酸塩基平衡異常）
　③消化器症状（悪心，嘔吐，食思不振，下痢など）
　④循環器症状（重篤な高血圧，心不全，心外膜炎）
　⑤神経症状（中枢・末梢神経障害，精神障害）
　⑥血液異常（高度の貧血症状，出血傾向）
　⑦視力障害（尿毒症性網膜症，糖尿病性網膜症）
これら①～⑦小項目のうち3個以上のものを高度（30点），2個を中等度（20点），1個を軽度（10点）とする。

Ⅱ．腎機能
血清クレアチニン（mg/dL），クレアチニンクリアランス（mL/分）
　3～5 mg/dL 未満（20～30 mL/分未満）　10点
　5～8 mg/dL 未満（10～20 mL/分未満）　20点
　8 mg/dL 以上　（10 mL/分未満）　　　30点

Ⅲ．日常生活障害度
尿毒症状のため起床できないものを高度（30点）
日常生活が著しく制限されるものを中等度（20点）
通勤，通学あるいは家庭内労働が困難となった場合を軽度（10点）

Ⅰ＋Ⅱ＋Ⅲ＝60点以上を透析導入とする。
なお，年少者（10歳未満），高齢者（65歳以上），全身性血管合併症のあるものは10点を加算する。

（厚生省科学研究・腎不全医療研究班，1991 より）

運動療法の短期生理学的効果

①利用されるエネルギー供給源の経時的変化
・運動開始後の5～10分間は筋肉内のグリコーゲンが利用される。
・続いて血中のブドウ糖が利用され，減少した血液中のブドウ糖は肝臓から供給される。
・その後，運動が継続されると脂肪組織からの遊離脂肪酸が利用され始める。
・脂肪がエネルギー源の50%以上となるのは30分以上運動が継続した場合である。

②運動と脂肪組織
・運動強度が最大酸素摂取量の50%程度までの場合は糖質と脂質の使われ方はほぼ同程度であるが，さらに運動強度が増すと脂質利用の割合が低下してくる。

③インスリン量と運動
・インスリン欠乏状態（血糖コントロール不良）で運動すると，インスリン減少とグルカゴン増加による肝臓での糖産生亢進をきたし，血糖は高くなる。

④自律神経系の関与
・運動強度が増すと交感神経系が興奮してくる。
・運動強度が最大酸素摂取量の50%を超す運動では，ノルアドレナリンの分泌が増加し，結果的に肝臓での糖産生を増大させる。

表Ⅳ·9·7　糖尿病性神経障害の分類

Ⅰ．遠位多発性神経障害
　①知覚優位型：左右対称性に四肢末端（グローブストッキングタイプ），特に下肢に生じやすく，しびれ感，灼熱感，疼痛，知覚麻痺がみられ，疼痛は夜間に増悪することが多い
　②運動優位型：四肢遠位部の筋力低下と筋萎縮を認める
　③知覚運動型：上記両者の混合型
Ⅱ．近位神経障害：近位部筋力低下（大腿四頭筋・殿筋・腸腰筋・大腿内転筋，大腿外転筋）
Ⅲ．自律神経障害：起立性低血圧，糖尿病性胃症，交代性下痢，神経因性膀胱，勃起不能
Ⅳ．単一性および多発性単一神経障害
　①脳神経型：動眼神経，外転神経，顔面神経
　②四肢および体幹神経型：尺骨神経障害，腓骨神経障害，大腿神経障害

（WHO分類より改変）

表Ⅳ·9·8　運動処方の目安

	回/週	分	分/週	脈拍/分
非活動的	4〜6	10〜20	40〜80	100〜120
少し活動的	4〜6	15〜30	90〜120	100〜130
普通	3〜5	30〜45	120〜180	110〜140
活動的	3〜5	45〜60	180〜300	120〜160
運動選手	5〜7	60〜120	300〜840	140〜190

運動療法の長期生理学的効果

インスリン感受性改善効果

① 糖尿病では肝臓・筋肉・脂肪細胞などのインスリン感受性の低下（インスリン抵抗性：同じインスリン量でもその効果が下がること）がある。
② 継続的な運動はこのインスリン抵抗性を少なくする（すなわち，インスリン感受性が改善し，インスリン依存性糖尿病では，インスリン注射量が少なくなる）
③ この機序は以下のようなものが考えられる。
・筋肉の毛細血管密度や筋血流量の増加
・最大糖輸送担体（GLUT4）量の増加
　ⓐ 糖輸送担体GLUT4（グルコーストランスポータータイプ4）は，普段は細胞内に存在している。インスリンが細胞表面に付着すると，細胞表面に移動し，血液中のブドウ糖を細胞内に取り込む働きをする。
　ⓑ 糖尿病では脂肪組織から出る阻害物質がインスリンからGLUT4への指令伝達路を遮断するためGLUT4が細胞表面に出るのが障害される。
・糖代謝酵素（グリコーゲン合成酵素・ピルビン酸脱炭酸酵素など）の活性化

表Ⅳ·9·9　運動交換表

運動の強さ	1単位あたりの時間	運動	（エネルギー消費量，kcal/kg/分）
Ⅰ．非常に軽い	30分くらい続けて1単位	散歩	0.0464
		乗物（電車，バス立位）	0.0375
		炊事	0.0481
		家事（洗濯・掃除）	0.0471〜0.0499
		一般事務	0.0304
		買い物	0.0481
		草むしり	0.0552
Ⅱ．軽い	20分くらい続けて1単位	歩行（70 m/分）	0.0623
		入浴	0.0606
		階段（降りる）	0.0658
		ラジオ体操	0.0552〜0.1083
		自転車（平地）	0.0658
		ゴルフ（平均）	0.0835
Ⅲ．中等度	10分くらい続けて1単位	ジョギング（軽い）	0.1384
		階段（昇る）	0.1349
		自転車（坂道）	0.1472
		歩くスキー	0.0782〜0.1348
		スケート	0.1437
		バレーボール	0.1437
		登山	0.1048〜0.1508
		テニス（練習）	0.1437
Ⅳ．強い	5分くらい続けて1単位	マラソン	0.2959
		なわとび	0.2667
		バスケットボール	0.2588
		水泳（平泳ぎ）	0.1968
		ラグビー（前衛）	0.2234
		剣道	0.2125

1単位は80 kcal相当

〔文献3）より〕

　また，具体的な運動処方と運動量の目安として表Ⅳ·9·8，9のようなものを参考にするとよい。
　糖尿病患者は，健常人よりも動脈硬化が進んでいたり筋力低下などがあるため，危険性回避の観

表Ⅳ・9・10　運動負荷試験時のエンドポイント

自覚症状によるエンドポイント	他覚症状によるエンドポイント
① 胸痛，胸部圧迫感，胸部不快感（急性の心機能低下の徴候であることがあり，心電図上に異常を認めなくても中止する） ② 呼吸促迫による息苦しさの増強 ③ 足の疲労 ④ これ以上続けると何か起きそうだという感じ	① 血圧：頭痛，吐気，めまいなどを伴う急激で著しい上昇，負荷の増加に伴い 20 mmHg 以上の収縮期血圧の低下 ② 心拍数：年齢によって定められた最大心拍数（目標心拍数）への到達，負荷の増加に反する急激な 20 拍/分以上の減少 ③ 心電図：ST の 2 mm 以上の低下，心室性期外収縮の出現（連続 2 発以上，波形の異なる多源性のもの，負荷を増加することにより 1 分間に 6 発以上出現するもの） 心室性頻拍の出現 心房細動，上室性頻拍の出現 2 度以上の房室ブロックの出現

点から，実際に運動療法を行ったときの中止基準として表Ⅳ・9・10 のようなものを参考にしながら慎重に行うようにするとよい．

さらに，糖尿病性合併症のみられるときは表Ⅳ・9・11 のような基準が加味される．

主としてインスリン感受性の改善によるトレーニング効果はトレーニング中断後 3 日以内で低下し，1 週間で消失する．また，運動による代謝促進は運動筋に限られた効果であり，中等度の運動負荷で糖質と遊離脂肪酸の両方が利用されるが，運動強度が強いと糖質だけが利用され，脂肪組織の分解が行われないので注意を要する．実際には，散歩，ジョギング，自転車，水泳などの有酸素運動を，50％最大酸素摂取量の強さ（脈拍 110/分程度：60〜70 歳）で 10〜15 分程度/1 回，週 3 回以上行わせるように指導する．

さらに，運動処方作成を行う際の注意点として，以下のようなことに注意しなければならない．

まず，① 年齢は 35 歳以下か，以上かで分け，

表Ⅳ・9・11　糖尿病性合併症と運動の適否

1. 糖尿病網膜症		
単純	運動制限は行わない	
増殖前	眼科的治療を受け安定した状態であれば運動可（眼科医と相談が望ましい）	
増殖	眼科的治療を受け安定した状態であれば運動可（眼科医と相談が望ましい）	
増殖前，増殖網膜症では，Valsalva 型運動（息をこらえて力む運動）や頭位を下げる運動は行わない		
2. 糖尿病性腎症		
第 1 期（腎症前期）	原則として糖尿病の運動療法を行う	
第 2 期（早期腎症期）	原則として糖尿病の運動療法を行う	
第 3 期（顕性腎症期）	原則として運動可，ただし病態によりその程度を調節する	
第 4 期（腎不全期）	原則として運動可，ただし病態によりその程度を調節する	
第 5 期（透析療法器）	原則として運動可，ただし病態によりその程度を調節する	
3. 糖尿病性神経障害		
感覚・運動神経障害	触覚・痛覚・振動覚の低下	足の壊疽に注意（フットケア教育），適切な運動靴を使用　水泳，自転車の運動がよい
自律神経障害	起立性低血圧 呼吸性不整脈の消失 安静的頻脈	日常生活以外の運動は制限する
4. 糖尿病性大血管症		
心血管障害	狭心症・心筋梗塞	心臓リハビリテーションプログラムに従い，監視下で運動を開始する
末梢動脈疾患	間欠性跛行・安静的疼痛	軽・中等強度の歩行，水泳，自転車（エルゴメーター），下肢のレジスタンス運動

〔文献 4〕より〕

表Ⅳ・9・12　運動処方作成のポイント

Ⅰ．個別性	① 年齢・性・職業 ② 代謝異常・合併症 ③ 治療内容 ④ 生活・運動習慣・体力レベルなど
Ⅱ．運動指導内容	① 種類：有酸素運動が主体 ② 強度：30～70％（$\dot{V}O_{2max}$） ③ 持続：10～30 分/1 回 ④ 頻度：3 回以上/週
Ⅲ．運動プログラム内容	① ウォーミングアップ ② 主要運動（歩行，エルゴメーター，ジョギングなど） ③ 補助運動 ④ クールダウン

表Ⅳ・9・13　糖尿病患者の運動開始前の注意点

運動の種類	運動強度および運動時間の推定 消費カロリーの推定 運動が普段の運動と比較して通常範囲か否かの検討 現在の体調・健康状態と運動が適合するか否かの検討
運動開始前の血糖コントロール	100 mg/dL 以下：運動前にスナック摂取指示 100～250 mg/dL：運動開始可 250 mg/dL 以上：運動を延期し尿ケトンチェック 尿ケトン陰性：運動開始可 尿ケトン陽性：インスリン注射を行った後，尿ケトン陰性になるまで運動中止
インスリン	使用しているインスリンの種類と量の把握 注射時間と運動開始時間との時間差の検討 注射部位の選定
食事	運動開始前の最後の食事摂取時間 運動開始前のスナック摂取の検討 運動中の糖質補給の準備 運動後の食事摂取量の検討

② 35 歳以上の場合は始めに心血管系，呼吸器系，骨関節，神経系などの諸臓器系の疾患の有無を調べる必要がある。さらに，③ 日常生活における規則的運動の有無，④ インスリン依存型か非依存型か，⑤ 肥満の有無とその程度，⑥ 各種指標による糖尿病のコントロール状況，⑦ 糖尿病性合併症の有無とその状況など慎重に進めなければならない。

以上のことから運動プログラム作成のポイントを表Ⅳ・9・12に示す。

これらを基にした具体的な歩行運動の進め方として，ウォーミングアップは普通より少し速めに5～10 分間ゆっくり歩くことから開始し，歩行運動としては速く歩き，15 分後の脈拍（100～110/分程度）で速度調整しながら 30 分間運動する。その後，徐々に減速しながら 5～10 分かけてクールダウンし，最後に屈伸運動で終了とする。

近年，レジスタンス運動（筋力増強訓練）が有用とされ，有酸素運動との併用や，有酸素運動の実施が困難な場合は単独で行う。重錘やバンド（ラバー，シリコン），マシーン，自重を利用した訓練を行う[5]。

4　糖尿病の運動時の安全管理

糖尿病患者は種々の合併症や動脈硬化による変化をもつことが多く，運動中に糖が消費されすぎて低血糖になったり，逆に強い運動負荷による高血糖をきたしたり，インスリン不足状態で高血糖とケトーシスを引き起こしたりすることがある。また，合併症をもつ場合は，心血管系疾患の増悪や糖尿病性合併症の悪化をきたすことがあるので，運動実施中は詳細な患者観察に基づいたリスク管理が必要と思われる。

まず，運動開始前には表Ⅳ・9・13 のような点に注意すべきである。

運動時にはその運動量とインスリンのバランスによって低血糖になったり，高血糖になったりする可能性があり，その予防を行うことは管理するうえで大切である。

糖尿病における運動療法の禁忌

1．絶対的禁止基準
① インスリン欠乏が著しい場合（高血糖を伴い，尿中ケトン体が陽性）
② 合併症を有する場合
　ⓐ 眼底出血の危険性を有する糖尿病性網膜症（増殖性網膜症例）
　ⓑ ネフローゼタイプの糖尿病性腎症や腎不全
　ⓒ 重篤な心血管系障害（心筋梗塞，不安定性狭心症，TIA など）
　ⓓ 急性感染症
　ⓔ 糖尿病性壊疽
　ⓕ 高度の糖尿病性自律神経障害

2．相対的禁止基準
① 自律神経障害を認めない軽度の糖尿病性末梢神経障害を有する症例
② 微量アルブミン尿や尿蛋白出没症例

③眼底出血の危険性のない単純網膜症例
注）安全性を考えれば，事前に専門医の診察・運動の可否についての意見を求め，さらに運動負荷量や運動中の問題点把握のために，運動負荷試験を行うことが望ましい．

糖尿病における運動療法の注意点

1. 低血糖発作
① 低血糖時の症状は，空腹感，冷汗，めまい感，手の振え，動悸，イライラ感，不安感などで始まり，さらにひどくなると失見当，けいれん，最終的には意識障害（低血糖性昏睡）になる．
② インスリンを注射した部位の運動は急速なインスリン吸収を促進し，低血糖をもたらすこともあるので注意が必要である．
③ 運動の効果が長期に続くことから，運動終了後，十数時間後に生じる低血糖にも注意が必要である．
④ 運動時には低血糖発作時の対応のため必ず砂糖などの糖分を持ち歩くように指導する．

2. 低血糖症状
① 交感神経刺激症状
　血糖値が基準値を超えて急激に降下したときに生じる症状：発汗，不安，動悸，手指振戦，顔面蒼白
② 50〜70 mg/dL
・中枢神経系のエネルギー不足．
　症状：頭痛，眼のかすみ，空腹感，ねむけ（なまあくび）
③ 50 mg/dL 以下
・意識レベルの低下，異常行動，けいれんなどが混在し，昏睡状態となる．

運動時の低血糖と高血糖の予防策

① 運動の1〜3時間前に食事をとる
② 強い運動を長時間行うときは30分ごとに糖質補給する
③ 運動量に応じて，運動後24時間の食事量を増やす
④ インスリン注射は運動開始1時間以上前に行う
⑤ 注射直後の運動時は，運動に無関係な部位に注射する
⑥ 運動前のインスリンを減量する
⑦ インスリン注射時間を調節する
⑧ 運動前後に血糖を測定する
⑨ 血糖 250 mg/dL 以上で尿ケトン陽性は運動を延期する
⑩ 症例ごとの運動に対する血糖反応特性を理解する

表Ⅳ・9・14　運動に伴う血糖値に応じた補食

運動	血糖値(mg/dL)	補食の種類と量(単位)
軽度：歩行　自転車　30分以内	〜100	果物(0.5)＋パン(0.5)＋肉(0.5)
	100〜180	果物(0.5)またはパン(0.5)
	180〜	不要
中等度：テニス　水泳　ジョギング　60分	〜100	果物(0.5)＋パン(0.5)＋肉(0.5)
	100〜180	パン(0.5)＋肉(0.5)
	180〜240	果物(0.5)またはパン(0.5)
	240〜	不要
強度：スキー　フットボール　120分	その後1時間ごとに	パン(1)＋肉(1)　果物(0.5)またはパン(0.5)

〔文献6）より〕

表Ⅳ・9・15　運動時のインスリンの調節

インスリン減量	運動強度	運動時間
0%	軽〜強度	30分以内
5	軽度	30分以上
10	中等度	30〜60分
20	中等度	60分以上
	強度	30〜60分
30	強度	60分以上

〔文献6）より〕

　また，運動施行中も運動量に応じてカロリーが不足することもあり，補食などで補う必要がある（表Ⅳ・9・14）．さらに，インスリンを使っている場合，運動によってエネルギーが効率よく消費され，その結果，インスリンが過剰になることがあり，減量する必要がある．運動時のおおよそのインスリンの減量の基準を表Ⅳ・9・15に示す．

D 高血圧患者のリハビリテーション

1 高血圧の診断基準（表Ⅳ・9・16）

　世界保健機関（WHO）と国際高血圧学会（ISH）により1999年に新しい高血圧の定義が発表された．高血圧と診断する血圧値が低くなり，治療の目標血圧も低く設定されている．大規模試験の結

表Ⅳ・9・16　成人における血圧値（診察室）の分類

分類	収縮期血圧と拡張期血圧（mmHg）
正常血圧	<120 かつ<80
正常高値血圧	120〜129 かつ<80
高値血圧	130〜139 かつ/または 80〜89
Ⅰ度高血圧	140〜159 かつ/または 90〜99
Ⅱ度高血圧	160〜179 かつ/または 100〜109
Ⅲ度高血圧	≧180 かつ/または ≧110
（孤立性）収縮期高血圧	≧140 かつ<90

〔文献7〕日本高血圧学会高血圧治療ガイドライン作成委員会（編）：高血圧治療ガイドライン2019．ライフサイエンス出版，2019，p18 より改変〕

表Ⅳ・9・17　予後に影響を及ぼす因子

	心血管疾患の危険因子
Ⅰ リスク層別化に利用	収縮期血圧と拡張期血圧のレベル（グレード1〜3）
	55歳を超える男性
	65歳を超える女性
	喫煙
	総コレステロール値 250 mg/dL 以上
	糖尿病
	心血管疾患若年発症の家族歴
Ⅱ 予後に悪影響を及ぼす他の因子	HDL（善玉）コレステロール値の低下
	LDL（悪玉）コレステロール値の上昇
	糖尿病における微量アルブミン尿
	耐糖能異常
	肥満
	座りがちの生活習慣
	フィブリノーゲン値の上昇
	社会経済的に高リスク群
	人種的に高リスク群
	地域的に高リスク群
	標的臓器障害
左室肥大（心電図，心エコーあるいはX線所見）	
蛋白尿，かつまたは血漿クレアチニン値の軽度上昇（1.2〜2.0 mg/dL）	
超音波あるいは放射線医学検査による粥状動脈硬化性プラーク（頸動脈，腸骨動脈，大腿動脈，大動脈）の証拠	
網膜動脈の全体的あるいは部分的な狭窄や細小化	
	循環器関連合併症
脳血管障害	脳梗塞
	脳出血
	一過性脳虚血発作
心疾患	心筋梗塞
	狭心症
	冠動脈血行再建
	うっ血性心不全
腎疾患	糖尿病性腎症
	腎不全（血漿クレアチニン値>2.0 mg/dL）
血管病	解離性大動脈瘤
	閉塞性動脈硬化症
進行した高血圧性網膜症	出血あるいは滲出
	乳頭浮腫

果を尊重し，血圧はできるだけ低く抑えたほうが脳卒中や心筋梗塞などの動脈硬化性疾患の予防や腎障害の発生を抑制できるという設定である．2019年の日本高血圧学会の診断基準もほぼ同様である．

これにより，収縮期血圧130未満，拡張期血圧80未満に保つことが必要で，降圧剤を服用していない人で収縮期血圧が140以上，拡張期血圧が90以上の場合は高血圧症と診断される．

2　予後に影響を及ぼす因子

予後に影響を及ぼす危険因子として，表Ⅳ・9・17のようなものがある．

3　生活指導・降圧治療

高血圧治療ガイドライン2019における生活指導・降圧治療を表Ⅳ・9・18に示す．降圧目標は130/80ないし140/90以下とする（表Ⅳ・9・19）．

4　運動療法

運動療法における血圧降下の機序

血圧は，心拍出量（心拍数×1回拍出量）と末梢血管抵抗に関連性をもつ
① 利尿効果

表Ⅳ・9・18 高血圧治療ガイドライン2019における生活指導・降圧治療

リスク層 血圧以外の予後影響因子	高値血圧 130〜139/ 80〜89 mmHg	Ⅰ度高血圧 140〜159/ 90〜99 mmHg	Ⅱ度高血圧 160〜179/ 100〜109 mmHg	Ⅲ度高血圧 ≧180/≧110 mmHg
リスク第一層 (予後影響因子がない)	低リスク[*1]	低リスク[*2]	中等リスク[*2]	高リスク[*3]
リスク第二層 (年齢(65歳以上)、男性、脂質異常症、喫煙のいずれかがある)	中等リスク[*1]	中等リスク[*2]	高リスク[*3]	高リスク[*3]
リスク第三層 (脳心血管病既往、非弁膜症性心房細動、糖尿病、蛋白尿のあるCKDのいずれか、または、リスク第二層の危険因子が3つ以上ある)	高リスク[*2]	高リスク[*3]	高リスク[*3]	高リスク[*3]

[*1] おおむね3か月後に再評価。十分な降圧がなければ生活習慣の修正/非薬物療法の強化。
[*2] おおむね1か月後に再評価。十分な降圧がなければ生活習慣の修正/非薬物療法の強化と薬物療法を開始。
[*3] ただちに薬物療法を開始。

生活習慣の修正指導
① 減塩:6g/日未満
② 野菜・果物の積極的摂取、脂質:コレステロールや飽和脂肪酸の摂取を減らす、魚(魚油)の積極的摂取
③ 減量:BMI=(体重(kg)÷[身長(m)^2])が25未満
④ 運動:心血管病のない高血圧患者が対象で、軽強度の有酸素運動を中心に定期的に(毎日30分以上を目標に)行う
⑤ 節酒:エタノールで男性は20〜30 mL/日以下、女性は10〜20 mL/日以下
⑥ 禁煙(受動喫煙の防止も含む)

〔文献7)日本高血圧学会高血圧治療ガイドライン作成委員会(編):高血圧治療ガイドライン2019. ライフサイエンス出版, 2019, p50, 51, 64 より改変〕

② 交感神経活動の抑制効果
③ 末梢血管抵抗の低下
④ 血管拡張効果
⑤ 血液粘稠度の低下
多因子による血行動態を是正し血圧降下効果をもたらす。

中高年高血圧患者の運動療法

① 習慣的な有酸素運動が減量のみならず、心血管系のリスク軽減に有効
② 実際の運動療法
　ⓐ 運動様式:トレッドミル、自転車エルゴメータ、歩行、水中運動など
　ⓑ 運動強度:$\dot{V}O_{2max}$の40〜60%強度に相当する低強度の運動
　ⓒ 運動時間:30〜60分間
　ⓓ 運動頻度:週3回以上
③ 効果:収縮期血圧を10 mmHg低下

高血圧患者の運動療法の禁忌と運動実施上の注意点

① 運動禁忌
　ⓐ 安静時血圧 180/110 mmHg 以上
　ⓑ 蛋白尿 1 g/日以上で軽度以上の腎機能障害がある場合
　ⓒ 蛋白尿 1 g/日未満で高度の腎機能障害がある場合
② 運動実施上の注意
　ⓐ 静的要素の強いスポーツ(等尺性運動)を行わない
　ⓑ 筋力トレーニングでは息をこらえないで低負荷・高頻度で行う
　ⓒ ダイビングは避ける
　ⓓ 血管拡張薬は運動後低血圧を生じることがあるのでクールダウンを行うこと
　ⓔ β遮断薬は持久性運動能力を低下させる
　ⓕ β遮断薬内服中は心拍数の上昇が少ない
　ⓖ 利尿薬は低カリウムを生じることがある
　ⓗ サウナの後の冷水は禁じる

E 脂質異常症のリハビリテーション

　診断基準としては空腹時に測定したLDLコレステロール140 mg/dL以上、HDLコレステロール40 mg/dL未満、血清トリグリセリド(中性脂肪)値が150 mg/dL以上のいずれかに該当するも

表Ⅳ·9·19　降圧目標値

	診察室血圧（mmHg）	家庭血圧（mmHg）
75歳未満の成人 脳血管障害患者 　（両側頸動脈狭窄や脳主幹動脈閉塞なし） 冠動脈疾患患者 CKD患者（蛋白尿陽性） 糖尿病患者 抗血栓薬服用中	<130/80	<125/75
75歳以上の高齢者 脳血管障害患者 　（両側頸動脈狭窄や脳主幹動脈閉塞あり，または未評価） CKD患者（蛋白尿陰性）	<140/90	<135/85

〔文献7）日本高血圧学会高血圧治療ガイドライン作成委員会（編）：高血圧治療ガイドライン2019．ライフサイエンス出版，2019，p53 より〕

表Ⅳ·9·20　脂質異常症の診断基準（空腹時採血）*

LDLコレステロール	140 mg/dL 以上	高LDLコレステロール血症
	120〜139 mg/dL	境界域高LDLコレステロール血症**
HDLコレステロール	40 mg/dL 未満	低HDLコレステロール血症
トリグリセライド	150 mg/dL 以上	高トリグリセライド血症
Non-HDLコレステロール	170 mg/dL 以上	高non-HDLコレステロール血症
	150〜169 mg/dL	境界域高non-HDLコレステロール血症**

*　10時間以上の絶食を「空腹時」とする。ただし水やお茶などカロリーのない水分の摂取は可とする。
**　スクリーニングで境界域高LDL-C血症，境界域高non-HDL-C血症を示した場合は，高リスク病態がないか検討し，治療の必要性を考慮する。
・LDL-CはFriedewald式（TC−HDL-C−TG/5）または直接法で求める。
・TGが400 mg/dL以上や食後採血の場合はnon-HDL-C（TC−HDL-C）かLDL-C直接法を使用する。ただしスクリーニング時に高TG血症を伴わない場合はLDL-Cとの差が+30 mg/dLより小さくなる可能性を念頭においてリスクを評価する。

〔文献8）日本動脈硬化学会（編）：動脈硬化性疾患予防ガイドライン2017年度．p26，2012 より〕

のを脂質異常症という（表Ⅳ·9·20）。

脂質異常症における運動療法の効果はリポ蛋白やリパーゼを活性化して，カイロミクロンやVLDLの異化を促進する。それにより中性脂肪の減少やHDLコレステロールの増加をきたす。そのHDLコレステロールは血管壁のコレステロールを減らす。

F　肥満・肥満症の運動療法

「肥満」は脂肪組織が過剰に蓄積した状態で，「肥満症」は肥満に起因ないしは関連する健康障害を合併するかその合併が予測される場合で，医学的に減量を必要とする病態をいい，疾患単位として取り扱う。

BMI 25以上のうち，以下のいずれかを満たしたものを肥満症としている。

（1）11の肥満関連疾患〔① 耐糖能障害（2型糖尿病・耐糖能異常など），② 脂質異常症，③ 高血圧，④ 高尿酸血症・痛風，⑤ 冠動脈疾患（心筋梗塞・狭心症），⑥ 脳梗塞，⑦ 脂肪肝（非アルコール性脂肪性肝疾患），⑧ 月経異常および妊娠合併症（妊娠高血圧症候群，妊娠糖尿病，難産），⑨ 睡眠時無呼吸症候群・肥満低換気症候群，⑩ 整形外科的疾患（変形性関節症，変形性脊椎症，腰痛症），⑪ 肥

満関連腎臓病〕のうち1つ以上の健康障害を合併する。

(2) 男女ともに腹部CTで測定した内臓脂肪面積が≧100 cm^{2}を有する内臓脂肪型肥満。

肥満度の判定は，身長あたりのBMI〔body mass index：体重(kg)÷身長(m)^2〕をもとに表Ⅳ・9・21のように判定する。

運動療法の継続は，肥満者のインスリン抵抗性を改善する。脂肪細胞の質的異常による肥満は，強度が中等度以下の有酸素運動を行う。高齢者ではレジスタンストレーニングも併用する。量的異常によるものは食事療法による減量を重視する。

表Ⅳ・9・21　肥満度の判定

BMI	肥満度判定	WHO基準
18.5未満	低体重	Underweight
18.5〜25.0未満	普通体重	Normal range
25.0〜30.0未満	肥満(1度)	Preobese
30.0〜35.0未満	肥満(2度)	Obese class Ⅰ
35.0〜40.0未満	肥満(3度)	Obese class Ⅱ
40.0以上	肥満(4度)	Obese class Ⅲ

運動実施上のリスク管理
① 運動禁忌
　ⓐ BMI 30以上では食事療法を優先する
② 運動実施上の注意
　ⓐ 重力負荷の少ない水中運動，自動運動によって骨関節の障害を防ぐ
　ⓑ 食事療法を併用する
　ⓒ 運動は毎日行う

運動療法の実際
① 運動強度
　ⓐ $\dot{V}O_{2\,max}$ 60％以下の有酸素運動
　ⓑ Borg指数で「ややきつい」
　ⓒ 30〜60歳の人では75％HRmaxまで
② 1日消費エネルギーの約10％程度(300 kcal)の運動を当初の目標とし，徐々に運動量を増加
③ 息こらえをしないような筋力トレーニング(抵抗運動)を週2回組み入れる
④ 下肢関節に負担をかけない運動を選択する

G　高尿酸血症・痛風の運動療法

1　痛風

高尿酸血症による尿酸塩沈着のため急性関節炎発作(痛風発作)，腎障害などをきたす疾患で，中高年男性(男性：女性＝約50：1)に好発する。

2　痛風発作

主に足の小関節(母趾の中足趾関節に好発)に発赤，熱感，腫脹を伴った激しい関節痛。
① 足の1か所の小関節に急性関節炎を生じる。
② 母趾の中足趾関節の初発が多い。
③ わずかな発作の予感はある。
④ 突然発症し，激痛は1日以内に最高に達する。
⑤ 発赤，熱感，腫脹を伴う。
⑥ 発症4〜5日後より軽減し，2〜3週間で寛解する。
⑦ 放置すると繰り返し，発作の間隔が短くなる。

急激な運動は低酸素状態を招き，尿酸の生成を促進したり乳酸も増加，それにより尿酸の排泄が抑制され，結果として尿酸値が高くなることがある。したがって激しい運動ではなく，有酸素運動を行うようにするとよい。

肥満例では運動療法が必要であるが，BMI 25未満を目標に，食後1時間以降に毎日継続できるような軽い運動を行う。

3　運動内容

① 無酸素運動は尿酸を産生し，さらに嫌気性解糖で産生される乳酸は，腎臓での尿酸排出を減少させる→高尿酸血症につながる。
② 痛風患者ではAT以下の有酸素運動では尿酸の上昇は起こらない。
③ 軽い運動→尿酸値低下。
④ 十分な水分補給をする。
⑤ 運動後のアルコール摂取は禁止。

10 肝疾患のリハビリテーション

　肝疾患患者は高齢化してきていることに加え，以前は肝炎ウイルス由来であったものが非アルコール性脂肪性肝障害やアルコール性などの生活関連肝疾患に代わってきていることで，肝臓のリハビリテーションが注目されてきている。これら種々の代謝異常を背景に低栄養やサルコペニアなどが生じやすく，C型肝炎や肝硬変患者にも運動療法と適切な栄養管理でインスリン抵抗性や耐糖能異常の改善から発がんリスクを低下させる可能性があるといわれている。

　肝機能障害患者は，これまで安静が肝臓の血流量を増すという観点から治療法の1つと重要視されてきた。しかし，運動負荷により肝血流量は減少するものの，かなりの高負荷でない限り，肝障害を生じるほどの酸素欠乏は生じない。これに加え，過度の安静は廃用性症候群の問題，社会復帰の遅延，QOLの低下，運動耐容能の低下と死亡率増加などの関係が認められるようになった。そのため，近年は過度の安静を解除し，社会復帰に向けてのリハビリテーションが注目されている。

　わが国では，2010年よりウイルス性肝炎，自己免疫性肝炎，原発性胆汁性肝硬変，代謝性肝疾患などに起因する重症の肝機能障害が身体障害者として認定されるようになった。2016年には肝機能障害の対象をChild-Pugh分類C(10〜15点以上)に加え分類B(7〜9点)に拡大されている(表Ⅳ・10・1)。このスコア分類に加え症状などを加味して身体障害者の1〜4級の等級が決定される(表Ⅳ・10・2)。

　肝硬変患者では6分間歩行距離の短い患者ほど，生命予後が悪い。肝炎や肝硬変においても必要以上の安静を解除し，社会復帰に向けて少しずつ安全に運動の再開を図ろうとする考えに変化してきている。以下に，最近注目されてきている非アルコール性脂肪性肝疾患，非アルコール性脂肪肝炎と肝硬変のリハビリテーションについて述べる。

A 非アルコール性脂肪性肝疾患，非アルコール性脂肪肝炎

　慢性肝疾患のなかで最も罹患率の高い疾患は，非アルコール性脂肪性肝疾患(nonalcoholic fatty liver disease：NAFLD)である。NAFLDはメタボリックシンドロームの表現型の1つであり，肥満人口の増加に伴い，社会的にもさらに重篤な問題となる。食生活の欧米化や飽食による内臓脂肪

表Ⅳ・10・1　Child-Pugh(チャイルド・ピュー)分類

	1点	2点	3点
肝性脳症	なし	軽度(Ⅰ・Ⅱ)	昏睡(Ⅲ以上)
腹水	なし	軽度	中程度以上
血清アルブミン値	3.5 g/dL 超	2.8〜3.5 g/dL	2.8 g/dL 未満
プロトロンビン時間	70%超	40〜70%	40%未満
総ビリルビン値	2.0 mg/dL 未満	2.0〜3.0 mg/dL	3.0 mg/dL 超

10点以上＋症状などで身体障害者等級判定：分類A(5〜6点)，分類B(7〜9点)，分類C(10〜15点)

の蓄積で生じるインスリン抵抗性を基盤としている。

NAFLDは従来，増悪がほとんどない非アルコール性脂肪肝(nonalcoholic fatty liver：NAFL)と，炎症や肝線維化を伴い肝硬変や肝がんに進行する非アルコール性脂肪肝炎(nonalcoholic steatohepatitis：NASH)に分類されていたが，最近はNAFLからNASHへと進展する一連の病態であるとされている。

近年，ウイルス性肝炎(B型肝炎，C型肝炎)の抗ウイルス療法に伴い，特にC型肝炎による肝がんの減少と相まって，新規肝がん患者は非B非CのNASHやアルコール性肝疾患といった生活習慣に起因するものが多くなっている。

NAFLD/NASHの運動療法は，食事療法と一緒に行う。運動療法は内臓脂肪や皮下脂肪を燃焼消費させ脂肪組織量を減少させ，筋肉でのインスリン抵抗性改善を介して肝臓内の中性脂肪合成を低下させる。特に有酸素運動は筋肉・脂肪組織の代謝改善に役立ち，病態改善が期待される。肥満のないNAFLDは運動療法単独でも効果がある。肥満を合併したNAFLDでは，週3〜4回，30〜60分の有酸素運動を4〜12週間継続することで，肝脂肪化の改善が得られている[1]。運動消費カロリーが同じでも，6 METs以上の高強度の運動を実施することで治療効果が高く，肥満や糖尿病の運動療法とは異なる。

各ガイドラインの提言を表Ⅳ・10・3に示す[2]。

B 肝硬変のリハビリテーション

肝硬変はすべての慢性肝疾患の終末像であり，肝組織の線維化と類洞の毛細血管化により肝硬変となる。肝硬変の成因はウイルス性によるC型肝炎が49％，B型肝炎が12％であり，非B非C肝硬変ではアルコール性が19％と最多で次にNASHが6％となっている[6]。

リハビリテーションを行ううえで注意すべき症状には，腹水・胸水などの体液貯留，肝性脳症，食道・胃静脈瘤，脾腫による貧血や血小板減少，低栄養，サルコペニアなどである。

肝硬変患者は運動耐容能が低下し，運動耐容能が低いほど予後不良である[7]。

黄疸の急激な進行，腹水，脳症など肝機能が低下している場合や，血清ASTやALTが高値のときには積極的な運動療法は行えない。肝硬変患者で運動強度を高くすると，門脈圧の上昇が生じ食道静脈瘤破裂の危険性を増したり，腎血流低下から腹水が増加したりする可能性があるので，運動

表Ⅳ・10・2　肝機能障害の認定基準

1級	肝臓の機能の障害により日常生活活動がほとんど不可能なもの
2級	肝臓の機能の障害により日常生活活動が極度に制限されるもの
3級	肝臓の機能の障害により日常生活活動が著しく制限されるもの(社会での日常生活活動が著しく制限されるものを除く)
4級	肝臓の機能の障害により社会での日常生活活動が著しく制限されるもの

表Ⅳ・10・3　NAFLD/NASHに対する各ガイドラインの提言

ガイドライン	減量目標	運動	食事
日本消化器病学会 NAFLD/NASH診療ガイドライン2014[3]	3〜12か月の食事や運動療法による体重減少	推奨	低カロリー食 低脂肪食
EASL-EASD-EASOのガイドライン2016[4]	体重7〜10％以上の減量による肝線維化の改善 体重0.5〜1 kg/週の減量	週3〜4回，合計150〜200分の中等度の有酸素運動とレジスタンス運動	500〜1,000 kcal/日の摂取カロリー減少 フルクトース含有食品の回避
AASLDのガイドライン2018[5]	体重3〜5％以上の減量による肝脂肪化の改善 7〜10％以上の減量による肝線維化の改善	運動単独でも脂肪化の予防と改善効果があるため推奨	500〜1,000 kcal/日の摂取カロリー減少

強度の設定には慎重な注意が必要である[8]。無酸素運動では，筋肉内の乳酸が貯留，ATP減少，AMP増加，アンモニアが筋肉内で産生される。肝機能低下患者は生じたアンモニアの処理ができず，血中アンモニアが上昇し脳症などの合併症につながる。逆に最大運動強度の50～60％の有酸素運動(約30分以上の歩行など)では臨床的な問題が生じないとされている[9]。運動療法は，内臓脂肪減少やインスリン抵抗性改善に有効であり，特に有酸素運動は筋肉・脂肪組織の代謝改善に役立ち，病態改善が期待される。

肝硬変患者(ほとんどがChild-Pugh分類A)への栄養療法を併用した運動療法がサルコペニア改善に有効なことが認められている[10]。しかし，非代償期の肝硬変患者の運動療法の安全性と有効性はまだ確立されていない。サルコペニアなどを防ぐために安全に運動療法を行うことで，有酸素運動能が向上すると思われる。

11 認知症のリハビリテーション

高齢社会では，認知症は多くの人が罹患するものであり，介護保険の認知症生活自立度Ⅱ以上を認知症とみなした場合，2012年の時点で462万人となり65歳以上の高齢者人口約3,000万人の15%にあたる。また，その有病率は5歳高齢になるごとに2倍ずつ増加し95歳以上では約8割が認知症となり，高齢になると誰もが罹患する可能性が高いものとなる[1]。

認知症では「物忘れすること」は臨床的に重要であるが，「物忘れに気付かないこと」が生活障害につながり，リハビリテーションや介護の問題になる。認知症の患者はこの生活障害に困難を感じながら生きており，これらを援助することが重要と考えられる。

A 高齢者の心理的・精神的変化

1 一般的変化

高齢になると，孤独に対する不安，将来の生活に対する危惧，現状に対する不満，家族や周囲の人との対人関係，疾病，死に対する恐怖など，各種のストレスから心理的重圧をもたらし，種々の心理的・精神的変化をきたすことがある。

一般的には，自己主張が強くなる傾向がみられ，自己中心的世界に閉じこもって過去の経験だけから判断し広い視野でものをみることが困難になってくる。いわゆる頑固さの形で表れる。自分と異なった意見を客観的に，冷静に取り入れ様々な角度からみて判断するような寛容性に欠けてくるようになる。他人の立場に立って物事を考えることができず，自己の古い，狭い立場のみから物事を判断しようとする傾向は，保守的な立場をとる傾向となる。

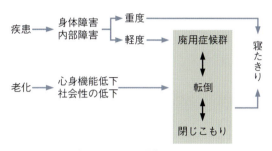

図Ⅳ・11・1　寝たきりへの過程

体力や判断力，推理力，創造力などの知的レベルの低下に対する劣等感は，ひがみやすさ，被害的な思考をもたらす結果となり，各種の不安，不満は実際以上に誇張され，身近で親しい人をつかまえては，ぐちをこぼすことが多くなる。

しかし，現実として自己主張や保守的意見が認められず，ぐちをこぼしても不安，不満は解消されない場合は，閉じこもり気味になり，孤独感はいっそう強くなり，無意欲的な状態になることにもつながる。また，精神身体的にも種々の異常を引き起こし，食思減退，拒食，不眠から始まって身体的衰弱，さらに合併症を併発することもある。特に老人性抑うつ状態のみられる場合にはこの傾向が出やすく注意が必要である。

このように，心理的・精神的障害→身体的障害→心理的・精神的障害の悪循環を形成し，高齢者を寝たきり状態に追いやることにつながる(図Ⅳ・11・1)。

精神的老化の要因としては，以下のようなことが考えられ，様々な要因によって修飾される。

精神的老化の要因

① 脳の老化に基づく
② 身体機能の低下（身体病）に影響される
③ 個体の素質，性格に修飾される
④ 環境の変化に修飾される

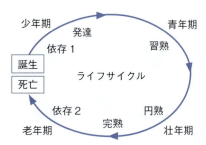

図Ⅳ・11・2　ライフサイクルにおける依存

高齢者における知的機能の低下は，次のような特徴がみられる．

高齢者における知的機能低下の特徴
① 精神運動のスピードが遅くなる ② 知覚能力が低下する ③ 記憶力が減退する ④ 想起力が減退する ⑤ その他

忘れっぽさ forgetfulness，健忘 amnesia などは高齢者によくみられるもので，一般に加齢とともに知的機能は低下するが，生理的にはその程度はさほど強いものではない．著明で病的なものを認知症と考え，生理的範囲で本人の自覚のある"物忘れ（生理的健忘）"と混同してはならない．

ライフサイクルのなかで人間は，生まれてから青年になるまでは1人の力では生きていくことができず依存的な状態である．そして，青年から壮年期は自立した時期を送ることになるが，ある程度高齢になると心身の衰えから再び依存的な状態に入ることになる（図Ⅳ・11・2）．

B　認知症

高齢になるにしたがい精神機能は徐々に低下し，記銘力，注意力，判断力，計算力などの低下，見当識の障害などを起こし，時には人格の荒廃，異常行動などを伴い病的ないわゆる認知症の状態になる．これはリハビリテーションを行う際，最大の障害の1つとなり，社会的家庭的に大きな問題を投げかける．

表Ⅳ・11・1　MCI の定義

1. 本人または家族から主観的な記憶障害の訴えがある 2. 年齢や教育レベルの影響だけでは説明できない記憶障害の存在（記憶検査で平均値の 1.5 SD 以下） 3. 全般的な認知機能は正常 4. 日常生活動作は正常 5. 認知症は認められない

〔文献2）より〕

1　認知症とは

認知症とは臨床上の概念であり，全般的な認知機能の低下した状態を指し，以下のような条件を満たすものをいう．

① 脳内に器質的な損傷あるいは疾病を有する． ② いったん正常に成熟した脳が後天的な外因によって破壊されたため認知機能が低下したもの． ③ 全般的な認知機能の低下． ④ 日常生活に支障を生じる．

2　MCI（mild cognitive impairment：軽度認知症）

生理的老化で予想されるよりも認知機能（記憶，理由づけ，実行機能など）が低下しているが，認知症ほど重度ではない状態である．認知症の前段階と考えられるが，主に記憶障害が前景に立つ．本人や家族から記憶障害の訴えがあるが，全般的認知機能は正常で，日常生活は問題なく送れている（表Ⅳ・11・1）．「認知症」が診断できる程度に進行するのに，5〜10年かかるといわれている．

具体的な症状として，①「あれ」「それ」「これ」などの代名詞を使って話し，物の名前が出てこない，②最近あった共通の出来事が，まわりの人は覚えているのに自分だけ忘れることがある，③まわりの人と話が合わなくなりついていけないことがある，④積極的に動こうとせず，理由を付けて動かない，⑤待ち合わせなど約束の日時を忘れる，⑥後片付けや料理などが効率的にできず何事にも時間がかかるようになる，⑦怒りっぽく頑固で，問題があると人のせいにする，⑧何度も同じ

11. 認知症のリハビリテーション

表Ⅳ・11・2　原因疾患による認知症の分類

退行変性疾患性認知症	アルツハイマー型認知症，進行性核上性球麻痺，前頭側頭型認知症，ハンチントン舞踏病
脳血管性認知症	脳出血，脳梗塞，クモ膜下出血，多発性ラクナ型脳梗塞
内分泌・代謝・中毒性認知症	甲状腺機能低下症，ビタミンB₁₂欠乏症，肝性脳症，Wilson病，低酸素症，薬物中毒
感染性認知症	脳膿瘍，Creutzfeldt-Jakob病，進行麻痺
腫瘍性認知症	脳腫瘍（良性・悪性），髄膜癌腫症
外傷性認知症	頭部外傷後遺症，慢性硬膜下血腫
その他	正常圧水頭症，多発性硬化症，SLE，Behçet病など

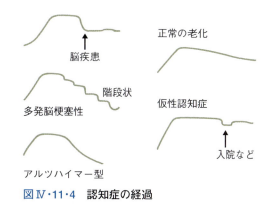

図Ⅳ・11・4　認知症の経過

表Ⅳ・11・3　予防・治療可能な認知症

内分泌・代謝・中毒性認知症	甲状腺機能低下症，ビタミンB₁₂欠乏症，Wilson病，薬物中毒
感染性認知症	脳膿瘍，髄膜炎，神経梅毒など
腫瘍性認知症	治療可能な脳腫瘍
外傷性認知症	慢性硬膜下血腫
その他	正常圧水頭症など

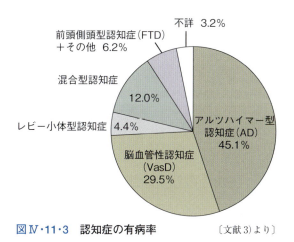

図Ⅳ・11・3　認知症の有病率　〔文献3）より〕

ことを言ったり確かめたりする，などがある。

3　認知症の分類（表Ⅳ・11・2）

これらの出現頻度については，アルツハイマー型認知症 45.1％，脳血管性認知症 29.5％，レビーLewy 小体型認知症 4.4％，混合型認知症 12.0％，前頭側頭型認知症を含むその他の認知症 6.2％，診断不明の認知症 3.2％程度である（図Ⅳ・11・3）。

また，認知症の時間的経過から，脳卒中などの脳疾患では発症直後から急激な知的機能の低下がみられ，多発性ラクナ型脳梗塞のようなものは階段状に低下し，アルツハイマー病のようなものは緩徐に進行する。

正常の老化でも知的機能は緩徐に低下するが，アルツハイマー病などと比べるとその速度はかなりゆっくりとしたものである。入院直後など急激な環境の変化によって認知症様の症状が出現する仮性認知症は，早期に環境をもとに戻すなどすることで知的機能の改善がみられる（図Ⅳ・11・4）。

また，予防・治療可能な認知症の主なものは表Ⅳ・11・3に示すとおりである。

以下に高齢者に多いアルツハイマー型老年認知症と脳血管性認知症を中心に述べることにする。

4　認知症の診断

日常診療でよく使われる診断基準に米国精神医学会の DSM-5 がある（表Ⅳ・11・4）。

認知症のスクリーニングテストとして改訂長谷川式簡易知能評価スケール Hasegawa's Dementia Scale Revision（HDS-R）が普及している（図Ⅳ・11・5）。疲れやすく，飽きやすい高齢者に対してこのテストは手技が簡便であり，適している。満点は 30 点で，健常高齢者では 25 点以上の得点が得られる。20 点以下では認知症を疑い，10 点以下

表Ⅳ・11・4　アルツハイマー病による大(小)神経認知障害のDSM-5の診断基準

A．大・小の神経認知障害を満たしている。
1．大神経認知障害
　①複雑性注意・実行機能・学習と記憶・言語・知覚-運動・社会認知(認知ドメイン)の1つ以上で認知障害をきたしている証拠がある。
　②認知欠損が日常生活における自立性を障害している。など
2．小神経認知障害
　上記①が中等度の認知障害，②は日常生活が自立している。
B．認知ドメインの1つ以上で先行性の発症と段階的な進行がある。
C．以下のアルツハイマー病の「ほぼ確実」か「疑いあり」かに一致している。
1．大神経認知障害
次の症状が存在する場合に「ほぼ確実」の診断。そうでなければ，「疑いあり」。
　①家族歴もしくは遺伝子検査でアルツハイマー病の遺伝子変異の証拠がある。
　②以下のうち，3つすべてが存在する。
　　a．記憶と学習と少なくともその他の認知ドメインで機能低下の証拠がある。
　　b．長期的に不安定な，進行性，段階的な認知機能低下がある。
　　c．他の神経変性疾患・脳血管疾患など他の病因の証拠がない。
2．小神経認知障害
　①「ほぼ確実」，遺伝子検査あるいは家族歴でアルツハイマー病の遺伝子変異の証拠がある。
　②「疑いあり」，遺伝子変異の証拠はないが，以下の3つすべてが存在する。
　　a．記憶と学習における機能の低下の明らかな証拠。
　　b．長期的に不安定な，進行性，段階的な認知機能低下がある。
　　c．他の神経変性疾患・脳血管疾患など他の病因の証拠がない。
D．その障害は，脳血管性疾患，神経変性疾患，物質の影響などでは説明不可能。
E．アルツハイマー病による神経認知障害の生物学的指標。
　①遺伝子変異：amyloid precursor protein(APP)，presenilin1(PSEN1)，presenilin2(PSEN2)
　②MRI：海馬，側頭頭頂皮質の萎縮
　③PET：側頭頭頂葉の糖代謝の低下(FDG)，蛋白質のアミロイドβの沈着(PIB)
　④脳脊髄液：脳脊髄液中の全タウ蛋白，リン酸化タウ蛋白，アミロイドβ42の濃度の上昇

〔文献4)より作成〕

を認知症群としている。同様なものとしてミニメンタルテスト(MMSE)，国立精研式認知症スクリーニングテストなどがある(図Ⅳ・11・6)。また，認知症でよく用いられる評価法を表Ⅳ・11・5に示した。

また，認知症の初発症状として表Ⅳ・11・6のように見当識障害が多いことも知っておかなければならない。

さらに，見当識障害までの症状が出なくとも何となくだらしなくなったり，沈み込むことが多くなったりするようなことがあれば，認知症を疑い経過を追っていったほうがよい。

認知症の症状
①だらしなくなる
②うつ的になる
③つまらないものを集めだす
④夜中に騒ぐ
⑤歩きまわる

5 認知症の鑑別診断

認知症とよく似た症状を示す疾患もあり，以下にその主なる症状とその鑑別点を述べる。

a 良性健忘(通常の物忘れ)と認知症

表Ⅳ・11・7を参照されたい。

b 意識障害との鑑別(表Ⅳ・11・8)

軽度の意識障害との鑑別は困難なことがある。しかし，意識障害では高次の精神機能も低次の本能的機能(食事，排泄，疼痛からの逃避など)もともに低下するのに対して，認知症では後者の機能が比較的残存することが1つの手がかりになる。

c うつ状態との鑑別

身体的・家庭的・社会的問題が誘因となって，うつ状態にある高齢者も多い(表Ⅳ・11・9)。

11．認知症のリハビリテーション

図Ⅳ・11・5 改訂長谷川式簡易知能評価スケール

	質問内容	備考		配点
1	お年はいくつですか？	2年までの誤差は正解		0, 1
2	今日は何年の何月何日ですか？　何曜日ですか？	年月日，曜日が正解でそれぞれ1点ずつ	年	0, 1
			月	0, 1
			日	0, 1
			曜日	0, 1
3	私たちが今いるところはどこですか？	自発的に出れば2点，5秒おいて，家ですか，病院ですか，の中から正しい選択をすれば1点		0, 1, 2
4	これから言う3つの言葉を言ってみてください。後でまた聞きますのでよく覚えておいてください。 1：a) 桜，b) 猫　c) 電車 2：a) 梅，b) 犬　c) 自動車	いずれか1つを覚えさせる	a)	0, 1
			b)	0, 1
			c)	0, 1
5	100から7を順番に引いてください	100-7は？それからまた7を引くと？と質問する。最初の答が不正解の場合，打ち切る	(93)	0, 1
			(86)	0, 1
6	私がこれから言う数字を逆に言ってください (6-8-2, 3-5-2-9)	3桁逆唱に失敗したら打ち切る	286	0, 1
			9253	0, 1
7	先ほど覚えてもらった言葉をもう一度言ってみてください	自発的に回答があれば各2点，もし回答がない場合，ヒントを与え正解であれば1点	a)	0, 1, 2
			b)	0, 1, 2
			c)	0, 1, 2
8	これから5つの品物を見せます。それを隠しますので何があったか言ってください	時計，鍵，歯ブラシ，ペン，硬貨など必ず相互無関係なもの		0, 1, 2, 3, 4, 5
9	知っている野菜の名前をできるだけ多く言ってください。 5個までは0点，6個までは1点，7個までは2点，8個までは3点，9個までは4点，10個までは5点	途中でつまり，約10秒待ってもでない場合はそこで打ち切る		0, 1, 2, 3, 4, 5
			合計得点	

満点　30点
カットオフポイント　20/21（20点以下は認知症の疑いあり）

図Ⅳ・11・6 国立精研式認知症スクリーニングテスト

問題	留意点と回答	得点
あなたの生年月日を教えてください	年と月日を別々に行う	0, 1, 2
今日は，何年何月何日ですか	月と日を別々に行う	0, 1, 2
昨日は何曜日でしたか		0, 1
5月5日は，何の日ですか	子供の日，端午の節句，菖蒲の節句	0, 1
成人の日は，いつですか	1月15日	0, 1
信号が，何色の時に道路を渡りますか	青，緑	0, 1
母の姉を，一般に何と呼びますか	伯母	0, 1
妹の娘を一般に何と呼びますか	姪	0, 1
太陽は，どの方向から昇ってきますか	東	0, 1
西から風が吹くと，風船はどの方向へとんでいきますか	東	0, 1
北を向いた時，右手はどの方向を指しますか	東	0, 1
これから文章を読みます。読み終った後，「はい」と言ったら，私の読んだ通りに繰り返してください 「みんなで力を合わせて綱を引きます」	1字でも間違えたら誤り	0, 1
18たす19は，いくつですか	37	0, 1
32引く16は，いくつですか	16	0, 1
これから数字を言います。「はい」と言ったら，すぐ繰り返してください 3-6-4-8	3-6-4-8	0, 1
また数字を言います。今度は「はい」と言ったら逆の方向から言ってください 9-2 2-4-6 7-1-6-5	2-9 6-4-2 5-6-1-7	0, 1 0, 1 0, 1
	総合得点	

評価と指導

得点	判定	指導
0～10点	問題あり	認知症が強く疑われますから，必ず専門医の受診を受けてください
11～15点	境界群	認知症が疑われますから，専門医の受診を受けることをお勧めします
16～20点	正常	現在のところ問題はありません

表Ⅳ・11・5　認知症で用いられる評価法

評価目的	評価法
重症度	Mini Mental State Examination (MMSE) 改訂長谷川式簡易知能評価スケール (HDS-R) Clinical dementia rating (CDR) N式老年者用精神状態尺度 (NMスケール)
記憶	Wechsler Memory Scale-Revised (WMS-R) の下位項目の論理記憶 リバーミード行動記憶検査 (RBMT)
注意機能 前頭葉機能	かなひろいテスト Trail Making Test (TMT) Frontal Assessment Battery (FAB)
構成障害	Kohs立方体組み合わせテスト
ADL	老研式活動能力指標 Disability Assessment for Dementia (DAD)
行動心理症状	Dementia Behavior Disturbance scale (DBD)
うつ症状	Geriatric Depression Scale (GSD) Cornell Scale for Depression in Dementia (CSDD)
意欲	やる気スコア (apathy scale)
QOL	Dementia Quality of Life Instrument (DQoL) 日本語版

表Ⅳ・11・6　認知症患者の初発症状

初発症状 (n=52)	発現頻度
記憶障害	61.6%
視空間認知・見当識・注意障害	12.4
幻覚，妄想	5.5
易怒性，焦燥	4.1
抑うつ，不安	2.7
自発性低下，引きこもり	2.7
日常生活での変化	2.7
言語障害（喚語困難）	2.7
その他の症状	4.1

〔文献5）より改変〕

表Ⅳ・11・7　物忘れと認知症の比較

	通常の物忘れ	認知症
本態	生理的老化現象	病的な脳の老化
経過	物忘れの頻度は増えるが進行しない	進行性
症状	体験の一部を忘れる	体験の全部を忘れる
見当識障害	なし	あり
日常生活への影響	支障なし	支障をきたす
物忘れの自覚	自覚している	物忘れに気付かない
人格の経過	維持される	低下・荒廃していく
幻覚妄想	なし	随伴することがある

表Ⅳ・11・8　意識障害と認知症の鑑別

意識障害	認知症
比較的急激に発症する	徐々に生じるものが多い
症状は，浮動性，可逆性，一過性	症状は，固定性，非可逆性，持続性
早期に失禁が生じる	治療に反応しにくく，回復困難
治療に反応しやすく，回復しやすい	治療に反応しにくく，回復困難

表Ⅳ・11・9　うつ状態と認知症症状の違い

うつ状態	認知症
悲哀感，さみしさを訴える	訴えない
罪責感，自殺念慮を訴える	少ない
行動の減少，外出しなくなる	無目的な行動，徘徊
不眠，食欲低下，便秘などが生じやすい	特に多くない

　うつ状態による精神運動活動の遅延，健忘，集中力欠如，易疲労性，性格の変貌などは一見認知症そっくりの印象を与えるものである（仮性認知症）。

　うつ状態には自責的幻想，偏執性，妄想などを伴っていることがあり，認知症との鑑別に役立つ．抗うつ薬投与による症状改善の有無も鑑別に役立つ．

d　脳腫瘍（特にがん転移）との鑑別

　初発症状が認知症で始まることが少なくない．特に肺がん・肝臓がん・胃がんの脳への転移は，

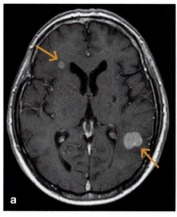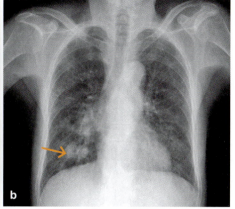

図Ⅳ・11・7　転移性脳腫瘍のMRI（肺がん）
a. 転移性脳腫瘍を前頭葉と側頭葉に認める。b. 原発巣は右下肺野の肺がんである。

原発巣の症状が全くなく，脳症状で始まることが珍しくない。CTやMRIで鑑別は容易である（図Ⅳ・11・7）。

e　薬剤性認知症との鑑別

高齢者は長期に薬物治療を受けていたり，また，数か所の医師から二重三重に薬剤，なかでも向精神薬を投与されていたりする。薬物摂取歴を十分聴取する必要がある。薬物服用を中止して，認知症症状の改善を観察することも鑑別に役立つ。

薬剤性認知症をはじめとする物質誘発性持続性認知症
① アルコール
② 有機溶剤（シンナー，トルエンなど）
③ 鎮静薬，睡眠薬，抗不安薬，抗けいれん薬など
④ 鉛，水銀，一酸化炭素，有機リン酸殺虫剤など

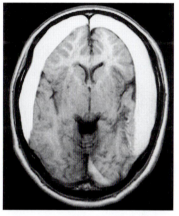

図Ⅳ・11・8　慢性硬膜下血腫のMRI
両側の前頭，側頭部の硬膜下に血液がたまり，脳を圧迫している。

f　慢性硬膜下血腫との鑑別

高齢者では頭部外傷の既往がないか，あってもわずかな外傷で発症することがある。また，片麻痺や巣症状は末期になって現れることが多く，初期には意欲低下や消化器症状のみで鑑別は難しい。さらに，両側性の場合は片麻痺などは鑑別は困難である。治療可能な認知症のため，早期にCTで確認する必要がある（図Ⅳ・11・8）。

C　主な認知症性疾患の病態と症状

1　アルツハイマー型老年認知症

a　概念

初老期に発症するアルツハイマーAlzheimer病と老年認知症とが別の疾患であるのか，本来同じ疾患で発病年代が違うだけなのかは，従来論議の的であったが，現在では同じ疾患と考えられ，アルツハイマー型老年認知症 senile dementia of

Alzheimer type（SDAT）などと呼んで，アルツハイマー病もそのなかに含めている。

b 病態

SDATでは大脳がびまん性に萎縮し，側脳室は脳の萎縮に伴って拡大する。この変化は神経細胞の死滅によって起こり，側頭葉や頭頂葉の高次中枢のある連合野や，本能と関連する海馬や嗅脳を含む大脳辺縁系にも強い。

SDATの脳ではアセチルコリン代謝系の活性が特異的に低下しており，大脳皮質にコリン作動性線維を送っていると考えられ，記憶と関係の深いマイネルトMeynert核に著明な神経細胞の脱落と顆粒空胞変性，神経原線維の変化などが認められている[6]。また，マイネルト核ほど高度ではないが，脳幹にある青斑核の神経細胞も減少する。青斑核はノルアドレナリンを神経伝達物質として，大脳皮質へ線維を送っている。さらに，脳幹の縫線核にも変化がくる。この核はセロトニンを神経伝達物質として大脳皮質に連絡している。

最近の研究から大脳皮質に異常な蛋白が沈着することがわかってきている。それはアミロイドとPHF（paired helical filament：対状らせん線維）である[7]。

アミロイドの沈着により老人斑senile plaqueというしみ状の構造ができる。このアミロイドはいったんできると溶けないので，周りの神経細胞が変性して残り，神経回路は破壊されてしまう。また，β構造という不溶性の構造をもった70～90 nmの径の線維の集合であり，その分子構造からβ蛋白と名付けられている。

もう1つの沈着蛋白であるPHFは，アルツハイマー原線維変化を構成している。PHFは正常にない構造の線維で，100 nmの線維が2本ねじり合わさっているような構造をもつ。この中にみられるタウ蛋白は異常にリン酸化されており，胎児の脳に多いものであることがわかっている。これらの変化からも，SDATの脳にはとてつもない神経細胞の異常が起こっていることを示しているが，まだその意味はわかっていない[8]。

c 症状

症状は，その完成された像はもちろんのこと，その経過も比較的一定のパターンをとることが多く，表IV・11・10に症状とその対処法を述べる。

1. 見当識障害

見当識障害は視空間的見当識が早くから侵され，自宅周辺で道に迷ったり，他人のベッドにもぐり込んだり，鏡徴候mirror sign（鏡に写った自分の姿を他人と思いこむ現象）などがみられる。

2. 人格の崩壊

脳血管性の場合との最も著明な相違点が，人格の崩壊，荒廃であり，顔貌もボーッとして一見異様な感じを受ける。人前もはばからず異常行動，不潔行為（排泄した便をもてあそぶなど）を行い，精神病的様相を呈し，日常生活にも支障をきたしてくることが多い。

3. 全般認知症

脳血管性の場合はまだら現象で，「歯」の抜けた櫛のように，一部まともなところが残されているが，老年認知症の場合は「歯」が全部欠けたような，すなわち知能の全分野にわたっての認知症症状を呈することが特徴である。病識は早期から欠如していることが多い。

4. 作話，多弁

一般に多弁であるが，その内容は漠然としてまとまりがなく，とらえどころがない。つじつまの合わないところを適当に作話でごまかそうとする。一見失名詞失語様であったり，超皮質性感覚失語様であったりする。

自発語では保続が出現し，単語や短い文章を繰り返す。言語障害が高度になると，反響言語echolalia（「今日はいかがですか」→「今日はいかがですか」と繰り返す）となり，さらに進んで"語間代logoclonia"（単語の最後を反復させて"メガネネネ"という具合になる）の状態となる。

5. 語義失語

単語の意味は側頭葉の前に向かって保存され，認知症では側頭葉前方の萎縮を伴うことが多い。語義失語では，① 単語の意味が壊れる：「気分

表 IV・11・10　認知症の症状とその対処法

	症状	対処法
初期	突然おかしなことを言い出す	本人は正しいことを言っているつもりなので，本人の気持ちになってやさしく答える。「私は20歳です」→「そうですか，お若いですね」
	人の名前を思い出せない	無理に思い出させず，一度は説明する
	前日の記憶がうすれる	正しい答えを何度でも言う。日記のようなものでメモする
	同じ話を繰り返す	何度でも辛抱強く聞き，何度でも同じ答えを繰り返す
	探しものを始める	ないということに基づいて，一緒に探してあげる
	作り話をする	本人のプライドを傷つけないよう聞いてあげる
	昔の音楽や家などを懐かしむ	一緒に歌ったり，少し外出してみる
	スイッチを入れっぱなしにする	危なければコンセントを抜いておくなどの工夫
	電灯をつけたり消したりする	ちがうことに気をそらす。「食事の用意を一緒にしましょう」など
中期	嘘や隠しごとが多くなる	記憶のないことをごまかすので，なぜ嘘をついたのかを知ったうえで，だまされたふりをして，受容的な態度で臨む
	意地悪になる	意地悪を言ってその場をごまかしているだけなので，症状をよく理解して対応するようにする
	部屋に閉じこもる	「私を殺そうとしている」などの被害妄想のこともあり，医師と相談する
	一日中寝ている 夜中に起きだす	うつ状態の可能性もあり医師に相談する 生活のリズムをつけるために昼間は起こしておく。睡眠薬を使う
	いろいろなものを集める	収集したものを本人の目の前において安心させ，いなくなったときに片づける
	食事をしたのにしないと言い張る	「夕食の味付けはどうでしたか」などと問いかけたり，「すぐ用意しますから」と言ってお菓子などをわたす
	食べ物を隠す	不潔になるので，本人がいないときに見つけて捨てる
	遠出をする	迷子札のようなものを取り外せないところにつける
	自分の家を自分の家でないという	「一緒に帰りましょう」と言って一回り散歩して自宅に帰る
	財布からお金を抜きだす	お金の価値がわからなくなっているので，盗られて困るようなお金は家に置かない
後期	食事をしなくなる	被害妄想のためのことがあり，医師に相談する
	手づかみでものを食べる	おにぎりを作るなど，手づかみで食べられるものを工夫する
	時をかまわず食べる	「食べたい」というときは少量のお菓子などで過食を防ぐ
	暴れる，いらいらが目立つ	被害妄想，幻聴，幻視などが原因のことがあり，医師に相談する
	夜中に奇声を発する	寝る場所は明るくしておき，思い出話や民話などをするとなごむ
	大小便のたれ流し	トイレへの道順を表示する。おむつははずさない工夫が必要

は？」→「気分とは，何ですか？」，② 類音的錯書：「むだ」を書かせると「六田」のように書く，③ 類音的錯読：「海老」という漢字を「カイロウ」と読む，などの症状がみられる。

6. 幻覚，妄想，精神興奮

統合失調症的色彩を帯び，荒唐無稽な幻覚や妄想にとらわれ，夜中に暴れだしたり，大声を出したり，時には他人に危害を加えることもある。意味なく徘徊したり，器物を破壊したりすることも珍しくない。何らかの問題行動を有するものが約40％以上に達する。

7. 進行性経過（漸増的）

漸増的に進行性であり，悪化の一途をたどる。薬剤などの治療で進行をくい止めることはできな

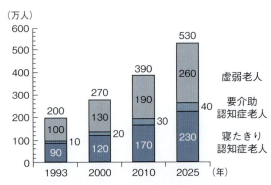

図Ⅳ・11・9　寝たきり老人・認知症老人の将来推計
寝たきりや虚弱老人など介護を必要とする老人は1993年の200万人から2025年には520万人に急増する。
〔文献9)より〕

図Ⅳ・11・10　認知症に伴う精神症状と問題行動の比率(%)

い。経過中進行が停止することもあるが，これはむしろ例外である。

d　予後

介護のありかたによって異なるが，数年の経過で鬼籍に入る。後半は全く目が離せなくなり，家庭的危機を迎える。また，身体的衰弱が伴い寝たきりとなるとベッド上の介護になり，徘徊をしていたときに比べ逆に介護負担が減ることがある（図Ⅳ・11・9)。

e　対応

これらの症状のうち介護に際して問題となるのは，夜間せん妄や人物誤認，幻覚妄想などが多いが，弄火や不潔行為などは頻度は低いが，生じると介護負担は大きなものとなる(図Ⅳ・11・10)。

このような認知症患者を抱えた家族は，家事に手が回らない，仕事に出られないなど様々な影響と負担を強いられることになる。

また，徘徊についてもその要因は様々なものがあり，不安感や被害的な気分から徘徊したり，なくした記憶の補完のためにすることもあり，その原因を知ることによって対応できることも多い(図Ⅳ・11・11)。

徘徊の理由
① 不安感や被害的な気分から
② 見当識障害のために正しい場所を探す
③ 落ち着かない気分から

④ 何か大切なものを失って他人に理解してもらいたい

被害妄想などの異常行動に対しても，認知症患者にはそれなりの理由があることが多く，盗難妄想なら何かなくなったことの事実に基づいて対応するとよい。

異常行動への対応
① 盗難
　⇒それは困りましたね，では調べてみましょう
② 夜間せん妄→まくらが犬に見える
　⇒電気スタンドなどで明るくしておく
③ 尿失禁→トイレの場所がわからない
　⇒トイレまでの道筋を明確にする

認知症患者に残存しているプライドが特に問題となるものに失禁がある。この対応については慎重にする必要があり，介護者の言動には十分注意しなければならない。プライドを傷つけるような言動は控え，迅速に始末することも時には必要である。

用便に対する上手な対応
① 互いに見えるところで言葉を交わす
② 簡潔な言葉，合理的な誘導
③ やり終えたときには喜び合う
④ 後始末には余分な言葉を言わず，時には黙って行う

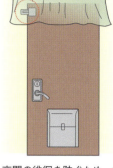

家族の会では連絡先を襟に書くことを決めた

ドアが開くとベルが鳴るしくみや，徘徊探知器も便利。探知器は福祉事務所に相談

衣服に名前と連絡先を記入しておく

夜間の徘徊を防ぐため，玄関ドアの上方に差し込み鍵を取り付ける。見えないように短いひだ付きカーテンを付けると効果的

図Ⅳ・11・11　徘徊への対応の工夫

　介護者の負担軽減からもおむつなどのタイミングは重要であり，プライドを傷つけないような配慮が必要である。

おむつのタイミング

① 失禁したことがわからなくなったとき
② トイレに座れなくなったとき
③ 衣服の上げ下ろしができなくなったとき

　このような認知症高齢者との接し方のポイントは，

① 高齢者のペースに合わせる
② 同じことを何度も繰り返して言う，情報の伝達は簡単な形で一度に1つのことを伝えるようにする
③ 話すだけでなく，書いて意思疎通を図る（口で言われてもすぐに忘れる）
④ 知能障害は強くても感情の働きは残っていることが多いので，感情の交流を努めて図るようにする

ことなどが重要である。

　以上のような注意をしながら，寝たきりにならないように，

① 持っている力をのばしながら
② 行える動作・能力に働きかけ
③ できる動作を引き出しながら
④ 遊び心を引き出すようにする

と効果的である。

　自宅に閉じこもり，寝たきりにつながらないようにするために，地域のデイケアなどを活用するのもよい方法である。以下に身体状況に応じたグループセラピーの実施内容を掲げた。

グループセラピーの実施内容

① 身体機能も社会的機能も両方良好なグループ
　ⓐ 風船バレー，輪投げ，玉入れ
　ⓑ 歌・カラオケ，体操，回想療法
　ⓒ しりとり，ボーリング，カルタなど
② 身体か社会的機能かいずれか良好なグループ
　ⓐ 風船バレー，輪投げ，玉入れ
　ⓑ 歌・カラオケ，体操など
③ 身体機能も社会的機能も両方不良なグループ
　ⓐ 風船バレー，音楽鑑賞

表Ⅳ・11・11　血管性認知症または血管性軽度認知障害の診断基準(DSM-5)

A．認知症または軽度認知障害の基準を満たす
B．臨床的特徴が以下のどちらかによって示唆されるような血管性の病因に合致している：
　1．認知欠損の発症が1回以上の脳血管性発作と時間的に関係している
　2．認知機能低下が複雑性注意(処理速度も含む)および前頭葉性実行機能で顕著である証拠がある
C．病歴，身体診察，および／または神経認知欠損を十分に説明できると考えられる神経画像所見から，脳血管障害の存在を示す証拠がある
D．その症状は，他の脳疾患や全身性疾患ではうまく説明されない

確実な血管性神経認知障害は以下の1つがもしあれば診断される。そうでなければ疑いのある血管性神経認知障害と診断すべきである：
　1．臨床的基準が脳血管性疾患によるはっきりとした脳実質の損傷を示す神経画像的証拠によって支持される(神経画像による支持)
　2．神経認知症候群が1回以上の記録のある脳血管性発作と時間的に関係がある
　3．臨床的にも遺伝的にも脳血管性疾患の証拠がある

疑いのある血管性神経認知障害は，臨床的基準には合致するが神経画像が得られず，神経認知症候群と1回以上の脳血管性発作との時間的な関連が確証できない場合に診断される。

〔文献10)より作成〕

2　脳血管性認知症

a　原因

　原因として多発性脳梗塞があげられ，梗塞巣が多いほど，病巣が大きいほど，認知症の出現率が高い。病巣は両側性多発性散在性の小梗塞で，白質内にあるものが多く，多発性梗塞による認知症 multi-infarct dementia (MID)[10]といわれるゆえんである。

　欧米では老年期認知症のなかでSDATがMIDより多いとされているが，わが国の発表ではMIDのほうがやや多く，脳内の動脈硬化の程度と関連するものと考えられている。しかし最近では生活習慣病など動脈硬化への関心が高まり，高血圧，糖尿病，脂質異常症などの予防や生活の欧米化などの浸透から，SDATが徐々に増加しているともいわれている。

　最近，脳ドックなどが普及し，無症候性脳梗塞が問題となっているが，これらは脳血管性認知症の徴候の重要な指標であり，そのなかでも側脳室周囲のX線でのperiventricular lucency (PVL)，MRIでのperiventricular high-intensity (PVH)は認知症の発生と関連性が高いといわれている(表Ⅳ・11・11)。

b　症状

　脳血管性認知症の発病は，脳血管障害のエピソードをきっかけとして出現し，さらに脳血管障害のエピソードで階段状に進行する。その主なる症状の特徴を以下に述べる。

1．まだら認知症

　認知症症状が一様でなく，ある面では全く認知症化しているにもかかわらず，他の面では大変しっかりした意見を述べたりする現象である。例えば，今日は何月何日か，との質問には全く見当違いの答えをするにもかかわらず，時として現在の政治のあり方に関してはしっかりした正確な意見を述べるといったような現象を示すもので，これを"まだら現象"と呼んでいる。病前の職業や知的レベルにより，まだらの状況は個々人によってかなり幅広いものとなる。

2．記銘・記憶力の低下

　人物名，物の名称などをはじめとして，最近身近に起きた事柄(例えば食事をしたこと，来客があったことなど)を忘れたり，自分でしゃべったことを忘れてしまって，何度も同じことをしゃべる，などである。しかし，若い頃記憶したことはよく残っていることが多い。

3. 見当識障害

今日は何月何日なのか，何時頃なのか，自分がどこにいるのか，親しい人が訪ねてきてもそれが誰であるか，などがわからなくなってしまうような時間，場所，人に対する認識の障害である。

失語症などがあると，見当識は正常でも言語で表現できなかったり，数字に弱くなるため何月何日か間違えることがある。また，そもそも聴覚的理解が悪くて質問の意味が理解できなくてとんちんかんの返事をすることがあるから，これを見当識の障害と間違わないようにしなければならない。

4. 計算力の低下

教育レベルや，それまでの職業によって差異はあるが，暗算や筆算が困難になる。簡単な暗算でも，繰り上がりや繰り下がりのある計算が困難になる。

5. その他

身体的徴候としては，他の臓器の動脈硬化も進展していることが多く，眼底の動脈硬化所見，心電図変化，胸部X線上での大動脈の硬化所見などを認めることが多く，それらの合併症に注意しなければならない。

症状として，感情失禁，特に強制泣き，強制笑いなどを示す場合は脳血管性認知症としてまず間違いないと思われる。

ほかに抑うつ状態，被害妄想，心気症などの症状が出ることがあるが，人格の崩壊をみることはなく，内面的にはいろいろとうっ積しているとしても，外面的にはむしろコンタクトは良好で，ニコニコと接し，多くは多弁である。身近の具体的な事項について不満の要素などを含めてよく話すことが多い。しかし，抽象的内容には乏しくなる。また日常行動上の判断力は比較的よく保たれている。

c アルツハイマー型老年認知症との鑑別

脳血管障害の既往のない場合は困難な場合もあるが，MRIなどを用いることで，最近はかなり高率に鑑別できるようになってきている。日常臨床的には以下の虚血点数での鑑別がよく用いられる（表Ⅳ・11・12）。

表Ⅳ・11・12　Hachinskiの虚血点数

特徴	点数	特徴	点数
急激に起こる	2	感情失禁	1
段階的悪化	1	高血圧の既往	1
動揺性の経過	2	脳卒中の既往	2
夜間せん妄	1	動脈硬化合併の証拠	1
人格保持	1	局所神経症状	2
抑うつ	1	局所神経学的徴候	2
身体的訴え	1		

7点以上：脳血管性認知症
5～6点：混合型認知症
4点以下：アルツハイマー型老年認知症

〔文献11）より〕

d 予後と経過

病識も晩期を除いてはなくならないのが普通である。

発病は一般に緩徐であるが，時には急性に始まることもあり，また経過においても動揺性であることが特徴である。失行・失認・失語など巣症状を伴うことも少なくない。

薬物は，例えば抑うつ状態に対してある程度反応することはあるが，明確に効くものは今のところ，残念ながらない。

3 混合性認知症

SDAT，MIDのいずれも高齢者の病的変化の1つであるから，実際には両者が同時に混在することが少なくない。多くの老年期認知症患者に接してみると，むしろ大なり小なり両者が混在していることが多いように思われる。

混合性認知症とSDAT，MIDとの境界は明確に線が引けるものではないから，発表者により占める比率にかなりの開きがみられる。松下らはSDAT 20％，MID 66％，混合性6％と述べているのに対し，朝長らはSDAT 16％，MID 54％，混合性30％と混合性にかなりの差がみられている。臨床的には前述の虚血点数を参考にすると分けや

すい。
　以上，老年期認知症について述べたが，認知症群と正常群との境界はclear cutというわけではない。認知症群に入らないまでも，それは全く正常という意味ではなく，いわば認知症予備軍ともいえる高齢者は結構多いものである。

4 レビー小体型認知症
dementia with Lewy bodies（DLB）

　1995年の国際ワークショップではじめて提唱された名称で，DLBは進行性の認知機能障害に加えて，特有の精神症状とパーキンソニズムを示す変性認知症である。
　病理学的には，大脳と脳幹などの神経細胞脱落とα-シヌクレイン（α-synuclein）を構成成分とするLewy小体が神経細胞内に沈着する。パーキンソンParkinson病でも経過中かなりの頻度で認知機能障害が出現することが明らかとなっている（認知症を伴うパーキンソン病）。パーキンソン病では中脳黒質に，びまん性Lewy小体病では中脳のほか大脳皮質にも病理学的変化がみられる。
　症状は，アルツハイマー型認知症に比べて多彩である。
　① 日内・日差変動の大きい進行性の認知症
　② 生々しい幻視・幻覚（いないはずの動物や人が見える）
　③ 妄想（もの盗られ妄想，浮気妄想など）
　④ 睡眠障害（REM睡眠期の夢に合わせて大声を出すなど）
　⑤ 自発性の低下
　⑥ パーキンソニズム（無動，固縮，すくみ足，転倒など）
　⑦ 自律神経障害（起立性低血圧，排尿障害など）
　治療は，ドネペジル内服など，パーキンソン症状に対するL-ドパ内服，対症療法，幻覚・妄想に対する薬物療法，症状の変動が大きいので，状態に合わせた対応，パーキンソン病に準じた対応，失神や転倒に注意する，などである。

5 前頭側頭型変性症
frontotemporal lobe degeneration（FTLD）

　著明な人格変化や行動異常などを主徴として，主に前頭葉，側頭葉の前方が侵される変性疾患の一群である。主なるものに，前頭側頭型認知症 frontotemporal dementia（FTD），進行性非流暢性失語 progressive non-fluent aphasia（PNFA），意味性認知症 semantic dementia（SD）がある。大脳に沈着する蛋白により，従来いわれてきたピックPick病（ピック球：タウ陽性封入体）などもこのなかに包含される。
　以下のような症状が早期からみられる。
　① 社会的対人行動の障害：礼儀の欠如，社会ルールの欠如（並んでいる列に横入り，道端で放尿，万引きを繰り返す，など）
　② 自分の行動量を調節できない：増加（同じものを毎日買い続ける，同じことを繰り返し話す），減少（興味あること以外は行わない，入浴や食事をしなくなる）
　③ 情動の調節ができない：常に笑う，多弁で饒舌，ふざける，すぐに怒る，自分の気が向くままに行動する，など
　④ 病識の欠如：自分の症状の変化に気付かない
　治療は，行動障害を改善する目的で選択的セロトニン再取り込み阻害薬（SSRI）を使用することがあるが確立されてはいない。FTLDの症状に合わせて，介護者教育・行動療法を行う。
　主な認知症の画像診断の特徴を表Ⅳ・11・13に示す。

6 正常圧水頭症性認知症

　高齢者に限ったものではないが，高齢者に比較的みることが多いものである。
　クモ膜下出血，外傷・腫瘍の手術，髄膜炎などの後に引き続いて起こる二次性正常圧水頭症 normal pressure hydrocephalus（NPH）が多いが，NPHの1/3以上は原因不明の特発性NPHである。
　症状は，認知症，歩行障害，尿失禁の3主徴が代表的であるが，そのほかにも多弁あるいは寡言，構成失行などの症状を呈することがある。
　特に頭痛を訴えるわけでもなく，皮質の萎縮もないにもかかわらず，徐々に進行していくものである。
　脈絡膜叢 choroid plexusにおける髄液産生には

表Ⅳ・11・13　主な認知症性疾患の画像所見

	アルツハイマー型認知症	脳血管性認知症	Lewy小体型認知症	前頭側頭型認知症
X線CT	全般的な脳萎縮 PVL（軽度）	梗塞や出血などの病巣 PVL（軽～高度）	内側側頭葉萎縮は経度	前頭葉と側頭葉に局限した脳萎縮
MRI	全般的な脳萎縮 PVH（軽度）	梗塞や出血などの病巣 PVH（軽～高度）	内側側頭葉萎縮は経度 中脳被蓋の萎縮	前頭葉と側頭葉に局限した脳萎縮
SPECT・PET	側頭葉・頭頂葉の左右対称の脳循環・脳代謝低下	局所的，非対称的な脳循環・脳代謝低下 病巣関連皮質で低下	FDG-PETで後頭葉一次視覚野の代謝低下 MIBG心筋シンチグラフィーで取り込み低下	前頭葉と側頭葉に局限した脳循環・脳代謝低下

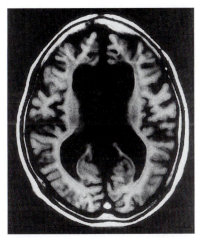

図Ⅳ・11・12　正常圧水頭症の頭部CT
両側の側脳室が著明に拡大している。

変化はないが，くも膜絨毛 arachnoid villi における髄液吸収に支障をきたすために，脳室が徐々に拡大する。

圧は一定ではなく，髄圧を長時間にわたって連続測定すると，間欠的に上昇がみられる。

NPHにより出現する症状は側脳室前角部周辺の前頭葉（尾状核周辺で意欲低下，側脳室内側面で尿失禁），および第3脳室周辺の脳幹部の障害による症状で，前頭葉の皮質下認知症の形態をとる。

NPHは脳脊髄液の循環障害がその根底にあり，CTでは脳室の拡大と側脳室角部の円形状の鈍化がみられる（図Ⅳ・11・12）。また，RI検査では，脳室内逆流や長時間停滞の現象がみられる。

脳室内シャント術は新鮮例での挿入よりは脳脊髄液の循環障害の著明な二次性NPHのほうが効果が期待できる。

D　認知症高齢者のケア

1　生きがいをつくる

認知症高齢者は，「遠くの身内より，近くの他人」という言葉に類似して，高齢者同士，ケアをする人達とのなじみ深い仲間をつくることで，人間関係に「安心，安定，安住」の場ができる。このことは，認知症高齢者の心の支えとして，高齢者の生きがいにつながることが多い。なじみの人間関係の最も近い関係はいうまでもなく家族である。高齢者が家族と暮らすのが最も幸せというのもうなずけ，ここにケアの基盤があるように思われる。

2　認知症高齢者との接し方

高齢者がみんなと安心して生きられるようにするための最も端的で簡単な方法は，すべての点で「高齢者に合わせる」ことであると思われる。

1. 高齢者の行動を理解する（説得よりも納得を）
高齢者の間違った行動に対して，説得や強制的な指導をしたり，叱ってしまう，訂正するということは，高齢者にとって無意味であるばかりか，逆効果にもなりうる。叱られた内容は覚えていなくても，屈辱感や被害的なものは残り，高齢者をうつ状態にさせたり，被害妄想を生じさせることにもつながる。

2. 柔軟性のある態度で接する
認知症高齢者は自分を変えて相手に合わせて行動することができにくい。介護者は忍耐強く，柔軟性のある態度で接しなければならない。

3. 高齢者のペースに合わせる

一般に認知症性高齢者は動作や思考過程が緩慢で，早い考えにはついていけないことが多い。介護者のペースで動かないようにする注意が必要である。

4. 情報は簡潔に要領よく伝える

例えば，水道の閉め忘れがある場合に「節水」と書いた紙を貼るなど，その場に応じた情報を簡潔に表現することが大切である。

5. 高齢者に理解できる言葉を使う

高齢者はマスコミで用いられているような言葉よりは，通常用いられている言葉のほうが理解しやすく，時には方言混じりで話すと理解されることもある。

また，常に暖かく接し，微笑みや肩を抱いたり，手を握るなどのコミュニケーションも大切である。

6. プライドを尊重した話し方にする

介護者の態度や言葉のなかには高齢者の自尊心を傷つけているものも多く，感情面はかなり進行するまで保たれているものが多いことから，まじめな態度で，高齢者の自尊心を高めるような接し方が重要である。

7. よい刺激を絶えず与える

認知症は適切な刺激がないと，残存機能まで鈍化させてしまう。適切な刺激を与えることで，残存機能を活性化し，鈍化した機能を活発にする必要がある。

例えば，昔やっていた園芸・裁縫などや，日常やっている掃除や庭の手入れなどをやらせるとよい場合がある。

8. 寝込ませるようなことをしない

寝込むようになってくると，異常行動や問題行動が問題にならなくなってくるので，介護者の接触が少なくなってくる。このようになると刺激が少なくなり認知症が進むようになる。寝たきりは退化につながることから，安易に寝込ませないことが重要である。

寝たきりにならないための介護のポイントは，① もっている力をのばし，② 行える動作・能力にうまく働きかけ，③ 遊び心を利用して，④ できる動作を引き出すとよい。

9. 孤独にさせない

放置して構わないと孤独になり，人間関係が失われてくる。このようになると，身体や衣服，便などの自分のものや，床に落ちているものなど周囲のものに対して執着する破衣・異食・便こねなどの異常行動が起こってきたりする。

3 日常生活に対する注意

① 急激に環境を変えない。
② 規則正しい生活を送らせる。
③ 過食と栄養不良を防ぐ。
④ 1日食事以外の水分摂取量として 800〜1,200 mL を確保する。
⑤ 排便，排尿は一定の間隔，周期で続けさせる。
⑥ 失禁に対しては恥をかかせない。失禁の後始末には多くの言葉はいらない。
〈おむつのタイミング〉
　ⓐ 失禁したことがわからなくなったとき
　ⓑ トイレに座れなくなったとき
　ⓒ 衣服の上げ下ろしができなくなったとき
⑦ トイレの場所など，日常使うものの場所を効果的に示しておく。
⑧ やさしく言葉かけをしながら，歯磨き，入浴などを行わせ，清潔を保つ。

4 精神症状や異常行動への対応

1. 夜間の異常行動（せん妄）

認知症高齢者は時間の間隔がつかめず，夜間眠れず，寝ぼけた状態になることがあり，カーテンや明かりを見て「泥棒がいる」といって興奮したりする。

このようなせん妄状態のときには，刺激的な音や光は避け，静かな環境の中で過ごさせるようにする。不安や混乱のときには，折に触れて現実を知らせることも行う。また，まっ暗にせず，電気スタンドなどで少し明るくしておくことも大切である。また，以下のような点にも注意を払う。

① 毎日の睡眠と覚醒のリズムを整える
　昼間はなるべく眠らせないで，できるだけ活動させる。
② 内科的疾患の管理，治療
　尿路感染，呼吸器感染，便秘，疼痛など。
③ 服薬内容のチェック
　副作用としてのせん妄。
④ 安心感を与えるようにし，どうしてもおさまらなければ薬物調整を行う。

2. 盗難妄想

自分の物忘れをするということに自覚がないため，人に盗まれたと思う。特に直接介護をしている身近な人に疑いをもつ。このような場合，盗まないと言っても，高齢者は納得しない。現実に物が見当

たらないからである。このような場合，「ない」という事実に基づき，一緒に探すことがよい。多くは，物を片付ける場所はいつも決まっているものである。

3．徘徊

徘徊にはそれなりの理由がある。例えば，以前勤めた会社に行こうとする。自分の家なのに他人の家だと思い，自分の家を探しに出かける。慣れ親しんだ思い出の品などを用意し安心させると効果のある場合がある。運動不足で徘徊する場合もあるので，回廊や中庭など安全に歩きまわれる場所で徘徊を続けさせてもよい。

徘徊をする高齢者の衣服には直接，連絡先を書くようにする。布に書いて貼ったりすると「人をばかにして」とはぎ取ってしまう。

また，警察や近所の人にはあらかじめ知らせておく必要がある。

4．暴力行為

暴力にもそれなりの原因があることが多いので，よくその原因を聞いて，高齢者のペースでことを一緒に解決してやるとおさまることが多い。しかし，幻覚によって生じていたり，あまり度を越すものは，鎮静薬や病院収容もやむをえず医師に相談したほうがよい。

5．夕方たそがれ症候群

夕方になると，1日の不安や疲れが出るためであろうか，不機嫌になったり，混乱を起こしたりする傾向がある。このようなことに対しては，夕食のしたくを日中にしておき，夕方，高齢者好みのテレビ番組を一緒に見るとか，高齢者にできる簡単な仕事を一緒にするとよい。

5　事故防止

けがの起こりやすさに関連するものには次のようなものがある。

認知症高齢者のけがの要因

① 運動の協調性の障害
② 環境要因に伴う危険
③ 自分の身を守ることの関心の欠如
④ 徘徊
⑤ 適正判断の欠如

患者をけがから守るためには，次のような注意が必要である。

認知症高齢者をけがから守るための工夫

① 在宅環境が安全なものになるように再考すること
② 緊急時の医学的情報が書かれた札やブレスレットをつけること
③ 認知症高齢者が自動車の運転をしたり，鍵を手に入れたりしないような方法を具体化すること

6　介護者の生活と健康維持

介護者となるのは，配偶者あるいは子供，義娘であることが多い。

介護者は一日中，このような認知症高齢者の世話をしているために心身ともに疲れ果てる。このことを，家族や周囲の人は意外に理解できないでいることが多く，介護者をいっそう孤独な状態に追い込むことがある。

介護者が疲れないようにするためには，1人で頑張らないことである。家族がいる場合は，冷静に高齢者のことを話し合い，自分の分担を決めて，協力を得るようにすることである。また，キーパーソンを決めて，周りの人々はそれに従うようにし，余計な言葉をはさまないように心掛けなければならない。

ちなみに家族の困るような問題点は，次のようなものがある。

認知症高齢者を抱える家族の問題

① 家事に手が回らない
② 仕事に出られない
③ 火の不始末
④ 心身の疲労
⑤ 睡眠不足
⑥ 経済的負担
⑦ 家庭内不和

認知症高齢者を抱えた家族は様々な問題をもち，家族はもとより地域の協力体制がなければ，介護できるものではない。最近では，各地域に介護支援センターなどをはじめとする在宅介護の支持がなされ，高齢社会のもつ問題に大きく貢献している。

認知症高齢者の在宅ケアを支える援助

① 老人精神保健相談（保健所）
② 老人性認知症疾患センター（精神科のある総合病院）
③ 保健師の訪問（保健所，市区町村）
④ 通院（精神科，神経内科，内科のほかに「認知症外来」「もの忘れ外来」を開設する医療機関がある）
⑤ 往診・訪問診療
⑥ 訪問看護
⑦ 訪問リハビリテーション
⑧ 高齢者デイケア（病院，診療所）
⑨ 訪問看護ステーション
⑩ 老人保健施設（短期入所やデイケアを実施する施設が多い）
⑪ ホームヘルパー（24時間体制の援助も普及しつつある）
⑫ 老人デイサービスセンター（A～E型のうちE型は認知症性高齢者が対象）
⑬ ショートステイ（老人ホーム）
⑭ 在宅介護支援センター
⑮ 日常介護機器の給付・貸与（徘徊認知症老人のための感知機器を貸与）
⑯ 手当（介護激励金，特別障害者手当など）
⑰ 特別障害者年金
⑱ 「託老所」「宅老所」（民間グループ）
⑲ 徘徊老人早期発見ネットワーク（警察署が中心になって普及しつつある）
⑳ 家族の会（全国的な「社団法人認知症の人と家族の会」のほかに，各地に小規模な家族の会がある）

以上のように，認知症高齢者をめぐる問題は山のようにあるが，高齢者のリハビリテーションを考えるうえで，通り過ぎていくわけにはいかない問題である。

E その他の精神障害とリハビリテーション

老年期の精神障害は大別すると，器質性精神障害と機能性精神障害の2つに分けることができ，前者は脳血管性変化，脳萎縮によるもので，不可逆的であるが，後者は，循環・代謝・中毒・心理的因子などに伴った二次的なものであり，可逆的なものが多い。実際には両者が混在していることが多く，機能性障害に属している部分が回復しやすい。

1 器質性精神障害

器質性精神障害には，① アルツハイマー型老年認知症，② 脳血管性認知症が主なるもので，すでに述べたが，そのほかに，③ せん妄状態がある。

a せん妄状態

意識混濁に錯覚や幻覚を伴った錯乱状態をいう。高齢者にはよくみられ，特に夜間にみられることが多い。認知症に合併して起こることも少なくない。

急性ないし亜急性，一過性の脳機能障害や，急激な身体的変化，例えば外傷，手術などによってせん妄状態を呈することがあり，時には重篤な経過をとることもあるが，全身的状態が改善するにしたがって完全に回復することから，機能的，可逆的な症状と思われる。

せん妄状態は必ずしも認知症症状は強くなく，支離滅裂，注意の散乱，興奮状態，性格の変化などが前面に出てくる。

初期には易疲労性，意欲低下，集中力障害，感情の不安定などがみられ，記銘力の低下や頭重，めまいなどを伴うこともある。

性格の変化は，"生来の性格がさらに強調されて表れる"ことが特徴である。社会生活を営むうえで必要であった高位の抑制がとれ，その人本来の性格が露骨に出てくるといった感じである。

共通点としては自己中心的で他人への配慮に欠けること，疑い深くなること，妄想的になること，などがあげられる。また，感情は不安定で，ささいなことでも喜怒哀楽を示すようになり，さらに進行すると"感情失禁"を呈することもある。

妄想状態もよくみられ，脳の器質的変化ではあるが，その人の素質，環境的・心理的因子が関係深いものと考えられる。被害妄想，嫉妬妄想などがよくみられ，思いがけない暴行を働いたり，統合失調症的行動をとることがある。知能は一般に低下しない。

うつ状態も出現することがあり，時に自殺企図を示すことがある。以上の諸症状は動揺性で，改善，悪化を繰り返して，次第に進行していく。こ

の点は脳血管性認知症の経過と似ている。さらに進行すると，人格の崩壊がみられるようになり，理性がなくなり，認知症症状も強くなり，老年期認知症との鑑別は困難となる。

2 機能性精神障害

循環，代謝，中毒因子などが関与し，環境，心理因子も大きな影響をもつものと考えられる。心疾患による脳循環障害，呼吸不全によるanoxia，なんらかの原因による脱水状態，腎不全，肝不全による脳症，薬剤使用（老年は排泄能力の低下もあって薬剤耐性が弱く，常用量の使用でも中毒症状を起こすことが少なくない）などにより精神症状を示すことがある。さらに，社会的，家庭的などの環境ストレス（退職，配偶者の死亡，経済的不安，最近は核家族化による子供たちとの別居，それによる孤独など）が誘因となることもある。

a うつ状態

老年期に高頻度にみられるもので，表情は暗く，声も低く，沈みがちとなる。

すべてのものに快楽を感じなくなり，行為面での抑制，思考面においては注意力，判断力，記銘力などの低下をみるようになり，認知症との鑑別が重要である。自責感，罪業感の強いものもみられ自殺企図を示すものもある。

また身体症状として，不眠，食欲低下，便秘，頭痛，頭重，嘔気，嘔吐，口渇，胸やけ，肩こり，易疲労性など，種々の症状をもっていることが多い。

b 統合失調症

老年期に出現する統合失調症は妄想型がほとんどで，妄想，幻聴（その他の幻覚もある），感情鈍麻（喜怒哀楽の感情表出の欠乏）などが主症状である。

妄想，幻覚としては，毒を盛られる，物を盗まれるといった被害妄想が多く，拒食，服薬拒否がみられたり，自分の持ち物を絶えず点検したりする。自分の妻が浮気をしていると信じ込むような嫉妬妄想も多い。

c 老年期神経症

活動量の低下，性格，環境などの多くの要因が関与しているが，老化に伴ういろいろな葛藤（家庭内の対人関係の不和が多い）によってもたらされることが多い。身体疾患が契機になることもある。心気的なもの，心身症に近いものが多く，不眠，胃腸障害，頭痛などの身体症状を主徴とする。

F 認知症対策と生活管理

1 認知症対策

a 世界の趨勢

宗教・教育・文化・習慣などいろいろな面で世界の国々の考え方に差が出るなかで，認知症だけは極力避けたいということは一致している。認知症が増えれば増えるほど，それを介護すべき若者が増え，活動的に国を支持する若者が減るので，遠からず国は衰退に傾くというのが共通の考え方である。現在わが国がこのような形態をとっている可能性が高い。教育のあり方，家庭内の家族のあり方から変える必要があると考えている人が多い。

b 具体的認知症対策

認知症対策として，①遺伝性因子と②後天性・環境性因子への対応が考えられている。遺伝性因子については，その関与遺伝子の解明が急がれているが，決定的な予防までは時間がかかると思われる。しかし，後天的・環境的因子は対応できる可能性は現時点でも高い。

① 環境の改善：食物を含めた子供時代からの生活環境が動物・ヒトの人格形成や認知力育成に大きな影響を与えることは多くの前向き報告があり，十分実証されている。
② 脳の積極的活性化：脳の前頭葉，側頭葉，頭頂葉などの訓練が，本人にその気さえあれば，いかに教育効果をあげるかは言うまでもない。現

在の厳しい世の中で情緒の育成を兼ねた認知能力の育成は言いやすく，行い難いものである。
③ 咬合動作：歯科医師からよく注意を受けることであり，通常意識していないが，咬合動作が脳の循環に増強作用があるらしい。
④ 四肢・躯幹の運動：四肢・躯幹の運動も過度にわたらない限り，脳循環を改善するとされている。
⑤ 適切なストレス量：適当な刺激量が必要で，最適量は個人差が大きい。
⑥ 睡眠量：これも最適な量があり，個人差が大きい。ただし睡眠には量だけでなく質が関係深く，また呼吸異常の有無などにより影響されるが，最適時間は6〜8時間というところであろう。また昼間の明るさの程度により分泌されるメラトニン分泌が天候・仕事などの関係で減少した場合も睡眠パターンが変わり，睡眠の質が変わることがあり，複雑である。
⑦ 喫煙：煙を吸い込んだ直後に感じる頭の爽快感から，煙草の唯一のメリットと言われたこともあったが，最近，それは一時的な薬物効果であって，長い目でみると脳の働きを低下させていることが判明している。何十年の長い喫煙が認知症をもたらしても不思議ではない。
⑧ アルコール：適当量ならば，身体的長寿に効果ありとの報告は多くみられるので，間接的には認知力を高めるとも考えられるが，過量により認知障害や精神障害を起こしてきた罪を償うことはできない。

2 薬物療法

最近いくつかの薬剤が開発されている。

a ドネペジル塩酸塩 donepezil HCl（アリセプト）

アセチルコリンエステラーゼ阻害剤（AChEI）はアセチルコリンの減衰を少なくし情報伝達の効率を高めようとするもので，現在わが国ではアルツハイマー型認知症に最も用いられている。軽度から高度まで用いられる。また，レビー小体型認知症にも使用可能である。

b リバスチグミン rivastigmine（イクセロン）

軽度〜中等度のアルツハイマー型認知症に主に用いられる AChEI で，皮膚に貼るパッチ剤。ADL，言語の改善がみられるとの報告がある。

c ガランタミン galantamine（レミニール）

軽度〜中等度のアルツハイマー型認知症に用いられる。アセチルコリンがその受容器に到達するのを増強する作用があり，脳の活力を助長するものと考えられている。

d メマンチン memantine HCl（メマリー）

中等度〜重度のアルツハイマー型認知症に用いられる NMDA 受容体拮抗薬。ドネペジル＋メマンチンと，またはドネペジル＋プラセボの投与で，併用投与群では認知能力が改善し日常生活動作（ADL）が向上した。

e ガンマ-アミノ酪酸 γ-aminobutyric acid（ガンマロン）

脳内の GABA の活動を正常化させることが目的で，対象は頭部外傷後遺症である。不安障害やパニック発作に関連するニューロンの異常な活動を抑える可能性を秘めた薬剤である。

3 内科的全身管理

加齢に伴う精神的問題は，身体の老化とも密接に結び付いていることが多く，高血圧，脂質異常症，糖尿病，心疾患など，ある程度，内科的管理によってその症状の出現や進行を予防できることがあるので，定期的な身体的管理は精神障害を予防するうえでも，治療するうえでも必要不可欠のものである。

4 適度な運動

1日のうち一定時間体を動かすことは，身体的

機能を維持するために必要なことであるが，同時に精神・心理的健康を維持するためにもさらに重要な意味をもつ．しかし，運動は個人の身体状況，趣味などに合わせたものを選ぶべきで，散歩，庭の手入れ，家事軽作業などレクリエーション的要素を含んだものがよい．

5 栄養管理

食生活についても適切な管理が必要であり，糖尿病などの身体的状況があればそれに合わせることはもとより，規則正しい食生活は心身の健康をつくる原動力となる．しかし，うつ状態，妄想などでは食思不振，拒食などのために，栄養不良が生じやすい．脱水状態にでもなると急速な機能的精神障害が加重されてくるので，気分を転換させ根気よく食事の介助をすることがよい．それが無理な場合は，点滴による補液，鼻腔栄養なども必要となる．便秘，下痢などにも注意を払い，また歯の悪い場合が多いので，食品の選択や調理方法にも工夫が必要である．

6 入浴による清潔管理

身体的清潔も精神的健康を保つために必要である．入浴も内科的問題がなければ行うべきである．垢だらけにして放置しておくことは，清潔に対する関心を失わせ，精神的にも悪影響を及ぼす．しかし，肢体の不自由を伴っている場合には，一般家庭の浴槽では入浴が困難であることが多い．浴槽周辺に手すりを付けたり，バスチェアーなどの工夫も必要となる．自宅での入浴ができない場合には地域の入浴サービスなどの社会的サービスも利用するとよい．また，入浴できないときには清拭により身体を清潔に保つ必要がある．

7 心理的・精神的側面の管理

高齢者の心理的・精神的変化には，社会的・家庭的な環境因子が重要な役割をもつので，その配慮は特に重要である．社会的・家庭的に重要な地位を保ってきた人達にとって，今やその地位から遠ざかりつつある，あるいは遠く離れてしまった苦悩，生きる目標を失った孤独感，将来に対する不安感など，いずれも心理的・精神的増悪因子となりうる．

これらを避けるためには，高齢者の心理・精神面の特徴を十分理解し，個人個人の立場を支持し，保護するとともに，環境を調節し，鼓舞激励するような支持的supportiveな治療法が必要である．多忙な医療従事者にとって，高齢者の回りくどい表現を根気よく聞き，愛情を込めて接することは容易なことではないが，これなしに彼らを救うことはできないと心がけるべきであろう．

身体的機能維持のために適度な運動が必要なように，精神的機能維持のためには適当な精神的作業，レクリエーションなどが必要である．特に認知症症状を伴う場合には不可欠である．テレビ，ラジオ，新聞などは最も手近な精神的作業の一種であるし，そのなかで大きなニュースについて話題を提供し話し合うことも活発に頭を働かせる簡便な方法である．

高齢者個人個人の趣味を生かした軽作業は，身体的レベル維持のほかに，精神的にも，注意力の集中，思考力の養成，意欲の助長，気ばらしなど多くの利点をもっており，生きがいを感じさせるために大きく貢献する．

また作業療法は，そのものの効果だけではなく，それを通じて作業療法士や他患者との接触があるので，対人的・社交的側面を改善し，孤独から救うことが可能である．

このように，作業療法はいろいろな利点をもっており，高齢者施設，病院ではできうるものならすべての高齢者に行うべきであるが，高度の精神障害者には実施困難なことも多く，また視力，聴力，理解力の低下により，実際には幾多の困難がある．

一方，高齢者の作品は，定期的に展示会を行ったり，バザーを催すことは，彼らに大きな意欲をもたせ，競争心を起こすことにも役立つ．作品展の準備，ポスター作りなども作業療法の一環として行うことが望ましい．ある種の作業療法は，在宅でも行うことが可能なものもあるので，家族の理解を得て取り組んでもらうとよい．

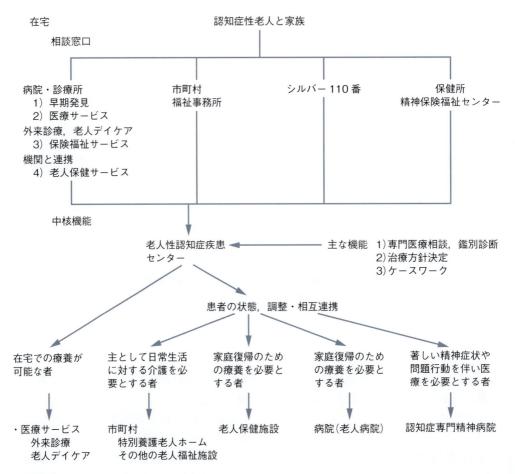

図Ⅳ・11・13　認知症高齢者と社会資源　〔文献12)より〕

8 社会的側面（図Ⅳ・11・13）

　医学的な側面よりむしろ重要な意義をもつともいえよう。高齢者が社会から隔絶され，家族（子供たち）からも離別された状態におかれることが，老人の精神面を悪化させることになる。したがって，社会的に何らかの高齢者の精神面での対策が必要である。

　これらの一環としてデイケア，老人クラブ活動，各種講習会や趣味の会などが地域単位で行われていることは，高齢者の精神的側面からも大きな救いになっているものと考えられる。

　家庭的な要因が，在宅高齢者には最も重要なことであるが，核家族化し，敬老精神が薄れてきた今日，真剣にこの問題を考え直さねばならない時期がきている。特にひとり暮らし高齢者に対しては，介護福祉士，ホームヘルパー，ボランティアの充実をはじめとして社会的高齢者福祉対策の充実が緊急の課題である。

12 運動器疾患のリハビリテーション

A 高齢者の骨折 bone fracture

1 高齢者の骨折の特徴

日常生活においては，転倒などの危険回避に，筋力，瞬発力，筋持久力，敏捷性，平衡性，協調性などが必要であるが，神経系などの機能の低下とともに，加齢に伴い易転倒傾向は増加する。加えて，手のつき方など転び方が下手になっており，通常では想像もつかないような，わずかな外力で，高齢者は骨折を起こしうる（表Ⅳ・12・1）。

加齢による平衡機能，歩行機能の低化

1. 平衡機能の低下
① 末梢自己感覚受容器の機能低下
② 立ち直り反応の障害
③ 筋力低下
④ 重心動揺増加
⑤ 起立性低血圧
2. 歩行機能の低下
① 足を高く上げる歩行が困難
② 男性：屈曲姿勢で足を広く開いた小刻み歩行
③ 女性：足幅が狭くよちよち歩き

〔文献2）より〕

高齢者の骨折のうち頻度の高いものは脊椎圧迫骨折，大腿骨近位部骨折，橈骨遠位端骨折，上腕骨近位部骨折などである。脊椎ではカーブの特異性から胸腰椎移行部に最も圧迫が生じやすく，第12胸椎や第1腰椎に骨折が多いのが特徴である。原因として尻もちや転倒によるものが多いが，重度の骨粗鬆症であれば咳やくしゃみなどでも生じ，なかには明らかな外因がないものも多く経験する。

表Ⅳ・12・1 転倒の危険因子

内因	外因
固有受容器機能低下	暗い照明
視力障害	滑りやすい床
迷路機能低下	じゅうたんの端
筋力低下	毛足の長いじゅうたん
心肺機能低下：心不全，不整脈，虚血発作，慢性閉塞性肺疾患	通り道の障害物
	段差の大きい階段
	台所用品の不都合な配置
神経疾患：脳卒中，パーキンソン病，正常圧水頭症	不安定な踏み台
	滑りやすい風呂場
薬物：アルコール，向精神薬，睡眠薬，降圧薬	手すりの不備
	雑然とした庭先
その他：糖尿病，足趾障害	不適当なベッドの高さ
	不適当な履き物
	歩行補助具や車椅子の誤用

〔文献1）より〕

活動性の低下した高齢者，麻痺など身体的障害のある高齢者で室内生活を主体とする高齢者グループでは大腿骨近位部骨折が多く，活動性の高い高齢者では下腿骨骨折の割合が増す。

高齢者は本来，骨粗鬆症，関節症，筋萎縮あるいは拘縮をすでにもっているものが多く，これにギプス固定を行うと，容易に筋，骨の萎縮は進行し，関節は拘縮，硬直状態が急速に進展する。さらに認知症症状が短期間の臥床でみられるようになったり，脳梗塞，心不全症状が増悪したり，急性肺炎などのために死の転帰をとったりするので，高齢者骨折の合併症には特に気をつけなければならない。

骨折時に問題となる高齢者の合併症

① 神経系疾患
・脳卒中，パーキンソン病，認知症，うつ病
② 循環器系疾患
・高血圧，不整脈，虚血性心疾患（狭心症，心筋梗塞），弁膜症，大動脈瘤
③ 呼吸器疾患

- 慢性気管支炎，肺気腫，喘息，肺線維症
④ 代謝性疾患
- 糖尿病
⑤ 悪性腫瘍
- 各種がん，肉腫
⑥ 消化器疾患
- 胃潰瘍，イレウス，肝炎，胆嚢炎
⑦ 腎・尿路系疾患
- 膀胱炎，慢性腎不全
⑧ 骨関節疾患
- 変形性関節症，骨粗鬆症，関節リウマチ
⑨ 褥瘡
⑩ その他
- 視覚障害，難聴

したがって，高齢者は合併症の管理を行いながら，可能な限り早期離床をすべきである。高齢者の骨癒合は時間がかかることは確かであるが，そのために長期臥床，入院させることは，廃用症候群予防のためにも勧められない。

高齢者の骨折は，できれば保存的療法が望ましいが，早期離床のためには「保存的療法で長期臥床」より「観血的療法で早期離床」を選んだほうがよい。その場合にもギプス固定は必要最小限にとどめる。その場合にもギプス固定は必要最小限にとどめる。例えば大腿骨頸部骨折では，転位が大きい場合，人工骨頭置換術を行ったほうが，臥床期間も短縮され，余生のADLはより良好なものが期待できる。

加えて，高齢者本来の積極性の欠如，再骨折への不安，疼痛に対する恐怖などのために早期離床を望まないこともあるので，その意義を十分に理解させるよう，わかりやすく懇切丁寧に説明することが必要である。

2 高齢者骨折の骨癒合を妨げる因子

a 血流不全

完全な骨癒合が起こるためには十分な血流が必要であるが，高齢者では動脈硬化，心疾患など循環系の障害を合併することが多く，骨癒合は阻害される。さらに骨周囲組織，皮膚の血流も悪く，骨癒合に悪影響を及ぼす。

大腿骨頸部骨折，脛骨の下1/3部分の骨折，手の舟状骨骨折なども解剖学的に血流の悪い部位としてよく知られ，注意が必要である。

b Ca，Pなどの代謝不全

骨折以前に骨粗鬆症などがある場合には，骨癒合は著しく阻害される。

c 骨折部の固定，接合の不良

不安定な骨接合部では動揺が生じ骨癒合は妨げられる。高齢者では骨粗鬆症のために，内固定を行っても安定性や接合性が悪く，さらに前述のように，早期離床という至上命令的条件が加わるため骨癒合は阻害される。また，相対的なアライメントや姿勢の不良なども増悪因子として関与する。

骨折部が癒合しないままに終わると，"偽関節"となり，再手術しない限り癒合しない。偽関節のままでは安定した運動はできず，下肢では装具を用いない限り歩行は不可能である。高齢者骨折では前述のように迅速を尊ぶので，多少の変形治癒はやむをえないこともあるが，偽関節はできるだけ避けなければならない。

d 治療およびリハビリテーションの原則

1. 整復

まず，可能な限りもとの位置への骨折端の整復が重要なことはいうまでもない。しかし，高齢者に多い脊椎の圧迫骨折や長管骨骨折でも，骨折端が互いにかみ合った状態になっている場合などは整復の必要はない。また，軟部組織の整復も瘢痕性収縮や動揺関節を防ぐために，可能な限り行うことが望ましい。

徒手，牽引，観血的などの整復方法があるが，徒手では十分な整復は困難で，特に高齢者は早期離床のために，鋼線による直達牽引，観血的整復がよく行われている。しかし，これらは骨折部位により異なるので詳細は整形外科の専門書に譲る。

2. 固定

早期離床のためにも，副子やギプスを用いる外固定では不十分で，観血的な，髄内釘，金属螺子，プレート，鋼線などを用いて直接固定する内固定

のほうがよい．しかし，高齢者では骨粗鬆症のため内固定が困難な場合もあり，個々の例について検討する必要がある．

特に，筋，腱，靱帯の付着部の骨折では，それらの張力で骨折端が離開しやすく，観血的整復や内固定を必要とすることが多い．しかし，脊椎圧迫骨折では保存的療法のみで厳重な固定を必要としない．

3. 拘縮の予防

合併症の主なるものに拘縮があるが，骨折部のみならず，健常部の拘縮も臥床中に生じやすく，極力これを予防しなければならない．内固定さえ十分に行われていれば，早期に他動運動や自動運動を行っても骨癒合が妨げられることはない．固定されていない健常関節については当初より自動運動を行わせ，拘縮を防いで関節可動域保持に努めるとともに，筋力低下や骨萎縮を予防する．

4. 筋萎縮の予防，筋力増強

固定部位の廃用性筋萎縮は高齢者では急速に進行するので，可能な限り早期に自動運動，抵抗運動を開始すべきである．もし，ギプス固定のために等張運動が不可能な場合には，等尺運動(isometric exercise, muscle setting)を行う．例えば膝関節固定の場合，高齢者では大腿四頭筋の萎縮は意外に早く生じるものであるが，等尺収縮をすることによって，これを予防，軽減することができる．

しかし，高齢者には等尺運動のやりかたがわからない場合が多いので，例えば，大腿四頭筋ならば，具体的に「脚を伸ばして」と命じるよりも「背伸びをして」と命じたほうが，等尺収縮がうまくいく．また，健常部に対しては，拘縮を防ぐ目的も兼ねて早期より抵抗運動を行わせることが必要である．特に高齢者では健側肢や体幹の筋力低下防止に注意を払うべきで，例えば下肢骨折の場合は，できるだけ早期に免荷歩行(松葉杖による3点歩行)を行わせるか，免荷装具，免荷ギプスを用いて歩かせるとよい．

5. 温熱療法 thermotherapy

局所循環改善による損傷部位の治癒機転促進，軟部組織の伸展性増大，疼痛緩和などの目的で行われ，多くは続いて運動療法がなされる．ホットパック，極超短波，超音波が用いられる．禁忌事項として，内固定や人工関節などの体内金属がある場合は過熱に伴う熱傷の危険性があり，用いることはできない．

6. 水治療法 hydrotherapy

局所血流改善を目的として，渦流浴 whirl pool bath，交代浴 contrast bath，温浴 warm bath，温泉浴(炭酸泉，塩類泉，単純温泉など)などがよく用いられる．パラフィン浴 paraffin bath，パラフィンパック paraffin pack なども局所的温熱効果を主目的に用いられる．

ただし，渦流浴は，浮腫を伴う場合には逆に浮腫を助長するので，ほかの温熱療法を用いたほうがよい[3]．運動療法を併用する場合は，ハバード浴，プール内運動 pool exercise が好んで用いられる．浴中運動は浮力を応用すれば，介助自動運動や一種の免荷運動になるし，また浮力に逆らったり，早い運動を行ったりすればその速度に応じた抵抗運動となるので，骨折後のリハビリテーションでその利用価値は大きい[4]．

7. その他

特に高齢者では，背臥位での長期臥床は沈下性肺炎など肺合併症を生じやすいので，臥床中には"呼吸訓練"を行わせることも必要であり，また可能な限り早期に座位をとらせることはその意味でも重要である．

一方，長期臥床による脳循環の調節機能低下は認知症を誘発促進するので，早期認知症患者や高齢者ほど早期に座位から離床へと導かねばならない．

また，シーツや布団の汚染を嫌って，シーツ上にゴム，ナイロンなどを敷くことは，背部，殿部の皮膚を常に湿潤した環境におくことになり，高齢者の萎縮した皮膚は容易に褥瘡，皮膚炎，感染などを起こしてしまうことを銘記すべきである．

表IV・12・2　骨折の脳卒中麻痺側別発生頻度

報告者	麻痺側	非麻痺側
小泉ら（1975）	34（100%）	0
岩倉　（1977）	16（76%）	5（34%）
石川ら（1983）	15（94%）	1（6%）
木村　（1993）	26（87%）	4（13%）

〔文献5）より〕

さらに，長期臥床に伴う認知症の予防のために，家族との会話，新聞，テレビ，ラジオなど適度な刺激を入れたり，座位がとれたりするようになれば，適切な作業療法も併用すべきである。

3 高齢者骨折の種類とその治療，リハビリテーション

a 大腿骨近位部骨折 neck fracture of femur

高齢者では骨粗鬆症のため，つまずいて転んだ程度のわずかな外力で大腿骨近位部骨折が生じる。また片麻痺患者が転倒する場合，ほとんど患側に倒れ，麻痺でさらに骨粗鬆症が高度なうえに，多くは患側上肢で支えることが不可能なために大転子部を直接打撲する形をとり，容易に骨折を起こす（表IV・12・2）。

大腿骨近位部骨折は関節包内で生じる頸部骨折と転子部で生じる転子部骨折に分けられる（図IV・12・1）。高齢女性に圧倒的に多く発生し，男性より約4倍多い。

1. 大腿骨近位部骨折の分類

a. 大腿骨頸部骨折（関節包内骨折）

臨床的に骨頭の転位の程度によるGardenの分類（図IV・12・2）が汎用されている。転位が大きくないstageⅠ，Ⅱの非転位型骨折には骨接合術，著しい転位のstageⅢ，Ⅳでは人工骨頭置換術を行うのが一般的である。なお，この部位の骨折は骨折部が関節包内にあるため骨膜性化骨のための外骨膜がなく，血行は主として頸部から供給されているために，骨折によって血行が断たれ，骨折線が垂直に走り骨片が離開することが多いので，最も治癒しにくい骨折である（図IV・12・3）。

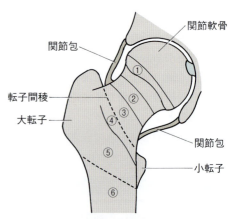

図IV・12・1　大腿骨近位部骨折の分類
関節包内骨折 intracapsular fracture
　① 骨頭下骨折 subcapital fracture
　② 中間部骨折 intermediate fracture
　③ 基部骨折 basal fracture
関節包外骨折 extracapsular fracture
　④ 転子間骨折 intertrochanteric fracture
　⑤ 転子部骨折 trochanteric fracture
　⑥ 転子下骨折 subtrochanteric fracture

b. 大腿骨転子部骨折（関節包外骨折）

関節包の外で骨折が生じたもので，頸部骨折に比較すると骨頭部血行障害が少ない。この分類については，臨床的なJensenの分類が用いられることが多い（図IV・12・4）。

2. 治療およびリハビリテーション

大腿骨頸部骨折では保存療法，骨接合術，人工骨頭置換術などがあるが，その程度に応じて治療法が選択される（図IV・12・5）。

大腿骨転子部骨折では激しい疼痛をきたし，上体を起こすことが困難で保存療法の予後は不良で，可能な限り手術療法を行う。手術法としては内固定による骨接合術が主流である。

いずれの骨折にしても，単にギプス固定だけで長期臥床させることは高齢者には禁忌である。

a. multiple pinning（多重綱線法）

Kirschner綱線がよく用いられる。大転子下部より斜上方に数本の綱線を刺入する。切開しなくても皮膚表面より刺入できるので，侵襲が少なく高齢者に好適であるが，この方法では整復は十分ではなく，また固定も強固ではないので，離床までにやや長期を要する欠点がある。

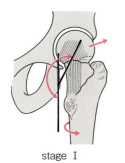 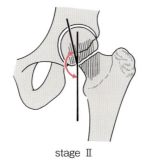 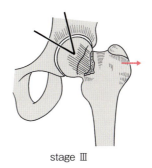 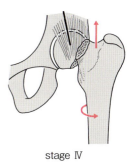

stage Ⅰ　　　　　　stage Ⅱ　　　　　　stage Ⅲ　　　　　　stage Ⅳ

図Ⅳ・12・2　大腿骨頸部骨折の Garden 分類

stage Ⅰは不全骨折で，遠位骨片の大腿骨は外旋しており，近位骨片は外反位にある．内側骨梁構造は骨折部で 180° 以上の角度をなしている．
stage Ⅱは転位のない骨折であり骨折線は斜めに走る．内側骨梁構造は骨折部で約 160° の角度をなす．大腿骨頸部の後面は破壊されておらず後方支持帯 posterior retinaculum は無事である．予後のよい安定型骨折である．
stage Ⅲは軽度の転位を伴った骨折であり，遠位骨片は外旋し，近位骨片は内反，内旋する．大腿骨頭の内側骨梁の方向は骨盤のそれとは一致していない．大腿骨頸部の後方骨皮質は粉砕されておらず，後方支持帯 posterior retinaculum はまだ無事であり，骨片の転位を防いでいるが，いずれ傷害を受ける．
stage Ⅳは完全に転位した骨片で，骨頭は骨折面で完全に遠位骨片と離れている．骨頭の内側骨梁の方向は骨盤のそれと一致する．遠位骨片は外旋し，しかも上方に転位して近位骨片の前方に位置するようになる．

〔文献6）より〕

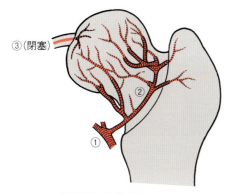

図Ⅳ・12・3　大腿骨頭の血管分布
① 内側大腿回旋動脈
② 後頭動脈
③ 円靱帯血管（成人では閉塞）

大腿骨頭は，図のように骨頭頂上部からの円靱帯血管と，関節包からの血管との2系統から血流を受けているが，高齢者では関節包からの血流だけとなるため，頸部骨折では骨頭部は血流が途絶える．
〔文献7）神中正一：神中整形外科学．p773，南山堂，1964 より〕

b．各種釘による固定法

スライド式の compression hip screw（CHS）または SHS（sliding hip screw），γ（ガンマ）型の髄内釘 short femoral nail（SFN）などが用いられる．詳細については専門書に譲る．

c．人工骨頭置換術，人工股関節全置換術

60～70 歳以上の高齢者の頸部骨折や，高度の転位がある場合には人工骨頭置換術が好んで行われる．この方法では，少なくとも偽関節の形成や骨頭壊死の心配はないし，早期離床，体重負荷も可能であり，その利点は多い．

人工骨頭の耐久性も，65 歳以上の高齢者ではその余命からみて問題はない．60 歳前後ならば股関節全置換術も最近はよく行われるようになっている．人工股関節全置換術後の場合には，脱臼危険肢位に関して治療チームおよび患者で共有することが重要で，リハビリテーション治療の際や基本動作，ADL 訓練において留意し，患者が体得するように繰り返し指導を行う．

d．運動療法

保存療法と手術療法とではそのプログラムは異なるが，骨折により固定されている部位以外の健常肢などの自動運動は手術直後より行い，筋萎縮，拘縮，骨萎縮，不動性関節炎，深部静脈血栓症などの廃用症候群を極力防止しなければならない（表Ⅳ・12・3, 4）．内固定や全身状態が良好な場合はより早期に体位変換，起座位などを行わせることが可能であり，さらに薬物療法による疼痛管理の下に，股膝周囲の関節可動域訓練や筋力増強

IV. 主な老人性疾患のリハビリテーション

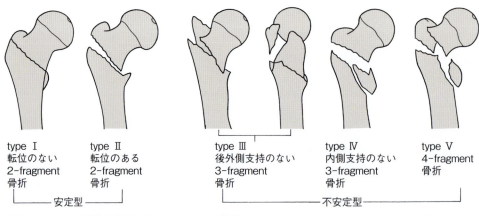

図IV・12・4　大腿骨転子部骨折のJensenの分類　〔文献8)より〕

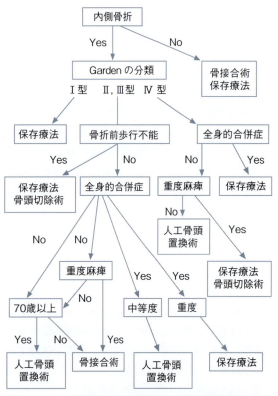

図IV・12・5　老年者・片麻痺者の大腿骨頸部骨折治療のフローチャート

〔文献9)軽部俊二，木村博光，益田峯男，他：高齢者の大腿骨頸部内側骨折の治療．整形外科 30：147，1979より改変〕

表IV・12・3　大腿骨頸部骨折Garden I型の保存療法プログラム

受傷後	ベッド上安静 ROM・筋力維持訓練 患肢ROM訓練は徐々に拡大 患肢筋力訓練は等尺性収縮が主 徐々にベッドのギャッチアップ許可
約6週後	車椅子移動開始 免荷での起き上がり・移動訓練 （ポータブルトイレ・車椅子へ）
約8週後	部分荷重 傾斜台での荷重・平行棒内歩行など 可能であれば歩行器・杖での歩行
約3か月後	全荷重での訓練

〔文献10)より〕

訓練，足関節の自動運動，straight leg raiseを行わせたり，松葉杖による免荷歩行（3点歩行），あるいは健常肢による支持で車椅子へ移乗し座位，移動などを行うことが，全体的レベルを低下させないために望ましいことである。

X線上，骨癒合が明らかになるのはだいたい3〜4か月後であるが，骨粗鬆症の強い場合ではさらに遅れる。しかし，高齢者ではあまり長期間の臥床が望ましくないので，X線写真によって確かめながら，部分荷重partial weight bearingによる松葉杖歩行をなるべく早期に行う。歩行の目標はあまり高く設定せず，何とか歩ける程度でもよい場合もある。骨折部の固定性や骨の脆弱性，手術法などに治療プログラムや脱臼肢位は異なるので術者に確認する。高齢者では特に，再び転倒しないように転倒リスクを念頭に置いた注意が患者家族を含むチームで必要である。

表Ⅳ・12・4　大腿骨頸部骨折術後プログラム

術前	全身状態の評価，オリエンテーション，褥瘡，腓骨神経麻痺の予防，排尿障害があればバルーンカテーテルを挿入し，脱水のチェック，疼痛が強ければスピードトラック牽引
手術日	患肢保持し，側臥位可
1日	ギャッチアップ30°可，徐々にアップして数日後に最大にSLR訓練（膝伸展位での足挙上可）
5日	自力長座位
7日	端座位
10日	抜糸，ケース会議，ポータブルトイレ移動，車椅子移動
12日	PT訓練室で斜面台にて起立訓練
13日	平行棒内起立訓練
2週	患肢への体重負荷は1/2（骨接合術），全荷重（人工骨頭），平行棒内歩行
3週	歩行器歩行，全荷重（骨接合術）
4週	病棟内歩行器歩行
5週	T字杖歩行，ケース会議
6〜7週	応用動作（階段昇降，和室移動など），退院

〔文献10）より〕

表Ⅳ・12・5　胸腰椎圧迫骨折に対するリハビリテーションプログラム

疼痛・骨折	プログラム内容
軽度	受傷日よりコルセットをして座位・ポータブルトイレ可 痛みの増悪がないことを確認して2日目よりコルセットをして介助歩行開始，徐々に拡大していく
中等度	1週目ベッド上安静，ギャッチアップを徐々に行う 75〜80°でベッドサイド端座位 温熱療法，カルシトニン療法，消炎鎮痛剤併用 2週目：座位・端座位 3週目：立位〜歩行，移動動作，歩行訓練，T杖使用歩行 4週目以降：骨折の進行がなければ徐々に拡大
高度	3週間以上ベッド上安静，ギャッチアップを徐々に行う 温熱療法，カルシトニン療法，消炎鎮痛剤併用 ベッド上体位変換時の疼痛が軽減したらコルセットをして端座位・立位訓練 疼痛とX線写真上の変化がなければ，平行棒内歩行→歩行器歩行→杖歩行→杖なし歩行→階段歩行へと1〜2週間ごとに拡大していく

b　脊椎圧迫骨折

1．原因，症状

　特に高齢女性に多く，胸腰椎移行部を好発部位とするが，骨粗鬆症の高度な場合には胸椎，腰椎全般にわたってみられることもある．X線写真上，椎体が圧平された形をとり，前縁が圧平されると楔状を呈することもある．高齢者では転んだり，尻もちをついたりした程度の外傷で起こったり，またはっきりした外傷の既往のないこともある．症状は腰背痛を主症状とするが，X線写真上から想像するほど高度ではなく神経症状は通常みられない．

2．治療およびリハビリテーション

　整復，固定は不要である．ギプス固定は高齢者には逆に悪影響が多いことは前述のごとくである．
　当初，腰背部の疼痛に対しては，疼痛の激しいときの安静，温熱療法，鎮痛薬，筋弛緩薬などが有効であり，疼痛が軽減するにしたがって背筋強化訓練，起座，起立，歩行へと指導する（表Ⅳ・12・5）．起立，歩行訓練の段階で軟性コルセットはよく使用される．

c　前腕骨骨折

1．原因，症状

　高齢者では橈骨遠位端骨折が多くみられ，手掌をついて転倒したときにみられる．特にコレスColles骨折は有名で，図Ⅳ・12・6に示すように，倒れるときの力学的関係から，橈骨遠位端は背側，橈側に転位し，外観上フォーク状変形dinner fork or silver fork deformityを呈する．
　コレス骨折は手関節部の変形や腫脹によって手根管症候群carpal tunnel syndromeを伴うこともあるので注意を要する（図Ⅳ・12・7）．

2．治療およびリハビリテーション

　まず，十分な矯正整復が必要である．この部位の骨折では整復しすぎるということはない．整復方法については，整形外科の専門書を参考にされ

IV. 主な老人性疾患のリハビリテーション

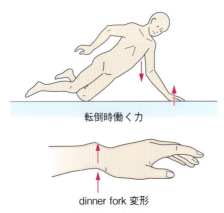

図IV・12・6　転倒姿勢と前腕骨骨折
手をついて倒れた場合によくみられるのがこのコレス骨折である（特に高齢者）。フォーク状の変形が特徴的である。

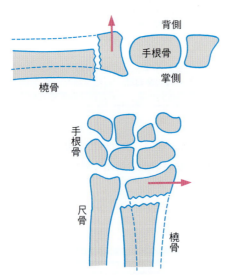

図IV・12・7　コレス骨折の転位（矢印）(Cailliet)
骨折した橈骨末梢部は背側および橈側へ変位し，dinner fork 変形を呈する。

たい。

　整復後の固定はギプスなどによってなされるが，高齢者はギプスはなるべく早く外す必要があり，10〜14日の経過で外すことが望ましい。指，肘，肩などの各関節は整復直後より関節可動域（ROM）訓練（できれば自動運動）を始めるべきである。特に母指は，手の機能を維持するために入念に行わねばならない。

　骨折後6週間以上経過した陳旧例では保存的に整復することは不可能であり，尺骨末端の切除を

した後に整復しなければならなくなる。その後の治療として，温熱，水治療法，自動運動を始め，また浮腫の対策として手を高く保つことを行う。その間 X 線で矯正された部位が再び転位してこないか，骨癒合がみられているかどうかなどをチェックすることが必要である。特に高齢者では2週間以内にギプスを外す（若年は4〜5週間）ため，また本来，骨癒合過程に時間を要するため，X線監視が大切である。また，運動負荷も，急激に増加することなく徐々に量を増やすようにする。

　強い腫脹・疼痛のある場合には，阻血性拘縮（Volkmann's ischemic contracture）を警戒しなければならない。また手根管症候群にも注意すべきである。

d　上腕骨近位部骨折

1. 原因，症状

　肩を下にして転倒したときに起こるもので，高齢者，特に女性に好発し，軽微な外力で生じることが多い。外科頸骨折がほとんどであるが，多数の骨折線の存在する場合が多い。上腕を内転した位置で肘をつくと内転骨折（末梢骨折端は中枢骨折端の前外方に転位）を，また上腕外転位で転倒すると外転骨折（末梢骨折端は中枢骨折端の内方に転位する）を起こす。関節部の皮下出血と腫脹は強いが，骨折部癒合は比較的良い。

　上腕骨近位端の血行は，①大・小結節に付着する腱板を介するもの，②前・後回旋動脈を中心とする外科頸・解剖頸からのもの，③遠位骨内からのものがあり，骨折の部位によって様々に障害される。

　骨折部位の分類はわが国で広く用いられているNeer 分類を図IV・12・8に示す。上腕骨近位端は，①骨頭，②小結節，③大結節，④骨幹の4つの骨性部分に分けられる。このうち1つが転位したものを 2-part，2つが転位したものを 3-part，3つが転位したものを 4-part と分類している。この転位は骨性部分間で45°以上の回旋または1cm以上の離開があるものをいい，これ以下のものは骨折線があっても転位とは扱わず，minimal displacement, 1-part として扱うこととしている。

図Ⅳ・12・8　上腕骨近位端骨折の Neer 分類

近位端骨折の 80% は minimal displacement であり，軟部組織で骨折部の安定も保たれ血行障害もわずかで，関節機能も良好に改善するものが多い。

2. 治療およびリハビリテーション

骨折部がかみ合っている場合は三角巾で 2〜3 週間つるすだけでよい。必要以上に固定を行うと肩関節の ROM 制限をきたし，frozen shoulder の状態となって上肢機能を著しく阻害することになる。転位の高度なものには徒手整復が必要となる。手術療法を必要とする場合もある。

肩の機能を維持するために，固定はやむをえない場合を除いてはできるだけ外固定ですませ，その期間も 2 週間程度にとどめる。高齢者で整復位が不安定な場合，ハンギングキャスト hanging cast を用いて，早期に肩関節運動を行わせると骨折部は癒合しなくても，かなりの機能的治癒を得ることができる。

この間も手指，肘の非固定部位に対しては，できるだけ早期から自動運動を行わせ，肘関節以下の ROM の保持とともに筋萎縮，浮腫を防ぐ。固定中はできるならば等尺運動を行わせ，固定除去後は他動運動から次第に自動運動を行わせるべきであり，温熱療法を用いると効果的である（図Ⅳ・12・9）。

e　上腕骨骨幹部骨折

1. 原因，症状

上腕骨頸部骨折に比べて頻度は低いが，高齢者にも時にみられる。

肘や手をついて倒れたときに多く，らせん状骨折の形をとることが多い。直達外力によることもある。

   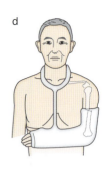

図Ⅳ・12・9　外固定法
a. 三角巾と体幹固定，b. デゾー包帯固定，c. ストッキネットベルボー固定，d. ハンギングキャスト

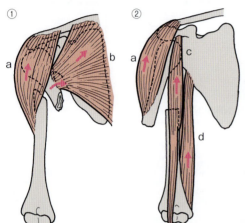

図Ⅳ・12・10　上腕骨骨幹部骨折転位と筋力との関係
① 三角筋付着部より上位の骨折
② 三角筋付着部より下位の骨折
a. 三角筋，b. 大胸筋，c. 烏口腕筋および上腕二頭筋短頭，d. 上腕三頭筋
① では，上腕骨近位部は大胸筋の収縮により内転位をとる。
② では，三角筋の収縮により上腕骨近位部は外転位をとる。遠位部は烏口腕筋，上腕二頭筋，上腕三頭筋などの収縮で上内方に転位する。
〔文献11）岩本幸英（編）：神中整形外科学下巻 改訂23版，p424，南山堂，2013より〕

橈骨神経麻痺を起こしやすく，また偽関節を作りやすい傾向がある（長管骨偽関節の1/3を占めるといわれる）。骨折部位により転位の方向が一定している。三角筋と大胸筋停止部の間で折れると中枢骨片は内方へ，末梢骨片は外方へ転位し，三角筋より末梢であれば中枢骨片は外上方へ転位する。いずれにしても転位が起こりやすく，整復位を保持することは容易ではない（図Ⅳ・12・10）。

2. 治療およびリハビリテーション

合併症がなく，転位の軽度なものでは麻酔下徒手整復，固定の原則は同じであるが，以下のような理由で偽関節を形成したり，治癒が遷延することが多い。
① 骨幹部横断面は比較的小さく，骨折端接合面が狭い。
② 骨幹部皮膚は緻密で仮骨形成が起こりにくい。

らせん状骨折は骨折端接合面積が広いので，偽関節をつくる傾向はより少ない。

高齢者では，ギプス固定を体幹，肩，肘にわたって広範囲に，長期間行うことは禁忌であり，三角巾でつったり，ギプスシーネを当てたり，ハンギングキャスト（肩関節の早期運動が小範囲ながら可能）を用いることが多いので，余計に偽関節をつくりやすいものと思われる。

したがって，偽関節が予測される場合や，転位が大きく整復が困難な場合，また整復可能でも，上腕骨につく筋の張力によって再転位が予測される場合には観血的療法を行うべきである。金属プレート，髄内釘などが用いられる。早期からの運動療法，温熱療法などについては，上腕骨近位端骨折の場合と同様である。

f　下腿骨骨折

1. 原因，症状

下腿は外傷を受けやすい場所であり，本来，下

腿骨骨折は高齢者に多いものではなかったが、交通外傷の増加とともに増えてきている。脛骨単独骨折のこともあるが、多くは脛腓骨合併骨折の形をとる。車のバンパーなどによる直達外力によることが多く、局所の軟部損傷を伴って、横骨折、粉砕骨折となる。また、軟部組織の被覆が少ないため、開放骨折となりやすい。部位としては中および下の境界部にみられることが多い。深部動静脈、腓骨神経を損傷することもある。

脛骨は、解剖学的に十分な血行に乏しく、骨幹部の広い範囲にわたり海綿質がないということもあって、骨折治癒に時間がかかる傾向がある。体重が負荷されるため、アライメントを正しく整えないと、後になって屈曲変形や変形性膝関節症、尖足変形などが生じてくることがある。

そのほか偽関節形成、遷延性治癒なども少なくなく、特に開放骨折や感染を伴ったものにその傾向がある。

2. 治療およびリハビリテーション

なるべくならば、感染の危険性や偽関節の形成を少なくするために保存的に行うのが望ましい。特に、X線上で転位の小さなもの、屈曲のみの変形のもの、腓骨骨折がみられないものについては、下腿骨間膜が残されており、仮骨を形成しやすく、骨折部の血行も保たれることが多いため、保存的治療で治癒しやすい。しかし、脛腓骨合併骨折で転位の大きなものなどは整復が困難で、骨折治癒が非常に遅れるので、早期離床の観点から、手術療法により、完全な内固定を行うべきである。

保存療法では、牽引、徒手矯正の後に大腿上部〜膝〜足先までギプス包帯固定を10日間行い、その後PTB型ギプス包帯〔膝蓋腱部荷重ギプス patella tendon bearing type cast (PTB):義足と同様な力学的目的をもったギプス〕に巻きなおす。これは下腿切断に対するPTB型義足のアイデアから、下腿骨折に対して、膝蓋腱で体重を支えるギプスを巻きヒールをつけて荷重させると、体重は下腿骨にかからずギプス→ヒールに逃げるために安静を保ちながら、荷重歩行させることができるものである。これにより、膝関節は90〜150°程度の運動ができることから、ギプス包帯除去後の関節拘縮がない点が高齢者には理想的である。

しかしこのような方法は、浮腫が強く出やすいので、足背部や下腿前面部を切り開いておく必要があり、また初期に膝関節上方から足関節にかけ固定する方法では、膝関節のROMに制限を与える結果となり、特に高齢者にその傾向がみられる。

したがって、高齢者には観血的治療を行い、離床を早期に始めるほうが、いろいろな点で有利であるといえよう。手術には金属プレートや髄内釘などが用いられる。遷延性治癒をみることは少ない。開放骨折では感染に対する十分な処置を行うことと、挫滅組織を十分に除去することが重要である。

一般に下腿骨骨折では内固定をしていても外固定を大腿上部より足先まで行うのを原則とするが、高齢者では早期離床を進めるために、なるべく外固定を避けたほうがよい。特に、中央1/3、下1/3の境界部の骨折では太めの髄内釘で固定し、外固定なしに早期の運動負荷を始める方法がとられる。

2〜3週後には松葉杖による無荷重歩行を開始させ、8〜12週後にX線による骨癒合の経過を観察しながら、松葉杖による部分的体重負荷を始め、漸次体重負荷を増加して、15週後頃には松葉杖をとるように指導することが望ましい。しかし、相手が高齢者であるので、必ずしも予定通りにはプログラムは進行しにくく、合併症を起こしたり、意欲がなかったり、また骨癒合が遅れたり、その状態に応じてプログラムを変更することはやむをえない。

外固定を除去した後は運動療法と併行して、温熱療法、水治療法(渦流浴、pool exercise)などを併用するとさらに治癒が促進される。

B 高齢者の転倒予防

高齢者の転倒は、寝たきりや要介護状態の要因となり、高齢者の健康増進とともに転倒予防対策が急務となっている。わが国の高齢者の転倒に関する研究では、概ね20%の転倒発生率である[12]。

米国では高齢者の転倒とそれに由来する骨折などの傷害は，最も重大な医学的問題として取り上げられており，50歳以上の女性では40％，男性では13％が骨折を経験している．股関節骨折あるいは脊椎骨折後5年の死亡率は20％で，70歳を超えるとさらに増加する．多くの死亡は骨折後6か月以内で生じ，骨折後1年では40％が自立歩行不可能で，60％が基本的ADLのうち少なくとも1つ困難なものがある．80％はIADLに支障をきたしており，骨折前の身体機能に回復した者は50％であるという報告がある[13,14]．また転倒後症候群として，精神的トラウマが活動性の制限要因となり，自信喪失や転倒への不安の訴えは転倒者の50％に及ぶと報告されている．

高齢者の転倒に関する対策は必要不可欠と考えられる．高齢者の転倒要因は，老化現象や疾病に伴う障害などの個人に由来する内的要因と，家庭内生活環境や外出時の環境変化などの外的要因との相互作用，また身体状況と外的環境との不適応などによると考えられる．また，活発な生活を送っている高齢者は，臥床ぎみの不活発な生活を送っている高齢者に比べ転倒する確率が高いといわれている．

転倒は，高い台に上がったり，はしごを登ったりという危険度の高い動作より，歩行や移乗，階段昇降，小さな段差を乗り越えたり，床に落としたものを拾おうとしてかがんだり，手を伸ばしたりと通常の日常生活の動作で生じることが多い．このような動作中に身体がうまく動かなかったり，環境が的確に把握できなかったりした場合に生じやすい．つまり，転倒は目的動作と身体機能や認知機能，さらにその場の環境の三者が適合しなかった場合に生じやすいと考えられる[15]．高齢者の転倒は，転倒しやすい環境について考えることも予防対策のうえでは重要であるが，高齢者自身のもつ転倒要因としての内的要因について検討する必要がある．

1 内的要因

加齢に伴う内的要因は，感覚系や神経系，筋骨格，高次脳神経機能の加齢変化として区分されるが，脳卒中やパーキンソン病，骨関節疾患など疾病そのものも要因となりうる．

a 感覚系の変化

感覚系の加齢変化の特徴として，感覚受容体の密度の減少や感受性の低下が下肢を主体に認められる．触覚の受容体であるマイスナー小体は，手のひらや足の裏に多く存在し，10～20歳では25個/mmあったものが，70歳では7個/mmに減少する．また，加齢に伴う表皮の硬化や肥厚により受容体は表皮から遊離するために感受性が低下する．手のひらや足の裏，関節，腱などに存在する圧覚や振動覚の受容体としてのパチーニ小体の数も，加齢に伴い減少する．また，後根神経節細胞や末梢神経線維の数も加齢に伴い減少する．これらの変化は，軽いタッチや繊細な操作技能が要求される機能を低下させる．高齢者になると，振動・表在感覚の低下は，特に下肢で強く，足指の振動覚閾値は3倍，表在覚が影響する2点識別覚は15倍低下する．これらの加齢変化は，歩行，バランス機能に明らかに影響すると考えられる[16]．

b 視覚の変化

視覚器の加齢変化は，角膜が厚くなりカーブが減少し屈折が変化し透明度も減少することで，視覚の明瞭度を低下させる．水晶体も柔軟性が低下し不透明度が進行するとともに，毛様体筋の線維化により焦点を合わせることが困難となる．そのため，近くのものに焦点を合わせることができず，60歳では150～200 cmの距離でないと見えなくなり，いわゆる老眼となる．光の透過性も80歳になると20％程度に減少し，青や黄色の色の知覚も低下する．網膜の視細胞数や視神経の数も減少する．これらによる視力低下は，例えば暗い所を移動する場合に，段差の見落としや環境把握障害を引き起こし，転倒要因につながる．

c 知的機能の変化

短期記憶や情報処理能力の低下は，運動活動の遅延，歩行障害などにつながる．

大脳皮質の明らかな変化は，特に前頭葉や一次連合野，海馬皮質に萎縮が認められ，脳幹では黒

質や青斑核などで著明となる。脊髄でも運動神経や感覚神経も減少し，脊髄後根の神経細胞，前根の前角細胞数や神経線維の減少，髄鞘の変性などがみられる。また，神経伝導速度や脊髄反射の潜時も遅延する。さらに，神経伝達物質と受容体の変化として，大脳皮質では注意，記憶，学習に関連するアセチルコリンとその受容体の量は加齢とともに減少し，錐体外路系では姿勢やバランス機能に関連する黒質線条体系のドーパミン含有量も減少する。これらの加齢に伴う変化は，情報処理能力や環境要因に対する反応性などに障害をもたらすことにつながる。つまり，記憶や学習能力低下，反応時間遅延，動作緩慢，協調性低下，バランス機能低下など多様な機能低下をもたらすことになり，ADL，IADL などの生活環境への不適応をもたらし，転倒を引き起こす要因となる。

d 筋骨格系の変化

骨格筋の筋量損失は加齢とともに増加する。例えば，健常男性の外側広筋の面積は，50 歳までで平均 10%，80 歳以上になるとさらに急速に減少する。特にタイプⅡ筋線維（速筋線維）の減少から収縮速度が速く，張力の大きな筋の萎縮がみられる。筋力低下の分布は，手の内在筋や足部の筋に特徴的にみられ，特に底屈筋が背屈筋に比べ選択的に低下する[17]。加齢に伴い筋力低下を生じやすい筋は，急速に強い力を発揮する底屈筋などの，下肢に分布する筋であり，歩行や階段昇降など立位動作に影響する立位バランス機能低下の要因となり転倒につながる。日常，筋力トレーニングを行っている高齢者は，筋の断面積が大きく脂肪浸潤量も少なく，高負荷トレーニングの効果が報告されており，筋力維持や強化は転倒予防の対策として重要である。

また，関節および関節周囲の加齢による変化から，関節可動域の制限や姿勢異常がみられ，これは主に日常活動性の低下や運動不足によるものと考えられている。これら可動域制限は，体幹・下肢に分布し，特に足関節背屈や体幹の可動域制限は重心移動の制限をもたらし，立位バランス障害の強い原因となる。

e バランス機能の変化

バランス機能は，外乱に対する応答にせよ，あるいは予測的に行われる目的動作にせよ，与えられた支持基底面に対して適性に重心位置をコントロールする能力と解釈できる。立位バランスを保つ戦略として，足関節戦略，股関節戦略，踏み出し戦略が指摘されている。

高齢者は，外乱に対して耐えられず，すぐに足を 1 歩踏み出したり，股関節を折り曲げたりすることで転倒を防ごうとする。また歩幅が狭く，姿勢の左右への移動は縮小し，歩行速度が低下している。これらは限られた支持基底面の中で，重心が移動できる範囲が縮小された結果としてとらえることができる。これらを引き起こす要因は，中枢神経系の情報処理の遅延や感覚系の感受性の低下，体幹・下肢，特に足関節の可動域制限や筋力低下などが総合的に作用している。このことから高齢者の転倒を予防するためには，足関節の柔軟性を高めたり，筋力を増強したり，足関節を使って重心移動範囲を拡大すること，重心移動範囲を知覚させたりすること，立位での足関節体操などを指導すべきである。

f 心理的要因（転倒恐怖）

また，一度転倒を経験することで，転倒に対する漠然とした恐怖や不安から，非活動的行動が生じ廃用症候群を招く。その結果，身体機能や高次脳機能の低下がさらに生じ悪循環を引き起こすことになる。転倒経験者が転倒しやすいという報告もあり，転倒予防と転倒後の心理的ケアが重要である。

2 外的要因

転倒の最も多い理由は，「つまずいた」「滑った」であり，環境が引き金になっているようであるが，外的要因である生活環境は，環境そのものが転倒の原因になるわけではなく，むしろ内的要因である身体機能の変化が環境に適応できないか，あるいは身体機能の変化と環境との相互関係を認知できないために転倒を起こすと考えられる。こ

表 IV・12・6　転倒の要因

内的要因	外的要因
1. 一般的要因 　年齢 　転倒の既往 　虚弱(健康状態の悪化) 2. 運動障害 　筋力,特に下肢筋力低下 　持久力 　協調性 　骨関節機能 3. 心肺機能(体力)感覚障害 　深部覚障害 　視覚障害(白内障,近視) 　聴覚障害 　前庭覚障害(ふらつき) 4. 高次脳機能障害 　注意 　睡眠 　意識 　記憶 　学習機能 　認知機能 5. その他 　めまいや意識障害 　歩行障害 　錯乱 　近視 　酩酊 　慢性疾患(特に歩行障害をもたらす認知症,パーキンソン病,片麻痺,変形性関節症など) 　薬物の服用(長時間作用鎮静薬など)	1〜2 cm ほどの室内段差 滑りやすい床表面 履物(スリッパ) 目の粗いじゅうたん 固定していない物体(障害物) つまずきやすい敷物 照明の不良 電気器具コード類 戸口の踏み段 カーペットの端・ほころび 家財道具の不備・欠落 その他

のような場合に,環境が転倒しやすい要因として,あるいは転倒した理由として抽出されるものと考えられる.最後に,転倒の要因は転倒の原因ではない.転倒がなぜ起こるかは,課題を遂行するうえで生じる身体機能の環境への不適応の結果から明らかになるものであり,転倒を予測することは困難である.しかし,転倒予防は高齢社会における医療と福祉の最大の課題であり,内的要因と外的要因を軽減することが求められる(表 IV・12・6).

3　ADL・QOL 低下の防止

加齢に伴い身体機能が低下するため,身体能力の多くを ADL に動員しなければならない.このような身体状況のなか,脳血管障害や骨折などによる障害を有してしまうと,ADL に大きな支障を与えることになる.また,転倒によって生じる可能性の高い,大腿骨近位部骨折や脊椎圧迫骨折などは,長期臥床を余儀なくされ,高齢者にとって寝たきり生活や認知症へつながる可能性がある[18].加えて,患者本人の ADL や QOL の低下に伴い,その家族や介護者の介護負担の増加に伴う QOL の低下を引き起こす可能性もある.

近年,転倒予防の重要性から,理学療法士や作業療法士が転倒予防指導を行う機会が増えているが,1〜2回程度の単発的な転倒予防教室では高齢者がどの程度,転倒予防方法や運動方法を理解・実施できるかは定かではない.指導の内容も,転倒予防の必要性の認知,本人の健康観や身体機能の客観的理解,適度な運動や転倒予防などの主体的・継続的な実施,などである.これらを高齢者に十分理解できるよう指導するためには継続的で系統立った介入が必要となる.

4　住居環境整備

環境に配慮することは,外的要因のみならず,結果的に内的要因に関しても転倒予防の効果を発揮する.以下,① 居室の配置と動線,② 視覚機能低下への配慮,③ 段差の解消,④ 手すりの設置,⑤ 温熱環境への配慮,⑥ その他の環境への配慮,について解説する.

a　居室の配置と動線

居間・食堂,水まわり(トイレ,洗面所,浴室)と同一階で,なるべく近くに配置することが,転倒のリスクを低くするうえでも望ましい.後付けの階段昇降機やエレベーターは,スペースなど問題も多い.居室が居間・食堂に近ければ同居家族ともコミュニケーションが容易で,不意の事故などの際にも迅速な対応ができる.また,高齢になると排泄も頻回になるので,トイレが近くにあれば転倒の危険性を少しでも回避できる.また,室温の管理も容易で,浴室などへの往復で体が冷えるのを防ぐこともでき,寒いときの体のこわばり

による転倒の危険性も予防できる。さらに，玄関から近ければ外出も容易で，社会性も維持でき，精神・心理面に好影響を与える。

b 視覚機能低下への配慮

高齢者の認識や注意力を高めることにより転倒を予防するには，視覚，照明，色彩に対するアプローチも必要である。

高齢者の住居においては，十分な明るさを確保することが大切である。照明設備は照度基準の1.5～2倍を目安に設定するが，過度の明るさは高齢者にとって不快なまぶしさを感じるので，天井付照明，ダウンライト（調光機能付），スタンド照明，手元灯など，複数の照明器具で調節して，必要な明るさを確保していくようにするとよい。

階段や寝室などでは，光源が直接目に入ってまぶしく感じ，一瞬目をそらしてしまうことがある。その際にバランスをくずして転倒することがあるので，器具の配置を考慮すべきである。

また，明・暗順応に時間を要する高齢者には，目が明るさ（暗さ）に慣れるまでに，バランスをくずして転倒する危険性もあるので，各室間の極端な照度差を避けることが重要である。

スイッチは手の届きやすい位置に設置するか，リモコンを用いる。電球を交換する動作は転倒の危険性が高いので，取り付け位置を検討し，寿命の長い光源を用いるようにするとよい。

c 段差の解消

歩行能力の低下している高齢者にとっては，わずかな段差も転倒の危険につながる。段差のないのはよいが，段差があっても斜めの板などで安易に改善すると，斜めの板のところでバランスを崩し，転倒につながることもあるので注意が必要である。段差を解消するより手すりをつけ，明かりや色で段差をわかりやすくし，段差をまたいで対応するほうがよい場合もあるので，その場の状況に合わせて調整すべきである。

玄関の上がりかまちで昇降が難しいときは，玄関土間で椅子に腰掛けてから靴を脱ぎ，向きを変えて廊下側で立ち上がるようにするなど，椅子や手すりを利用すると安全である。

d 手すりの設置

手すりを用いることで，歩行の安定化，立位や片足立ち位の保持，立ち上がりや移乗における重心移動が容易となる。用途に応じてL字型，横型，縦型，可動型などを使い分けるとよい。しかし，後付けの場合は，体重が十分かかったときにも，手すりがしっかり固定されるように，壁や柱の補強が必要となる。また，廊下などの手すりの位置はほぼ杖の高さと同じくらいがよく，軽く握れるようなものがよい。

e 温熱環境への配慮

加齢に伴い，急激な温度の変化に対する体温調節機能は低下する。特に，室温の高いところから低い場所への移動は体がこわばり，転倒の危険性を高くする。また，血圧の変動もきたしやすく，脳卒中や心臓発作の発症を誘発することにつながるので，部屋と部屋との温度の差にも注目する必要がある。特に過ごす時間の長い居間や食堂，寝室に加え，トイレ，脱衣洗面所にも暖房設備を設置するとよい。エアコンなどは部屋単位ではなく，全室暖房が望ましいが，高齢者が住宅内で頻回に移動するような場所は，温度差が小さくなるように配慮する。トイレや脱衣洗面所用には，省スペースで火災や熱傷の心配の少ないパネルタイプのヒーターや便座のヒーターも有用である。

f その他の環境への配慮

床や廊下に散らかった小物はつまずきや滑りの原因となるので，生活の場を整理整頓し片付けることが大切である。出し入れしやすい収納場所にすっきりした収納をすべきである。

また，建具は引き戸がよい。内開き戸の場合，トイレ，脱衣洗面室，浴室など狭いスペースで転倒したとき，開くことができず，助けるのが困難になる。

スリッパも転倒を誘発するので素足がよいが，冬など寒い季節は滑り止め付きの靴下やシューズタイプのものを着用するとよい。カーペットのめくれやしわ，座布団，玄関マットや足拭きマットなども転倒の原因になりうる。カーペットは部屋

表Ⅳ・12・7　続発性骨粗鬆症の原因

内分泌性	副甲状腺機能亢進症，クッシング症候群，甲状腺機能亢進症，性腺機能不全など
栄養性	胃切除後，神経性食欲不振症，吸収不良症候群，ビタミンC欠乏症，ビタミンAまたはD過剰
薬物	ステロイド薬，抗痙攣薬，ワルファリン，性ホルモン低下療法治療薬，SSRI，メトトレキサート，ヘパリンなど
不動性	全身性（臥床安静，対麻痺，廃用症候群，宇宙旅行），局所性（骨折後など）
先天性	骨形成不全症，マルファン症候群
その他	糖尿病，関節リウマチ，アルコール多飲（依存症），慢性腎臓病（CKD），慢性閉塞性肺疾患（COPD）など

原発性骨粗鬆症と類似の骨代謝異常をもたらす原因は多彩である。これらの原因については，病歴聴取や診察ならびにスクリーニング検査などを駆使して，慎重に検討することが重要である。
〔文献19〕骨粗鬆症の予防と治療ガイドライン作成委員会（編）．骨粗鬆症の予防と治療ガイドライン2015年版．p126，ライフサイエンス出版，2015より〕

全体に端部までしっかりと敷き詰め，めくれのないようにする。玄関マットや浴室の足拭きマットなどの部分敷きのものは，手すりにつかまった状態や座位で使用するようにする。

5 病棟内，施設での高齢者の転倒

認知症病棟患者が近年次第に増加しつつあるために，一般病棟患者に比して転倒，骨折が目立つようになってきている。その主な理由は以下のようなものが考えられる。

① アルツハイマー型認知症患者は本来，下肢の筋力・関節機能は一般棟患者よりも良好であるにもかかわらず，徘徊する時間が長いため，圧倒的に歩行時間・距離が長く，これが原因の1つになっている。
② 認知症患者は前頭葉，側頭葉，頭頂葉皮質・白質の障害があるものが多く，頭頂葉障害のために空間・身体の失行・失認などがあって空間的構造の認知力が悪く，行動力，動作能力が劣る場合が多く，転倒率が高くなるものと考えられる。
③ 多発脳梗塞性認知症においても，同様の傾向がみられ，高血圧，糖尿病，高コレステロール血症などの合併が多く，転倒リスク予知に役立つ。動脈硬化の状況は次の動脈硬化指数〔（総コレステロール値－HDLコレステロール値）／HDLコレステロール値：数値が大きいほど動脈硬化が強く4以上で異常〕を計算することでかなり推測が可能で転倒リスクを予知することに役立つ。一般にアルツハイマー型認知症よりも歩行レベルは低い。
④ さらに，感覚障害を伴っている場合は末梢からのフィードバックの障害による運動失調が加わり，転倒率はさらに高まる。
⑤ 前頭葉前野障害のため注意障害をきたし，そのため予想外の転倒をきたすことがある。

C 骨粗鬆症　osteoporosis

1 原因，症状

高齢者の運動器疾患のなかで最も多い疾患の1つに骨粗鬆症がある。骨粗鬆症とは，健常者に比較して骨量の減少した状態をいう。そのため，骨の脆弱化が生じ，脊椎や四肢の骨折が生じやすくなる。しかし，生理的な骨の変化と区別することは大切であり，すべての高齢者の骨を骨粗鬆症とすることには問題がある。

骨量を維持・増加するものとして女性ホルモンであるエストロゲン，カルシトニン，活性型ビタミンD，男性ホルモンのアンドロゲンがある。老化に伴ってこれらのホルモンが低下し，骨粗鬆症が生じてくる。また，女性は閉経とともに生じる急激なエストロゲン低下が，発症を助長する。

骨粗鬆症は加齢や閉経期に急激に進行する原発性骨粗鬆症と，内分泌学的疾患などによって生じる続発性骨粗鬆症（表Ⅳ・12・7）に分類される。図

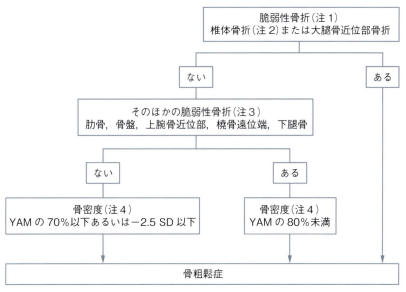

図Ⅳ·12·11　原発性骨粗鬆症の診断基準（2012年度改訂版）
注1：軽微な外力によって発生した非外傷性骨折。軽微な外力とは，立った姿勢からの転倒か，それ以下の外力を指す。
注2：形態学的椎体骨折のうち。2/3は無症候性であることに留意するとともに，鑑別診断の観点からも脊椎X線像を確認することが望ましい。
注3：そのほかの脆弱性骨折：軽微な外力によって発生した非外傷性骨折で，骨折部位は肋骨，骨盤（恥骨，坐骨，仙骨を含む），上腕骨近位部。橈骨遠位端，下腿骨。
注4：骨密度は原則として腰椎または大腿骨近位部骨密度とする。また，複数部位で測定した場合にはより低い％値またはSD値を採用することとする。腰椎においてはL1〜L4またはL2〜L4を基準値とする。ただし，高齢者において，脊椎変形などのために腰椎骨密度の測定が困難な場合には大腿骨近位部骨密度とする。大腿骨近位部骨密度には頸部またはtotal hip（total proximal femur）を用いる。これらの測定が困難な場合は橈骨，第二中手骨の骨密度とするが，この場合は％のみ使用する。

〔文献20，21）より作成〕

表Ⅳ·12·8　老化と骨粗鬆症の頻度

年齢	男	女
60歳	5%	20%
80歳	20%	25%

〔文献22）より〕

Ⅳ·12·11に原発性骨粗鬆症の診断基準を示す。

慢性疾患で入院または通院中の患者の調査では，男性でも高齢になるに従い，骨粗鬆症が急増することを示している（表Ⅳ·12·8）。

加齢に伴う，胃液のpHの上昇，食物嗜好変化による食物中Ca量の低下，食物中蛋白質，脂肪量の減少，副甲状腺ホルモンの増加，カルシトニンの減少，腎機能低下による活性型ビタミンD_3の減少，ビタミンC摂取量低下に伴う骨コラーゲン代謝の低下，運動量減少に伴う骨への機械的刺激量の低下など，多くの因子が組み合わさって急激に骨減少をみるものと考えられる。

さらに，何らかの慢性疾患をもっている場合には骨粗鬆症を合併する率は明らかに高く，前述の栄養障害，副腎皮質ステロイドの投与，身体的活動の減少など種々の因子が関与するもので，容易に病的骨折を起こすようになる。

臨床症状は多岐にわたり，脊椎の変化では腰背痛が主で，椎体の圧迫骨折（体重負荷の多い胸腰椎，特に胸椎・腰椎移行部周辺に頻度が高い）によって鋭い激痛で急激に始まるものもあれば，ほとんど無症状に経過するものまで，いろいろな段階のものがある。著明な脊椎後彎を起こしてくる

初期：全体に骨濃影度の低下と，骨梁の細小化をみる。

Ⅰ度：横骨梁が減少し，縦骨梁が目立つ。

Ⅱ度：横骨梁はさらに減少し，縦骨梁は粗になっているもの。

Ⅲ度：横骨梁はほとんど消失し，縦骨梁も不明瞭となり，全体にぼやけた感じのもの。

図Ⅳ・12・12　慈恵医大式分類

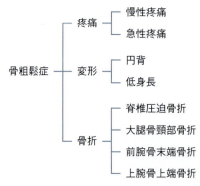

図Ⅳ・12・13　骨粗鬆症の合併症

ことも珍しくなく，胸郭の変形，側彎などを伴ってくることも少なくないが，そのX線像から想像するほどの疼痛や麻痺を生じないことが多い（図Ⅳ・12・12）。

四肢骨では骨折を生じない限りは無症状である。しかし，加齢とともに骨折のリスクは高まり，簡単な縄跳びや，尻もちをついただけで，容易に骨折してしまうこともある。

骨折の症状は一般の骨折と同じであるが，治療では骨癒合が悪く，骨そのものの脆弱性のために内固定がしにくく，治癒が遅れる（図Ⅳ・12・13）。

診断には，X線所見が重要であることは改めていうまでもないが，X線上では，骨組織に1/3以上の脱灰が起こるまでは，はっきりした変化が出てこないものである（図Ⅳ・12・14, 15）。

2　治療およびリハビリテーション

a　食事療法

健常者の1日あたりのCa必要摂取量は700 mgとされており，100 mgは尿から，600 mgは便から排泄されてバランスをとっている。

高齢者の骨減少症に対して，健常者の1日必要量の2倍以上（1,600 mg/日）を与えて，副甲状腺機能を抑制し，骨吸収過程を抑えようとするものである。

1～2年間この治療を続けた場合，X線上での骨

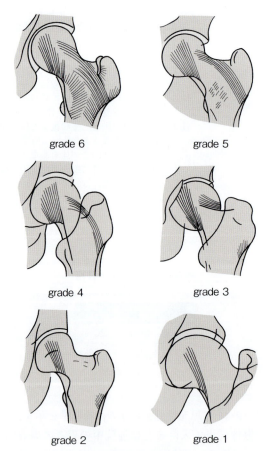

図Ⅳ・12・14　大腿骨頸部の骨粗鬆症（Singhの分類）
grade 6→grade 1へ進行する。

粗鬆症の進行が，コントロール群に比べて少ないことが認められている。CaとともにビタミンDも1日1,000～2,000単位の摂取が望ましい。

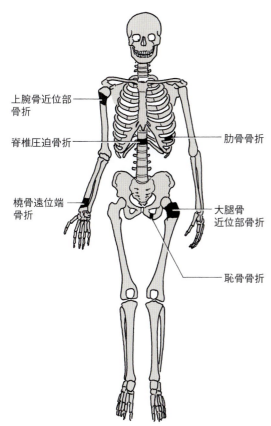

図Ⅳ・12・15　骨粗鬆症で生じやすい骨折部位
〔文献23)より〕

b 薬物療法

1. 腸管からCa吸収を増加させる薬剤

① カルシウム製剤
　Ca自体を補う。
② 活性型ビタミンD_3製剤
　小腸のビタミンD受容体を刺激し、腸管からのCaの吸収を助ける。

2. 骨吸収抑制薬

① ビスホスホネート製剤
・破骨細胞の働きを強力に抑える。
② 抗ランクル抗体(receptor activator of nuclear factor-κB ligand：RANKL)：デノスマブ
・破骨細胞の表面にある受容体(RANK)を介して破骨細胞機能を抑制する。
③ 選択的エストロゲン受容体モジュレーター(selective estrogen receptor modulator：SERM)
・乳腺や子宮への刺激が少なく、骨で選択的にエストロゲン作用を発揮する。

3. 骨形成促進薬

① 遺伝子組換えヒト副甲状腺ホルモン：テリパラチド
・骨リモデリングを増大させ休止期骨芽細胞表面における骨形成を刺激する。
② ヒト化抗スクレロスチンモノクローナル抗体：ロモソズマブ
・骨芽細胞の骨形成を促進し、骨吸収抑制作用も有する。

　腸管からのCa吸収量を促進させ、骨量を維持、ないしは増加させることにより、疼痛を改善させるために、腎障害に伴う低Ca血症の高齢者では活性型ビタミンDの投与が有効である。

　1日量1～2gのPの経口摂取が、Ca貯留に有効といわれ、多過ぎると$Ca_3(PO_4)_2$として沈殿するため、Caと同量程度が適切とされている。また、低栄養状態にあると血清中Ca・Pイオン積の低下をきたし、類骨組織の骨化を妨げることが知られている。

　したがって、蛋白質摂取量もCa摂取量とほぼ比例するので、高齢者には十分な蛋白質と脂肪を与え、良好な栄養状態に保つことが骨粗鬆症の予防、治療に有効である。

　いったん、骨粗鬆症という診断がなされると、その後は生涯にわたって骨折の恐怖に悩まされることが多いが、次のような説明は大きな自信をもたせてくれる。高齢者は薬剤や食物によって治療しても、運動により刺激を与えても、X線上はほとんど効果がみられない。しかし、2～3％の骨密度の増加でも骨折の発生率は1/4に減り、5％前後も骨密度が増加すると骨折の発生率は1/10となるなど、わずかな骨密度の増加で骨折の不安から解放される。これら骨形成促進薬はわずかな量で

も新しい強い骨を形成することにより，骨折しにくい骨にするとも考えられているが，活性型ビタミンD_3では筋力を強化するためとの知見もある。また，ビスホスホネート製剤やSERMなどの近年の開発は著しいものがあり，骨粗鬆症の抑制効果に期待されるところがある。骨粗鬆症患者が骨折を起こさないように，わずかでも骨密度を増加させ，それを維持するだけで健康長寿を保てると考え，治療すべきであろう。

c 運動療法

高齢者の場合，"動かさないこと immobilization"が骨粗鬆症の成因の1つとして重要な役割を演じているので，できるだけ早く運動療法を開始すべきである。座位保持，立位保持などによる荷重，背筋，腹筋などの同時収縮，抗重力筋の等尺性収縮による骨膜への刺激などはいずれも骨粗鬆症の進行を抑制するために重要である（骨梁は圧力，張力の働く方向に形成されていく）。

実際には，高齢者の易疲労性，病的骨折の可能性，内科的リスク，耐久力のないことなどから，急激な筋収縮や重力負荷を避け，最初は軽い運動から始め，徐々に負荷を増すことが必要である。

体幹装具なども，激しい疼痛のある場合は別にして，なるべく軟性の腰仙部コルセット程度を短時間使用するにとどめる。長期使用をしても脊椎の変形矯正は期待できず，装着時に楽なようでも体幹筋の弱化を促進し，将来さらに重大な骨変形をきたす要因をつくるからである。

図Ⅳ・12・16 に骨粗鬆症に用いられる Goodman の運動療法を示す。

運動療法は各運動ごとに5回，1日2回程度行う。

d 手術療法および副腎皮質ステロイドの使用に際しての注意

骨粗鬆症をもたらした原疾患が骨関節疾患や関節リウマチなどの場合，やむをえない場合を除いては副腎皮質ステロイドの使用はできるだけ避けるべきである。また手術療法，例えば滑液包切除や人工関節などの効果が，保存療法と比較して手術直後だけでなく，長期的にみて大差がないと思われる場合，強いて手術療法を選ぶというようなことは避けるべきである。なぜなら，手術後一定の安静で骨粗鬆症はさらに著明に進行し，かえってリハビリテーションを困難にすることが多いからである。

D 腰痛のリハビリテーション

腰痛はヒトの進化の過程において，立って歩くようになったことに端を発する。ヒトが立って歩行するためには，背骨の形状の変化が必要であった。4つ足動物は頭や胴体を支えるにはあまり脊椎に負担をかけることなく背中側に凸のC字状の背骨で対応できたが，ヒトは，不安定な上半身を支えて歩き始める過程で，C字状からゆるやかなS字状の脊椎に進化してきた。しかし立つ動物への進化は同時に，下部脊椎で上半身を支える腰椎に大きな負担をかけることにつながり，これが腰痛の原因の1つとなっている。

腰痛の多くは，腰に負担をかけないようにして数日間，静かにしていれば軽快する。しかし，安静にしても痛みが増強したり，痛みやしびれが足のほうまで拡大したりするときは，治療が必要な骨や関節の病気の疑いもあり検査が必要である。腰痛は骨や関節の病気だけでなく腎臓や膀胱，子宮・卵巣など骨盤内臓器の異常で起こることもあり，その鑑別を行うべきである。

1 原因

腰痛だけで，ほかに疾患らしい症状を伴わない場合は，骨関節，筋肉に原因があることが多い。

a 骨

腰椎や骨盤などの骨に障害があって起こる腰痛・がんなどの腫瘍，脊髄炎や骨髄炎などの炎症，腰椎圧迫骨折や骨盤骨折などの外傷，骨粗鬆症など骨をもろくする代謝性の疾患などがある。

b 神経

腰髄に入る神経根が刺激されるもので，多くは

① マット上で

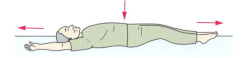

a. 上肢と下肢を上下に伸ばし，腹部を平坦にして背筋を伸ばす。

b. 両膝を曲げて片腕ずつ前方に上げ再び頭上に戻す。

c. 背筋を伸ばしたまま，両膝を抱える。

d. 腕を真横に出し，肘でマットを押す。

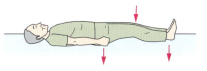

e. 膝を曲げて片足ずつ足を上げる。

f. 上肢と膝を伸ばし，手と踵でマットを押す。

② 壁と椅子を使って

a. 壁に背中をつけて片手を上げながら背伸びをする。

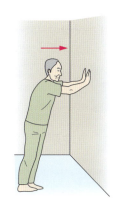

b. 壁の前に立ち，壁を両手で押す。

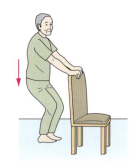

c. 椅子背をもち，軽く膝を曲げる。

d. 椅子に背筋を伸ばして座り，背中を押しつける。

図 IV・12・16　Goodman の運動療法

椎間板ヘルニアや脊髄腫瘍が原因で起こり，痛みやしびれが神経に沿って足のほうへ広がる症状がみられる。

c　椎間板

椎間板に変性や損傷が加わって，上下の脊椎が直接ぶつかったり，上下の脊椎を後ろのほうでつないでいる椎間関節がずれたりすることで腰痛が生じる。

d　椎間関節

椎間関節の障害による腰痛。体の奥のほうに感じる痛みも出現する。

表 Ⅳ・12・9　腰痛の分類

要因	原因	疾患
器質的要因	脊柱とその周辺組織に由来	変性：変形性脊椎症，椎間板ヘルニア，腰椎分離すべり症，脊椎骨粗鬆症 感染：化膿性脊椎炎，結核性脊椎炎，硬膜外膿瘍 炎症：リウマチ性脊椎炎，強直性脊椎炎 外傷：骨折，捻挫，靱帯損傷，筋肉損傷，椎間板損傷 機能障害：筋肉性腰痛，姿勢性腰痛，コンパートメント症候群 腫瘍：原発性脊椎腫瘍，脊髄腫瘍 転移性脊椎腫瘍：乳がん，前立腺がん，甲状腺がん，子宮がん，膀胱がんなど，多発性骨髄腫，肉腫（がん以外の悪性腫瘍）
	脊柱以外の臓器に由来	血管：解離性大動脈瘤，閉塞性動脈硬化症 腎臓：腎結石，腎臓腫瘍（良性・悪性） 尿管，膀胱：膀胱結石，膀胱腫瘍（良性・悪性），前立腺がん，尿路結石など 副腎：副腎腫瘍，アジソン病，クッシング症候群など 婦人科：子宮筋腫，子宮がん，卵巣腫瘍（卵巣嚢腫，卵巣がん），子宮内膜症など 消化器：膵臓炎，膵臓がん，十二指腸癌，胆嚢炎，大腸がんなど
非器質的要因	精神医学的問題	身体表現性障害，気分障害，不安障害，パーソナリティ障害，人格統合障害，虚偽性障害など
	心理社会的問題	家庭内不和，職場内の問題など

e 筋，筋膜

脊椎の周囲を支える筋・筋膜の障害による腰痛。長時間しゃがみ続けるなどして腰部の筋肉が疲労したり，中腰で重い物を持ち上げたり，急に腰をひねったりしたときに生じる。

その他，腰痛には多くの原因があり，それを表 Ⅳ・12・9 に示す。

2 症状

重い物を持ち上げたり，腰を急にひねったりしたときに生じる腰痛もあるが，多くは日常の動作や姿勢で生じたりする。原因も様々なため，痛みの程度や現れ方も個人差がある。急に激しい腰痛が生じ立つことも歩くこともできず，なかには体を動かすこともままならなくなるような，いわゆるギックリ腰になることもある。鈍い痛みや不快感，腰を伸ばすと痛むなどの症状が続くこともある。例えば，椎間板ヘルニアは大腿部の後ろから足の先まで痛みがはしる坐骨神経痛を伴うことがある。

これらの症状は，雨の日や湿気の多いときに強くなったり，椅子に座って長い時間仕事をしたり，運動をすると増悪したり，天気が良くなったり安静にすると軽くなるなど，天候や日常の生活動作によって影響を受けるものもある。最近この気象病については，低気圧→副交感神経系緊張やヒスタミン増加→疼痛を感じやすさ増大，内耳の気圧感受器の刺激→交感神経興奮→痛覚神経刺激といったメカニズムも考えられている。

3 治療

a 急性期の治療

1. 安静，免荷

多くの腰痛症は，安静などの保存的療法で軽快することが多いが，激しい疼痛，熱感など強い炎症症状のときはまず安静，免荷が大切である。仰向けで寝るときは，膝の下に座布団をあてて膝を軽く曲げ，敷き布団は体が沈まない固いものを使うとよい。しかし必要以上の安静は骨粗鬆症や筋萎縮，拘縮を招き，関節包の癒着，拘縮など関節そのものにもかえって悪い結果をもたらす。薬物療法などによる抗炎症療法と並行して，軽度の運動は行うべきであり，廃用症候群を防がなければならない。

安静は同時に免荷にもなるが，ほかに杖の使

用，ブレース，コルセット，サポーターなども考慮し，早期に離床を進める必要がある。

2. 薬物療法，湿布

種々の消炎鎮痛薬の使用，副腎皮質ステロイド関節内注入などが行われる。

湿布は急性期の腰痛には冷湿布がよいが，温湿布も腰痛が楽になることがあり，痛みがいくらかでも和らぐほうを選ぶようにする。

b 慢性期の治療

1. 腰椎牽引

上半身を固定し骨盤を下方に伸展すると，痛みが和らぐ。

変形性腰椎症，頸椎症に対して疼痛のあるとき，特に根性疼痛のある場合に用いられる（垂直牽引，斜面牽引）。

高齢者では強力に牽引することはかえって危険がある。

頸椎：1〜2 kgから始め15 kg以内
腰椎：5 kgから始め20 kg以内
が適当である。

2. 温熱療法

疼痛の軽減，関節の血行改善には局所の温湿布 hot pack，極超短波 microwave などで腰を温めると，筋肉や神経の緊張が和らいで腰痛が軽減する。超音波は温熱効果のほかに軟部組織の伸展性を高めるので，ROM訓練と併用するとより効果的である。家庭でカイロや入浴で腰を温めるのもよい。

3. 水治療法

温浴では温熱効果による疼痛軽減，血行改善，筋弛緩がみられ，水中訓練では浮力による体重軽減のため関節に無理な力を加えないで，筋力増強やROM保持ができる利点がある。さらに，浮力を利用した介助自動運動，自動運動が可能であり，水の抵抗により各種の抵抗運動も可能で筋力強化もできる。

ナイト型

デュエット型

ウィリアムス型

リュックサック型

図Ⅳ・12・17　腰椎装具のいろいろ

4. 体幹装具，コルセットや腰痛ベルト
（図Ⅳ・12・17）

腰痛に対する装具療法の目的
① 腰椎部の安静免荷
② 腰椎柱の固定・変形予防
③ 腹腔内圧を高める

腰痛に対する装具
① 軟性コルセット：椎間板ヘルニア，腰椎分離すべり症，脊椎骨粗鬆症，変形性脊椎症，腰椎症
② ナイト型：椎間板ヘルニア，腰椎分離すべり症
③ ウィリアムス型：腰部脊柱管狭窄症
④ デュエット型：脊椎骨粗鬆症，腰椎圧迫骨折
⑤ リュックサック型：脊椎骨粗鬆症

5. 運動療法

背中の筋肉を伸ばしたり，腹筋の力をつけたりして，腰椎にかかる負担を多少なりとも軽減する

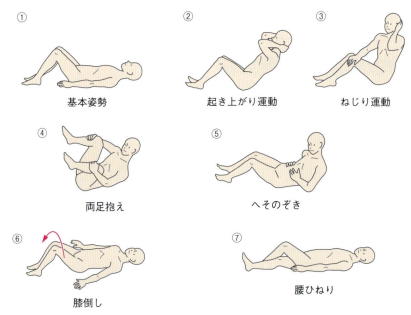

図Ⅳ・12・18　腰痛体操（朝晩行う体操）
① 基本姿勢：仰向けで両膝を立て，ゆっくりと呼吸を行い心身ともに十分リラックスする（吸う─鼻，吐く─口）．
② 起き上がり運動：基本姿勢より，肩が 25 cm 離れるくらいに起き上がり，ここで 5 つ数えてゆっくり元に戻る．
③ ねじり運動：②と同じ要領で，右手が左膝にさわるように，体をねじりながら起き，5 つ数えてもとに戻る（左右交互に）．
④ 両足抱え：両足を，それぞれ膝をわきの下にくるように抱える．
⑤ へそのぞき：両手を腰またはへその上におき，おなかをちぢめ腰を床に押しつける．次に，へそをのぞき込むように頭を持ち上げ，背中に力を入れて尻を浮かす．
⑥ 膝倒し：両膝を合わせて，左右に倒す．
⑦ 腰ひねり：基本姿勢より息を吐きながら，一方の足を他方の足の上を交差して倒し，腰をひねる（左右交互に）．

〔文献 25) より改変〕

ために腰痛体操を行う．これは効果的な治療法で，特に慢性期の腰痛治療の主体となる．

体幹筋では腹筋，背筋の筋力保持強化が必要である．座位保持や，背臥位での頭部，肩部をもち上げた位置での維持など，比較的行いやすい等尺運動がある．

a. 腰痛体操

様々な腰痛体操があるが，ウィリアムスの体操 Williams's exercise[24)] にみられる骨盤前傾，腰椎前彎が腰痛の原因となるため，その原因となる腹筋群・大殿筋群・膝伸筋群の筋力低下や背筋・股屈筋の短縮をとるように考案された体操が多い（図Ⅳ・12・18, 19）．

b. 骨盤傾斜運動 pelvic tilting exercise

腰椎前彎に対して，腹筋を収縮させ骨盤を後傾させて，腹圧を高め，腰椎を平坦にしようとするものである（flat back）（図Ⅳ・12・20）．

c. 腹筋強化：背臥位→起座運動
curl up exercise, sit up exercise

起座位→背臥運動 uncurling exercise

高齢者では，臥位から座位に起き上がることは不可能な人が多いので，まず座位（股膝屈曲位）をとらせ，体幹をある点まで後傾させ（uncurling），再びもとの位置へ戻させる運動が適当であり，高齢者でもある程度可能である（図Ⅳ・12・21）．筋力が強化されるに従い，徐々に体幹後傾の程度を大きくしていくとよい．

d. straight leg raise (SLR) exercise

膝伸展位のまま，両下肢をもち上げる運動で，腸腰筋，大腿四頭筋とともに腹筋も収縮する．しかし，高齢者や，腹筋力が高度に低下している場合にはむしろ禁忌となる．なぜならば腸腰筋の収縮により腰椎は前彎の度を増し，骨盤は前傾するからである．特に最初の 30° は腸腰筋が主に働くためにその傾向は著明となる（腸腰筋の起始部は，

A. 椅子に腰掛けて行う体操

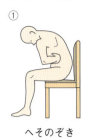
① へそのぞき

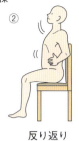
② 反り返り

③ 膝抱え

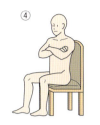
④ 腕組みおじぎ

B. 立って行う運動

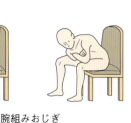

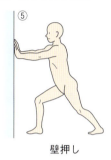
⑤ 壁押し

⑥ 足交差おじぎ

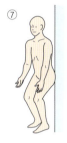
⑦ しゃがみ

図Ⅳ・12・19　腰痛体操（日常気軽に行う体操）
① へそのぞき：椅子に浅く腰かけ，両足を開き背中をまるくしておなかを引っ込め，へそをのぞくようにする。このとき，息をゆっくり吐く。
② 反り返り：伸びをするように気長にゆっくり腰を反らし，胸を張って息を吸う。
③ 膝抱え：片足ずつ膝を脇の下に抱え込む（左右交互）。
④ 腕組みおじぎ：両腕を組み，息を吐きながら背中を丸め，頭の重みで十分おじぎをする。
⑤ 壁押し：壁に向かって立ち，後ろの足の膝を伸ばし，踵をつけたまま腕立て伏せの動作を行う。
⑥ 足交差おじぎ：足を交差し，後ろ足の膝を伸ばし，おじぎをする（左右交互）。
⑦ しゃがみ：両足を30 cm離し，踵を床から離さないでゆっくりしゃがみ，途中で止め，再びゆっくり戻す。

〔文献25）より改変〕

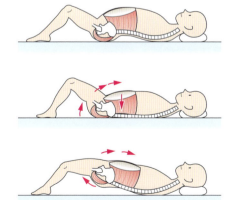

図Ⅳ・12・20　骨盤傾斜運動
腹筋を収縮させ，腰椎を後彎位に保つことにより骨盤は後傾する。殿部を持ち上げる場合は，膝屈筋群を主に用いて，腹筋や大殿筋を使わないで行うと，逆効果になるので注意する。

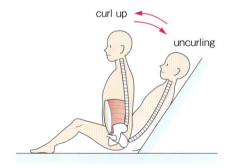

図Ⅳ・12・21　高齢者向きのcurl up exercise, uncurling exercise
座位で体幹を後傾させ，またもとの位置に戻る。高齢者にもできる腹筋強化法である。伸展にしたがって傾斜角度を増加するとよい。

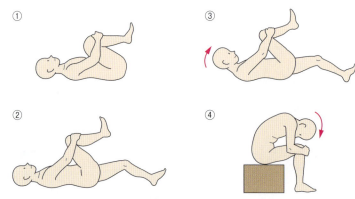

図Ⅳ・12・22　背筋，腰筋の伸張
両膝を両手で抱え込むようにすると，背筋，腰筋は伸張される。高齢者では片方ずつ行ったほうが容易である。その場合，頭を屈曲すれば，さらに効果的である。座位で膝を開き，両膝の間に頭を入れるようにしても同様の目的を達する。

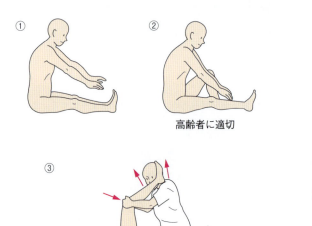

図Ⅳ・12・23　膝屈筋群の伸張
長座位で，手で足指をさわるようにすれば膝屈筋群は伸張される。高齢者には片膝屈曲位で行うとやりやすい。他動的には③の方法が効果的である。

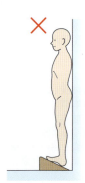

図Ⅳ・12・24　楔形台によるアキレス腱伸張

大腰筋が腰椎の横突起，椎体外側面，椎間板などであり，腸骨筋では腸骨窩の上部，腸骨稜内唇などから発しているため，腹筋が極度に弱いときは骨盤を後傾する力はほとんど働かないため，一方的に骨盤は前傾し，腰椎は前彎することになる）。

したがって，この方法を用いる際には必ず，はじめの30°は他動的に股関節を屈曲した位置をスタートとして，それ以後のSLRを自動運動させることが必要である。

e. 伸張運動 stretching

❶ 腰筋の伸張 low back stretching exercise：腰痛が長期継続したり，臥床を長く保った場合，腰背筋は拘縮状態となり，また棘突起間の縦靱帯も同様に縮まった状態となってくるため，その stretching が必要となる（図Ⅳ・12・22）。

❷ 膝屈筋群の伸張 hamstrings stretching exercise：腰背筋の拘縮と同様に膝屈筋の拘縮を伴っていることがあり，正しいアライメントを得るためにはこの伸張が必要である（図Ⅳ・12・23）。

❸ アキレス腱伸張 heel cord stretching：立位で楔形台上に長時間立つ通常の方法は腰椎前彎をきたすので適当でない（図Ⅳ・12・24）。片足ずつアキレス腱を伸張するか，両足をそろえてしゃがむ姿勢をとれば腰椎を前彎させなくてすむ（図Ⅳ・12・25）。身体を上下にリズミカルに動かすと，よりよい効果が得られる。

❹ 股屈筋の伸張 hip flexors stretching exercise：

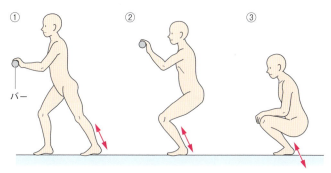

図Ⅳ・12・25　腰椎前彎を防ぎながらアキレス腱を伸張する方法
片側または両側の股関節を屈曲位にして，アキレス腱を伸張すると，腰椎の前彎を防ぐので好都合である。

右股屈筋の伸張（Thomas 法）

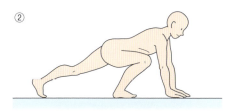

左股屈筋の伸張（Kottke 法）

図Ⅳ・12・26　股屈筋の伸張
腸腰筋の伸張のためには骨盤を固定する必要がある。その方法として，対側の股関節を十分に屈曲位に保つ Thomas 法と Kottke 法があるが，上図はそれらの変法であり，自習も可能で，高齢者にも適している。

主に腸腰筋などの股屈筋は臥床によって拘縮を生じやすい筋であり，解剖学的位置から腰椎前彎，骨盤の前傾をきたしやすく，不良アライメントの原因，結果につながる。したがってその拘縮予防と，その伸張は重要である。

その方法として Thomas，Kottke の方法などがある。高齢者には使いにくいので，やりやすい変法が用いられている。原理的には，骨盤を固定して腸腰筋の伸張を効率的にすることにある（図Ⅳ・12・26）。

f. 日常生活の注意（図Ⅳ・12・27）
症状が安定しているときには歩行，その他，日常生活活動は行わせたほうがよい。しかし，高齢者の注意事項として以下のことがあげられる。

① 身体の沈む柔らかいマットで寝たり，踵の高い靴や底の硬い履き物をはくと，腰椎に余分な負担がかかり，腰痛が生じやすくなるので，長時間の使用を避けるなど注意をする。

② 椅子に腰掛けて長時間同じ姿勢で仕事を続けると，背筋などの筋肉が疲労する。適当な時間に背筋を伸ばす運動や軽い体操を短時間でも行うように習慣づけることが大切。車の運転シートや電車の座席，ソファーなどに座るときも股関節や膝関節で足や腰がほぼ直角に曲がるようにし，背もたれに軽く背中が触れる程度に腰掛けるようにする。両足を伸ばし背中を背もたれに預けるような座りかたは背筋に負担をかけ腰痛の原因になる。

③ 長時間の起立，歩行は避ける。やむをえないときは適度に休息を入れる。また長時間の立位保持では，片足を 10～15 cm 程度の高さの台の上にのせているように指導すると腰椎の前彎を抑制することができる。

④ 腰痛の経験のある人もない人も不用意に間違った姿勢で物を持ち上げると，腰部に過剰な負担をかけ，ぎっくり腰の原因になることが多い。膝を曲げ，腰を落として，その品物を自分の体の近くに引き寄せて持ち上げるようにするとよい。また，中腰作業の禁止など姿勢の指導，矯正をする。

⑤ 一日中立って仕事をする人は，腰部に負担を感じたら壁に背中をもたせかけて，体をリ

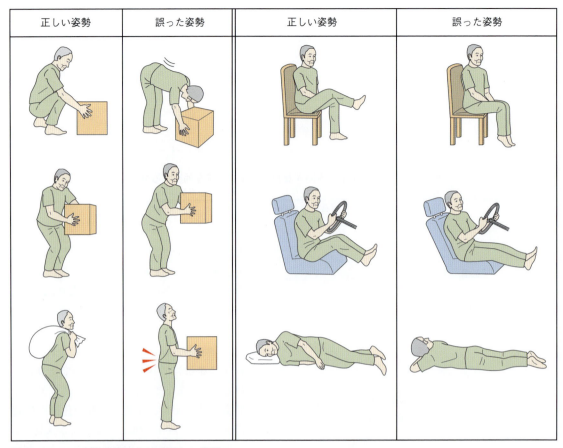

図 IV・12・27　日常生活における正しい姿勢
・重い物を持ち上げる場合には，腰だけを曲げるのではなく，膝も同時に曲げて，しゃがむようにする。また，腰よりも高く持ち上げないようにし，体を後ろにそらすようなことは決してしないようにする。
・椅子に腰掛けるときには，少し腰を浮かすようにして座ること。あまり高過ぎて足が床に届かないような椅子はよくない。また，柔らか過ぎる椅子，ソファーにはできるだけ座らないようにする。長く座るときは，腰を休めるために，足を組むのもよい方法である。
・特に長時間座っている場合（車の運転など）では，腰よりもむしろ膝のほうが高くなるような座りかたがよい。
・寝るときには，横向きならば片膝，または両膝を適度に曲げた位置で休むようにし，仰向けならば，膝の下に支えを入れるなどする。

ラックスさせたり，10 cm くらいの高さの台に片方の足をのせ，股関節と膝を曲げるようにしたりすると，腰椎の前彎が減少して痛みの軽減につながる。
⑥ 強力な運動および関節に瞬間的な衝撃が加わるような運動（例えば足踏み運動，ボール蹴りなど）を避ける。
⑦ 必要なブレース，スプリント，コルセット，杖などを適宜処方，使用する。
⑧ 家屋など環境の改善の指導（例えば膝に障害の強い場合には椅子，ベッド生活の指導など）。
⑨ 肥満者には体重減少の指導をする。

g. 手術療法

保存療法で治りにくいものや，足の知覚障害や運動麻痺などの神経症状が進行するような場合は，原因を取り除く手術が行われる。

4 各種腰痛疾患

a 椎間板ヘルニア

骨と骨の間には「椎間板」がはさまっており，骨と椎間板で体重を支えている。椎間板は，水分を

多く含むゼラチン状の髄核を中心に，織物のように交差するコラーゲン線維でできた線維輪が回りを取り囲む構造をしている．無理な姿勢や動作により，背骨に偏った力を加えても，あまり痛めないのは，椎間板が外力を各方向に分散させてショックを和らげ吸収しているからである．椎間板の髄核は加齢に伴い，水分が減少して柔らかさと流動性を失う．腰痛の多くはこうした腰椎椎間板の加齢現象から生じることが多く，その弾力性を保つ注意が，腰痛を防ぐコツにもなる．この椎間板の内部にある髄核が，外にはみ出した状態をヘルニアといい，それが神経を圧迫したり刺激したりして，神経痛の症状が生じる．

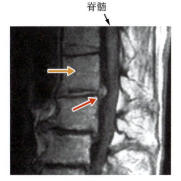

図Ⅳ・12・28 椎間板ヘルニアのMRI
椎体(→)と椎体の間からヘルニア(→)が後方へ突出し，脊髄を圧迫している．

1. 症状

❶ 腰痛：安静にしても持続することが多い．
❷ 下肢痛と麻痺：ヘルニアに圧迫される神経の種類によって，大腿前方が痛んだり（大腿神経痛），大腿〜下腿外側が痛んだり（坐骨神経痛）する．重度になると，しびれ感や知覚麻痺，運動麻痺が生じる．ヘルニアの大きなものでは排尿障害や排便障害を生じることがあり，圧迫を取り除く緊急手術が必要となるものもある．

2. 診断・検査

❶ 腰椎のX線写真：椎間板はX線に映らないが，椎間板の変性や骨の変化などの所見と診察から診断する．
❷ MRI，CT：CTよりMRIのほうが詳細にわかるので，最近はMRIが多用され，正確な病巣診断がなされる（図Ⅳ・12・28）．

3. 治療

a. 保存療法

❶ 腰部の安静：まず腰部を安静にして神経の炎症を鎮める．腰痛体操を始めるのも炎症が鎮静化してから行う．
❷ 腰椎牽引
❸ 薬物療法：消炎鎮痛薬
❹ 硬膜外ブロック，神経根ブロック：圧迫された神経の周囲に直接注射で麻酔薬や副腎皮質ステロイド薬などを注入して，炎症を鎮め，痛みを和らげる．
❺ 装具療法（コルセットなど）：患部の安静・保護目的．

b. 手術療法

急激な神経麻痺や排尿・排便障害が生じたときは，緊急手術の対象となる．安静や薬物療法で効果のない場合は手術を考える．

❶ 経皮的手術
① 経皮的髄核摘出：椎間板組織の内部に細い金属管を入れ吸引除去する（内視鏡下，micro-endoscopic discectomy：MED法）．
② 経皮的レーザー照射：椎間板内部に細い金属管を入れ，レーザー照射で内部組織を蒸発させる．
③ 酵素注入法：キモパパインなど椎間板組織を溶かす蛋白分解酵素を，椎間板内に注入する（わが国では未承認）．

❷ ヘルニア摘出術
① LOVE法手術：小さく背骨を削って，脱出したヘルニアを取り出す．
② 椎弓切除，脊柱管形成術：LOVE法手術に比べて広い範囲の骨を削る手術で，大きなヘルニアや脊椎の変形の強い場合に行う．
③ 脊椎固定術：ヘルニアが大きい場合や脊椎の安定性が悪い場合，ヘルニアを除去しただけでは，腰痛が残ったり，再発しやすかったりするので，このような場合，同時に骨移植して脊椎固定する．

b 変形性脊椎症

1. 原因，症状

20歳を過ぎる頃より関節軟骨，椎間軟骨は加齢とともに退行性変性が始まる．特に荷重関節にこの変化が強くみられ，軟骨は薄くなり，弾性は減少し，緩衝作用は低下し，関節裂隙は狭くなり，関節運動の安定性，円滑性が失われる．

関節包，関節周囲組織にも変化は及び，関節包炎，腱炎，石灰化，腱断裂などを伴うこともある．これらの変化は，関節の骨組織，特に靱帯の付着部に異常な機械的刺激を与えることで，異常増殖性変化(骨棘形成，spur formation)を起こすことになる．また老化に伴う姿勢変化，筋力低下などは，アライメントの変化をもたらし，関節に無理な力が加わることで脊椎の変形は増悪する．

変形性腰椎症の頻度は非常に高く，農漁村，老人ホームにおける調査で，X線上何らかの変形が認められるのは40歳以上で70％，80歳では100％に達する．

自覚症状としては，腰背痛，あるいは重圧感(特に朝，起床時に強い特徴がある．また，布団から起きあがったり立ち上がるときに痛み，むしろ体を動かしているときのほうが楽な場合が多い)，坐骨神経痛，しびれなどであるが，X線上の変化と自覚症状とは比例せず，著明な骨変形がありながら，無症状であることも少なくない．

変形性頸椎症では機械的ストレスの多くかかるC5-6周辺に好発し，50歳以降で増加してくる．腰椎同様無症状で，検診で偶然発見されることも珍しくないが，椎間孔が狭くなって神経根が圧迫されると，激しい上肢の疼痛，しびれ，麻痺症状，項背痛などが出現してくる．斜位X線像による椎間孔の骨棘形成による形状の変化や，X線，CT，MRIでの脊髄や神経根の圧迫所見が診断上参考になる．

2. 治療

治療は，一般的な腰痛と基本的には同じで，手術が必要になることは少ない．

日常生活の注意として，腰が痛いからといって寝たきりでいると，筋力が低下し立つことも歩くこともできなくなる可能性がある．入浴とその後の柔軟体操などを行い，できるだけ体を動かすことが必要である．

c 脊柱管狭窄症

脊柱管狭窄症は，脊椎の中にある脊髄が通る脊柱管が何らかの原因で狭くなったために発生する．成因は，先天的に脊柱管が狭い人や腰椎すべり症や脊椎の変性による後天的な場合がある．後天的な狭窄症は，高齢になるほど発生率が高くなる．また，脊椎の変性による狭窄症は，よく動く可動性の髄節(好発部位L 4/5)に生じるため，痛みは，股関節，大腿，下腿に多く発生する．

さらに，一定距離歩行すると左右どちらかの下肢に強いしびれ，痛み，脱力を生じて歩行困難になるが，股関節，膝関節を曲げて(中腰や座って)数分間休息するとすぐに症状が改善して歩行が可能になるという間欠性跛行は本疾患の特徴症状である．症状が進行すると次第に連続歩行距離が短くなり，50 m程度で歩行困難になる重度のものもある．

E 変形性膝関節症

1 症状

高齢になるにしたがい膝痛を訴える人が増えるが，その原因の多くは変形性膝関節症である．膝を使い続けるうちに老化し，関節の表面を覆っている軟骨が変形して痛みが生じる．膝は体を支え，歩行時には体重の4倍，階段の昇り降りでは7倍もの力が加わる．さらに膝は曲げ伸ばしができることで人間の歩くことも可能にしたが，その反面，最も酷使されやすく関節の中にある骨と骨の間の軟骨がすり減って変形し，衝撃や圧力が吸収されなくなったために痛みが生じることになる．

50歳を超えると増加し，有病率は男性が平均42％(39歳以下0％，40代9.1％，50代24.3％，60代35.2％，70代48.2％，80歳以上51.6％)，女性

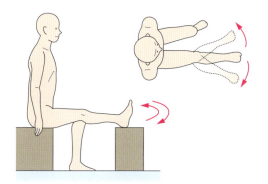

図Ⅳ・12・29　膝側副靱帯弛緩度の検査
伸展位にすると側副靱帯は解剖学的に緊張した状態になるので，この位置で下腿を動的に左右方向に動かしてやると，正常ではほとんど動かないが，側副靱帯が弛緩していると，容易に動くようになる。

が平均62.0％（39歳以下3.2％，40代11.4％，50代30.3％，60代57.1％，70代71.9％，80歳以上80.7％）と女性が高い[26]。

初期は何となく朝起きたときに膝がこわばったように動きにくさを感じるが，しだいに正座などの深く膝を曲げる動作や，階段の昇り降りに痛みを感じるようになる。また座るとき，立ち上がるときなど，動きを変えようとする際に痛みが出るのも特徴である。痛みの多くは膝の内側に感じることが多いが，外側に感じることもある。加えて，痛みのために膝を十分に屈曲伸展する機会が少なくなり，膝は徐々に拘縮をきたすようになってくる。拘縮を生じた関節は屈曲伸展時に痛みを生じるようになり，さらに動きを制限するようになる。

男女ともにO脚方向への動揺性が増すことが多いが，女性高齢者ではX脚方向も少なくない。男性で高度の変化を示すものは圧倒的にO脚が多い。

膝動揺性の原因には，膝周辺の靱帯，すなわち十字靱帯 cruciate lig.，側副靱帯 collateral lig.，冠状靱帯 coronary lig. などの延長，弛緩などがみられ，内・外反膝にはそれぞれ外・内側側副靱帯の弛緩がみられる（図Ⅳ・12・29）。

内・外反膝を矯正しないまま歩行していると，大腿骨，下腿骨にも変形が生じ，大腿骨が変形するものを大腿内反 femora vara，または外反 valga と呼び，下腿が変形するものを下腿内反 crus varum，または外反 valgum と呼ぶ。

症状として膝関節痛を訴え，跛行や拙劣な歩行を示し，O脚あるいはX脚歩行を特徴とする。放置すれば，軟骨，骨・軟部組織などの破壊は進行し，歩行をはじめとして活動力は低下，臥床することが次第に増え，これにその他の老化現象が急速に加わり，ついには寝たきりに至る。

2 評価

a 疼痛

変形性膝関節症では，基本的な疼痛のチェックのほかに膝内側部の圧痛をみる。特に運動時痛は階段昇降，歩行時の程度や正座時の疼痛の有無が重要である。

b 形態計測

膝の内反・外反変形，関節不安定性による外側側方動揺などのチェックを中心に下肢アライメントの把握，関節水腫による関節の腫脹の程度や，体重測定と肥満の有無も忘れないようにチェックする。

c 関節可動域（ROM）

膝関節屈曲拘縮と股関節屈曲拘縮の有無を主にチェックしていく。

d 筋力

特に大腿四頭筋の萎縮や筋力低下は重大な問題である。等尺性筋力と可能ならば等速性筋力評価を行う。extension lag の有無と程度をチェックする。また，大腿周径の左右差の比較も必要である。前述したように，下肢全体への筋力増強訓練のアプローチが望まれるので，膝関節・足関節周囲筋の筋力評価も必要となる。

e 歩行能力とADL

疼痛，下肢アライメント変化，筋力低下などによる歩行機能の問題をチェックする。異常歩行の分析と歩行速度，歩行距離を測定する。また，立位荷重位でのADL評価として，階段昇降能力などもチェックする。このとき，JOAスコアなどを導入するとよい（図Ⅳ・12・30）。

IV. 主な老人性疾患のリハビリテーション

術前・術後　病院名_____　記入者氏名_____　記入___年___月___日
カルテ番号_____　患者氏名_____　手術名_____　手術月日___年___月___日
性別：男・女　年齢：___歳　体重：___kg　住所_____TEL_____

		右	左
疼痛・歩行能	1 km 以上の歩行可，通常疼痛ないが，動作時にたまに疼痛があってもよい	30	30
	1 km 以上の歩行可，疼痛はあってもよい	25	25
	500 m 以上，1 km 未満の歩行可，疼痛はあってもよい	20	20
	100 m 以上，500 m 未満の歩行可，疼痛はあってもよい	15	15
	室内歩行または 100 m 未満の歩行可，疼痛あり	10	10
	歩行不能	5	5
	起立不能	0	0
疼痛・階段昇降能	昇降自由・疼痛なし	25	25
	昇降自由・疼痛あり，手すりを使い・疼痛なし	20	20
	手すりを使い・疼痛あり，1 歩 1 歩・疼痛なし	15	15
	1 歩 1 歩・疼痛あり，手すりを使い 1 歩 1 歩・疼痛なし	10	10
	手すりを使い 1 歩 1 歩・疼痛あり	5	5
	できない	0	0
屈曲角度および強直・高度拘縮	正座可能な可動域	35	35
	横座り・胡座可能な可動域	30	30
	110° 以上屈曲可能	25	25
	75° 以上屈曲可能	20	20
	35° 以上屈曲可能	10	10
	35° 未満の屈曲，または強直，高度拘縮	0	0
腫脹	水腫・腫脹なし	10	10
	時に穿刺必要	5	5
	頻回に穿刺必要	0	0
	総計		

患者の満足度	とてもよかった	よかった人に勧める	よかった人に勧めるほどではない	わからない	やらないほうがよかった
右					
左					

特記事項		右	左
実測角度	疼痛	なし，軽，中，激	なし，軽，中，激
	可動域	～　°	～　°
	強直		
	自動伸展不全	～　°	～　°
	内・外反		
動揺	側方		
	前後		
大腿周径	5 cm	cm	cm
	10 cm	cm	cm
装具	ときどき		
	常用		
		1 本杖　2 本杖	車椅子
	ときどき		
	常用		
10 m 歩行速度			秒
X線所見		右	左
	立位 FTA		
	臥位 FTA		
	関節裂隙	狭小，消失	狭小，消失
	骨棘		
	骨硬化		
	亜脱臼		
	骨欠損		
患者の印象			

変形性膝関節症治療成績判定基準記入要綱
〈疼痛・歩行能〉
・歩行はすべて連続歩行（休まずに一気に歩ける距離）を意味する．
・疼痛は歩行時痛とする（疼痛は鈍痛，軽度痛，中等度痛を含む）．
・ある距離までしか歩けないが，その距離では疼痛がないときは，その 1 段上のクラスの疼痛・歩行能とする．
・ある距離で激痛が現れるとき，その 1 段下のクラスの疼痛・歩行能とする．
・「通常疼痛ないが，動作時にたまに疼痛があってもよい」は買物後，スポーツ後，仕事後，長距離歩行後，歩き始めなどに疼痛がある状態をいう．
・「1 km 以上の歩行」はバスの 2～3 停留所以上歩ける，あるいは，15 分以上の連続歩行をいう．
・「500 m 以上，1 km 未満の歩行」は買物が可能な程度の連続歩行をいう．
・「100 m 以上，500 m 未満の歩行」は近所付き合い程度の連続歩行をいう．
・「室内歩行または 100 m 未満の歩行」は室内または家の周囲，庭内程度の連続歩行をいう．
・「歩行不能」は起立はできるが歩けない，歩行はできても激痛のある場合をいう．

〈疼痛・階段昇降能〉
・疼痛は階段昇降時痛をいう．
・疼痛は鈍痛，軽度痛，中等度痛をいう．
・激痛があるときは 1 段下のランクとする．
・筋力低下などで「できない」状態であるが疼痛のないときは「手すりを使い 1 歩 1 歩（1 段下 2 足昇降）で疼痛あり」とする．

〈屈曲角度および強直・高度拘縮〉
・「110° 以上屈曲可能」は 110° 以上屈曲可能であるが，正座，横座り，胡座はできない状態をいう．
・「75° 以上屈曲可能」は 75° 以上 110° 未満の屈曲可能をいう．
・「35° 以上屈曲可能」は 35° 以上 75° 未満の屈曲可能をいう．
・「高度拘縮」は肢位のいかんにかかわらず arc of motion で 35° 未満をいう．

〈腫脹〉
・「時に穿刺必要」：時に穿刺を受けている，または，時にステロイドの注入を受けているなど．
・「頻回に穿刺必要」：常に水腫がある．

図 IV・12・30　日本整形外科学会膝疾患治療成績判定基準（JOA スコア）

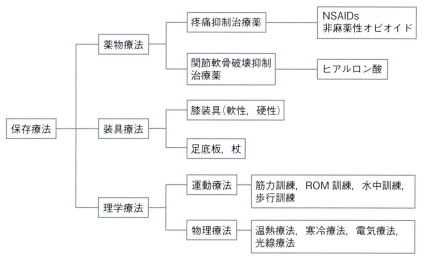

図Ⅳ・12・31　変形性膝関節症の保存的療法　〔文献28〕より改変〕

3　治療

主たる治療は保存療法であり，その内容は，大腿四頭筋筋力増強訓練，足底板やサポーターなどの装具療法，経口や関節内注入療法などの薬物療法，体重の減量などである[27]。また，症状の重症度によっては観血的治療が選択される。観血的治療の内容としては，関節鏡視下手術，高位脛骨骨切り術，人工膝単顆置換術，人工膝関節全置換術などがあげられる。

これらの治療法の選択においては，できるだけ侵襲の少ない治療法から選んでいくことが原則となる。

a　保存療法

高齢者では関節障害と並行して起こる筋力低下は非常に早く，また不可逆性になりやすいものである。筋力低下はさらにアライメントをくずし，関節に無理な力学的負担をかけることになるため，可能な限り筋力低下を防がなければならない（図Ⅳ・12・31）。

1. 疼痛緩和

変形性膝関節症の膝の痛みは，運動時と歩行時の荷重痛が特徴である。さらに，正座時の痛みや，変形が進行すると限局した圧痛を認める。これらの疼痛は，運動低下による廃用性萎縮や，反射性の大腿四頭筋萎縮や筋スパズムによる下肢周囲筋相互の協働不全を生じる。また，疼痛性屈曲反射亢進によるハムストリングス過緊張と短縮を生じ屈曲拘縮に至る。

これらの疼痛緩和には温熱療法，寒冷療法が中心となる。

2. ROM訓練

膝周囲組織の短縮，拘縮や変形予防にはできる限り早期から，自動運動主体のROM訓練と伸張訓練が重要となる。特に伸張訓練は前額面・矢状面の下肢アライメントに影響する腸腰筋，内転筋，大腿直筋，ハムストリングス，大腿筋膜張筋，下腿三頭筋が不可欠である。最近では，術後の疼痛を抑制しながらROM訓練を実施するCPM機器の利用も行われる。また，PTの徒手的療法として前述したように，関節形態・機能解剖から関節包内の骨運動を考慮し，生理的な関節面の離開とすべりを誘導する目的で，関節モビライゼーション，マニュアルセラピーなども，除痛と生理的関節運動促進のための筋・筋膜伸張法も用いられるようになった。

変形性関節炎そのものによりROM制限があることが多いが，長期安静により，さらにROM制限が生じる。他動的なROM訓練，できれば軽度の介助自動的，あるいは自動的ROM訓練は行う

べきであり，その際，できるだけ愛護的に行うようにする。

また，変形性腰椎症では臥床により背筋，膝屈筋などの拘縮が生じやすいので，1日数回の長座位により，これらの拘縮を予防しなければならない。

3. 大腿四頭筋筋力増強訓練

大腿四頭筋の筋力低下や，関節面の不整，変形，関節包の拘縮などは膝関節の関節可動域制限の原因となる。また，疼痛や可動域制限のために廃用性筋萎縮がみられるようになり，特に大腿四頭筋筋萎縮は早期よりみられる症状の1つである。また，膝関節側方安定化に対する大腿四頭筋強化訓練の重要性が当初より報告されており，大腿四頭筋訓練が理学療法におけるテクニカルスタンダードとして定着している[29]。

大腿四頭筋へのアプローチとして，等尺運動を用いた筋力増強訓練や筋萎縮に対するストレッチなどが行われている。等尺運動 isometric exercise, muscle settingは，関節をあまり動かすことなく，安静にて筋強化を行うには最適である。1回の muscle settingは，筋力強化の効果のうえでは6秒以上は頭打ちになるとされているので，通常6秒間維持させ，その後弛緩休止し，以降これを繰り返す。

日常遭遇することの多い変形性膝関節症では，大腿四頭筋の筋力低下が起こりやすく，その予防・強化の目的で，straight leg raise(SLR)がよく用いられる。SLRとは，背臥位で膝伸展位のまま股屈曲を行うもので，腸腰筋，大腿四頭筋が主として働く筋となる。また，大腿四頭筋と膝屈筋の同時収縮を命じ(具体的には背臥位で背伸びを命じると同時収縮が起こる)，同様な目的を達することができる。いずれにしても，関節はほとんど動かさないで，その周辺の筋力を強化あるいは保持するうえで大切な運動法である。

さらに，関節のモビライゼーション手法により関節運動の再構築が可能となり，固有受容性神経筋促通法(PNF)やその他の筋力強化手法の開発により効果的な筋力効果が可能となった。また，ハムストリングにも大腿四頭筋同様に筋力低下が認められている。また，膝のコントロール，歩行時の蹴り出しと着地時の衝撃吸収作用による非生理的関節負荷応力の制御に重要である。そのため，筋力低下は問題となり，大腿筋膜張筋は外側支持機構の二関節筋でもあり前額面での下肢アライメント調整に重要なため，筋力低下防止が不可欠となる。また，足底アーチの異常は膝アライメントに影響するため，足底筋膜など足関節周囲筋の筋力低下も防ぐべきである[30]。これらのことを考慮に入れると大腿四頭筋の筋力増強訓練のみではなく，膝関節，足関節周囲筋も含めた下肢全体の筋力増強訓練についてのアプローチが必要と考えられ始めているのではないかと推察する。また，代償過多[31]による健側へのストレスにも考慮し，膝周囲筋の等尺性筋収縮による muscle setting，漸増的抵抗運動，EMGバイオフィードバックによる筋再教育，プールでの水中訓練などの健側を含めた総合的配慮も不可欠であるとしている。

また，できる限り，下肢関節の神経-筋協調機構を低下させず，姿勢・バランス機能の向上を図ることが重要で，今後はPNFやバランス訓練をより積極的に導入していくべきであろう。

4. 装具療法

内外反膝の原因として膝の動揺性に深い関連性があることは確かであり，変形が高度にならないうちに膝装具knee braceを装着させるとよい。軽度な変形であれば，膝サポーターに両側free joint(制動のない継手)の金属支柱を入れたものや，靴に，内反膝なら外側ウェッジ，外反膝なら内側ウェッジで間に合う。高齢者には，おおげさなものはかえって運動を制限し好ましくない。

足部の内反などの変形のために，膝関節が不安定になっている場合には，短下肢装具による足部のコントロールも必要となる場合がある。その程度によってTストラップ，アーチサポート，内・外側ウェッジなどが適宜用いられる。いずれにしても膝内反・外反を矯正し，アライメントを是正するとともに，進行する変形を食い止めるための予防的意義が主である。

特に足底板療法は重要で，足底部に挿板を挿入し，足部のコントロールにより足部を安定させ，

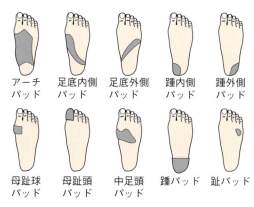

図Ⅳ・12・32　種々の足底挿入板

荷重位で近位の関節および近位の筋群に影響を与える手段として用いられる。

足底挿入板にはアーチパッド，足底内側パッド，足底外側パッド，踵内側パッド，踵外側パッド，母趾球パッド，母趾頭パッド，中足骨パッド，踵パッド，趾パッドなどがあり，各種足底挿入板は個々の症例の動的な歩行評価，特に足部状態を診て，いろいろと組み合わせて使用する（図Ⅳ・12・32）。

変形性膝関節症に対する各手術療法が行われた術後理学療法では，各種足底挿入板を荷重開始時期より積極的に作製し，靴の中に挿入し，より安定した歩行を学習させていく。

5. 薬物療法

薬物療法は，保存療法として理学療法が行われ，その効果が小さかったときに行われる。

経口では主に，非ステロイド性抗炎症薬（NSAIDs）を用いる。NSAIDsは，胃腸障害や肝，腎の障害が強いので，使用については副作用を念願におき，使用方法に工夫を凝らしながら使うべきである。

関節内注入療法では，副腎皮質ステロイドやヒアルロン酸ナトリウムが使われている。副腎皮質ステロイドの関節内注入療法は，消炎，鎮痛に対して一時的には非常に効果が認められるが，ステロイド関節症の発生がみられるので乱用は慎むべきである。関節内注入は局所的注入とはいえ，長期間頻回に続けると，骨，関節の萎縮を助長する可能性があるので，せいぜい週に1回の割合で5～6回続け，炎症症状が軽減したら他の療法に切り替えたほうがよい。また，ステロイドの関節内投与により，医原性に化膿関節炎が起きることがある。高分子ヒアルロン酸ナトリウムの関節内注入療法は，関節軟骨の保護剤として開発された。ヒアルロン酸は関節液の重要な構成体で，関節液の粘性や関節の潤滑にかかわっている。関節内に炎症が生じると関節液の粘性が低下するが，ヒアルロン酸の関節内投与により，関節構成体の分解を抑制するといわれている。

6. 減量

変形性膝関節症では膝痛予防のために，膝に余計な荷重をかけないようにすることも重要である。変形性膝関節症を発症する患者は肥満体型の症例も多く，食生活が欧米化してきている現在のわが国において，体格も欧米並みに肥満化していくことが予想される[31]。膝関節は荷重負荷を大いに受ける箇所で，欧米の疫学調査から肥満が変形性膝関節症の危険因子であることが明らかにもなっている[31]ので，減量などの体重コントロールも変形性膝関節症の治療において重要なポイントである。

現在，変形性膝関節症に対する減量指導では食事療法か，食事療法と運動療法を組み合わせた指導が主流となっている。戸田ら[31]の研究によると，運動療法に減量法を併用した群では下肢除脂肪率が上昇し，比較的良い結果が得られたとしている。また，その原因として肥満している患者の場合は，その重い体重を支えるために，もともと下肢筋力が発達しており，十分な運動を行いながら減量すれば，脂肪量だけが減少し，相対的に下肢筋率が増加するので，併用群が比較的良い治療成績が得られたのではないかとしている。

この研究では運動療法を大腿四頭筋の等尺性，等張性，抵抗性運動による訓練としていた。ここで，減量も図りながらの運動療法を処方するのであれば，石川ら[30]が提唱していたなかにも含まれていた，水中療法を取り入れてみたらどうかと考える。なぜならば，水中療法は水中の浮力により膝関節の過重負荷が減少するだけではなく，水中にいるというだけで，カロリー消費量が陸上より

も増加するとされているからである。

減量により，除痛や筋力の改善が認められる。運動療法と食事療法が併用されるが，運動療法実施にあたっては可能な限り膝関節に過度のストレスとならないようなプログラムが大切で，自転車エルゴメーターや電動トレッドミル，水中運動が適している。

市橋ら[32]によると，自転車エルゴメーターは低強度負荷でも高強度負荷と同じように効果があり，しかも1回のトレーニング直後に70％の患者が痛みの減少を訴えたとしている。

7. 日常・社会生活指導

装具の使用の指導なども含まれる。一般的には正座や和式トイレの禁止，長距離歩行，急な階段・坂道昇降の制限，歩行時の衝撃緩衝のための履物の選択，食事と運動の指導などがあげられる。

加えて，膝を冷やさないためにサポーターを用いたり，パンタロンやストッキングなどを履く，クーラーの前には行かない，入浴時にゆっくり膝を温めるなどの注意も必要である。日常の運動として，ジョギングなどの強い運動よりは，正しい姿勢でゆっくり歩く，プールなどでゆったり泳いだりプールの中を歩くというような適度な運動がよい。

観血的治療法

1. 関節鏡視下手術

変形性膝関節症に対する鏡視下手術は，保存療法と観血的治療法との中間的な治療法と考えられている。鏡視下手術は人工関節置換術と比較すると脇役的な治療法だが，その利点，適応の限界，どの程度の治療効果をあげられるかということを把握することで，この治療法を選択肢の1つに加えることができうる[33]。守屋[27]は変形性膝関節症に対する鏡視下手術のよい適応は，変性半月板損傷に対する鏡視下半月板切除術であり，その術後成績は70～80％は良好であるが，除痛および永続性という点には完全に期待するものではないとした。守屋ら[33]の研究で，変形性膝関節症における鏡視下手術の適応について，内側型変形性膝関節

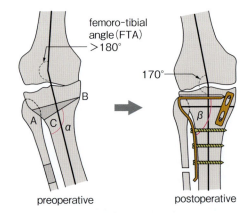

図Ⅳ・12・33　高位脛骨骨切り術

症と外側型変形性膝関節症については術前と術後のJOAスコアに，前者の内側半月版の変性断裂が主たる症例では66.3点から87.3点，内側関節包に癒着も併せてみられる症例では56.0点から71.2点，後者では72.2点から85.5点と有意な改善がみられたとして，諸条件によっては選んでよい1つの術式であるとしている。

2. 高位脛骨骨切り術（図Ⅳ・12・33）

守屋[27]は，変形性膝関節症に対する高位脛骨骨切り術の良好な長期成績の報告は多く，特に比較的若く，屈曲拘縮がなく，矯正角度が10°以下であり靱帯不安定性のない症例に対しての成績は安定しているとしている。

高位脛骨骨切り術の目的は，骨切りにより膝関節の変形を適切な下肢アライメントに矯正し，内側型では変形により増大した部分的荷重を外側に分散させることであるが，その除痛効果発現機序には不明な点が多い[34]。斉藤ら[34]の研究では，高位脛骨骨切り術を施行した111例の長期成績（平均13.2年，最短10年，最長20.6年）の症例の術前と調査時のJOAスコアを比較したところ，前者の総合点数は平均56.2点であったのに対し，調査時では81.6点で平均値の比較で約25点の改善が長期にわたり維持されていたとしている。また加えて，病態に高位脛骨骨切り術が及ぼす効果として，滑膜性状の変化，軟骨下骨の変化，関節液性状の変化をあげている。また，滑膜性状の変化としては滑膜炎症の鎮静化と変形性膝関節症の進行

の防止を認めたとしている。

しかし、その一方で最近の人工関節置換術の進歩により、高位脛骨骨切り術はその短期成績も、長期成績も人工関節置換術には及ばないとの報告もみられるようになってきている[27]。また、この術法は長期的には内反変形を再発したり、多大な矯正を必要とする場合には脛骨の内方亜脱臼を起こし、長期的には予後不良因子となるとの報告もある[29]。

3. 人工膝単顆置換術

単顆置換術の適応については議論の多いところであるが、特に最近の報告では術後のリハビリテーションが容易なことや、良好な可動域から、改めて見直される傾向にある治療法である。病変が単一コンパートメントに限局し、変形が著しくなく、靱帯不安定性のない症例や骨壊死例ならよい適応となる[29]。

秋月ら[35]の研究によると単顆置換術を行った52例に対し、術前と術後のJOAスコアを比較したところ、術前平均47±8.6点が術後5年で平均91±5.6点、術後10年では平均91±5.0点と有意に改善がみられたとしている。また、この治療法では人工関節で置換されない部分が多いために、経年的に関節症変化は進行し、そのことが術後の長期成績に影響することが懸念されるが、関節軟骨の全層欠損を含む中程度までの関節症変化も適応とし、これらの症例でも臨床成績は良好であったために、この術法の適応にあると考えてよいとしている。

4. 人工関節全置換術

広範囲にわたる変形性関節症のある症例や、ほかの術式では対応できないような重度変形、骨欠損、屈曲拘縮、靱帯機能不全などに対して適応となり、年々術後成績も向上してきている。最近では肥満患者や55歳以下の症例でも好成績の報告もあり、その適応は広がりつつある。

また、最近では術後にゴルフなどのスポーツが可能な症例もみられる[29]。

しかし、人工膝関節には耐用性や合併症など未解決な問題もあり、この治療法を選択するに当たっては、計画性をもって行うことが必要となってくる。また、術後可動域の点などまだ解決しなければならない問題もあり、その適応には慎重になる必要があるだろう。

5. 変形性膝関節症術後のリハビリテーションプログラム

変形性膝関節症の手術後のリハビリテーションのプロトコールの例としては次のようなものがある[32]。

高位脛骨骨切り術後のリハビリテーションプログラム

手術当日	膝装具にて固定、下肢挙上(腓骨神経麻痺に注意)
術後1日	サクションドレーン抜去、大腿四頭筋訓練、CPM(0〜30°)開始
術後2日	CPMを0〜40°に上げる
術後3日	膝装具装着下、車椅子移動許可、CPMは毎日10〜15°ずつ上げていき、術後7日までにROMを110°以上確保
術後1週	免荷にて歩行開始
術後4週	部分荷重(1/3荷重)開始
術後6週	部分荷重(2/3荷重)アップ
術後8週	全荷重開始

人工膝関節置換術後リハビリテーションプログラム(セメントありの場合)

手術当日	膝装具にて固定、下肢挙上(座布団程度で)、患部のアイシング(腓骨神経麻痺に注意)
術後1日	大腿四頭筋訓練、下肢挙上訓練開始、CPM(0〜30°)開始
術後2日	サクションドレーン抜去、CPMを0〜40°に上げる
術後3日	膝装具装着下、車椅子移動許可、CPMは毎日10°程度ずつ上げていき、術後7日までにROMを90°以上確保
術後1週	部分荷重(1/3荷重)開始(セメントなしは以後、荷重は骨の強度に合わせてアップする)
術後2週	部分荷重(2/3荷重)アップ
術後3週	全荷重開始

F 肩甲関節周囲炎（四十肩，五十肩）

1 原因，症状

有痛性の肩関節運動制限が慢性に経過し，後に自然寛解することが多く，肩甲関節周囲炎は一種の変形性肩関節症とも考えられている。退行変性を基盤として発生するもので，40～50歳に好発し，四十肩，五十肩と呼ばれているが，寿命の延長とともにその発症時期も高齢期のほうへずれていきつつある。

肩甲関節周囲炎は，関節そのものにも炎症を伴うことが多く，さらに関節周囲の粘液包炎，腱炎，腱鞘炎，腱板の損傷などが加わった複雑な病像を呈するが，単純X線では通常変化がみられない。

肩甲関節は屈伸，外内転，外内旋などの複雑な運動を行う関節である。また構造的にも複雑かつ脆弱な面がある。さらに，人間が立って歩くようになり，上肢は歩行以外の目的に使うようになったために基本的力学的構造のひずみがこれに加わっているものと考えられる。

肩の動きは，

① 上腕骨——肩甲骨間
② 上腕骨——烏口肩峰靱帯
③ 肩峰——鎖骨
④ 鎖骨——肋骨
⑤ 鎖骨——胸骨
⑥ 胸骨——（対側の）肋骨
⑦ （対側の）肋骨——脊椎

などの間に起こる運動と組み合わされた総合運動として観察される。

肩甲関節周囲炎は上腕二頭筋の長頭腱が関節包内に入りこんでいる部分や回旋筋腱板 rotator cuff（棘上筋，棘下筋，小円筋，肩甲下筋の腱からなる）の部位に高率に生じやすい（図Ⅳ・12・34）。

肩甲関節周囲炎の原因

① suprahumeral gliding mechanism の障害。す

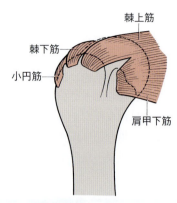

図Ⅳ・12・34　回旋筋腱板（Cailliet）
上腕骨頭には回旋筋として棘上筋，棘下筋，小円筋，肩甲下筋が付着しており，それらの腱は一体となって腱板を形成するが，機械的な障害を受けやすい。

なわち腱板断裂，腱炎，石灰沈着，肩峰下滑液包炎など
② 上腕二頭筋腱鞘の gliding mechanism の障害
③ 烏口突起炎，肩関節包炎など

種々の関節のうち肩ほど年齢的な変化が著明にみられるところはない。顕微鏡的にも肉眼的にも，40歳を境として著しい変化がみられる。40歳を超えると顕微鏡的にも棘上筋に石灰化，空胞化などの病変がみられる。肩甲関節周囲炎は病期によって急性期（凍結進行期），慢性期（凍結期），寛解期に分けられている。各時期の関節鏡により採取した関節包を顕微鏡で調べてみると，急性期には中等度の急性滑膜炎の所見がいずれの部位にもみられ，慢性期になると関節包の肥厚が正常の10倍前後と著明になり，弾力線維がみられないし，癒着もみられない。これらのことから，肩甲関節周囲炎の運動制限は関節包の癒着ではなく，弾性の低下と肥厚が原因と考えられている。

その病因は不明であるが，加齢による関節外軟部組織の退行変性を基盤として，組織の易損傷性および易拘縮性，治癒の遷延，不動などが絡み合い，肩関節内外の滑膜に癒着性病変を生じ，関節拘縮を招くものと推測されている。

なかでも腱板不全断裂が注目され，臨床的に肩甲関節周囲炎と考えられる症例に腱板不全断裂がしばしばみられる。また肩甲関節周囲炎は治りうる腱板不全断裂の治癒過程かもしれないとの考え

もある。

　終末像としての関節拘縮の病態については，関節包，滑膜に癒着を生じる adhesive capsulitis という意見もあるが，多くの報告で，関節容量は減少するものの関節内の癒着はないとされている。病理組織学的には関節包あるいは滑膜下層における線維の増殖，炎症性修復像，血管拡張，非特異的血管炎，フィブリノイド変性などが観察されている。免疫組織化学では，$TGF-\beta$ をはじめとするサイトカインが滑膜に存在する。

　関節包炎では関節包の拘縮，癒着などを伴い，高度になると上腕骨と肩甲骨間の動きはほとんどみられなくなり，frozen shoulder の形をとるようになる。

　関節炎によるものは主に外旋，外転に制限が強く，関節外の障害によるものは，障害の部位，種類などによってまちまちである。例えば，三角筋下粘液包炎では外転に強い制限があっても内外旋にはほとんど制限はなく，腱炎のみでは自動的な ROM には制限や疼痛が明らかであるが，他動的な ROM には制限のないのが原則である。しかし，実際には上述の各種の病像が組み合わさっている場合が多い。

　診断は以下のような所見からなされる。一般に誘因となるものがなく，肩関節の運動痛・圧痛が起こり，運動制限が起こってくる。圧痛は上腕骨頭周辺，特に結節間溝に著明なことが多い。運動制限は特に外転，内・外旋，屈曲制限が著しい。ある動作により上肢に放散する電撃痛が瞬間的にある。これに年齢的要素が加わると診断が容易になる。

　30 歳代の後半でも起こりうるが，鑑別すべき疾患として，肩腱板断裂と有痛弧肩がある。肩腱板断裂は通常，外傷によって起こるが，40 歳を超えると何ら肩の障害を訴えない症例でも，かなりの率に腱板の断裂がみられる。正確な鑑別は関節造影や超音波診断などによらなければならないが，おおまかな方法として，棘上筋，棘下筋萎縮の大小，自動運動，他動運動の差が決め手となる。萎縮が著明で，運動差が大であれば，腱板断裂の可能性が大きい。有痛弧肩は上肢を前額面で挙上し，ある角度で痛みが起こり，ある角度で消失する場合が多いこと，および他動運動がほとんど侵されていないという点で鑑別可能である。急性期は圧痛が主体で，慢性期は運動障害が主体である。

　検査としては，関節造影，MRI などが有用である。烏口突起下，上腕二頭筋長頭筋粘液包は関節包内と連絡しているので造影されるのが正常であるが，肩峰下および三角筋下粘液包は正常では連絡していないので，もし造影されるならば rotator cuff の断裂があることを意味する。

　また，造影により関節包の変形，癒着などがあれば関節包炎，癒着性関節包炎などの存在を示唆している。

　MRI では，関節腔，肩峰下滑液包に少量の関節液貯留がみられることがある。腋窩陥凹部で関節包の肥厚がみられることもある。腱板は一般に正常である。

2　治療およびリハビリテーション

a　温熱療法，水治療法

　ホットパック，極超短波が多用される。超音波は温熱効果に加えて組織の伸展性をよくすることが知られているので有効である。いずれも ROM 訓練を併用すべきである。

　水治療法も温熱効果は同様であり，さらに水中では筋弛緩や浮力のために自動的 ROM 訓練が容易に行える利点がある。

b　副腎皮質ステロイドの肩関節内注入

　肩甲関節周囲炎とはいっても関節包炎を伴っていることが多く，関節包の癒着を起こしてくることもあるので，関節腔内への副腎皮質ステロイドの懸濁液注入は大変有効なことが多く，時には劇的効果をみる。1 週に一度，5〜6 回を 1 クールとし，これに ROM 訓練を加える。

c　プロカイン，リドカインなどの局注

　1％プロカイン，リドカインなどに副腎皮質ステロイド（水溶性あるいは水性懸濁液）を混ぜ，肩峰下粘液包，結節間溝の上腕二頭筋長頭腱鞘，棘下筋（肩甲上神経圧痛点），僧帽筋，菱形筋などに

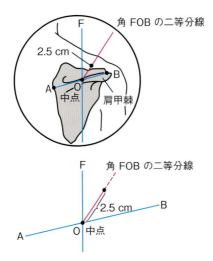

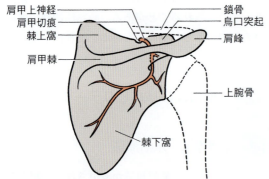

図 IV・12・35　肩甲上神経ブロック

肩関節包は肩甲上神経からの支配を受けているので、そのブロックにより痛みが軽減する。肩甲骨上縁の肩甲切痕から肩甲上神経が後面に出てくるので、O から 2.5 cm の部位でのブロックが便利である。位置の決め方は図に示すようである。

〔文献 36〕より〕

局注し、続いて自動運動による ROM 訓練を行う。持続は副腎皮質ステロイドより短い。

d 肩甲上神経ブロック（図IV・12・35）

関節包は肩甲上神経からの神経支配を受けており、1％プロカイン、リドカインによるブロックで劇的効果をみることがある。十分にブロックされれば、瞬時に痛みは和らぎ、棘上筋、棘下筋の筋力が低下する。続いて ROM 訓練を愛護的に行う。

e 星状神経節ブロック stellate block

1％プロカインを 15〜20 mL、星状神経節周辺に注射することで疼痛の軽減をみることがある。特に肩手症候群 shoulder hand syndrome を呈し

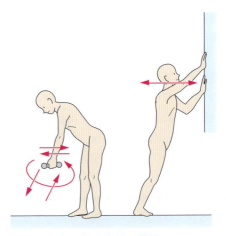

図 IV・12・36　Codman の体操

立位、体幹前屈、上肢下垂位で、上肢の力を抜いて、腰の運動により患側上肢の前後、左右、円運動などを他動的に行う。壁に向かって立ち、自動的に前挙し、前後に体幹を移動すれば肩の ROM 訓練として効果的である。

ている場合には有効である。

f 治療体操

前述の各種の治療は、いわば治療体操のための準備であり、Codman の治療体操 Codman's exercise（図IV・12・36）は本症治療およびリハビリテーションの主流をなすものである。

1. 立位（上肢の振子様運動）

体前屈、上肢下垂位で、上肢の力を抜き、腰の運動により他動的な患肢の前後、左右あるいは円運動などを行う。手にアイロンなど適度の重さのものを握らせると運動に慣性がついてやりやすいが、高齢者では足の上に落下したりする危険があるので、紐で手に結びつけて行わせるとよい。

2. 立位（壁に沿って上肢の挙上）

壁に向かって立ち、上腕外転位で手を壁にあてて上体を支え、腕の屈伸を行う。

最初は手を腰または胸の高さから始め、次第に壁上を上方にはわせていき、できれば頭上全挙上位までもっていく。

肩関節包の前部（最も縮まりやすい部位）は伸張され、また高齢者では縮まりやすい胸筋も同時に伸張されるので都合がよい。しかし腰、頚部に疼

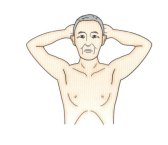

図Ⅳ・12・37　**肩水平伸展**
両手を後頭部に当てて肘を十分開くようにすると，肩の外旋，外転の可動域を広げるのに好都合である。

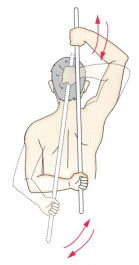

図Ⅳ・12・38　**棒体操**
棒を用いて各種の肩の運動が可能である。図のように，背部で上下に握り，上下に動かすと，上部の肩は外旋が，下部の肩では内旋が強調される。

痛があるときは避けたほうがよい。

3．立位または座位

a．健側上肢による屈曲，外転，外旋，内旋など

患肢を健肢でもち，頸，背中に届くようにする。後頭部，頸にあてた位置では，特に外転，外旋が強調されるので効果的である。

肘が十分に開いて肩の水平伸展ができるだけ完全に行われるように指導することが必要である（図Ⅳ・12・37）。

b．棒体操（図Ⅳ・12・38）

両手で棒を握り，両側上肢の挙上，挙上位での左右の運動，できれば挙上位からさらに後方にもっていくことが望ましい。しかし高齢者では肩だけでなく，胸筋，広背筋が縮まり気味で，無理なことが多い。

体後方で水平に握って上下すれば肩伸展，内旋が強調される。

また，上下に握り，棒を上下すれば，下方にある上肢の内旋が強くみられ，外旋筋，関節包前部が伸張される。

4．座位または背臥位

① 上腕は体側につけ，肘を90°屈曲位に保ち，他動的・自動的に外旋する。
② 肩を90°外転位，肘も90°屈曲位に保ち，他動的・自動的に外旋する。

注意

肩外転80〜110°では上腕骨の大結節が肩峰に近づき，棘上筋は挟み込まれる形となるので損傷を受けやすい。特に内旋位のまま強いる場合には回旋筋腱板が断裂を起こすことも多い（関節腔内に注入された造影剤が肩峰下あるいは三角筋下粘膜包に，断裂部を通って移行することにより診断できる）。

このような事故を防ぐためには，肩外転時に80°以上はなるべく外旋位にして，大結節の部分を後方に回転させ，肩峰にぶつからないように注意すべきである。

g　作業療法

関節可動域改善，筋力強化，耐久性増大，協調性改善，代償機能増強などを目的とした機能的作業療法が行われる。実際には織物作業での縦糸通し，織物作業での枠編みや結び編み，金工作業での金づち打ち作業，シャフルボード，サンドペーパーかけなどが，機能の程度に応じて処方される。これらによって衣服着脱動作，整容動作などの日常生活動作が改善される。

図Ⅳ・12・39　立ち上がりテスト
台は40 cm，30 cm，20 cm，10 cmの4種類の高さがあり，両脚→片脚の順で40 cmの台から順番に行っていく。
〔文献38）より〕

G ロコモティブシンドローム，サルコペニア，フレイルなど高齢による症候群

1 ロコモティブシンドローム（運動器症候群）

　2007年に日本整形外科学会が提唱したロコモティブシンドローム（ロコモ）[37]は，加齢に伴う筋力低下や関節・脊椎疾患，骨粗鬆症などで運動器の機能が衰えて，要介護や寝たきりにつながる危険性の高い状態を表すものである。要介護になる原因の約2割は運動器の障害で，男性は脳卒中が4割，女性は約3割が運動器疾患によるものである。男性では脳卒中予防が大切で，高血圧，高コレステロール血症などのメタボリックシンドローム予防，女性ではロコモ予防が重要である。

　主なる原因は変形性膝関節症，変形性腰椎症，骨粗鬆症である。

　以下の「7つのロコチェック：Locomotion Check」項目の1つ以上あればロコモを疑い，次にロコモ度テストを行い，各ロコモ度に応じた対応を行う。

a 7つのロコチェック

① 片脚立ちで靴下が履けない
② 家の中でつまずいたり滑ったりする
③ 階段を上るのに手すりが必要である
④ 家の中のやや重い仕事（掃除機の使用，布団の上げ下ろしなど）が困難である
⑤ 2 kg程度の買い物（1 Lの牛乳パック2個程度）をして持ち帰るのが困難である
⑥ 15分くらい続けて歩けない
⑦ 横断歩道を青信号で渡りきれない

b ロコモ度テスト

　次に，①立ち上がりテスト，②2ステップテスト，③ロコモ25，の3つのロコモ度テストを行う[38]。

1. 立ち上がりテスト

　図Ⅳ・12・39のような台を用いテストを行う。

2. 2ステップテスト

　図Ⅳ・12・40のように，スタートラインに両足のつま先を合わせ，大股で2歩歩き，両足をそろえる。スタートラインのつま先から着地地点のつま先までの長さを測り，「2歩幅(cm)÷身長(cm)＝2ステップ値」を算出する。

3. ロコモ25

　疼痛や自覚的ADL制限などの評価のための自己記入式評価法で，25項目からなる（表Ⅳ・12・10）。

4. ロコモ度の評価

a. ロコモ度1

　ロコモ度1は，移動機能の低下が始まっている段階。立ち上がりテストはどちらか一側の脚で40 cmの高さから立つことができない，2ステップテストの値は1.3未満，ロコモ25の得点は7点以上，の状態。年齢にかかわらず，これら3項目のうち，1つでも該当する場合，「ロコモ度1」と判定

図Ⅳ・12・40　2ステップテスト　　　〔文献38）より〕

する。

　ロコモ度1と判定された人は筋力やバランス力が落ち始めてきているので、ロコトレ（ロコモーショントレーニング）などの運動を習慣づける必要がある。また、十分な蛋白質とカルシウムを含んだバランスのとれた食事をとるように気をつける。

b. ロコモ度2

　ロコモ度2は、移動機能の低下が進行している段階。立ち上がりテストは両脚で20 cmの高さから立つことができない、2ステップテストの値は1.1未満、ロコモ25の得点は16点以上、の状態。年齢にかかわらず、これら3項目のうち、1つでも該当する場合、「ロコモ度2」と判定する。

　ロコモ度2と判定された人は、仮に現在は生活に支障を感じていなくても、生活に支障が出てくる可能性が高くなっている。特に痛みを伴う場合は、何らかの運動器疾患が発症している可能性もあるので、専門医の受診を勧める。

c. ロコモ度3

　ロコモ度3は、移動機能の低下が進行し、社会参加に支障をきたしている段階。立ち上がりテストは両脚で30 cmの高さから立つことができない、2ステップテストの値は0.9未満、ロコモ25の得点は24点以上、の状態。年齢にかかわらず、これら3項目のうち、1つでも該当する場合、「ロコモ度3」と判定する。

　ロコモ度3と判定された人は、何らかの運動器疾患の治療が必要な可能性が高く、専門医による診療が必要である。

C　ホームエクササイズ（ロコトレ）

自分のペースで無理せずに行う（図Ⅳ・12・41）。

1. 片脚立ち

転倒しないように手すりなどにつかまって、床につかない程度に片脚を上げる。左右1分ずつ1日3回。

2. スクワット

① つま先を30°くらい開けて、肩幅より少し広めで足を広げて立つ。
② 膝がつま先より先に出ないように、お尻を後ろに引くように身体を沈める。
③ ①②ができないときは、椅子に座って立ち上がる動作を繰り返す。

5～6回繰り返し、1日2～3回

3. ヒールレイズ

両足で立ち、ゆっくりと踵の上下を繰り返す。10～20回、1日3回

4. フロントランジ

① 胸を張って、腰に両手をついて両足で立つ。

表Ⅳ・12・10　ロコモ25

（この1か月，からだの痛みや日常生活で困難なことはありませんでしたか？）25項目の合計得点を算出する。

	この1か月のからだの痛みなどについてお聞きします					
Q1	頸・肩・腕・手のどこかに痛み（しびれも含む）がありますか。	痛くない	少し痛い	中程度痛い	かなり痛い	ひどく痛い
Q2	背中・腰・お尻のどこかに痛みがありますか	痛くない	少し痛い	中程度痛い	かなり痛い	ひどく痛い
Q3	下肢（脚のつけね，太もも，膝，ふくらはぎ，すね，足首，足）のどこかに痛み（しびれも含む）がありますか	痛くない	少し痛い	中程度痛い	かなり痛い	ひどく痛い
Q4	日常の生活でからだを動かすのはどの程度つらいと感じますか	つらくない	少しつらい	中程度つらい	かなりつらい	ひどくつらい
	この1か月の日常の生活についてお聞きします					
Q5	ベッドや寝床から起きたり，横になったりするのはどの程度困難ですか	困難でない	少し困難	中程度困難	かなり困難	ひどく困難
Q6	腰掛けから立ち上がるのはどの程度困難ですか	困難でない	少し困難	中程度困難	かなり困難	ひどく困難
Q7	家の中を歩くのはどの程度困難ですか	困難でない	少し困難	中程度困難	かなり困難	ひどく困難
Q8	シャツを着たり脱いだりするのはどの程度困難ですか	困難でない	少し困難	中程度困難	かなり困難	ひどく困難
Q9	ズボンやパンツを着たり脱いだりするのはどの程度困難ですか	困難でない	少し困難	中程度困難	かなり困難	ひどく困難
Q10	トイレで用足しをするのはどの程度困難ですか	困難でない	少し困難	中程度困難	かなり困難	ひどく困難
Q11	お風呂で身体を洗うのはどの程度困難ですか	困難でない	少し困難	中程度困難	かなり困難	ひどく困難
Q12	階段の昇り降りはどの程度困難ですか	困難でない	少し困難	中程度困難	かなり困難	ひどく困難
Q13	急ぎ足で歩くのはどの程度困難ですか	困難でない	少し困難	中程度困難	かなり困難	ひどく困難
Q14	外に出かけるとき，身だしなみを整えるのはどの程度困難ですか	困難でない	少し困難	中程度困難	かなり困難	ひどく困難
Q15	休まずにどれくらい歩き続けることができますか（最も近いものを選んでください）	2〜3km以上	1km程度	300m程度	100m程度	10m程度
Q16	隣・近所に外出するのはどの程度困難ですか	困難でない	少し困難	中程度困難	かなり困難	ひどく困難
Q17	2kg程度の買い物（1Lの牛乳パック2個程度）をして持ち帰ることはどの程度困難ですか	困難でない	少し困難	中程度困難	かなり困難	ひどく困難
Q18	電車やバスを利用して外出するのはどの程度困難ですか	困難でない	少し困難	中程度困難	かなり困難	ひどく困難
Q19	家の軽い仕事（食事の準備や後始末，簡単な片付けなど）は，どの程度困難ですか	困難でない	少し困難	中程度困難	かなり困難	ひどく困難
Q20	家のやや重い仕事（掃除機の使用，ふとんの上げ下ろしなど）は，どの程度困難ですか	困難でない	少し困難	中程度困難	かなり困難	ひどく困難
Q21	スポーツや踊り（ジョギング，水泳，ゲートボール，ダンスなど）は，どの程度困難ですか	困難でない	少し困難	中程度困難	かなり困難	ひどく困難
Q22	親しい人や友人とのお付き合いを控えていますか	控えていない	少し控えている	中程度控えている	かなり控えている	全く控えている
Q23	地域での活動やイベント，行事への参加を控えていますか	控えていない	少し控えている	中程度控えている	かなり控えている	全く控えている
Q24	家の中で転ぶのではないかと不安ですか	不安はない	少し不安	中程度不安	かなり不安	ひどく不安
Q25	先行き歩けなくなるのではないかと不安ですか	不安はない	少し不安	中程度不安	かなり不安	ひどく不安
回答数を記入してください		0点=	1点=	2点=	3点=	4点=
回答結果を加算してください		合計　　点				

〔文献38）より〕

12. 運動器疾患のリハビリテーション

バランス能力をつけるロコトレ
片脚立ち 左右とも1分間で1セット，1日3セット

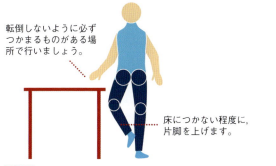

転倒しないように必ずつかまるものがある場所で行いましょう。

床につかない程度に，片脚を上げます。

姿勢をまっすぐにする

POINT
・支えが必要な人は十分注意して，机に手や指をついて行います。

下肢筋力をつけるロコトレ
スクワット 5〜6回で1セット，1日3セット

1. 足を肩幅に広げて立ちます。

2. お尻を後ろに引くように，2〜3秒間かけてゆっくりと膝を曲げ，ゆっくりもとに戻ります。

膝がつま先より前に出ない

スクワットができない場合
イスに腰かけ，机に手をついて立ち座りの動作を繰り返します。机に手をつかずにできる場合はかざして行います。

POINT
・動作中は息を止めないようにします。
・膝の曲がりは90°を大きく超えないようにします。
・支えが必要な人は1分注意して，机に手をついて行います。
・楽にできる人は回数やセット数を増やして行ってもかまいません。

ふくらはぎの筋力をつけます
ヒールレイズ 1日の回数の目安：10〜20回（できる範囲で）×2〜3セット

1. 両足で立った状態で踵を上げて…

2. ゆっくり踵を降ろします。

繰り返し

自信のある人は，壁などに手をついて片脚だけでも行ってみましょう。

立位や歩行が不安定な人は，イスの背もたれなどに手をついて行いましょう。

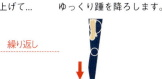

POINT
・バランスを崩しそうな場合は，壁や机に手をついて行ってください。
・また踵を上げすぎると転びやすくなります。

下肢の柔軟性，バランス能力，筋力をつけます
フロントランジ 1日の回数の目安：5〜10回（できる範囲で）×2〜3セット

1. 腰に両手をついて両脚で立つ

2. 脚をゆっくり大きく前に踏み出す

3. 太ももが水平になるくらいに腰を深く下げる

4. 身体を上げて，踏み出した脚をもとに戻す

POINT
・上体は胸を張って，良い姿勢を維持します。
・大きく踏み出し過ぎて，バランスを崩さないように気をつけます。

図 Ⅳ・12・41　ホームエクササイズ（ロコトレ）　〔文献38）より〕

② 脚をゆっくり大きく前に踏み出し，腰を下げる。
③ 大腿部が水平になる程度に，腰を下げる。
④ 身体を上げて，踏み出した足をもとに戻す。
5〜10回繰り返し，1日2〜3回

2 運動器不安定症 musculoskeletal ambulation disability symptom complex（MADS）

高齢化で，バランス能力や移動歩行能力低下が生じ，歩行時のふらつきで転倒しやすい，関節痛でよろける，骨がもろく軽微な外傷で骨折するなどの病態を疾患としてとらえ，運動療法で重篤な運動器障害を防ぐことを目的に名付けられた疾患概念である。

診断されたら，各疾患に応じた治療とエクササイズが必要である。

1．診断基準
以下の加齢に伴って運動機能低下を生じる11の運動器疾患の既往があるか，罹患している者で，日常生活自立度あるいは運動機能が以下の機能評価基準 ① または ② に該当する者。

2．運動機能低下をきたす疾患
① 脊椎圧迫骨折および各種脊柱変形（亀背，高度腰椎後彎・側彎など）
② 下肢の骨折（大腿骨頸部骨折など）
③ 骨粗鬆症
④ 下肢の変形性関節症（股関節，膝関節など）
⑤ 腰部脊柱管狭窄症
⑥ 脊髄障害（頸部脊髄症，脊髄損傷など）
⑦ 神経・筋疾患
⑧ 関節リウマチおよび各種関節炎
⑨ 下肢切断後
⑩ 長期臥床後の運動器廃用
⑪ 高頻度転倒者

3．機能評価基準
① 日常生活自立度：ランクJまたはA（要支援＋要介護1，2）
② 運動機能：ⓐまたはⓑ
　ⓐ 開眼片脚起立時間：15秒未満
　ⓑ 3m Timed up and go（TUG）テスト：11秒以上

3 サルコペニア

Rosenbergにより「加齢による骨格筋量減少」を

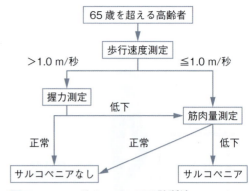

図Ⅳ・12・42　サルコペニアの診断法

サルコペニア（Sarcopenia）と提唱された[39]。さらに，EWGSOP（European Working Group on Sarcopenia in Older People）では筋力低下，身体機能低下も含まれるようになった[40]。

診断は，① 低筋肉量に加え，② 低筋力（握力）あるいは ③ 低身体機能（歩行速度）を満たすものをいう（図Ⅳ・12・42）。AWGS（Asian Working Group on Sarcopenia）がアジア人向けに定めた診断基準が用いられることが多い。2019年に改訂されたAWGS2019の診断基準と基準値を示す（図Ⅳ・12・43，表Ⅳ・12・10）。

サルコペニアには，加齢が原因で生じる一次性（原発性）サルコペニアと加齢以外の原因で生じる二次性サルコペニアに分類される。後者は，身体活動の低下や疾患，低栄養などが原因となり，高齢者に生じやすい。そのため高齢者の筋量減少の要因は複合することも多い。

4 フレイル

日本老年医学会は，高齢者が筋力や活力が衰えた状態を「フレイル Frailty」と名付けた。フレイルは，適切な介入により再び健常な状態に戻るという可逆性が含まれている。フレイルに陥った高齢者を早期発見し，適切な介入をすることで，生活機能の維持・向上を図ることが期待される。

フレイルは，健康と病気の「中間的な段階」で，高齢者の多くはこの段階を経て要介護状態に陥る。高齢になるにつれて筋力が衰える現象はサルコペニアと呼ばれ，さらに生活機能が全般的に低

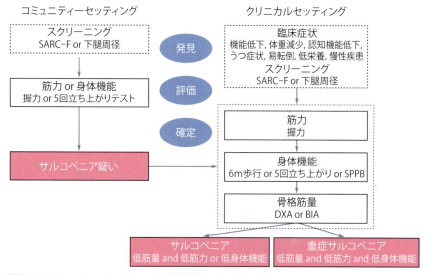

図 Ⅳ・12・43　サルコペニアの診断基準（AWGS2019）
SARC-F：サルコペニアのスクリーニングを目的とした5項目の質問紙法
SPPB：Short Physical Performance Battery（バランス・歩行・椅子立ち上がりの3つの簡易テスト）
DXA：二重エネルギーX線吸収測定法（Dual-energy X-ray absorptiometry）
BIA：生体電気インピーダンス法（Bioelectrical Impedance Analysis）　〔文献41）より〕

表 Ⅳ・12・10　サルコペニア（AWGS2019）の基準値一覧

	男性	女性
下腿周囲径	<34 cm	<33 cm
SARC-F	≧4	
握力	<28 kg	<18 kg
5回立ち上がりテスト	≧12秒	
歩行速度	<1.0 m/秒	
SPPB	≦9	
SMI	DXA：<7.0 kg/m² BIA：<7.0 kg/m²	DXA：<5.4 kg/m² BIA：<5.7 kg/m²

SMI：骨格筋量指数（Skeletal Muscle mass Index）
〔文献41）より〕

表 Ⅳ・12・11　フレイルの診断（2020年改訂日本版CHS基準）

項目	評価基準
体重減少	6か月で、2kg以上の（意図しない）体重減少（基本チェックリスト#11）
筋力低下	握力：男性<28 kg，女性<18 kg
疲労感	（ここ2週間）わけもなく疲れたような感じがする（基本チェックリスト#25）
歩行速度	通常歩行速度<1.0 m/秒
身体活動	①軽い運動・体操をしていますか？ ②定期的な運動・スポーツをしていますか？ 上記の2つのいずれも「週に1回もしていない」と回答

［判定基準］
3項目以上に該当：フレイル，1～2項目に該当：プレフレイル，該当なし：ロバスト（健常）　〔文献42）より〕

くなるとフレイルとなる。サルコペニアが筋肉量減少を主とし筋力，身体機能の低下を扱うのに対して，フレイルは移動能力，筋力，バランス，運動処理能力，認知機能，栄養状態，持久力，日常生活の活動性，疲労感，うつなどの精神・心理的問題，独居や経済的困窮などの社会的問題など広範な要素が含まれている点が異なる点である。

米国老年医学会の評価法では，①移動能力（歩行速度）の低下，②握力の低下，③体重の減少，④疲労感の自覚，⑤活動レベルの低下のうち3つが当てはまると，この段階と認定している。フレイルの診断方法として国際的に用いられているCHS（Cardiovascular Health Study）基準をもと

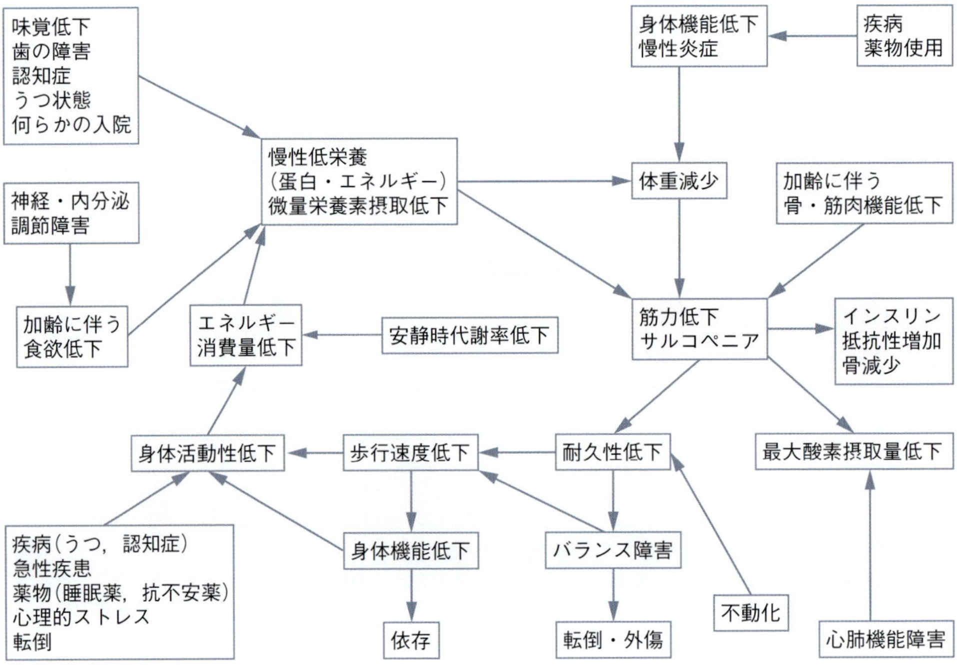

図Ⅳ・12・44　フレイルの悪循環
フレイルに陥る原因は種々のものが存在し，高齢者が容易にフレイルに陥りやすいことを示している。

〔文献43）より改変〕

に，日本人高齢者に合わせた指標である2020年改訂日本版CHS基準を示す（表Ⅳ・12・11）。

以上より，ロコモティブシンドロームは骨や関節，筋肉などの「運動器の衰え」，運動器不安定症は「運動器疾患を併発し運動機能の衰えた状態」，サルコペニアは「筋肉量の低下」による身体機能の衰え，フレイルは「運動能力だけでなく心理社会面までの広範な生活機能の衰え」という解釈もできる。これらの症状がみられた場合，適切な対策を講じなければ介護が必要な状態に陥ることにつながる。

図Ⅳ・12・44はフレイルの悪循環を示しており，この悪循環への入り口は種々のところに存在し，容易に高齢者がフレイルに陥りやすいことがわかる。

13 脊髄損傷のリハビリテーション

A 脊髄の解剖と脊髄損傷

　骨である頸椎は7個，胸椎は12個，腰椎は5個，仙椎は5個が癒合して1個となっている。神経である頸髄（Cervical）は8個（C1-8：後頭骨と第1頸椎の間から第1頸髄神経が出ており，第7頸椎と第1胸椎の間から第8頸髄が出ているため，骨である頸椎は7個，神経は8個ある），胸髄（Thoracial）は12個（Th1-12），腰髄（Lumbar）は5個（L1-5），仙髄（Sacral）も5個（S1-5）となっている（図Ⅳ・13・1）。

　脊髄が損傷を受けると，それ以下の神経が麻痺する。そのために生じる種々の障害を治療する必要がある。また，頸髄損傷（頸損）では，上肢の神経も損傷されるため両手足の麻痺をきたし，四肢麻痺となり，胸髄以下の脊髄損傷では両足の麻痺をきたすため対麻痺となる。最も下の脊髄の仙髄損傷では運動麻痺は生じないが，膀胱直腸障害や性機能障害が生じ，この障害はすべての脊髄損傷に共通する症状となる。

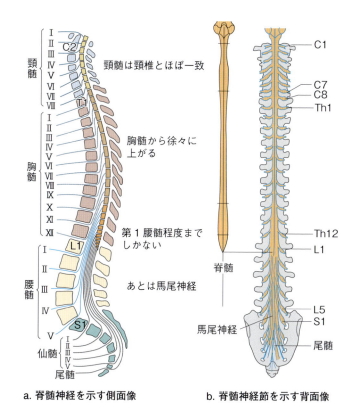

a. 脊髄神経を示す側面像　　b. 脊髄神経節を示す背面像

図Ⅳ・13・1　脊髄の解剖

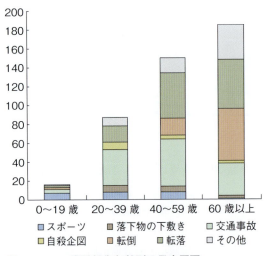

図Ⅳ・13・2　脊髄損傷年齢別の発症原因
(2008年リハ学会，住田，438例)

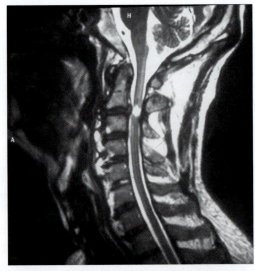

図Ⅳ・13・3　転落外傷による高位頸髄損傷のMRI

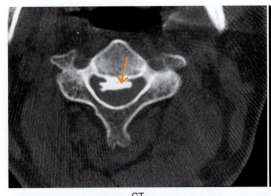

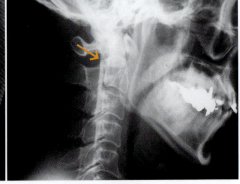

図Ⅳ・13・4　後縦靱帯骨化症
椎体の後方で靱帯が骨化している(→)。

B 高齢者の脊髄損傷の特徴

　近年，若年者の脊髄損傷が減少し高齢者の脊髄損傷が増加している．受傷原因として若年者は交通事故が多いが，高齢者は転倒・転落が多いのが特徴である(図Ⅳ・13・2)．さらに，高齢者では頸髄損傷の頻度が高く，70歳以上では8割以上が頸髄損傷である．脊損高位では60歳以上の脊髄損傷者では高位頸髄のC1〜4が3割，下位頸髄のC5〜Th1が5割，Th2以下が2割となっており(頸髄：胸腰髄=4：1)，さらに骨傷の少ないこと(非骨傷：骨傷=3：1)も特徴となっている(図Ⅳ・13・3)．

　高齢者では，運動機能がある程度残存するASIA (American spinal injury association) 分類で不全麻痺とするC，Dの割合が多いが，多くはあまり改善しない(麻痺改善：麻痺改善なし=3：7)．さらに，麻痺域のしびれ感・疼痛を訴え，頻度の多い(8割以上)のも特徴といえる(2007年リハ学会，住田)．

　また，他の原因として，加齢に伴う脊椎症(頸椎症，腰椎症：骨の加齢に伴う変形により後方の脊髄が圧迫を受ける)や後縦靱帯骨化症(椎体の後方，脊髄の前方にある靱帯の骨化に伴う神経圧迫，図Ⅳ・13・4)，脊椎椎間板ヘルニア(椎体と椎体の間にあるクッションの役割をする椎間板の多

くは加齢変化に伴う後方への突出)，脊髄腫瘍(原発性，転移性)，脊柱管狭窄症，脊髄動脈閉塞などがある。

C 急性期の合併症と呼吸理学療法

1 急性期の合併症

転落や交通事故などの外傷直後には，頭部外傷，血気胸，筋・骨格の損傷，胸・腹部臓器損傷などを伴うことが多く，ショックなどの問題を起こすことがある。

さらに脊髄損傷そのものにより，呼吸障害，褥瘡，関節拘縮，排尿障害，消化管障害，循環障害，心理的問題などが受傷直後から問題となる。

2 呼吸障害

主な呼吸筋には横隔膜筋と肋間筋がある。横隔膜筋は主に第4頸髄に支配されるため，第4頸髄以上の高位頸髄損傷では人工呼吸器を装着する可能性が高い。しかしそれ以下であっても，各肋間筋が胸髄各髄節レベルに支配されることから，胸髄節以上の損傷では多少の呼吸障害を生じることになる。そのため，高位脊髄損傷では呼吸理学療法などのリハビリテーションが必要になる。このように呼吸状態は損傷高位が予後を決定し，本質的には胸郭が拡張しないための拘束性呼吸障害で，換気障害，感染などで肺実質の器質化を生じ，次第に閉塞性障害が加わり混合性呼吸障害となる。

その病態は，①呼吸筋麻痺，胸壁と腹部の協調運動障害，横隔膜の可動域制限，ため息ができないなどによる肺胞低換気のための換気不全，②副交感神経優位のための気道分泌物増加，③腹筋の筋力低下による咳嗽排痰能力低下である。

呼吸障害の回復は，①肋間筋や腹筋の痙性出現による緊張で残気量が減少し，そのため横隔膜の収縮が効率的になることと，②横隔膜，呼吸補助筋の筋力増強による吸気機能の改善などによるものである。

3 人工呼吸器下のリハビリテーション

人工呼吸器は，①下位頸髄損傷後の浮腫が上行し呼吸状態が切迫した場合，②片側横隔膜麻痺があり疲労が極端である場合，③高齢者の四肢麻痺で呼吸器疾患の既往がある場合などで必要とされ，換気不全に対しての換気補助や低酸素血症に対する高濃度酸素投与を目的に装着される。

4 呼吸理学療法 respiratory physical therapy

急性期の呼吸理学療法の目的と具体的な方法は，表Ⅳ・13・1, 2のようである。

D 慢性期の呼吸理学療法

頸髄損傷者慢性期の呼吸障害の病態は，①拘束性障害，予備呼吸量の減少に伴う肺活量の減少，②機能的残気量の減少，肺胞換気量の減少，③呼吸コンプライアンスの低下に伴う横隔膜仕事量の増加などである。

慢性期の呼吸理学療法の身体的な対象は，胸郭，気道，肺，横隔膜，呼吸筋，心肺機能などである。

そして，良好な気道の維持や日常生活に必要な呼吸法の獲得を目的に，①体位ドレナージ，②呼吸理学療法，③呼吸訓練 breathing exercise，④咳嗽補助法などがなされる(表Ⅳ・13・3)。

高位頸髄損傷で人工呼吸器装着管理下の患者には，①呼吸器リハビリテーション(呼吸理学療法，体位ドレナージ)，②四肢関節可動域(Rom)訓練，③ポジショニング，除圧テクニック，④座位訓練(ベッド上，車椅子上)などが行われる。そのうえで，在宅で人工呼吸器を装着して生活するためには，表Ⅳ・13・4に示すような条件を加味しながら進めなければならない。

表 IV・13・1　呼吸理学療法の目的

1. 気道浄化
   - 体位ドレナージ postural drainage
     頸椎の許容範囲内で
   - 胸部への叩打と振動
     吸入後
   - 咳嗽補助法 assisted cough technique
     患者の協力が必要
     循環器系ストレスのため ECG モニターが必要
     吸引器準備
     肋骨骨折の可能性（高齢者）
2. 肺胞虚脱を防ぐ、胸郭可動性の維持
   - springing
   - air shift
   - bagging
3. 呼吸筋強化
   - 腹部に砂嚢をのせる。軽度の負荷から漸増
   - 呼気時に気道抵抗をかける
   - 頭部低位
4. 呼吸パターンを変える
   - 深く大きな呼吸パターンへ誘導
   - 呼吸筋の筋力と持久力が増すまで指導を継続
   - 頸部補助筋群の弛緩

〔文献 1）より〕

表 IV・13・2　具体的な呼吸理学療法

1. springing
   - 胸郭の弾性を利用して可動性を維持する
   - 呼気時にゆっくり圧迫、吸気時に急激に解除
2. air shift
   - 肺下部の空気を肺上部に移動させる
   - 深呼吸させた状態で腹壁、下部胸部を圧迫し肺上部を膨らませる
3. bagging
   - マスクとバッグで肺を膨らませる
4. 横隔膜筋力強化
   - 呼気時に気道抵抗を加えるか腹部の挙上に抵抗を加える
   - 最初は 500 g 程度の砂嚢を腹部に置き深呼吸を行わせる。次いで負荷を漸増
   - 頭部低位で呼吸運動を行わせても同効果
5. 呼吸パターンの変化
   - 浅く速い呼吸（死腔の増大・換気不全）から深くゆっくりの呼吸へ、やや長めに呼吸させる
   - 肩の挙上に抵抗を加えて頸部筋群を収縮させ、次いで弛緩させリラクゼーションを行う

表 IV・13・3　慢性期の呼吸理学療法

体位ドレナージ	・重力を利用した痰の太い気管支への誘導 ・聴診、X 線写真で貯留部位を確認 ・肺区分に応じた体位 ・急性期には頸椎の安全性に応じた制限がある
胸壁叩打と振動	・胸壁への物理的刺激で痰を移動させる ・皮膚損傷を防ぐ配慮が必要 ・高周波、低周波、バイブレーターなども使用
咳嗽介助	・IPPB やネブライザーで痰を喀出しやすくしておく ・患者の咳に合わせて胸郭下部、上腹部を頭側に圧迫 ・痰を吸引する準備が必要

表 IV・13・4　在宅人工呼吸器管理 home care ventilation（HCV）への条件

患者側の条件
1. 呼吸状態が安定している
2. 感染がない
3. 気道が確保されている
4. $PaO_2 > 60$ Torr, $PaCO_2 < 40$ Torr（$FiO_2 : 0.4$）
5. 生命に危険な心疾患がない
6. 精神的に安定

社会的条件
1. 患者家族の意欲
2. 患者の理解、協力、教育に対するコンプライアンス
3. 経済的側面
4. 地域の援助体制（物的、経済的）
5. 地域の援助体制（人的：家族以外の介助者）
6. 医療側の支援体制

E　麻痺の評価

訓練内容の選択には、① 受傷後の経過時期、② 完全麻痺か不全麻痺の診断、麻痺高位の診断と目標設定が重要な要素になる。完全麻痺は脊髄損傷高位以下の完全運動麻痺と知覚障害が、不全麻痺は肛門周囲の知覚残存と脊髄損傷高位以下でも運動がある程度できるなどが目安となる。麻痺の評価は一般にフランケル Frankel の分類（表 IV・13・5）、改良フランケル分類（IV・13・6）、ASIA（American Spinal Injury Association）機能分類表（IV・13・7）などが使われている。ASIA 運動スコアで用いられる key muscle を表 IV・13・8 に示す。

F 身体的リハビリテーション

　頸椎損傷では，脱臼骨折がなければ頸髄の浮腫などが消退する3週間で機能訓練を始めることができる。プログラムの内容は，受傷からの時期(①急性臥床期，②亜急性期：骨折治療終了後，座位可能であるがまだどのように動いたらよいかわからない時期，③社会復帰準備期)や，障害高位によって異なる。
　作業療法も受傷からの時期に合わせ，ベッド臥床期には医学的管理が優先し，機能獲得期にはADLの獲得を中心とし，社会復帰期には社会生活に適応させていくプログラムとする。しかし，ベッド臥床期にもROM維持練習(肩の良肢位・浮腫の予防など)，ナースコールの工夫，心理的支持，呼吸訓練などの二次的障害予防のためのプログラムは行う。

G 脊損高位と到達レベル

　一般に脊髄損傷は，早期から機能予後予測容易で，獲得能力は残存機能の大きさに依存する。上肢の機能評価にはZancolliの分類を用いることが多い(表Ⅳ・13・9)。脊髄損傷高位別の予後予測としてはおおよそ表Ⅳ・13・10のように考えられる。しかし，高齢者では損傷前から筋力低下や可動域の低下などを伴うことが多く，目標とするレベルには達することが困難な場合が多い。
　移動能力の到達目標として，損傷高位以上の筋力が十分な場合でも四肢麻痺では上腕三頭筋，対

表Ⅳ・13・5　フランケルの分類

A：complete	損傷高位以下の運動知覚完全麻痺
B：sensory only	運動完全麻痺で知覚のみある程度残存
C：motor useless	損傷高位以下の筋力は少しあるが，実用性はない
D：motor useful	損傷高位以下の筋力に実用性がある
E：recovery	筋力・感覚正常・反射の亢進はあってもよい

表Ⅳ・13・6　改良フランケル分類

A	motor, sensory complete 運動・知覚完全麻痺		仙髄の知覚脱失・肛門括約筋　完全麻痺
B	motor complete, sensory only 運動完全(下肢自動運動なし)，感覚不全	B1	触覚残存(仙髄領域のみ)
		B2	触覚残存(仙髄および下肢にも残存する)
		B3	痛覚残存(仙髄あるいは下肢)
C	motor useless 運動不全で有用ではない(歩行不能)	C1	下肢筋力1，2(仰臥位で膝立てができない)
		C2	下肢筋力3程度(仰臥位で膝立てができる)
D	motor useful 運動不全で有用である(歩行できる)	D0	急性期歩行テスト不能例 下肢筋力4，5あり歩行できそうだが，急性期のため正確な判定困難
		D1	車椅子併用例 屋内の平地であれば10m以上歩ける(歩行器，装具，杖を利用してよい)が，屋外・階段は困難で日常的には車椅子を併用する (10m以下の歩行であれば(C2)と判定)
		D2	杖独歩例あるいは中心性損傷例 ・杖独歩例：杖，下肢装具など必要であるが屋外歩行も安定し車椅子不要 ・中心性損傷例：杖，下肢装具など不要で歩行は安定しているが上肢機能が悪いため，入浴や衣服着脱などに部分介助を必要とする
		D3	独歩自立例 筋力低下，感覚低下はあるが独歩で上肢機能も含めて日常生活に介助不要
E	normal 正常		神経学的脱落所見なし(自覚的しびれ感・反射の亢進あり)

表 Ⅳ・13・7　ASIA 機能障害尺度

A（完全）	S4-5 領域を含み損傷高位以下の運動知覚機能の完全麻痺
B（不全）	S4-5 領域を含み損傷高位以下の運動完全麻痺で，知覚はある程度残存
C（不全）	損傷高位以下にある程度運動機能は残存しているが，麻痺域の key muscle の半数以上が MMT 3 未満
D（不全）	損傷高位以下にある程度運動機能は残存しているが，筋力があり，麻痺域の key muscle の半数以上が MMT 3 以上
E（正常）	運動機能，知覚ともに正常，反射の異常はあってもよい

表 Ⅳ・13・8　key muscle

上肢			下肢		
C5	肘屈曲	上腕二頭筋	L2	股屈曲	腸腰筋
C6	手背屈	手根伸筋	L3	膝伸展	大腿四頭筋
C7	肘伸展	肘伸筋	L4	足背屈	前脛骨筋
C8	指屈曲	浅指屈筋	L5	足指背屈	長趾伸筋
Th1	指外転	小指外転筋	S1	足底屈	下腿三頭筋

表 Ⅳ・13・9　Zancolli の分類

レベル	主要な筋		分類
C2, 3	胸鎖乳突筋，横隔膜筋		
C4	頸部屈筋・伸筋，僧帽筋上部		
C5	上腕二頭筋，回外筋，三角筋前部・中部		1-A
	僧帽筋中部・下部，菱形筋，肩内旋筋群，腕橈骨筋		1-B
C6	橈側手根筋群	十分だが弱い収縮	2-A
		強い収縮	2-B-Ⅰ
	前鋸筋，回内筋群，大胸筋		2-B-Ⅱ
C7	広背筋，三角筋，橈側手根屈筋		2-B-Ⅲ
	手指・母指の外転筋群	尺側指伸展	3-A
	尺側手根屈筋	橈側指伸展	3-B
	尺側手根伸筋	母指伸展，尺側指屈曲	4-A
		橈側指屈曲，母指屈曲	4-B-Ⅰ
		浅指屈筋	4-B-Ⅱ
C8-Th1	手指・母指の固有筋群		

表 Ⅳ・13・10　脊髄損傷レベルと ADL

C4 損傷	顎コントロール電動車椅子，人工呼吸器，環境制御装置：全介助：肩をすくめる動作可能
C5 損傷	肩の弱い動き，肘の弱い屈曲可能，ノブ（滑り止めハンドリム）付き車椅子
C6 損傷	普通型車椅子操作可能，テノデーシス・スプリント，肘伸展ロックによる起き上がり（できないことが多く，天井からのヒモか要介助になる）
C7 損傷	自動車の運転可能（回旋装置付きハンドル）
C8 損傷	普通型車椅子を独自で自動車に積載可能（積載装置の利用が多い）
Th6 損傷	このレベル以下では起立性低血圧が生じない
Th10-12 損傷	長下肢装具を用いて体幹をねじる，動作で歩行可能，大振り歩行（しかし，多くは到達できず車椅子レベルになる）
L3-4 損傷	短下肢装具歩行
S1 以下	膀胱直腸障害・性機能障害

麻痺では大腿四頭筋の機能で目標が大きく異なる。例えば四肢麻痺で上腕三頭筋が残存していれば，車椅子使用してADLのほとんどが自立するが，残っていなければ，自助具，福祉機器を用いた生活となる。一方，対麻痺で大腿四頭筋機能が残っていれば装具歩行と車椅子併用生活になり，残っていなければ車椅子使用で完全ADL自立となることが多い。また，ADLでの更衣排泄動作の下衣の着脱は，Zancolli分類のC6 BⅡ(2-B-Ⅱ)でこのレベルが残存していないと，ズボン・靴下は実用化できない。さらに，排泄はC4/C5以上ではベッド上となり，C6で縦長の便座をもつ頸髄損傷用のトイレを前方移動アプローチで，C7以下では手すりのついた通常のトイレを用いることができる。これら，能力獲得に影響する要素として，高齢者はもともと筋力低下や受傷前の運動能力が低く，さらに脊髄損傷高位が高かったり，合併症も多く，到達目標に到達できない場合が多い。

H 理学療法

脊髄損傷における理学療法の目的と獲得すべき機能には，
① 残存筋力の強化
・重力に対して手足が持ち上がること
・摩擦に対して抵抗できる力があること
・体をあやつれるくらいの筋力をつけること
② 運動持久力の強化：スタミナをつける
③ スキル(巧緻性)の養成：外傷前のイメージと違うのでスキルとして身につける
④ バランスの養成：上半身の位置が変わってもバランスが崩れないようにする
⑤ 運動感覚養成：バランスの変わった身体の感覚をつかむようにする
⑥ 問題解決能力養成：他人と違うので自分で解決していく能力を養成する
などがある。
具体的に関節拘縮はADLに与える影響が大きく，C5の肘関節曲拘縮など麻痺損傷高位によって固有の拘縮があるが，感覚障害のみられる関節の関節可動域訓練は，愛護的に行う必要がある。ADL

表Ⅳ・13・11 四肢麻痺患者の装具療法に必要な関節可動域

肩関節	屈曲・外転	0〜90°
	内旋・外旋	60〜0〜45°
肘関節	伸展・屈曲	−15〜135°
前腕	回内・回外	60〜60°
手関節	掌曲・背屈	50〜50°
手指	できるだけ正常可動域	
股関節	屈曲	0〜90°
膝関節	屈曲	0〜90°

や装具装着に必要な関節可動域は表Ⅳ・13・11のごとくである。

また，頸髄損傷では座位はバランスが悪くなるので，ハムストリングは伸展せず，腰は100〜110°くらいにとどめるべきであると欧米ではいわれている。しかし，日本では，長座位になることがあり，靴下を履くときには柔らかいほうがよいので，ストレッチしている。

初期の練習として，起立性低血圧などの予防と練習を含めて斜面台tilt tableの練習が発症後数週で行われる。続いて寝返り練習roll over，体位変換，起き上がり動作，座位バランス練習へと進める。上肢の筋力増強と移動動作の獲得，褥瘡予防などのためにプッシュアップpush up練習を行う。プッシュアップは損傷高位によって殿部の上がり方が違い，損傷高位が高いほど上がらない。

さらに車椅子ベッド間の移乗動作，対麻痺では立位バランスの練習，歩行練習へと進めるが，長下肢装具装着で立位がようやく可能なL2レベル以上では，歩行時のエネルギー消費も著しく，歩行の実用性は乏しい。

脊髄損傷後の歩行機能回復のメカニズムとして，以下のようなことが考えられている。

・吊り下げ型などの歩行補助具などを用いて，まず下肢からの求心性入力で脊髄歩行中枢を賦活する。
・この繰り返し入力で伝達特性を変化させることから始める。
・随意指令があると運動野などが賦活化され，再組織化される。

・脊髄での下行路が10％程度残存していれば，運動野からの下行性入力と脊髄神経回路伝達特性の変化で機能的歩行機能が回復するという報告もある[2,3]。

I 作業療法

作業療法も残存神経機能で予後の予測はほぼ可能である。

残存筋と関節運動の主なものを表Ⅳ・13・12に示す。また機能レベルと上肢装具・自助具についても表Ⅳ・13・13に示す。これらの機能に沿った実用的な作業療法を展開する必要がある。さらに，近年のコンピュータ制御技術の発展に伴い種々の機械が容易に制御できるようになっている。福祉機器などへの情報を多く取り入れ，患者に合った機器を導入することでQOLが向上すると思われる。

自動車の利用に関しても様々な自動車の工夫があり，車椅子のまま乗り込めたり，積載の簡素化がなされているものが多数ある。

最近はロボット工学などの発展も著しく，麻痺筋を外部電極で動かす機能的電気刺激 functional electrical stimulation（FES）やロボット型装具など様々なものが開発・市販されてきている。しかし，これらの作業療法は高齢者には困難なことも多い。可能な限り残存機能の向上を試みるが，車椅子などを用いながら，実用的な日常生活動作ができる範囲にとどめ，生活を優先したプログラムを行うようにするとよい。

J 自律神経機能障害

自律神経は交感神経が胸髄節以下から髄節に沿って，副交感神経は動眼・三叉・顔面・舌咽・迷走神経の各脳神経と第2～4仙髄からでており，脊髄損傷では仙髄の神経の損傷が必発である。これらの神経は生体の恒常性を維持する血圧，心臓，消化管，排尿・排便，体温などの機能を支配している。脊髄損傷で問題となるのは起立性低血圧，自律神経過緊張反射，排尿・排便障害，体温調節障害などである。

1 起立性低血圧

血管の収縮は交感神経支配であり，その損傷で生じる起立性低血圧は下半身の血管の収縮がみられるレベルの第6胸髄節が残存していれば生じにくい。生じる場合の練習として，①斜面台などによる起立訓練，②弾性ストッキングや腹帯などを使用する，③もし生じた場合には，身体を横に倒して治すなどの方法がある。

表Ⅳ・13・12　残存筋と関節運動

レベル	残存筋	関節運動
C4	僧帽筋	肩甲骨の挙上・内転
	肩甲挙筋	肩甲骨の挙上
C5	三角筋	肩屈曲・外転
	上腕二頭筋	肘屈曲・前腕回外
	腕橈骨筋	肘屈曲（回内位）
C6	橈側手根伸筋	手関節の伸展
	円回内筋	前腕の回内
C7	上腕三頭筋	肘の伸展
	橈側手根屈筋	手関節の屈曲
C8	浅・深指屈筋	手指の屈曲
	長母指伸筋	母指の伸展

表Ⅳ・13・13　機能レベルと上肢装具・自助具

レベル	上肢装具	自助具
C4	外力駆動式把持装具（マッキンペンの人工筋肉）とBFOまたはスリング	顎コントロール式電動車椅子 音声制御付きリモコン
C5	BFOまたはスリング FES（機能的電気刺激）ラチェットスプリント	ECS（環境制御装置） カフ付き手関節背屈装具
C6	手関節駆動把持装具	
C7	短対立装具 バネ付き指装具	万能カフ 万能カフ
C8	適応なし	適応なし

2 自律神経過緊張反射

C5-Th6以上の高位脊髄損傷者にみられる。上位中枢からの求心性あるいは遠心性情報が損傷レベルでブロックされ神経性の統合バランスを崩すために引き起こされる。頚髄損傷の約80％，Th6以上の胸髄損傷の約20％に生じる[4]。

この反射は，膀胱や直腸の拡張によって生じることが多く，発作性高血圧，発汗，徐脈などの症状が出現する。

自律神経過緊張反射の一番多い原因は膀胱の充満で，著しい血圧の上昇と徐脈などの症状を呈する。その際には，まず導尿をすることが肝要である。処置が遅れると，脳内出血などを生じることがあり注意を要する。

したがって，練習などで血圧が上がったら，まず自律神経過緊張反射を考え導尿を行う。血圧が下がったら，起立性低血圧を考え体を横にし，足を上げるようにするとよい。

①原因
・膀胱の過拡張（排尿困難・尿閉）
・直腸の過伸展（急激な浣腸・慢性便秘）
・導尿操作，内視鏡的操作
・褥瘡からの刺激
・白癬症などの皮膚刺激
②症状
・発作性高血圧，発汗，頭痛・頭重感，徐脈，皮膚の紅潮，鳥肌立ち現象，胸内苦悶，嘔気・嘔吐，全身倦怠感など

3 体温調節障害

身体からの熱の放散は，放射熱（60％），輻射熱（22％），空気への伝導（15％），物への直接の伝播（3％）となっている。脊髄損傷では，自律神経障害のために損傷部位以下では発汗による調節ができないことと，筋肉の麻痺のために熱が筋肉で産生されないことによる障害がある。そのために（夏の）気温の高いときにはうつ熱し高体温に，（冬の）気温の低いときは熱産生減少などのために低体温になる。

K 排尿・排便管理

1 排尿管理

発症初期から尿閉に対する処置，尿路の無菌管理，排尿練習などが必要になる。

① 正常の蓄尿
・膀胱に尿がたまると刺激（尿意）が脳幹部から大脳皮質にある排尿中枢へ伝わる（初発尿意150 mL）。
・排尿の条件・態勢が整うまで，大脳皮質からの命令（抑制）で排尿反射を抑制する（十分に我慢できる）。
・尿失禁はない。
② 正常の排尿
・排尿の意思が働けば（条件・態勢が整ったら），大脳皮質からの抑制がとれ，脳幹部の排尿中枢からの命令で，一気に膀胱の出口・尿道のまわりの筋肉（括約筋）がゆるんで膀胱が収縮し，排尿が始まる。
・排尿が始まってしまえば特別な努力を要しない。
・排尿中の尿線を中断できる。
・20〜30秒以内に膀胱内の尿をすべて排尿できる。
・残尿はない。

脊髄損傷では，脳幹部と脊髄中枢の経路の損傷から脳による排尿コントロールが困難になり，尿意も脳に伝わらない。正常の場合と異なる神経で尿意が伝わり，仙髄の副交感神経中枢を直接興奮させ，膀胱に尿がたまると自動的に膀胱が収縮する（排尿筋過活動になる）。反射排尿も可能となるが，その際の膀胱収縮は持続しないことが多いので，残尿がみられる。体性神経中枢も同時に興奮し，膀胱収縮と同時に外尿道括約筋が収縮し排尿筋外尿道括約筋協調不全が生じやすくなる。外尿道括約筋収縮で膀胱の出口が開かずスムーズな排尿ができず，膀胱内圧が上がる。膀胱内圧の上昇により膀胱の変形や膀胱尿管逆流現象が生じ，腎障害などが生じる。

脊髄損傷は蓄尿，排尿のそれぞれに障害をきた

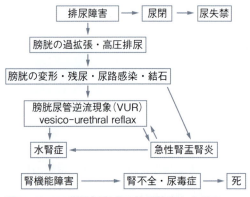

図Ⅳ・13・5　脊髄損傷者の排尿障害と合併症

表Ⅳ・13・14　排尿誘導法と尿路感染率

無菌的間欠導尿（男性）	19.8%
無菌的間欠導尿（女性）	33.7%
膀胱瘻	29.7%
留置カテーテル	48.2%
最初から排尿可能	7.0%

す．そのため，蓄尿障害では尿失禁が常に生じることから，外出など場所や時間の制限を受け，QOLの障害につながる．また，排尿障害は老廃物を排出できないことから，尿毒症→腎不全→死につながる障害となる（図Ⅳ・13・5）．

正常の膀胱は骨盤神経系に支配され，排尿筋と括約筋の協調関係を保ち，腎臓のために低圧環境を維持している．したがって，尿を漏らさず蓄尿し，残さず排尿することができるのである．

2　尿路管理法

脊髄損傷における尿路管理の原則は，①腎機能の保全，②尿路感染の予防，③正常の尿路からの排尿の確保の3つである．

排尿管理の方法には，留置カテーテル，無菌的間欠導尿法，膀胱瘻などがある．

a　留置カテーテル

留置カテーテルは，尿路感染の発生率が高く，カテーテルによる異物反応も生じやすい．そのため，定期的なX線検査を含めカテーテル管理を徹底しなければならず，急性期でもあまり好ましいものではない．

b　排尿訓練

排尿訓練では，膀胱の尿充満の認知が重要であり，恥骨の上から後下方にゆっくりと押さえていく手圧腹圧排尿などを指導する．反射膀胱も利用することはできる．しかし，排尿訓練を行うと，出やすくなるが漏れやすくもなるので，限界判断は遅れずにする必要がある．

c　無菌的間欠導尿法

自分で行う方法と介助で行う方法がある．この方法は，一時的・永久的排尿法として，低圧・完全排尿が可能で，尿失禁対策として優れており，QOLに貢献できるものである．

排尿誘導法と尿路感染率の割合は表Ⅳ・13・14のごとくで，無菌的間欠導尿法が優れていることがわかる．

d　排尿用装具

尿失禁防止装置（ペニクランプなど）や排尿パッド，男性用のコンドーム型排尿装具（ユリドームなど）や女性用の排尿装具などがあり，活用により生活空間が拡大される．また，外科的療法に人工尿道括約筋などの埋め込み手術などもある．

高齢者が自分で行う場合，手の巧緻性障害などが加齢の影響で出現していることがあり，その状態を加味して排尿方法を選択するとよい．

3　脊髄損傷にみられる尿路合併症

脊髄損傷に伴う尿路合併症には，①痙性萎縮膀胱，②尿道感染，③膀胱尿管逆流（VUR），④尿路結石，⑤尿道憩室，⑥尿道皮膚瘻，⑦尿失禁，⑧自律神経過緊張反射などがある．

これらのうち，膀胱尿管逆流は腎盂への逆行性感染と尿管・腎盂への高圧尿の逆行により，発熱や水腎症，水尿管などを引き起こし，さらに急性腎炎や前立腺炎，精巣上体炎なども合併することがある．VURの治療法には表Ⅳ・13・15のようなものがある．腎機能障害をきたすと腎不全につながり，生命予後にも影響することから，尿路管理

表Ⅳ・13・15　VURの治療法

1. 逆流そのものに対する治療
    ① 逆流防止術
2. 膀胱容量を増大させる治療
    ① 膀胱拡大術，② 抗コリン薬投与，③ 仙骨神経ブロック
3. 低圧排尿に対する治療
    ① αブロッカーの投与，② 陰部神経ブロック，③ 経尿道再建術，④ 間欠導尿，⑤ 留置カテーテル
4. 排尿に関する治療
    ① 排尿訓練，② 間欠導尿
5. 尿路変更
    ① 膀胱瘻，② 尿管皮膚瘻，③ 腎瘻，④ 回腸導管，⑤ 腎臓摘出，⑥ 血液透析

の目的は腎機能保全が最も大きい。

4 排便管理

脊髄損傷では副交感神経の麻痺から通常便秘になることが多いが，なかには失禁が常に生じるために外出できないなどのQOLの問題を引き起こすこともある。

多くの脊髄損傷者は便秘傾向であるため，自律神経過緊張反射を生じない範囲で，排便時間を決め，下剤，坐薬，浣腸などを用いてコントロールするようにする。常時肛門が開き便が出てしまうような人では，便タンポンなどの器材があり，使用するとよい。

14 切断者のリハビリテーション

A 切断部位と義肢の名称

切断部位によって図Ⅳ・14・1, 2のような名称と対応する義手・義足がある。

義肢は四肢の欠損に対する補助具で，断端に装着し形や機能代償として用いる。最近の生体力学と合成材料の進歩により，発達してきている。義肢には上肢切断に用いる義手と下肢切断に用いる義足がある。使用目的と切断高位別に対応した義手・義足が作製される。

義足は，立位・歩行機能再獲得の目的で作製されることが多いが，高齢者の切断例では車椅子乗車時などに用いる装飾用の義足もある。義足はソケット，支持部，足部からなることが多く，関節機能をもつ股継手，膝継手，足継手などが加わる。ほかに肩吊りベルト，シレジアバンド，カフベルトなどの懸垂装置がある。膝，足継手にコントロールシステムを内蔵したものもある。

人間の手の動きは極めて巧緻性に富み，感覚器としても多様で，複雑多様な機能をもつ。そのため，すべての機能を代償することは極めて困難である。手指には80以上の自由度があるが，握力把持，精密把持，側方把持の主要3動作によって日常生活動作の85％が可能であるので，この機能を義手にもたせることで実用的に使用できる。上肢は，肩・肘・手関節のリーチ機能で手指を任意の場所にもってくることで使える。一方，義手は，感覚器の機能がなく手指機能の再獲得という点で極めて不十分なうえに，リーチ機能においても制限が多い。そのため，手指部分に感覚センサーを装着し，関節の自由度を高める研究・開発も行われている。

義手のうち，動く能動的義手ではソケット，カ

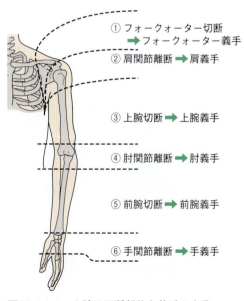

図Ⅳ・14・1　上肢の切断部位と義手の名称

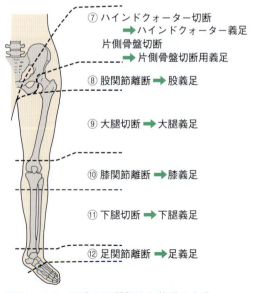

図Ⅳ・14・2　下肢の切断部位と義足の名称

フとハーネスからなる懸垂システム，ケーブルやバッテリーで動くコントロールシステム，肘や手継手，そしてフックないしハンドの手先具からなる。装飾用義手は，手に似せた先端形状と切断レベルに応じたソケットで構成されるが，近年では実際の手指に酷似した義手も作製されている。

B 下肢切断

1 原因

以前は交通外傷が多かったが，最近では下肢の末梢動脈疾患 peripheral arterial disease（PAD）によるものがほとんどである。PADには末梢閉塞性動脈疾患 peripheral arterial occlusive disease（PAOD）などがあり，慢性PAODには閉塞性動脈硬化症 arteriosclerosis obliterans（ASO）と閉塞性血栓血管炎 thromboangiitis obliterans（TAO，バージャー病）があり，重症下肢虚血で切断に至るほとんどがASOである。また，糖尿病による切断の原因は，末梢神経障害とASOによる虚血によるものが多い。糖尿病によってASOになる可能性は健常者の3～4倍であり，下肢切断になるのは30倍にも達するといわれている。またそのほとんどが60歳以上で，下肢切断は高齢者特有の障害といえる。

この傾向は，香港（1995～1997年調査：循環障害63.6%，平均年齢74.1歳），台湾（1997年の調査：循環障害72%），韓国（1950年代：外傷85.9%，循環障害10%未満→1990年代：外傷58.3%，循環障害23.5%）でも同様である。欧米では，高齢人口における切断原因の90%が末梢循環障害が原因である。

2 下肢切断者の歩行獲得率

高齢切断者の義足歩行獲得率は，下腿切断が7～8割に対し，大腿切断5割で，大腿切断は下腿切断より成功率がかなり低くなっている。歩行に必要なエネルギーが下腿切断では格段に少ないため，可能な限り下腿切断にすることが重要である。これらの機能予後に影響する因子として，高齢者の体力，片脚起立能力，$\dot{V}O_{2max}$，合併症がある。高齢者の大腿切断者の実用義足歩行獲得に関する予後予測での阻害因子として，① 認知症，② 重度の神経内科疾患，③ うっ血性心不全，④ 閉塞性肺疾患，⑤ 高度の股関節屈曲拘縮などがある。具体的な義足歩行の移動能力評価にはNarangの機能分類（表Ⅳ・14・1）を用いると分類しやすい。

断端のdressingについても，1993年には73%の患者がrigid dressingであったが，2001年には67%の患者がsoft dressingとなり，その後も増大している。これは，rigid dressingが医師の経験が重要視され専門病院以外では施行困難であるなど，今日，soft dressingは術後断端ケアの主要な選択肢となっている。

3 高齢者の義足処方

a 実用歩行獲得が期待できない場合

① 合併症：認知症，重度の神経内科疾患，うっ血性心不全，閉塞性肺疾患，高度の股関節屈曲拘縮
② 心疾患：NYHAⅢ度（BMP＞200 pg/mL），心臓超音波検査で駆出分画率 ejection fraction（EF）＜50%
③ 長期療養型病床や施設の利用者
などがある。

表Ⅳ・14・1 義足歩行の移動能力評価：Narangの機能分類（Pohjolainenの変法）

I	義足歩行自立，杖なし
II	屋内義足歩行，屋外杖，片松葉杖
III	屋内義足歩行，屋外両松葉杖，時に車椅子
IV	屋内義足と松葉杖あるいは歩行器，屋外車椅子
V	屋内短距離義足歩行，ほとんどは車椅子
VI	義足なし，歩行補助具で歩行
VII	歩行不能，車椅子移動

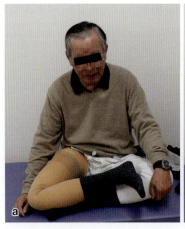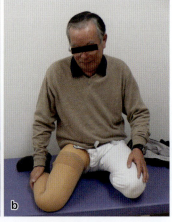

図Ⅳ・14・3　ターンテーブルを用いた大腿義足患者のあぐら(a)と正座(b)

b 義足処方

① 下腿義足では，装着の容易さから PTB のほうが TSB に比べて多い。
② ソケットは ASO も多く，皮膚の状態からシリコンライナーが多い。
③ 大腿義足では，差し込みで，固定膝，単軸足，装飾用のものが多くなっている。
④ 大腿義足の膝は回旋機能をもつターンテーブルを用いると，あぐらや正座など和式生活にも支障が少ない（図Ⅳ・14・3）。

図Ⅳ・14・4　上肢切断の切断原因

4　高齢切断者の経過

　切断者は高齢であるがゆえに，他の合併疾患や転倒などのアクシデント，そして加齢による筋力低下などで機能低下をきたし，義足の適応にならない場合がでてくる。その場合には，義足にこだわらず他の移動方法に切り替えたり，義足の適応があったとしても義足の変更をしたほうがよいことも多い。

　切断者の高齢化による機能低下への対応としての義肢の変更は，①殻構造や骨格構造にこだわらない形式変更や軽量化，②ロック式継手・大腿コルセットなどによる立脚期の安定性確保，③ソケット形状を全接触式から差し込み式に，懸垂装置を強化・追加することなどで装着を容易にすること，④加齢による筋力低下などの変化に合わせた機能への変更，などを考慮しなければならない。

C　上肢切断

1　原因

　上肢切断の原因は下肢の血管原性の切断に比較し，就労年代に生じた労働災害などによる切断が多く，高齢者になってからは悪性腫瘍などによるものが増えているのも特徴である（図Ⅳ・14・4）。
　義手には日常生活に用いる常用義手と仕事などに用いる作業用義手がある。また常用義手には動く能動義手や電動義手と外観を重視し動かない装飾用義手に分けられている。高齢者の上肢切断の

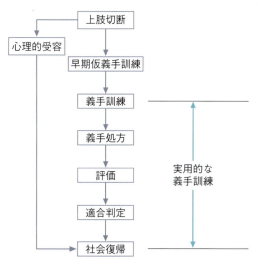

図Ⅳ・14・5　上肢切断のリハビリテーション

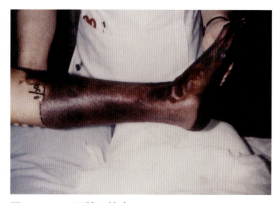

図Ⅳ・14・6　下肢の壊疽
下腿上部に血行の有無による明確な境界線が見える。

リハビリテーションは，繊細な技能が必要なことが少なく，片方の上肢が残っていれば多くのADLをこなせることから，義手訓練に時間をかけることなく，外見を満足する装飾用義手を処方することが多くなっている。能動義手が必要な場合は両上肢切断などで，ドーランスフックなどが使われる場合もある。しかし，多くの場合，筋力や肩甲周囲の可動域の問題で使用しづらく処方まで至らない場合が多い。今後，義手の技術の進歩により多大な訓練技能を必要としない高齢者への電動義手の活用性は高いと考えられる。

血管性疾患の少ない上肢切断では早期仮義手訓練などが多くの場合可能であり，その後の実用的な義手訓練などにつなげるのも可能である（図Ⅳ・14・5）。

D 切断を生じる主な末梢血管性疾患

1 閉塞性動脈硬化症
arteriosclerosis obliterans（ASO）

a 動脈閉塞

動脈硬化（メンケベルグ硬化，アテローム硬化）により，血流が障害された状態で起こる様々な虚血性症候の総称である。

腹部大動脈，腸骨動脈，鎖骨下動脈，四肢主幹動脈などに，動脈硬化性の内膜の線維増生，脂質沈着および石灰沈着を生じ，動脈内腔の閉塞機転により四肢血行障害が生じたものを閉塞性動脈硬化症（ASO）といい，高齢者にみられるもののほとんどはこれに属する。股動脈の閉塞によるものが最も多いが，腹部大動脈下部から腸骨動脈，また，膝窩動脈から下腿，足にかけて閉塞のみられることもある。上肢は一般に侵されないが，鎖骨下動脈の閉塞をみることもある。閉塞するとそれより末梢に血液が流れなくなり，初期には疼痛，次第に色調の変化も伴い壊疽となる（図Ⅳ・14・6）。閉塞部位と側副血行の診断にはMRAが有用である（図Ⅳ・14・7）。

この疾患は末梢循環障害の改善と足部潰瘍の治療が中心となるが，動脈硬化性危険因子とされる「生活習慣病」への対策や，同時に合併しうる全身性動脈硬化性疾患（脳血管障害，心筋梗塞など）の対策を忘れてはならない。末梢循環障害の治療法は，①理学療法・生活指導，②薬物療法，③血行再建術などに大別される。

従来，閉塞性動脈硬化症の治療の基本的な考え方は可能な限り完全な血行再建を目指すことであった。しかし，経皮的血管形成術（PTA）や手術の適応とならない場合，また患者がそこまで望まない場合には運動療法は有効な治療手段の1つとなる[1]。

そのポイントとして，次のものがあげられる。
① 重症度を客観的に確定する。

図Ⅳ・14・7　閉塞性動脈硬化症のMRA
右大腿動脈などに閉塞がみられる。

> **ASOの問診**
> 1. ポイント
>   ① 歩いているときに足の筋肉がこわばったり，痛くなるか
>   ② 歩いているときに，ふくらはぎが痛むか
>   ③ 立ったままでも休めば痛みはおさまるか
>   ④ 休息して歩けば，また同程度の距離が歩けるか
>   ⑤ 寝ているときに，痙攣したり，しびれたりするか
> 2. 他の疾患との鑑別
>   ① 脊柱管狭窄症
>   もともと腰痛がある
>   休息しても徐々に続けて歩く距離が短くなる
>   かがめば症状がとれ，自転車では症状がない
>   ② 糖尿病性神経障害
>   脈は触れる
>   知覚障害がある
>   ③ 静脈疾患
>   足の挙上など，うっ滞の軽減で症状が改善する

b　末梢循環障害の症状

高齢者に生じやすい局所的な器質的循環障害症状として次のようなものがある。

> ① 間欠性跛行　intermittent claudication
>   （表Ⅳ・14・2，図Ⅳ・14・8）
> ② 脈拍の消失あるいは微弱化
> ③ 皮膚色彩の異常（蒼白，チアノーゼなど，特に手足を挙上あるいは下垂したとき。特に指に強い）
> ④ 静脈の怒張，浮腫，あるいは腫脹
> ⑤ 局所の温度の低下あるいは上昇
> ⑥ 潰瘍形成，壊死
> ⑦ 強皮症様の皮膚。爪，毛などの発育障害
> ⑧ 神経炎症状

② 原因となる動脈病変の重症度ならびに全身性の危険因子を把握する。
③ 理学療法プログラムと実施上のリスクについて検討する。
④ 理学療法継続効果ならびに継続不可因子を客観的に判定する。

高齢者では交感神経緊張による異常な血管収縮によるものは少なく，ほとんどが器質的なものである。

このような循環障害に基づく高齢者の切断の問題点は表Ⅳ・14・3のようなものが考えられる。

2　閉塞性血栓性動脈炎
thromboarteritis obliterans (Burger's disease)

動脈硬化性のものに比べると発症年代は若く，青年男子に多い。高齢者の疾患とは言い難く，こ

表Ⅳ·14·2 血管性間欠性跛行と神経性間欠性跛行の鑑別

血管性間欠性跛行	神経性間欠性跛行
① 脳梗塞や心筋梗塞など他の血管性疾患を合併していることが多い ② 予後は不良である ③ 下肢の動脈閉塞のために，下肢の筋肉に虚血が生じる ④ 立位では下肢痛は出現せず，姿勢の変化は痛みに関係がない ⑤ 痛みで歩行ができない ⑥ 足背の動脈などの拍動の消失ないし減弱	① 脊髄性，馬尾性，末梢の神経根性があり神経に沿った症状がある ② 男性では腰部脊柱管狭窄 lumbar spinal canal stenosis (LSCS) に伴う神経根性疼痛が多く，女性は腰椎すべり症を伴うことが多いので馬尾性が多い ③ 神経組織に対する機械的圧迫に伴う，神経の栄養不全と考えられている ④ LSCS の特徴 　ⓐ 立位になるだけで下肢痛が誘発される 　ⓑ 前屈位のみで下肢痛が軽快する 　ⓒ 歩くにつれ疼痛の範囲が拡大する ⑤ 痛みやしびれのため十分歩けない

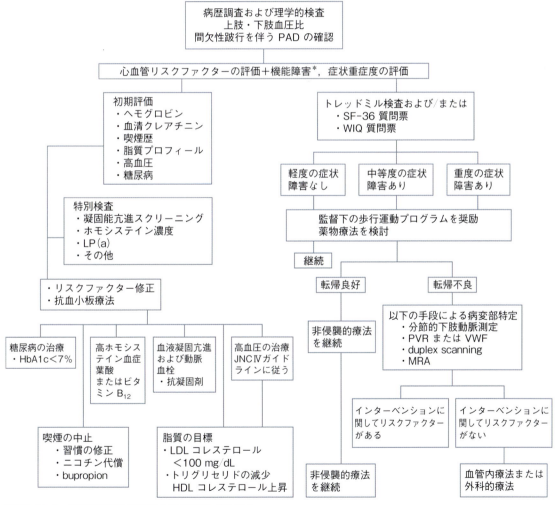

図Ⅳ·14·8　間欠性跛行の詳細な治療アルゴリズム

PAD：peripheral arterial disease（注：わが国における閉塞性動脈硬化症と同義語），SF-36：医学的転帰簡易型36項目質問票，WIQ：歩行障害質問票，JNC：Joint National Committee，HbA1c：ヘモグロビン A1c，LDL：低密度リポ蛋白，HDL：高密度リポ蛋白，PVR：pulse volume recording（注：容積脈波測定と同義語），VWF：速度波形分析，MRA：磁気共鳴血管造影，＊：各患者により定義される機能障害　　〔文献2）より〕

表Ⅳ・14・3　循環障害による切断の問題点と注意事項

切断の問題点	高齢者の増加 重篤な合併症の存在 左右両側性切断になることもある 断端の管理が難しい（易感染性など） 血行障害管理が不十分（傷など）
切断時の注意事項	1回で成功する手術 失った足を懐かしがらせない 痛みのない足 歩行にこだわらない予後の指導

こでは省略する。

3　糖尿病性細血管障害
diabetic microangiopathy（DM）

　糖尿病に動脈硬化症が合併した場合，下肢において特に問題になるのは糖尿病性壊疽 diabetic gangrene である。糖尿病性壊疽は糖尿病を基盤として神経障害と末梢血管障害を伴っており，感染，潰瘍形成，壊疽を合併したものをいう。部位としては多くは足部・足趾に限局していることが多く，切断に至ることも多い。

4　急性動脈閉塞症

　脳梗塞や心筋梗塞同様，急速な動脈閉塞が高齢者に起こることがある。特に下肢の比較的太い動脈の血栓があるが，側副血行路形成の良否により症状が異なる。
　塞栓によるものは，突如として循環不全症状を呈する。塞栓の原因としては次のものがある。

①心性：心房細動，僧帽弁狭窄症（左房内血栓），
　心筋梗塞（壁在血栓），左室瘤，心内膜炎，左房
　粘液腫，人工弁使用，心臓手術など
②動脈性：壁在血栓，動脈硬化，動脈瘤，血管炎，
　腫瘍，アテローム剝離
③静脈性：静脈血栓と心内シャント
④その他：空気，腫瘍，脂肪など

E　末梢血管性疾患の予後，治療，リハビリテーション

1　予後

　予後を左右する因子としては，次のようなものなどがある。

①年齢
②原疾患の種類，その進行性
③側副血行路形成の良否
④冠動脈，脳動脈，その他の内臓の動脈などの血管障害の併発の有無

　個々の症例で経過は様々であるが，下肢では切断に至る頻度は高く，上肢では指の切断に至る例は時にあっても，手，腕の切断をする例はほとんどない。

2　治療およびリハビリテーション

　ASO の場合は Fontaine の分類に従って行うとよい。

閉塞性動脈硬化症の Fontaine の重症度分類とその治療

①Ⅰ度：冷感・しびれ感
・危険因子（喫煙・高血圧・脂質異常症・糖尿病・高尿酸血症など）の管理＋抗血小板薬などの薬物療法
②Ⅱ度：間欠性跛行
・Ⅰ度に準じた療法＋歩行練習と運動訓練
③Ⅲ度：安静時疼痛
・腰部交感神経切除術，プロスタグランジン点滴静注法，血行再建術
④Ⅳ度：潰瘍・壊死
・Ⅲ度に準じた方法でも改善しないときには切断もやむをえない

　慢性動脈閉塞による虚血症状を重症度により4段階に分類したもので，一般に使用されており，至適治療法を選択するためにも欠かすことができない。

Ⅰ度について原著では,「臨床的に症状のない動脈閉塞症」で無症状とされており,あっても時に冷感,しびれ感程度である。冷感は一般に,左右の皮膚に2〜3℃以上の温度変化がみられる。しびれ感は本質的には神経に対する障害と解釈され,末梢動脈の血行障害での頻度は低い[3]。

Ⅱ度は間欠性跛行 intermittent claudication の出現で確認される。間欠性跛行とは一定の運動量で再現可能な虚血性の疼痛が発生し,安静により数分以内に緩和するものである。跛行を呈する他の疾患が合併することもまれではなく,跛行原因の鑑別も必要とされる。

Ⅲ度は安静時にも虚血症状がみられる状態,Ⅳ度は組織の viability が保てなくなった状態で,潰瘍,壊死の程度によりさらに2つに分けられる[4]。

なお,Fontaine 分類Ⅲ,Ⅳ度はいわゆる重症虚血肢といわれる。

a 生活管理,全身的ケア

① 禁煙
② 糖尿病・高血圧・高尿酸血症がある場合はその管理
③ 血清脂質管理のための食事療法および薬剤の使用
④ 保温

b 局所的ケア

① 局所の清潔：微温湯浴・パウダー使用
② 皮膚の保護：柔軟に保つために軟膏(ラノリンなど)使用
③ 爪の手入れ
④ 毛糸のソックスなどによる保温
⑤ 白癬,傷,水疱などの皮膚疾患があるときにはその治療

c 理学療法

理学療法は重症度により,実施内容が異なる。内容は運動療法,物理療法,生活指導にて構成される(図Ⅳ・14・9)。

1. 運動療法

運動・歩行療法は,FontaineⅠ度から開始するのが理想的である。FontaineⅡ度で間欠性跛行が確認されるが,監視下での頻回の運動は閉塞性動脈硬化症由来の跛行距離延長に対して有効である。

間欠性跛行の運動療法として有効なプログラムとは,

① 監視下運動であること
② 運動内容は歩行運動を中心としたもの
③ 運動強度は最大負荷近くとすること
④ 運動回数は週3回以上定期的に行い,期間は3か月以上継続すること

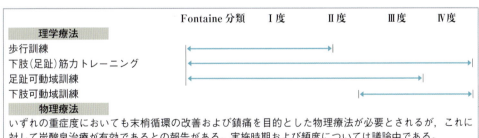

図Ⅳ・14・9　理学療法の流れ

などに要約される[5]。

わが国で実施されている監視型歩行訓練は，週に3回，初期評価で確認された最大歩行距離の75％から開始し，下肢の虚血症状が出現する程度の歩行を1回に2〜3セット行うのが一般的である。また，最大歩行距離は初回および以後定期的に測定する。

運動のタイミングと種類については広範な研究が行われており，議論中である。この時期は合併症などにより歩行困難な状態でなければ，積極的に歩行訓練を行う。下肢筋力低下が顕著な場合は筋力トレーニングを行う。実施にあたっては，どの筋に負荷がかかるのかを理解して，動脈閉塞部位に応じた運動を選択する[6]。

心疾患を合併している場合は，運動療法実施中の血圧測定ならびに心電図の監視が必要となる。

歩行能力改善の機序に関してはいまだ明確にされたものは少なく，複数の機序によるものと考えられている。現在までの研究で推論されている機序は，側副血行路の発達，筋肉細胞内ミトコンドリア数やサイズの増大などによる酸素利用効率の改善，血液レオロジーの立場から血液流動性の改善，歩行にかかわる筋群の効率的な使用法による経済的な歩行技術の体得などである[1]。

一方，Ⅲ度やⅣ度といった重症虚血肢に対しては，安静時疼痛や皮膚潰瘍を悪化させる危険性が高いため，積極的な歩行訓練は避け，可動域訓練・非虚血筋に対する筋力トレーニングを中心に行う[2]。

運動療法は，継続して行うことにより，上記効果を期待することができる。継続にあたっては，患者の訓練に対する受容性と順応性が重要であるといわれるが[7]，ほかに全身状態を良好に保つこと，社会的環境を整備することなどが必要条件となる。

また，特殊なものとしてバージャーの体操Bürger's exercise や oscillating bed による治療がある。

> **バージャーの体操**
> ① 患肢を心臓レベルよりできるだけ低く下げ，静脈が十分膨らむまでその位置を保つ（約1分間）。
> ② 次いで，患肢を心臓レベルより高く上げ，静脈の膨らみが消失するまでの最短時間をそのまま保持する。
>   ①，②を交互に連続20回行い，これを1日に数回繰り返す。
>
> **Ratschow式回転訓練**
> ・仰臥位で下肢を挙上し，足関節運動を行い，次に下肢を下垂するかまたは起立する。3〜5分間隔で毎日頻回に繰り返す。
> ・いずれも重力を利用し，患肢の循環改善を目的に側副血行路の形成を促すものである。
>
> **oscillating bed（振り子のように動くベッド）**
> ・バージャーやRatschowの体操がactiveに行うのに対し，これをpassiveに，ベッドの動きによって行い，同様の目的を達しようとするものである。

2. 物理療法

虚血肢に対しては鎮痛を目的とした物理療法が必要とされる。

a. 温熱療法

この場合，熱傷には細心の注意を払わなければならない。循環が極度に悪く，血管は cooling system としての機能を果たすことができず，さらに末梢神経障害による知覚低下を伴っていることが多いので，容易に熱傷を起こすことを銘記すべきである。その意味で，赤外線，超音波，極超短波などの乾熱は加熱のコントロールが難しく，患部使用は禁忌となっている。

局所の温度上昇は代謝を高めるが，それに伴う血流増加が望めない場合にはかえって壊死を早めることになる。このような場合には「反射性血管拡張 reflex vasodilation（他部位を温めることにより反射的に患部の血管が拡張する）」を用いたほうが安全である。温浴療法を行う場合に，患肢だけを外に出して入る方法は，この原理によるものである。

交代浴は本来強力な循環改善療法として知られているが，高度の循環障害がある場合には，血管が反応できず禁忌となる。

3. 装具療法

理学療法開始時には，足部の保護機能を担う靴および足底板の処方も早期に行うべきである[8]。

d 集学的医療体制

PAODの治療として，血管内治療，血行再建術（バイパス術など），外科的デブリードマン，潰瘍処置（創面環境調整など），創傷被覆材，抗菌性ドレッシング，局所陰圧閉鎖療法，足趾切断術，潰瘍予防（フットケア，装具療法，監視下運動療法）などがあり，加えて血管再生治療などの先進医療が導入されている。先進医療を実施している医療機関では，虚血肢治療の集学的医療体制（血管外科，形成外科，皮膚科，フットケアチーム，リハビリテーション科）を整備している。

これらの医療体制と糖尿病などの積極的な治療により，大腿切断や下腿切断に至る症例は激減している[9]。

e 血管外科的療法

閉塞部位に応じて人工血管バイパス移植術，自家静脈バイパス移植術，血栓内膜剥離術が行われる。

各動脈閉塞に対する血行再建術

① 腹部大動脈-腸骨動脈
　ⓐ 人工血管バイパス移植術
　ⓑ 血栓内膜剥離術
② 大腿動脈-膝窩動脈
　ⓐ 自家静脈バイパス移植術
　ⓑ 人工血管バイパス移植術
　ⓒ 血栓内膜剥離術

---

f 切断 amputation

1. 適応と切断部位の決定方針

切断は最終的手段であり，他の方法で治療できない場合に行うべきである。

切断の主な適応

① 壊死，壊疽
② 重度の感染。抗菌薬などでコントロールできないもの
③ 耐え難い疼痛
④ 高度の拘縮，変形などのため上・下肢機能を喪失したとき

切断部位の決定については，以下の点に留意する。

① 血流状況：膝窩動脈，足背動脈，後脛骨動脈などの触診。皮膚の色調，温度などが参考となる。
② 壊死，潰瘍などの状況：壊死部と周囲組織との境界demarcationの有無が重要な意義をもつ。境界がない場合には壊死の進行を意味し，切断部位を決定することが難しいが，境界がはっきりしている場合には，その近位部での切断部位の決定ができる。隣接皮膚にチアノーゼや血行障害のため光沢を帯びている場合はその部位での切断を避けるべきである。
③ 感染の状況：壊死部，潰瘍部に起因するリンパ管炎，血栓性静脈炎などを合併すると，抗菌薬などに抵抗することが多く，特に敗血症などの重篤な合併症のおそれのあるときは緊急で切断術を行わなければならない場合がある。
④ 疼痛の状況：循環障害や感染などの範囲を示す1つの指標となる。足趾に壊疽があり，疼痛が下腿部まである場合は中足骨での成功率は低くなる。
⑤ 切断後の断端状況の予測，および義肢装着による機能的観点：リハビリテーションの立場からは非常に重要なことである。良好な断端は皮膚に適度の可動性と緊張性が調和していなければならない。
良い断端を作るためには，皮膚，血管，神経，骨，筋肉などの処理の仕方に十分な配慮が必要であるが，これらも考慮したうえで切断部位を決定すべきである。

以上の諸事項をよく観察，考慮したうえで，澤村は，基本的な切断部位の決定方針を**表Ⅳ・14・4**のように示している。

2. 切断術における問題点

高齢者の血行障害の場合，義足歩行が成功するかどうかは，下腿切断として良好な断端形成，断端治癒が得られるかどうかにかかっている。可能

表Ⅳ・14・4　末梢血管障害の原因による下肢切断部位の選択

	適応	禁忌および注意	成功率（報告者と症例数）
足趾切断	壊疽がPIP関節より遠位にある場合	第1足指，第5足指の場合は，基節骨よりも中足骨骨頭下で切断	
中足骨切断	壊疽が1～2指に限局し，足底部MP関節より遠位にある場合	皮膚切開線まで壊疽が進み，感染のある場合	78%（Silbert 59） 74%（Haimovici 46） 64%（McKittrick 145） 67%（Warren 43） 73%（Pederson 23）
サイム切断	①壊疽が足趾にあって中足骨切断不良の場合 ②全身状態が不良で下腿切断の適応に危険性のある場合	女性の場合（外観が不良）	64%（Silbert 14） 83%（Warren 14） 73%（Dale 22） 50%（Sarmiento 38） 28%（Hunter 54）
下腿切断	①中足骨切断に失敗し，壊疽が足関節上方に及ぶ場合 ②ほとんどの足趾がMP関節を越えて壊死に陥り，健常部との明瞭な境界線のない場合 ③足趾の感染の広がりが著明で敗血症のおそれのある場合	①下腿中央部で筋肉の変色が著明な場合 ②膝窩動脈，大腿動脈の脈拍をふれないとき，また，血管造影で，膝上部で膝窩動脈の血行を認めない場合でも下腿切断の可能性は十分にある。特に最近のギプスソケットの装着により成功率が高い	93%（Silbert 183） 90%（Hoar 100） 83%（Pederson 60） 91%（Shumacker 58） 84%（Kendrick 51） 80%（Kelly 131） 85%（Bradham 84） 71%（Warren 121）
膝離断	下腿切断の可能性はないが，大腿部の血行がよい場合	長い前方皮膚弁よりも，内外に皮膚弁をもつ切開を用いる	50%（Chilvers 22） 90%（Baumgartner 72） （内外皮膚弁による）
大腿切断	①下腿部の壊疽と感染が広範囲で，膝離断が不能な場合 ②反対側が大腿切断や障害があり，将来のゴールとして車椅子が考慮される場合 ③大腿動脈の閉塞が急性に起こった場合		84.4%（Thompson 128） 100%（Warren 41） 98%（Shumacker 61） 98%（Claugus 71） 96%（Bradham 46）

〔文献10）より〕

な限り下腿切断として残すように，以下の点につき細心の注意を払いながら手術およびケアを行うべきである。

①　皮膚弁の血行を保つために長い後方下腿皮弁を用いる。この際，筋肉と皮膚の間を剥さず，指先で愛護的につかみ，マットレス縫合ないしは滅菌テープを用いて皮膚弁を合わせる。
②　15cm以下の断端長になるように切断する。長くすると良好な皮膚の治癒が得にくく，再切断になる可能性も高い。
③　切断部の出血，壊死の状況をみるために駆血帯は用いない。
④　下腿切断の禁忌
　　ⓐ　脛骨高位で切断したときに皮膚から出血が全くみられないとき
　　ⓑ　膝関節屈曲拘縮が50°以上の場合
　　ⓒ　健側下肢の状態や他の合併症のため義足歩行が全く期待できないとき
⑤　術後は弾性ギプス包帯を用いたギプスソケット（rigid dressing）を原則とする。
　　従来の弾力包帯による欠点は
　　ⓐ　断端近位部を圧迫しやすい
　　ⓑ　断端創の治癒の遅延
　　ⓒ　幻肢痛・断端痛が出やすい
　　などのため，血行障害には用いない。
　　このギプスソケットを用いた術直後義肢装着法は，荷重による断端創の治癒を阻害するので最近は原則として行わない。

3. 断端拘縮の予防（図Ⅳ・14・10）

高齢者の切断術後は特に拘縮を防ぐよう指導しなければならない。特に断端周辺筋の拘縮が早期に起こってくる。切断により必然的に起こる。その周辺筋のバランスのくずれ（imbalance）によるものが主であり，股関節でいえば，股屈曲，外転，外旋拘縮などである。したがって，これらのパターンをとるような肢位を極力避けることである。また同時に，

① 腹臥位をできるだけとらせる（股屈曲防止）。できれば，大腿前面とベッドとの間に毛布，枕などを入れ，股伸展位に保つ
② 健側下の側臥位をとらせ，切断側股関節が内転・伸展位になるような姿勢を保たせる

などを行わせるとよい。

なお，切断側股関節の屈曲・外転拘縮などが骨盤・腰椎の変位・変形の影響を受けたり，代償されることがあるので，これらを正規の位置に保つように注意しなければならない。特に腰椎の前彎，側彎，骨盤の前傾，左右の傾きなどに注意すべきである。また，筋肉間の筋力のバランスをとるため，弱い筋に対する筋力強化訓練や，仮義足をつけての歩行練習などは有意義である。

4. 義肢装着前訓練

a. 断端訓練 stump exercise

早期に開始することが望ましいが，断端部の状況により左右され血行障害では慎重に行わなければならない。高齢者では原疾患や術後起こりやすい合併症などのために，その開始や進行が遅れ気味になるのはある程度やむをえない。

b. 体幹筋強化訓練

高齢者ではもともと体幹筋の弱い場合が多いのに加えて，手術の侵襲と，術後の臥床期間のために予想外に体幹筋が弱化するものである。さらに，何らかの合併症で臥床期間が延びた場合はさらに筋力低下が著しくなる。したがって，術前はもちろんのこと術後早期から行わなければならない。腹筋，背筋，回旋筋，骨盤挙上筋の強化を中心とし，正しい体幹の姿勢，骨盤の位置などの保持に留意すべきである。

また，動脈硬化の危険因子をもつ高齢者の脳卒中患者に，ASOによる下肢壊疽を合併することは，その後の運動機能に重大な影響を及ぼす。従来のエネルギー消費からみた切断高位の研究では，高齢者にとって義足歩行は健常足歩行に比較し下腿切断では120%程度，大腿切断では200%以上の予想以上のエネルギーを必要とするため，高齢者は麻痺がなくても下腿切断以下でないと歩行の実用性は非常に低いと思われる。ましてや，脳卒中による片麻痺が伴っている場合，切断側がたとえ麻痺側であったとしても，歩行能力の実用化は非常に困難なものとなる可能性は大きい。生存しえた自験例も全例歩行不能であった[12]ことは，脳卒中片麻痺だけでも安静臥床などによる筋力低下をきたしやすく，そのリハビリテーションの早期開始によって筋力低下を最小限に防ぐよう心がけなければならないが，ASOの合併による安静や手術による廃用性筋力低下は，歩行能力回復に決定的阻害要因になると考えられる。

c. 健側肢の強化訓練

体幹筋同様，術前術後を通じて維持しなければならない能力である。高齢者では一般に下肢筋力は低下し，知覚-運動 sensory-motor の障害も加わって，片足立ちバランスは年齢とともに悪くなる。しかし，健側片足立ちバランスの程度は，鏡などを用いた視力によるコントロールを行えば，高齢者でもある程度の改善は期待できる。上達の程度に応じて片足立ちのまま重心の前後・左右移動，体幹の回旋などを加えていけば，なお効果的である。

片足立ちバランス訓練に際しては，骨盤の患側への傾斜，脊椎の側彎を招かないよう注意しなければならない。そのほか，できれば片足立ちのまま膝屈伸を行わせるとよいが，高齢者ではせいぜい45°ぐらいまでが限度である。

5. 義肢の処方および装着訓練

切断部位，断端の性状，将来の生活状況，あるいは職業上のニード，外観上のニード，拘縮などの二次的な変形などによるアライメントの変化など，そのほかにもいろいろの要素を考慮して処方されるが，その具体的事項や，その後の装着訓練

IV. 主な老人性疾患のリハビリテーション

断端をベッドより下垂する

車椅子に断端を屈曲して座る

枕を膝または股関節の下におく

枕を背の下において脊柱を曲げるようにする

膝を屈曲させる

断端を松葉杖の握りにのせる

枕を両大腿の間におく

断端を外転させる

図Ⅳ・14・10　術後にしてはならないこと，断端に好ましくないこと〔文献11)より〕

についての詳細は，専門書を参照されたい。
　わが国では欧米諸国に比べ，閉塞性動脈硬化症などの認知度が低いため，発見が遅れ，重症化してしまう症例が少なくない。これらの早期発見を目的とし，医師をはじめとした関連職種との連携体制を構築し，発症早期からリハビリテーションを実施することは臨床における急務であろう。

15 関節リウマチのリハビリテーション

関節リウマチ rheumatoid arthritis（RA）は，自己免疫機構に異常をもち，全身の関節に炎症をきたすが，初期の頃には関節以外の症状，倦怠感，食欲不振，体重減少，発熱といったものがみられる。その後，朝の手足のこわばり（関節が何となくぎこちなく，腫れぼったくて動作がしにくい），手指関節の炎症が現れてくる。さらに，全身の関節痛，腫れなどが出現する。

高頻度に侵される関節は，手・足の小関節であるが，肩・足・肘・膝などの大関節も侵され，一般に左右対称性となることが多い。また，関節炎が長期間続くと，関節中の滑膜に血管や細胞の増殖をきたし，滑膜が厚く腫れあがる状態になる。腫れあがった滑膜により関節軟骨が破壊されて，関節の亜脱臼・拘縮・強直を起こし，機能障害を残す。

図Ⅳ・15・1　RAの発症年齢分布

A 年齢分布

発症年齢は40〜50歳で，女性：男性＝4〜7：1程度で働きざかりの女性に好発する疾患である。しかし全体の構成年齢は高齢化とともに60歳以上の罹患者が増えてきており，生活環境がよくなるとともに治療薬や治療法の進歩によって成人発症の関節リウマチ患者が長生きできるようになったことに加え，60歳以上で発症する高齢発症リウマチも高齢者が増えるにつれ増加してきており，高齢者の疾患の1つとなっている（図Ⅳ・15・1）。

B 症状

初期には「朝のこわばり」が出現する。朝起きてから手を握ることが困難であるが，多くの場合，昼頃には改善している。RAは女性に多いので，朝食の準備ができなくなるなど生活に支障をきたすことも多い。

続いて，関節痛が起こるようになる。手指の関節，足指の関節，手関節，肘，膝などの関節に痛みを感じるようになる。この時期は手指に紡錘状の変形を生じやすい。手指の関節では，特に近位指節間関節と中手指節関節が侵されやすい。遠位指節間関節は変形性関節症で侵されやすいがRAでは侵されにくい（図Ⅳ・15・2）。

RAは全身性炎症性疾患であるので，全身倦怠感や易疲労感，食欲不振，体重減少，発熱が伴うことが多い。

関節炎が進行すると，関節自体が変性する。関節内の軟骨が消失し，骨にはびらんが生じる。さらには関節そのものが破壊され，関節変形を生じたり，骨や線維組織どうしで癒着し，関節が骨や線維組織に置き換わる強直という状態になる。また，逆に関節が破壊され，関節自体が溶けたような形になり，どの方向へも柔らかく曲がるような状態になることがあり，この状態をムチランス様変形 mutilans deformities と呼ぶ。これは強直よりもはるかに頻度は低い変形であるが，リハビリテーションとしては支点となる関節構造がないの

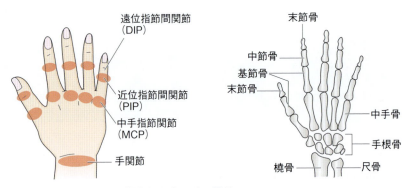

図Ⅳ・15・2　RA により侵されやすい手の関節

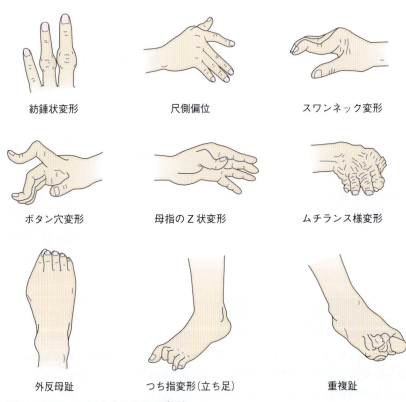

図Ⅳ・15・3　RA によくみられる変形

で，力がうまく伝わらず ADL などに大きな障害をもたらす。

　手指の変形では，ほかに紡錘状変形，尺側偏位 ulnar deviation，スワンネック変形 Swan neck deformities，ボタン穴変形 buttonhole deformities，母指の Z 状変形 Z-like deformities，などがある。足趾の変形には，外反母趾，つち指変形，重複趾などがある（図Ⅳ・15・3）。

　膝・股・肘関節では，近年，人工関節置換術を施行することが多くなり，骨関節の破壊と筋力低下を考慮して行う。術後は多くの病院でクリニカルパスが用いられている。

　手足の関節のほか，頸椎も侵されやすい（図Ⅳ・15・4）。頸部痛を生じるか，または頸椎が亜脱臼し頸髄損傷をきたす（図Ⅳ・15・5）。このような症例で頸髄損傷が危惧されるときには，頸椎固定術が施行されることがある（図Ⅳ・15・6）。

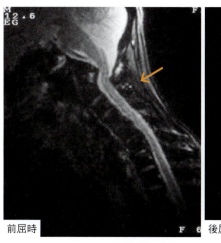
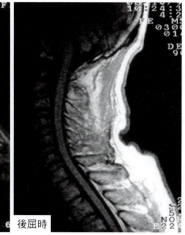

前屈時　　　　　　　　後屈時

図Ⅳ・15・4　RA による頸椎の変化
後屈時には脊髄に変化がないが，前屈すると上部頸髄が圧迫屈曲しているのがわかる（→）。

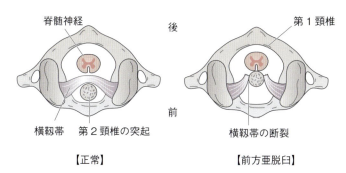

図Ⅳ・15・5　第1，2頸椎の亜脱臼
第2頸椎の突起の後方にある横靱帯の断裂などにより，後方にある頸椎が突起で圧迫される。

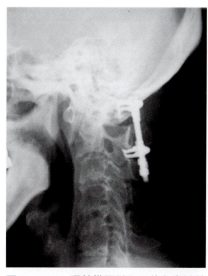

図Ⅳ・15・6　環軸椎亜脱臼に伴う脊髄神経障害の頸椎固定術

C　診断基準

　発症早期から強力な治療をするほうがその後の経過や予後がよいため，2010年にはACR/EULAR関節リウマチ分類基準（アメリカ・欧州リウマチ学会）が使われている（図Ⅳ・15・7）。この基準は，関節リウマチに特有の骨びらん単独，抗CCP抗体やCRP，関節腫脹・疼痛を点数化したことなどを重要視した特徴をもつ。

　最近では，診断の補助として，MRI，関節超音波診断，リウマチ関連因子（CARF，MMP3，抗CCP抗体）なども利用することでより早期に診断できる。

関節外症状

① リウマチ結節：肘，後頭部，アキレス腱に好発する。
② 血管炎（悪性関節リウマチ）：関節病変の強い症例やリウマトイド因子高力価陽性例にみられる。悪性関節リウマチの診断基準にあげられている各症状を認める。
③ 胸膜・肺病変：胸膜炎，間質性肺炎を認める。
④ 眼病変：上強膜炎や重篤な強膜炎を認める。
⑤ 血液学的異常：フェルティ症候群は脾腫，白血球減少を呈し，時に貧血や血小板減少を伴う。

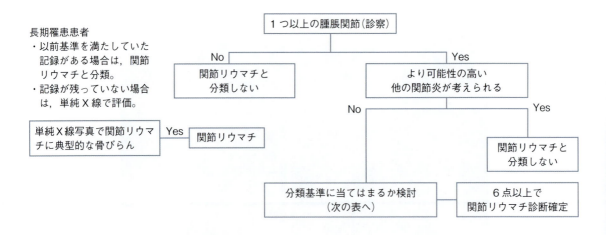

図 IV・15・7　ACR/EULAR 関節リウマチ分類基準 2010

　診断が確定したら，直ちに治療を開始する．確定しない場合でも，12週間以上続く多発性関節炎は，高齢者や他の合併症がない限り治療を開始するほうがよい．現代の医学では破壊された関節を薬物で修復することは困難で，確定診断後早期に治療を行ったものほど関節破壊が少なく，時期を逃さないようにしたい．

　RA は，最近の薬物療法などの進歩によって，症状の進行が抑えられる患者が増えてきており，早期に治療され寛解に至りほとんど機能障害を生じない患者が増えてきているのと，以前に発症して関節障害がある程度進み，その時点で落ち着いている患者の二極化が進んでいる．それでも徐々に進行することが多い疾患であることには違いがない．

　このように徐々に進行する RA 患者は，生活するなかで変化する自分の身体状況に合わせて種々の工夫をしたり，その社会生活に対応しているのが現状であると思われる．

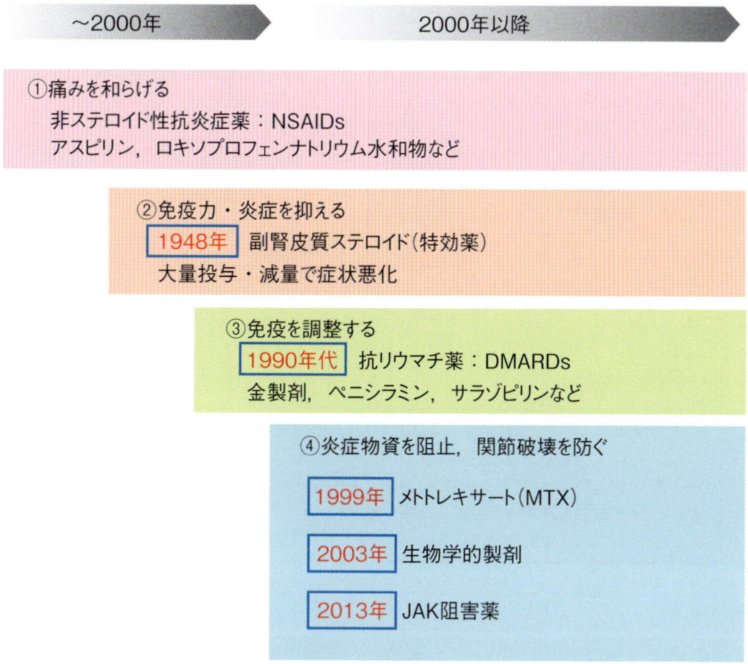

```
～2000年                      2000年以降
```

① 痛みを和らげる
　　非ステロイド性抗炎症薬：NSAIDs
　　アスピリン，ロキソプロフェンナトリウム水和物など

② 免疫力・炎症を抑える
　　1948年　副腎皮質ステロイド（特効薬）
　　大量投与・減量で症状悪化

③ 免疫を調整する
　　1990年代　抗リウマチ薬：DMARDs
　　金製剤，ペニシラミン，サラゾピリンなど

④ 炎症物質を阻止，関節破壊を防ぐ
　　1999年　メトトレキサート（MTX）
　　2003年　生物学的製剤
　　2013年　JAK阻害薬

図Ⅳ・15・8　関節リウマチの薬物治療の変遷
以前は，① 痛みを和らげる NSAIDs 主体の治療であったが，② 副腎皮質ステロイドで免疫力・炎症を抑え，③ 免疫を調整する DMARDs，そして④ 炎症物質阻止，関節破壊阻止が可能となる生物学的製剤や JAK 阻害薬の登場となる。

D 治療

RA の治療は，日常生活の注意事項や RA の知識をつけるなどの基礎療法，抗リウマチ薬などの薬物療法，人工関節置換術などの外科的療法，そしてリハビリテーションの4本柱が強調されている。近年は生物学的製剤などの進歩により，その内容が大きく変わってきている。

1 基礎療法

基礎療法は，正しい RA の疾患の知識をもつことからはじめ，関節を冷やさないといった関節保護，体重を管理するといった日常生活上の注意事項がそれにあたる。

2 薬物療法[1]

a RA の薬物治療の変遷（図Ⅳ・15・8）

アスピリンやロキソプロフェンナトリウムなどの NSAIDs（nonsteroidal anti-inflammatory drugs：非ステロイド性抗炎症薬）は，かなり以前から対症的に使われている。しかし，関節痛や腫脹を軽減する効果があるものの，関節リウマチに対する免疫異常是正作用や関節破壊抑制作用はなく，症状緩和のための薬剤である。以前はほぼすべての RA 患者に投与されていたが，現在では抗リウマチ薬が効果を発揮して関節炎が鎮静化するまでの補助薬として使用されるようになっている。

免疫力や炎症を抑える副腎皮質ステロイドが70年程前の1948年，その当時は特効薬として登場したが，大量投与を行うことによる副作用や減量で症状悪化を生じるなどの問題があった。

その後1990年代には免疫を調整する DMARDs

表Ⅳ・15・1　わが国で使用できる生物学的製剤とJAK阻害薬

	標的に直接作用する薬剤（商品名）	標的の受容体に作用する製剤
TNF阻害薬	インフリキシマブ（レミケード，インフリキシマブBS） エタネルセプト（エンブレル，エタネルセプトBS） アダリムマブ（ヒュミラ） ゴリムマブ（シンポニー） セルトリズマブペゴル（シムジア）	
IL-6阻害薬		トシリズマブ（アクテムラ） サリルマブ（ケブザラ）
共刺激分子阻害薬 （T細胞）		アバタセプト（オレンシア）
RANKL阻害薬	デノスマブ（プラリア）	
JAK阻害薬	トファシチニブ（ゼルヤンツ）：JAK 1，3阻害 バリシチニブ（オルミエント）：JAK 1，2阻害 ウパダシチニブ（リンヴォック）：JAK 1阻害 ペフィシチニブ（スマイラフ）：JAK 1，2，3，TYK2阻害 フィルゴチニブ（ジセレカ）：JAK 1，2，3，TYK2阻害	

（disease-modifying anti-rheumatic drugs：疾患修飾性抗リウマチ薬）が多く登場してきた．これらの薬剤により疾患活動性をある程度抑えることは可能になったが，十分な効果ではなかった．

そして，炎症物質を阻止し関節破壊を防ぎ，現在の基本薬となり劇的な治療効果をもたらすメトトレキサートmethotrexate（MTX）が1999年に保険適用となった．MTXにより，関節炎を抑制し関節破壊の進行を遅らせることが可能になったものの承認時は8 mg/週までの使用が上限であったため，十分な効果が得られない場合もあった．2011年から16 mg/週まで使用できるようになり，十分な量で治療が可能になった．

2003年に，生物学的製剤という劇的な効果が期待できる新しい作用機序の薬剤が使用可能になり，従来DMARDsで効果不十分な患者にも炎症の鎮静化と関節破壊の進行の抑制が期待できるようになった．

2021年までに，わが国では作用機序の異なる9剤（バイオシミラーなどを加えると11剤）の生物学的製剤が使用可能となっている．加えて，最近はJAK阻害薬と呼ばれる経口薬も5剤登場している（表Ⅳ・15・1）．これら新しく開発された薬剤を早期から使用することで，疼痛軽減だけでなく，寛解（自覚症状や関節炎の所見がなく，検査結果も正常）に導入できるようになった．

b RAの薬物治療の最近の動向

近年，目標達成に向けた治療 treat to target（T2T）の考え方がRAの治療に導入され，寛解に導入することを目標した治療が標準化され，治療成績はさらに向上している．

近年の薬物療法の推移を図Ⅳ・15・9からみてみると，90％程度の患者にDMARDsが投与されているが，その主なものはMTXであり生物学的製剤の投与増加により，痛みや炎症の鎮静化が得られるためかNSAIDsと副腎皮質ステロイドが減少してきているのがわかる．

生物学的製剤は使用開始後20年程度経過し，予後改善に革新的な役割を果たした．しかし，効果不十分であったり副作用で使用できない患者もいたりする．近年は，経口薬でありながら生物学的製剤に匹敵する効果を有するヤヌスキナーゼ（JAK）阻害薬（トファシチニブ，バリシチニブ，ウパダシチニブ，ペフィシチニブ，フィルゴチニブ）が2013年以降使用可能になり，RAの治療はさらに広がっている．

c 生物学的製剤の作用メカニズム
（図Ⅳ・15・10）

生物学的製剤が効果をもたらすメカニズムを考えた場合，RAの病態モデルをイメージすると，抗原提示細胞，リンパ球のT細胞，B細胞，マク

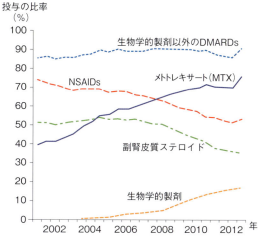

図Ⅳ・15・9　RAの薬物治療内容の年次推移（IORRAより）　〔文献2）より〕

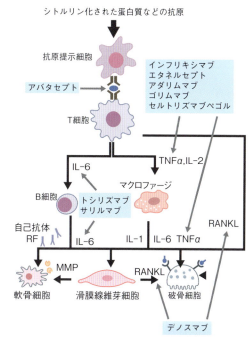

図Ⅳ・15・10　生物学的製剤の作用メカニズム

ロファージ，そして，骨破壊に関連する軟骨細胞などの炎症をもたらす機構がある．まず，シトルリン化された蛋白質などの抗原が抗原提示細胞に提示されると，T細胞にシグナルを送ってT細胞を活性化する．次にT細胞はTNFαやIL-6（インターロイキン-6）などを介して，B細胞やマクロファージに働きかける．さらにB細胞やマクロファージは，様々なサイトカインを介して軟骨細胞，滑膜線維芽細胞，破骨細胞などに働きかけ，関節を破壊していくことにより炎症が活性化する．

このモデルにおいて，アバタセプトは抗原提示細胞からT細胞を活性化するところを阻害し，インフリキシマブ，エタネルセプト，アダリムマブ，ゴリムバム，セルトリズマブペゴルはTNFαを阻害，トシリズマブ，サリルマブはIL-6に作用し，デノスマブはRANKLを阻害し，RAの炎症を食い止める．これらの薬剤は，分子量が大きく注射製剤でなければ人体内に投与ができない．

d　JAK阻害薬の作用メカニズム
（図Ⅳ・15・11）

JAK（ヤヌスキナーゼ：Janus kinase）は細胞膜に存在するキナーゼという酵素群の1つで，インターロイキンなどのサイトカインはその受容体に結合することで細胞外から細胞内にシグナルを伝達する機能をもっている．伝達されたシグナルは，細胞内の核に到達し，DNA合成を活性化し細胞増殖や炎症増強をもたらす．JAKはサイトカイン受容体に結合し，サイトカインのシグナルを細胞内に伝えるキナーゼで，JAK1, JAK2, JAK3, TYK2の4種類がある．

生物学的製剤は炎症を生じさせるサイトカインを細胞外でブロックすることで炎症を抑えるが，JAK阻害薬は複数の種類のサイトカインに対して，細胞膜にあるサイトカイン受容体からの刺激を細胞の中でブロックして炎症を抑制する薬剤である．生物学的製剤は分子量が大きいため，体内に入れるために注射剤で月1回など間隔を開けて投与するのに対して，JAK阻害薬は分子量も小さく毎日内服する経口薬である．

このようにJAK阻害薬は，JAKを介したインターロイキンなどの複数の炎症性サイトカインのシグナル伝達を阻害することで，炎症の活性化や免疫細胞の増殖を抑制する薬剤である．

e　現在のRAの薬物療法

症状の発症からRAの診断分類に基づき，RAと考えられる症例については可能な限り早期に，遅くとも12週間以内にMTXなどのDMARDsを投与する．投与前に結核やウイルス性肝炎などの感染症の有無，肝臓や腎臓の機能などについての

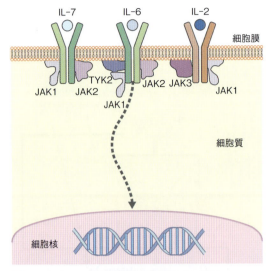

図Ⅳ・15・11　JAK阻害薬の作用メカニズム

検査を行う．疼痛に対しては，適切なNSAIDsも投与される．

　その後，十分な薬物量で数か月以上継続して効果が不十分な場合に，生物学的製剤あるいはJAK阻害薬を用いることが推奨されている．発症初期の多くのRA患者は，早期治療のためMTX単独ないしは生物学的製剤でほとんどの患者が寛解導入可能な状態となっている．

　そのため，生物学的製剤登場以前のように症状が増悪する例はほとんどなくなっており，かつてのリハビリテーションの対応とは全く異なった様相を呈している．

　生物学的製剤に関しては製剤の特性に合わせ，症例の年齢や社会的状態などに応じて投与薬が決定されるが，薬物の投与順は決められていない．現在，JAK阻害薬の投与基準は決められていないが，生物学的製剤と同等の有効性をもつJAK阻害薬は経口薬であるため，頻回な通院や自己注射の煩わしさがある患者にとっては利点がある．

　生物学的製剤とは有効性も安全性も同等である一方，JAK阻害薬は生物学的製剤よりもかなり高価である．MTXでは効果が不十分で，経済的に余裕があり注射を避けたい患者や，社会的な理由で定期的な注射が困難な患者で，複数の生物学的製剤で効果不十分な患者に，JAK阻害薬を考慮すべきと思われる．

　RAは関節破壊が生じる前の発症早期に寛解導入を目標に治療することで関節破壊が抑制され普通の生活を送ることが可能になってきている．そのため，初期のMTX治療で寛解導入の可能性が高くないと判断したら，生物学的製剤またはJAK阻害薬を加えて，さらに強力な治療を行い，寛解達成を目指す．薬剤の選択肢が増え適切な判断をすることで，1人ひとりの患者の状態に合わせた薬物療法を行うことが重要と考えられる．

3　外科的治療法

　外科的治療法も，生物学的製剤などの登場で大きく変化している．内視鏡下滑膜切除術や人工関節置換術などがあるが，手術に至る例は少なくなった．手術も膝や股関節の大関節の手術が減り，手指・手関節や足趾・足関節の小関節の手術が増加している（図Ⅳ・15・12）．

4　治療目標

　生物学的製剤治療の普及により，RAは治療困難な疾患から，寛解可能な疾患となった．

　以前は，鎮痛剤などを用いて短期的な症状改善を目的とするケアcareから関節変形・破壊を防止し長期的な進行を抑制するキュアcureに変貌してきている．

　早期からの生物学的製剤使用による寛解導入に際しても，関節保護指導，治療費軽減のための社会資源活用など，リハビリテーションチームアプローチが必要な疾患であることには変わりがない．

　目標とすべきは，関節リウマチの寛解である．ここで寛解とは，病気による症状がほぼ消失して，臨床的に活発な増悪進行のない状態であり，①臨床的寛解（CRP 0.3 mg/dL以下などで炎症と自他覚症状が改善した状態），②構造的寛解（関節破壊が停止した状態），③機能的寛解（身体機能が維持された状態），この3つの寛解をすべて満たす完全寛解が現代の治療目標と考えられる．

図Ⅳ・15・12　最近RAの外科手術の変化
膝や股関節が減り，手指・手関節・足趾・足関節が増加している。　〔文献2)より〕

表Ⅳ・15・2　スタインブロッカーのステージ分類

進行度 （Stage）	X線所見 骨粗鬆症	X線所見 骨破壊像	関節変形	強直
(1) 初期	時にあり	なし	なし	なし
(2) 中等度	あり	あり	なし	なし
(3) 高度	あり	あり	あり	なし
(4) 末期	あり	あり	あり	あり

表Ⅳ・15・3　ラルセン分類

Grade 0	正常	変化はあっても関節炎と関係ないもの
Grade Ⅰ	軽度の異常	関節周囲のオステオポローシス，軽度の関節裂隙狭小化のうち1つ以上あるもの
Grade Ⅱ	初期変化	骨びらんと関節裂隙狭小化 骨びらんは非荷重関節で必須
Grade Ⅲ	中等度の破壊	骨びらんと関節裂隙狭小化 骨びらんは荷重関節でも必須
Grade Ⅳ	高度の破壊	骨びらんと関節裂隙狭小化 荷重関節で骨変形
Grade Ⅴ	ムチランス変形	もとの関節構造が消失し，荷重関節に著しい変化

スタンダードフィルムを参照し，骨びらん・関節裂隙狭小化を評価する。

E　リハビリテーション

　以下にRAの代表的なリハビリテーションについて述べるが，これらは生物学的製剤などの登場によって多くはみられないか，軽症で経過することも多くなっている。

　RAによくみられる障害には，①痛みによる障害，②変形による障害，③到達範囲の障害(関節可動域の障害)，④握力，ピンチ力の低下による障害，⑤立ち上がりの障害，⑥歩行障害，などがある。

　これらに対しリハビリテーションは，①消炎・鎮痛，②関節保護および関節の可動域や筋力などの運動機能の維持・改善，③変形の予防あるいは矯正，④運動と適切な安静のバランスの確保，⑤毎日の生活の活性化，⑥障害に対する知識と理解，⑦自助具・装具・車椅子などの適切な導入，⑧家屋や部屋などの環境調整などが主なる目的となる。初期評価として，易疲労性や耐久性の程度，関節障害，筋力など現時点の病状の評価を行う。そして評価に基づいた目標設定を行い，リハビリテーション処方(物理療法，運動療法，作業療法，装具療法・自助具処方など)をする。治療実施後，再評価を行い，目標への到達状況を把握し，必要に応じて再処方を行う。

1　評価

　関節破壊のX線評価の主なものは，最も進行した関節で評価するスタインブロッカーSteinbrockerのステージ分類(表Ⅳ・15・2)，関節ごとの標準写真standard filmと対比し客観的評価を行うラルセンLarsen分類(表Ⅳ・15・3)，手足のびらんや関節裂隙狭小化などの初期変化を点数化し客観的評価する改定シャープSharpスコア(表Ⅳ・15・4)などである。

　臨床経過の代表的な評価法として，活動性評価にDAS28，改善指標にACRコアセットなどがある。

　DAS28(Disease Activity Score 28)は世界各国で採用されているRAの活動性の評価法である。DAS28で用いられる評価項目は，①図Ⅳ・15・13に示す28関節の圧痛関節数，②腫脹関節数，③患者の全般的評価，④赤沈値あるいはCRP値を

表Ⅳ・15・4　改定シャープスコア(modified total Sharp score)

骨びらん：関節部位の表面積におけるびらんの範囲から判定 　0＝びらんなし， 　1～4＝びらんあり 　5＝表面積の50％以上のびらん 　足の関節は1～10 　　(10＝表面積の50％以上)	関節腔の消失：関節腔の消失および脱臼の程度から判定 　0＝消失なし 　1＝消失の疑い 　2＝関節腔の50％以内の消失 　3＝関節腔の50％以上の消失もしくは亜脱臼 　4＝関節の強直もしくは全脱臼
骨びらんの評価対象となる関節 　MCP(手)，PIP(手)，手根骨，MTP(足)，IP(足)など44関節	関節腔の評価対象となる関節 　MCP(手)，PIP(手)，手根骨，MTP(足)，IP(足)など40関節

関節構造(骨びらん，関節腔の消失)を，X線画像を用いて点数化し，合計スコアにより関節破壊の程度を評価する。総スコアは0～440(びらん：0～280，関節腔の消失：0～160)。

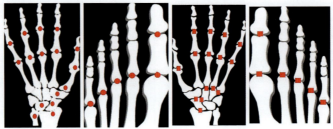

特殊な計算式で計算して値を求める。DAS28＞5.1が高活動性，DAS28＜3.2で活動性低下と評価する。そして，DAS28＜2.6以下で臨床的寛解(治癒)状態と判断する。

　また薬物治療の有効性の指標に米国リウマチ学会のACRコアセットがある。

　ACRコアセットは，①疼痛関節数，②腫脹関節数，③患者自身による疼痛評価，④患者自身による疾患活動度全般評価，⑤医師による疾患活動度全般評価，⑥患者自身による身体機能評価(QOLの評価)，⑦急性期反応物質(赤沈またはCRP)を用いた改善基準が示されている。一般的に使用されているACR20は，①と②が20％以上改善し，かつ③～⑦のうち3項目で20％以上の改善がみられることとしている。生物学的製剤では，50％，70％の改善指標としてACR50，ACR70を用いることもある。

　身体状況の評価法として代表的なものに簡便なSteinbrocker法(表Ⅳ・15・5)がある。この4段階の指標では全体的な把握には役立つがリハ指標としては不十分である。リハビリテーションで用いられる評価法に日常生活動作(ADL)の評価法として20項目のHAQを8項目に改変したmHAQ(Modified Health Assessment Questionnaire)[3]が使われることが多い(表Ⅳ・15・6)。

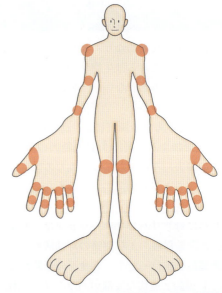

図Ⅳ・15・13　DAS28で指標となる28関節

生活関連動作，生活の質(QOL)を把握する評価法の1つとしてAIMS2(Arthritis Impact Measurement Scales-2)[4]がある。

　AIMS2は関節炎患者のQOL研究における標準的測定法の1つであり，欧米で広く用いられている(表Ⅳ・15・7)。QOL評価は12の尺度からなり(移動能，歩行能，手指機能，上肢機能，身辺機能，家事遂行能，社交，社会的支援，痛み，仕事

遂行能，緊張，および不安），さらに健康に対する満足度，障害の疾患起因度，および障害の改善優先度を測定する．12尺度のそれぞれに対して，4～5項目の質問項目があり，質問ごとに5段階の回答を求めている．

2 目標設定

RAの目標設定においては緩徐進行性の疾患であるため，目標設定はその都度行う必要がある．しかし，実際に生活するなかで様々な工夫がなされていることもあり，包括的な目標設定が要求される．痛みや炎症の評価・治療計画から始まり，リハビリテーションの進行状況，ADLや在宅環境，社会環境などの総括的な評価のもとに，達成可能な目標を適切に設定することが，より良好なADL・QOLに導くことにつながる．

3 具体的なリハビリテーション処方

最近では関節破壊がない，あるいは進まない患者がほとんどであるが，ない患者は無理な使用を防止し，その後の関節破壊を少しでも予防するためのリハビリテーション指導が必要で，身体的に維持されていても，定期的に観察指導することが必要である．また関節破壊が進行した患者では，痛みが少ないため過度に使ってしまい（overuse），関節の摩耗などを進めないための運動指導，生活指導などが定期的に必要である．RAは薬物治療などが発達しても十分な監視指導が必要な疾患と思われる．

症状のある患者には，物理療法，運動療法，作業療法，装具療法，自助具の処方など様々なものがある．理学療法と作業療法は，明確な処方上の境界はなく，寝返り，立ち上がり，歩行といった主に体幹下肢の練習は理学療法が，肩・肘・手やADLの練習などであれば，そのスプリント製作・

表Ⅳ・15・5 Steinbrockerの機能障害度分類

Class 1	身体機能は完全で不自由なしに普通の仕事が全部できる
Class 2	動作の際に1か所あるいはそれ以上の関節に苦痛があったり，または運動制限はあっても，普通の活動なら何とかできる
Class 3	普通の仕事や自分の身の回り動作がごくわずかにできるが，ほとんどに介助が必要である
Class 4	寝たきり，あるいは車椅子に座ったきりで，身の回り動作もほとんどあるいは全くできない

表Ⅳ・15・6 mHAQ

以下の日常生活動作について，この1週間のあなたの状態を平均して，右の4つのなかから選んでください．	全く困難なし	多少困難	かなり困難	できない
①衣服着脱および身支度 ・靴ひもを結ぶことやボタンかけも含み自分でできますか	0	1	2	3
②起床 ・就寝，起床の動作ができますか	0	1	2	3
③食事 ・いっぱいに水が入っている茶碗やコップを口元まで運べますか	0	1	2	3
④歩行 ・屋外の平坦な道を歩けますか	0	1	2	3
⑤衛生 ・身体全体を洗い，タオルで拭くことができますか	0	1	2	3
⑥伸展 ・膝を曲げ床にある衣類を拾い上げられますか	0	1	2	3
⑦握力 ・蛇口の開閉ができますか	0	1	2	3
⑧活動 ・車の乗り降りができますか	0	1	2	3

①～⑧の各カテゴリーのなかの最高点をその得点とし，最高点総和/カテゴリー数を求める．

表 Ⅳ・15・7　AIMS2 日本語版質問表

質問項目	「あなたは，この1か月間…」に続いて以下の質問がなされる	
移動能	1	自分1人でバスや電車に乗ることができた
	2	1日の内のある時間内だったら，1人で外出できる
	3	1人で近所の用足しができた
	4	家の外に出るときには，誰かに手助けしてもらわないと出られなかった
	5	1日中，ベッドか椅子から離れられなかった
歩行能	6	走ったり，重い物を持ち上げたり，スポーツ等の激しい運動をするのが困難だった
	7	数ブロック（400～500 m）歩いたり，2～3段の階段を昇ったりするのが困難だった
	8	背中を曲げたり，かがみこんだりするのが困難だった
	9	1ブロック（40～50 m）歩いたり，階段を1段昇るのが困難だった
	10	誰かに支えてもらうか，杖，松葉杖，歩行器等を使わないと歩けなかった
手指機能	11	ペンや鉛筆を使って楽に書くことができた
	12	シャツやブラウスのボタンを楽にかけたり外したりできた
	13	錠の鍵を楽にまわすことができた
	14	楽にひもを結んだり，結び目を作ることができた
	15	ジャムや他の食品の入った新しいビンのフタを楽に開けることができた
上肢機能	16	ナプキンで楽に口を拭くことができた
	17	頭からかぶって着るセーターを楽に着ることができた
	18	髪をとかしたり，ブラシをかけることが楽にできた
	19	手で背中のあたりを楽に拭くことができた
	20	頭より高い棚にあるものを楽に取ることができた
身辺機能	21	入浴やシャワーをするのに手助けが必要だった
	22	服や着物を着るのに手助けが必要だった
	23	トイレで用を足すのに手助けが必要だった
	24	ベッドに入ったり出たりするのに手助けが必要だった
家事遂行能	25	もしスーパーマーケットに行けたとすれば，1人で買物ができた
	26	もし台所設備があるとすれば，1人で食事を作ることができた
	27	家事道具一式あるとすれば，1人で家事ができた
	28	もし洗浄設備があるとすれば，自分の洗濯物は1人でできた
社交	29	友人や親戚の人達と時間を共にした
	30	友人や親戚の人達を自宅に招いた
	31	友人や親戚の人達の家庭を訪問した
	32	親しい友人や親戚の人達と電話で話した
	33	クラブや同好会，寄り合いの会合に出席した
社会的支援	34	あなたが助けを必要とするとき，力になってくれる家族や友達が周りにいてくれると感じていた
	35	あなたの家族や友人は，あなたの個人的な依頼をよく答えてくれると感じていた
	36	あなたの家族や友人は，あなたが困ったとき，進んで手を貸してくれると感じていた
	37	あなたの家族や友人は，あなたの病気をよく理解してくれると感じていた

（次ページに続く）

表Ⅳ・15・7　AIMS2 日本語版質問表（続き）

痛み	38	あなたが日頃感じているリウマチの痛みはどの程度ですか
	39	リウマチによる激痛は，何日くらいありましたか
	40	同時に2関節またはそれ以上の関節の痛みは何日くらいありましたか
	41	起床後，朝のこわばりが1時間以上続いた日は何日くらいありましたか
	42	眠れないほど痛かった日は何日くらいありましたか
仕事遂行能	43	仕事（勤務・家事・学校）を休まなければならなかった日は？
	44	仕事（勤務・家事・学校）を早退しなければならなかった日は？
	45	仕事をしていて，仕事（勤務・家事・学校）が自分で思うほど完全・正確にできなかった日は？
	46	仕事をしていて，仕事（勤務・家事・学校）がいつものようにできず，やり方を変えなければならなかった日は？
緊張	47	何回くらい，気が張り詰めた精神的緊張状態に陥りましたか
	48	何回くらい，神経質になったり，神経過敏になって困ったことがありましたか
	49	何回くらい，楽にリラックスすることができましたか
	50	何回くらい，精神的緊張から解放されて，のびのびとした精神状態になりましたか
	51	何回くらい，静かで落ち着いた平和な気分になりましたか
不安	52	何回くらい，物事を楽しくやれましたか
	53	何回くらい，沈滞した憂うつな気分になりましたか
	54	「何一つ思うようにうまくいかない」と感じることが何回くらいありましたか
	55	「あなたが死んでくれたほうがましだ」と感ずることが何回くらいありましたか
	56	「何一つ楽しいことがない」と気持ちが沈み，ふさぎ込むことが何回くらいありましたか
満足度	57	QOL 12項目それぞれでの，あなた自身の身体的・精神的機能にどの程度満足していましたか
疾患起因	58	QOL 12項目それぞれの問題のうち，どこまでがリウマチの原因になっているとお考えですか
改善優先度	59	QOL 12項目中，今あなたが最も良くなってほしいと希望する項目を3つ挙げて下さい
回答形式：重症度・障害度が高いほど，満足度が低いほど得点が大きくなるように，1～4，1～5の点数が割り当てられる		
1～20，29～33，39～47：毎日・ほとんど毎日・何日か・たまに・1日もない		
21～25，34～37，47～56：いつも・たびたび・時々・ほとんどない・ない		
38：激烈・中くらい・軽い・非常に軽い・全くない		
57：非常に満足している・ある程度満足している・満足でも不満足でもない・少々不満足・全く不満足		
58：全く他のことが原因だ・ほとんど他のことが原因だ・病気と他の原因が半々・大部分は病気が原因だ・全部病気が原因だ		

〔文献5）より〕

自助具なども含め作業療法に処方することになる。物理療法はその目的や部位によってどちらに処方するかが決まる（表Ⅳ・15・8）。

a　運動療法

RAの運動療法は疼痛管理，関節変形予防を目的とし発症早期より開始することが望ましい[6]。下肢については，股関節や膝関節など，適切な時期に人工関節の置換術を行うことが多く，術後のリハビリテーションについては多くの病院ではクリニカルパスに沿って行い良質で効率的な医療が供給されてきている[7]。術後のリハビリテーションについては，変形性関節症などとは異なり，RAの特質上，愛護的に行わなければならない。

表Ⅳ·15·8　具体的なリハビリテーション処方

治療法	治療目的	方法
運動療法：部位によってはPTであったりOTであったりする	関節可動域の維持・拡大 筋力の維持・改善 歩行・移動機能の維持・改善など	関節可動域訓練（上肢：OT，下肢：PT） 等尺性筋力増強訓練 他動・自動運動 床上運動 起立練習 平行棒内歩行訓練 屋外応用歩行訓練など
作業療法：主にOT	上肢機能の維持・改善 巧緻動作の維持・改善 家庭内役割の回復 職業復帰 心理的支持	機能的作業療法 ADL練習 家事練習 職業前練習 趣味的作業療法 気晴らし的作業療法
物理療法	鎮痛 循環改善	温熱療法（ホットパック，パラフィン浴，超音波療法，極超短波療法など） 寒冷療法（コールドエアーなど） 水治療法（プール療法，渦流浴，気泡浴） 温泉療法
装具療法	安静固定支持性向上 変形予防・矯正	頸椎カラー，腰椎装具 上肢・下肢装具，足底板（アーチサポート）など スプリント作製
自助具，車椅子，家屋改修	ADL・QOLの改善 移動能力の維持・改善	種々の自助具（リーチャー，栓回し，靴下エイドなど） 杖，歩行車，車椅子 段差解消，手すり，家屋調整
ソーシャルワーク	社会・経済的困難の解消	介護保険，各種年金，障害者手帳，家庭内役割調整，職場調整など

　RA患者のリハビリテーションは手術時などに入院治療も行われるが，外来生活している場合が多い。変形や筋力低下防止などを目的として種々の運動療法が行われる。次に，外来や家庭で行える在宅での注意事項や運動療法の代表的なものについて触れる[8]。

1. 各部位の運動療法

a. 頸部

　RA特有の関節破壊で注意を要するのが，第1頸椎（環椎）と第2頸椎（軸椎）の間の亜脱臼である。この変化があると，第2頸椎の突起が後方へずれ，容易に頸髄が圧迫されることがある。そのため，頸椎カラーで予防することがあるが，実際には不十分である。しかし日常生活上の注意喚起にはつながる。また，上肢の可動域に合わせ首の後ろで合わせるタイプではなく，首の前で合わせるような頸椎カラーを処方する場合も多い。頸部の運動については日常生活でも十分動かす機会が多いことから，行うとすれば亜脱臼を増悪させないように屈曲方向への運動は避け，頭を押さえて首を動かないように固定して左右への側屈や後屈方向の等尺性の運動を行う。

b. 肩・肘・手

　肩は屈曲挙上方向への拘縮が生じやすいので，関節包などを痛めないように愛護的に可動域の拡大を行う。

　肘は屈曲伸展両方とも拘縮が生じやすいが，特に伸展方向の制限が生じやすいので伸ばす方向に注意して行う。手関節は拘縮しやすいので手首の掌屈背屈をゆっくりと繰り返す。手指は1つひとつの関節を丹念に曲げ伸ばしする[9]（図Ⅳ·15·14）。

c. 股関節

　内転・内旋方向の変形が生じやすく，その予防目的で股関節外転筋群の筋力増強を行うとよい（図Ⅳ·15·15）。また，伸展制限も生じやすく，立

図Ⅳ・15・14　手指の関節可動域訓練
1つひとつの関節を丹念に曲げ伸ばしする。

図Ⅳ・15・15　股関節の外転運動

図Ⅳ・15・16　椅子座位での大腿四頭筋の筋力増強

位や臥位で伸展方向への運動も行うべきである。

d. 膝関節

伸展制限が生じやすいので大腿四頭筋の筋力増強に重点を置いて行う（図Ⅳ・15・16）。椅子座位で，椅子の脚に通したゴムベルトなどに足首を通し，前方へ蹴り出すような運動や，床に足を投げ出すように座って膝を上から押さえるなどの運動もある。また，ゆっくりと椅子に立ったり座ったりすることも効果がある。

e. 足関節

足関節周囲では，土踏まずの部分（アーチ）の低下により扁平足になることが多い。そのため，中足指節関節の下に体重がかかりタコ（胼胝）ができたり，足指屈筋腱群が引っ張られてつち指などが生じやすくなる。これに関与する主な筋は前脛骨筋であり，この筋の筋力維持増強がこれらの変形を予防する[10]。例えば床に敷いたタオルなどをたぐり寄せるように土踏まずを持ち上げるような運動をすると効果的である。

また，足関節自体の運動として，可動域を保つために座位で底背屈や回旋運動を行う。

f. 足指

足指の変形は，アーチが低くなることに起因することが多く，足底板〔アーチサポート：図Ⅳ・15・22，366頁参照〕が有効である。また，足指の運動は，指1本1本手で動かすようにする。

b　物理療法（疼痛対策）

物理療法として，温熱，寒冷，光線，機械的刺激を使ったものなどがある（表Ⅳ・15・9）。

c　運動浴

浮力によって体重が足腰にかからずに歩行でき，筋力を維持増強することができる。これを温水中で行えば，疼痛を軽減しながら歩行練習ができる（図Ⅳ・15・17）。

また，プール体操（図Ⅳ・15・18）なども取り入れた運動療法を行うと一層効果的である。

d　各関節の運動

1. 頸部

頸椎の変化に注意するために，首はあまり動かさずに等尺運動で筋力を保つようにする。頸椎の変化が生じたときには，頸椎カラー（図Ⅳ・15・19）を用いて予防をすることがあるが，その際の頸椎カラーは患者本人で取り外しができるように，前

表Ⅳ・15・9　疼痛軽減を目的とした物理療法

1) 温熱療法
　ホットパック，パラフィン浴，全身温浴・部分温浴，極超短波（マイクロウェーブ），超音波
2) 寒冷療法
　アイスマッサージ，コールドエアー
3) 光線療法
　遠赤外線，レーザー
4) 機械的刺激
　渦流浴・気泡浴

図Ⅳ・15・18　RA 患者のプール体操

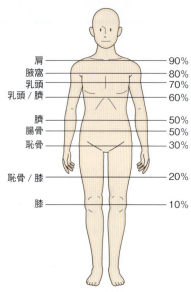

図Ⅳ・15・17　水位と体重免荷の比較

図Ⅳ・15・19　前開きの頸椎カラー

開きにするなどの工夫が必要となる。

2. 他の関節

　RA では拘縮が生じやすい方向があるので，関節可動域訓練の際には以下のようなポイントに気をつけ愛護的に行う。

　肩：前方挙上・側方挙上
　肘：伸展・屈曲
　手：掌屈・背屈
　手指：指1本1本をていねいに屈伸する
　股：側方外転・後方伸展
　膝：伸展
　足：底屈・背屈
　足指：指1本1本をていねいに屈伸する

e　日常生活動作（ADL）訓練（図Ⅳ・15・20）

　1つの関節に負担がかかり過ぎないような動作を指導する（コップを持つ，逆手を使う）。薬物との兼ね合いで，疼痛やこわばりの少ない時間帯に行う。体力の消耗や心理的疲労に注意する。自助具やスプリントを使った訓練も行う。

f　スプリント療法

　スプリントは，プラスチックや皮，布などで作られ，主として手の機能障害を軽減したり，変形を予防したりする装具である。
　RAのスプリントは，①動きの制限による痛み，炎症の軽減，②関節の機能的位置関係維持による拘縮の防止，③機能改善のために関節の安定性を得る，④活動時の関節へのストレス防止，⑤

図Ⅳ・15・20　日常生活動作(ADL)訓練

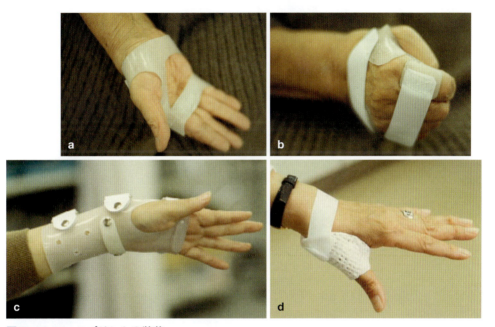

図Ⅳ・15・21　スプリントの装着
a, b：握力保持と尺側偏位防止目的のスプリント
c：手関節固定用のスプリント
d：母指の関節固定用スプリント

拘縮の軽減または矯正，などの目的で使用される。

スプリントは，関節が少し不安定で，力がうまく伝わらないように感じたとき，変形が生じるかもしれないと思ったら使用すべきであろう。無理な力がかからないように，変形が助長されないように，早期から装着すべきである。

安静肢位に固定するスプリントもあるが，使用する際に実用的な力が発揮でき，実際に使えるようなスプリントを装着したほうが使用しやすい(図Ⅳ・15・21)。

g　装具療法

上肢では肘装具などが用いられることがある。下肢では膝装具(サポーター)や足関節装具などが用いられる。足の変形では外反扁平足，開張足，立ち指，外反母趾，内反小趾などがあり，これらに対して足底板(図Ⅳ・15・22)は有用である。足底板の処方にあたって，内側の縦アーチと中足指節間の部位の横アーチで十分支持し踏み返し部位への体重負荷を分散することで足底のタコ(胼胝)の疼痛が軽減することも多い。

h　自助具

日常生活をするのに便利な道具などで，リーチャー(図Ⅳ・15・23)やボタンエイド，長柄くし，スプーンホルダー，ビンのふた回し，靴下エイド

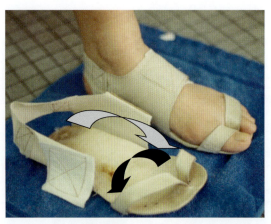

図Ⅳ・15・22　足底板（アーチサポート）
縦と横のアーチで支える。

図Ⅳ・15・23　リーチャーによる衣服の着脱

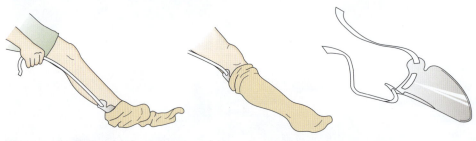

図Ⅳ・15・24　靴下エイド（ソックスコーン）

（ソックスコーン）（図Ⅳ・15・24）などがある。これらの自助具は適切に用いることで生活の活性化が得られる[11]。

i　環境調整

家屋環境調整もRAのリハビリテーションにとって重要なことであり，個々の住宅状況に合わせてアプローチする。調整するところは，トイレの高さ，風呂場の手すり，ドアのノブ，鍵，ベッド，台所などが主な場所である。

台所仕事をするときの注意事項は，① 立たずになるべく座って行う，② 両手を使って行う，③ 便利な調理器具を積極的に使う，④ 調理は持ち上げないで横に滑らせる工夫をする，⑤ つかみ動作の少ない調理器具・食器を選ぶ，⑥ 仕事内容で作業域を固定する，⑦ スイッチなどは手の届きやすいところに配置する，などである。

F　生物学的製剤登場以降のリハビリテーション

生物学的製剤登場以前は疼痛軽減や進行の遅延化が内科的治療の主な目的で，多くの患者にとって緩徐進行性の疾患であった。そのため関節変形や筋力低下などの機能障害に対し，日常生活の指導，物理療法，スプリントや装具の開発などのリハビリテーションがなされた。しかし，2003年から国内で使用可能となった生物学的製剤により，飛躍的な炎症軽減・疼痛除去・関節破壊抑制効果がもたらされる時代が訪れた。メトトレキサートを主とする治療で十分な効果がない場合，できるだけ早期に生物学的製剤を導入して関節破壊を防ぐ治療指針が国際的な基本となっている。

現代のRA患者は緩徐進行性疾患ではなく，初期に抑えてしまえば症状がない疾患か，進行したときに症状が抑えられた患者は症状があっても進行しない疾患になりつつあり，10年以上前とは全

新たに発症したRA患者は，適切な治療をすれば，関節破壊（変形）の進行を抑制し寛解導入が可能と考えられるようになった。すでに関節破壊が進行したRA患者でも，手術による機能再建や装具の活用と合わせて，新薬の利点を享受できるが，進行後のRAでの使用は，合併症が多いこともあり，適切なリハビリテーションやケアが必要となる。

したがって薬物導入後，臨床的寛解が得られている患者にも，日常生活での手足の動かし方などの生活指導が重要で，外来時にチェックし具体的に指導することが必要不可欠である。

生物学的製剤で生じた新たな問題として，以下のようなものがあげられる。

① 強力な免疫抑制に伴う易感染性への不安が大きい。
② 薬物療法に対して過度の期待を抱くようになる。
③ 破壊がすでに存在している関節は炎症が鎮静化しても，過度の使用（overuse）で破壊が進むことの認識が薄れる。
④ 手術をむやみに避ける気持ちが高まり，適切な時期での手術の機会を逃す。
⑤ 従来の治療で得られなかった状態まで症状が軽減するので，患者の活動性が著明に向上し，その結果，関節破壊が進行する。
⑥ 疲労骨折などの問題が生じる。
⑦ 以下のようなリウマチ患者の2極化が生じる。

- 高価な薬物のため患者の経済力で受けられる治療に差ができる。
- すでに発症して進行した患者と，ほとんど進行しない新規発症者の乖離が生じる。

寛解とは病気による症状がほぼ消失して，臨床的に活発な増悪進行のない状態である。RAには以下の3つの寛解がある。

- 炎症と自他覚症状が改善した「臨床的寛解」
- 関節破壊が停止した「構造的寛解」
- 身体機能が維持された「機能的寛解」

臨床的・構造的・機能的寛解すべてが満たされた状態が「完全寛解」であり，現代のRAの治療目標とされる。

「臨床的寛解」は，薬物などによる内科・病理学的の改善により達成され，MTXや生物学的製剤などによるところが大きい。「構造的寛解」は，リハビリテーションを行って，はじめて可能になる。「機能的寛解」は，リハビリテーションがないとできず，「完全寛解」にはリハビリテーションは必要不可欠であると思われる。

16 悪性腫瘍(がん)患者のリハビリテーション

A がん患者のリハビリテーション

がんは1981年からわが国の死因の第1位であり，2020年のがんによる死亡は年間死亡者数の約3割の約38万人である．一般にがんの死亡率は加齢に伴い高くなり，男性は65～69歳，女性は55～59歳がピークで，がんによる死亡数は65歳以上の高齢者が約7割を占める．また，国民の2人に1人は生涯のうちにがんに罹患するといわれ，2019年には年間約100万人ががんに罹患した．

一方，がんの早期発見や治療法の進歩によってがん患者の生存率は向上しており，がんとともに，あるいはがんを治療しながら，自分らしく生活する時代になった．

このような背景のなか，がんによる身体的，認知的，心理的な障害に対して，障害の軽減，ADLの改善，QOLの向上を目的とした「がんのリハビリテーション」の必要性は増大している[1]．

がんのリハビリテーションの分類は，予防的，回復的，維持的，緩和的に大きく分けられる(表Ⅳ・16・1)．がん患者がリハビリテーションの対象となる状態や障害を表Ⅳ・16・2のようにまとめた．がんの種類や身体の状態，時期に応じた対応が必要となる．

また，術前術後の周術期リハビリテーションでは，原発巣によってリハビリテーションプログラムは異なるが(表Ⅳ・16・3)，術前・術後早期から介入し，術後の合併症を予防，後遺症を最小限にとどめ，スムーズな術後の回復を図ることが目的となる(表Ⅳ・16・4)．

がん患者のリハビリテーション治療の際のリスク管理は重要であり，事前の要注意事項を表Ⅳ・16・5に示した．

表Ⅳ・16・1 がんのリハビリテーションの分類

1. 予防的 preventive	がんの診断後の早期(手術，放射線，化学療法の前から)に開始．機能障害は未発生の時点から予防を行う
2. 回復的 restorative	機能障害，能力低下の存在する患者に対して，最大限の機能回復を図る
3. 維持的 supportive	腫瘍が増大し，機能障害が進行しつつある患者のセルフケア，運動能力を維持・改善することを試みる．自助具の使用，動作のコツ，拘縮，筋力低下，褥瘡など廃用予防の訓練も含む
4. 緩和的 palliative	終末期のがん患者に対して，その要望を尊重しながら，身体的，精神的，社会的にもQOLの高い生活が送れるように援助する

(Dietz, 1969より)

特に，化学療法・放射線療法後の骨髄抑制に対して表Ⅳ・16・6のような注意が必要である．

がん患者のリハビリテーションを行うにあたり，まず，患者・家族にリハビリテーションに伴う長管骨骨折や脊椎骨折，転倒などの危険性を十分に説明し，その同意を得てから行う．リハビリテーション処方にあたっては，訓練の種類や運動負荷量の詳細な指示を記載し，骨への転移など運動負荷量・外力が加わらないような注意事項を理解したうえでの内容とする．効果的なリハビリテーションの展開のために，必要量の投薬で疼痛管理をしながら訓練できるようにする．

日々変わる患者の状態に対応できるよう，病棟や他職種間の連携を密にとり，チームで意思統一して対応する．また，心理的にもソーシャルワーカー・臨床心理士などと相談して，心のケアも同時に行うようにするとよい．進行がん・末期がん患者のリハビリテーションの目的は，残された時間の長さにかかわらず，患者・家族の要望を十分に把握し，その時期に可能なADLを実現し，QOL

表Ⅳ・16・2　リハビリテーションの対象となる障害の種類

がん自体による障害	1)直接的影響	脳腫瘍(脳転移)に伴う片麻痺，失語，高次脳機能障害
		骨・軟部腫瘍に伴う運動障害・疼痛
		脊髄・脊椎腫瘍(転移)に伴う四肢麻痺など
		骨転移(長管骨)による病的骨折
	2)間接的影響(遠隔効果)	がん性末梢神経炎，悪性腫瘍随伴症候群(小脳性運動失調，筋炎)
がんの治療過程で生じる障害	1)全身性機能低下，廃用症候群	血液腫瘍，化学・放射線療法の副作用・合併症・骨髄抑制による隔離，造血幹細胞移植後の移植片対宿主病(GVHD) 心肺機能維持訓練，血小板減少時の訓練配慮
	2)手術	骨・軟部腫瘍術後：四肢切断術，運動障害，歩行訓練，義手義足訓練
		乳がん・子宮がんなどの術後：肩関節拘縮，リンパ性浮腫，上肢巧緻性障害，歩行障害
		舌がん，口腔がん，咽頭がん，喉頭がん，頭頸部がん術後：嚥下・構音障害，発声障害(電気人工喉頭，食道発声)
		頸部リンパ節郭清後：僧帽筋麻痺(副神経の障害)，肩関節の屈曲外転障害・翼状肩甲
		食道がん，肺がん，縦隔腫瘍，胃がん，肝臓がん，胆嚢がん，膵臓がん，大腸がんなど：術前からの呼吸法や喀痰排出のための訓練
		開胸・開腹術後：呼吸器合併症(下側肺障害など)
	3)化学療法・放射線療法	末梢神経障害，感覚障害，横断性脊髄炎，腕神経叢麻痺，下垂足，嚥下障害など
緩和ケア主体の進行がん，末期がん		緩和ケア，ホスピス，症状増悪時の一時入院 自助具の導入・指導，嚥下訓練，呼吸法指導

表Ⅳ・16・3　原発巣別の周術期リハビリテーション

呼吸機能に影響を及ぼすがん	食道がん	開胸・開腹手術例，嚥下障害例
	肺がん，縦隔腫瘍	開胸手術例
	消化器系がん(胃，肝，胆嚢，膵臓，大腸がんなど)	開腹手術例
乳がん		術後の肩の運動障害，腋窩リンパ節郭清術後のリンパ性浮腫予防・早期発見・治療
婦人科がん(子宮など)，泌尿器がん(膀胱など)		骨盤内リンパ節郭清術後のリンパ性浮腫予防・早期発見・治療
脳腫瘍	原発性・転移性脳腫瘍	術後の運動・感覚障害，高次脳機能障害への対応
頭頸部がん	舌がん，咽頭がん	術後の嚥下障害・構音障害への対応
	喉頭がん	喉頭摘出術例への代用音声訓練(電気喉頭，食道発声，シャント発声など)
	頸部リンパ節郭清術後例	肩・肩甲帯の運動障害(副神経麻痺)への対応
骨・軟部腫瘍	患肢温存例・切断術例	術前術後の歩行訓練，義足・義手訓練
	骨転移例(四肢や脊椎，骨盤など)	放射線治療中・照射後の対応，術後対応

〔文献2)より〕

表Ⅳ・16・4　開胸・開腹術前後の周術期リハビリテーション

	目的	評価	訓練内容
術前	術前リハビリテーションでの評価と身体機能維持	呼吸機能評価，術前身体機能評価（筋力，歩行能力，ADL，運動耐容能（6分間歩行試験など））	呼吸訓練・排痰訓練などの肺理学療法 運動機能維持訓練
術後：1〜2日	早期離床，呼吸器合併症予防	手術記録の確認，呼吸機能，身体機能の確認	呼吸訓練 排痰訓練，体位変換，座位・立位訓練
術後：〜1週間	立位・歩行機能確保	呼吸症状の確認 身体機能評価	呼吸訓練 座位・立位・歩行訓練
術後：〜2週間	身体機能向上と歩行機能向上，ADL拡大	筋力評価，歩行機能評価，ADL機能評価	歩行訓練，ADL訓練 筋力向上訓練
術後2週間以降	耐久性向上	筋力・歩行機能評価，ADL，運動耐容能（6分間歩行試験など）	歩行訓練，ADL訓練，退院後の生活機能訓練，筋持久力向上訓練

〔文献3）より〕

表Ⅳ・16・5　がん患者のリハビリテーション治療の際の要注意事項

1. 血液所見：ヘモグロビン7.5 g/dL以下，血小板2万/μL以下，白血球3,000/μL以下
2. 骨転移
3. 有腔内臓（腸，膀胱，尿管），血管，脊髄の圧迫
4. 持続性疼痛，呼吸困難，運動制限を伴う胸水や心嚢液，腹水，後腹膜腔への滲出液貯留
5. 中枢神経系の機能低下，昏睡，頭蓋内圧亢進
6. 低・高K血症，低Na血症，低・高Ca血症
7. 起立性低血圧
8. 110/分以上の頻脈，心室性不整脈
9. 38.3℃以上の発熱

〔文献4）より改変〕

表Ⅳ・16・6　化学療法・放射線療法後の骨髄抑制に対するリハビリテーション上の注意

1. 血小板	3万/μL以上：運動制限の必要なし 1万〜2万/μL：有酸素運動を主に，抵抗運動はしない 1万/μL以下：積極的な訓練中止
2. 好中球	500/μL以下：感染のリスク高く，感染予防の対策を行う
3. 化学療法後の頻脈	原因：臥床に伴う心肺系・筋骨格系の廃用，貧血，多量の水分負荷，心毒性に伴う心機能の軽度低下など 運動負荷の目安：Borg指数などで動悸，息切れなど自覚症状に注意して，安静時の10〜20%多い心拍数を目安に徐々に負荷量を増加させる

表Ⅳ・16・7　がん性疼痛に対するリハビリテーション指導

起居動作	骨転移や原発性骨腫瘍の場合，荷重がかからないような移動方法の指導，体幹の過度の屈曲や捻転を避けた動作の指導
温熱療法	温めたタオルや市販のホットパックなどによる温熱療法で疼痛を緩和させる。その際，意識障害・感覚障害などによる熱傷や凍傷に注意する
電気療法	市販の経皮的電気刺激（TENS）などを用いて痛みを軽減させる
マッサージ	皮膚や筋肉の血流を改善し柔軟化することで疼痛が改善する
補装具	杖，歩行器，外出時の車椅子などで痛みを軽減して行動範囲を拡大する
在宅環境調整	手すりの設置や，高い座面の椅子，適度な高さのベッド・トイレなど

の維持向上を満たすことである。

がんの罹患者や生存者が増加し，在宅でのリハビリテーションが急速に必要度を増している。在宅では実際の生活場面で動作を直接に評価し，在宅環境調整や自助具の選定など，実際に応じた指導が行える（表Ⅳ・16・7）。患者が慣れた環境のなかでリラックスでき心理的向上を望むことができる。家族とも密に関わることができ，患者・家族の直接指導ができる。また，終末期にも最後にやりたいことができるなど，より良いQOLの状態を目指した心理的サポートも可能となる。

がんの末期で残された日々が少なくなった場合，QOLの向上を主なる目的として，自分でできるADLを残しながら疼痛緩和などを行い，家族による介護を軽減した緩和的リハビリテーションが展開される。その際には，①楽に休めるように

表Ⅳ・16・8　緩和ケアにおけるリハビリテーション・ケア

生命予後	患者へのリハビリテーション・ケア	家族のケア
～1か月	疼痛緩和：投薬，物理療法（温熱，寒冷療法） その他の緩和治療 心理的支持 ADL（歩行移動など）の維持・向上：福祉機器・自助具の活用 廃用症候群の予防 浮腫など合併症予防：リンパマッサージなど 安全な栄養管理：代償手段による摂食嚥下療法	病名告知内容・予後に関するケア 患者・家族の死の受容に対するケア
数週間	上記に加え，ポジショニング，リラクゼーション 呼吸苦に対して：呼吸法練習，呼吸介助，リラクゼーション 心理的サポート：不安・混乱への対応	近くなる死に対して悲嘆などへの対応 延命治療と苦痛緩和の葛藤に対するケア 心理的疲労に対するケア
数日	頻回の訪室	身体的・心理的疲労に対するケア 終末・延命治療に対する確認
数時間	尊厳をもった人として接する 心理的サポート	死亡直前の状態の説明 家族への心理的サポート

疼痛や苦痛を軽減すること，②疼痛や筋力低下を補う方法を指導し，ADL 維持・拡大を行う，③精神的援助として「きっと」という希望が保てるよう「治療はまだ継続している」といった心理的支持を行う．

B　がん患者と廃用症候群

がんに伴う廃用症候群は，がん自体による悪液質，疼痛，倦怠感などと，化学療法や放射線療法に伴う嘔気，嘔吐，貧血などが合わさり，低栄養や体力低下をきたし，不安，恐怖，抑うつ状態など心理的影響も受け，不活動となり生じる．

絶対安静では7日で10～15％，1か月で50％程度筋力が低下する[5]．筋力維持のためには最大筋力の20～30％以上の筋収縮が必要で，安静状態のなかで可能な範囲内で少しでも動くことが大切である．倦怠感があり自発性の低い状態では，安静度を加味して軽い散歩などから行うとよい．

廃用症候群が生じて臥床ぎみになった患者は，呼吸数，脈拍，酸素飽和度などをモニターしながら，ベッド上の筋力維持・増強訓練などから行うようにする．

また，化学・放射線療法などの副作用で悪心，嘔吐，倦怠感などがある場合には，自覚症状なども考慮して，無理なくできる範囲で訓練を行うようにするとよい．

治療のために安静度が設定されているときには，可能な筋群に対し等尺性収縮などを行うことで予防し，ヒラメ静脈に生じやすい深部静脈血栓症の予防に足底背屈運動と弾性ストッキング着用を行う．

C　緩和ケアにおけるリハビリテーション

がんが進行し，身体状況が悪化していくなかで，主にQOL維持・向上を目的に行われる．終末期の患者は，悪化していく身体症状のなかで「思うように体が動かない」，「これまで介助が必要でなかった食事や排泄などのADLにまで介助が必要になる」など，種々の喪失体験をしていくことになる．心理的支持は当然であるが，自助具や移動動作のちょっとしたコツを教えるだけでもADLの改善につながり，患者の苦痛を軽減する．緩和ケアでは「余命の長さにかかわらず，患者・家族の要求を十分に把握したうえで，その時期における可能な限りのADLを実現すること」とされ[6]，緩和ケアにおいてもADLを改善することはQOLの維持・向上に貢献する．

緩和ケアにおける患者・家族のケアは重要で，患者と家族の双方に対しチームアプローチを展開し，最後まで尊厳をもって接する（表Ⅳ・16・8）．

V

知っておくべき多様な問題点

1 障害者の心理

A 障害者の人権

人類が地球に誕生してから5万年以上の時が経つというのに，全市民を包含した人権思想の宣言は，わずか200年あまり前の18世紀中期以降でしかない。フランスの市民権利宣言，米国の独立宣言がそれにあたる。日本は，人権を明確にした憲法をもってからまだ70年あまりである。ましてや最近の医学や遺伝子学の未発達であった社会では，不可解な異型のものとも受け取られた障害者は，あるときは宗教的罪悪や因果観とも結んで排除根絶の対象であり，またあるときは嘲笑，愛玩または哀れみの対象でしかなかった。

わが国の身体障害者の歴史をみてみると，戦後，戦傷軍人を守るために，直接軍人を守るような政策をとることはたてまえ上できず，戦傷者を守るために身体障害者福祉法ができた経緯がある。その結果，身体障害者の人権擁護は市民のなかからわき出てくるような発達のしかたをしていないところに問題がある。

例えば，身体障害者福祉法のなかにも，1983（昭和58）年の改正まで，地方公共団体は障害者が作ったものを買わなくてはならないという法律の文面があった。内容をみてみると，障害者が作るもののリストに，はたき，ほうき，ぞうきん，モップなどが記載されており，当時はあまり使われないし買わないようなものがあった。立法者の頭のなかに誰も使わなくなってしまったものくらいしか作れないという発想があったのかもしれず，障害者がよく理解されておらず，理念と現実の乖離した矛盾があった。

また，現代の科学の発達から生まれた優生学に基づいたナチスドイツや第一次世界大戦前後の米国の断種法など，遺伝裁判所などを使って年間数万人の障害者を抹殺したことは，ほんの昨日の戦慄すべき事実でもある。これは，わが国に存在した旧優生保護法という法律も，民族発展という観点からは人類学の逆行となるかもしれないが，同様なことが生じる可能性があり，医学と自然の間で考えなければならないことだったと思われる。

そもそも，中世のヨーロッパにおいて聖職者，教授などの地位のことを指した「ハビリテーション」という言葉をもととし，そのころ天動説に対抗して地動説を唱えたガリレイなどが宗教裁判後の権利の回復を示した「リハビリテーション」という言葉から出発していることを考えると，この人権とリハビリテーションを考えることは非常に意味深いことである。つまり，リハビリテーションは，障害者の人格の復権ととらえなければならないのである。

B ノーマライゼーション

ここで，一般の社会でもよくいわれるノーマライゼーションについて考えてみることにする。これに関連するものとして，差別と偏見に満ちた隔離という意味の「セグリゲーション segregation」という言葉がある。ノーマライゼーションはこの差別と偏見に満ちたセグリゲーションはいけないと言っているのである。したがって，障害があることを社会から逸脱したものと決めて分けてしまったり，障害者を人間の住む場所から離れた遠くに病院や施設を造り見えない所に分けてしまう「ディスクリミネーション discrimination」のようなことをしたりせず，多くの人たちが暮らすなかで健常者と何へだてなく一緒に過ごさせることが

重要である。つまり，社会の主流 main stream の人と障害者との間に格差をつくらないことこそノーマライゼーションの理念と考えられる。ここに，インテグレーション integration（統合）の概念が生まれてくるのである。

このようなノーマライゼーションに反する思想は日本の古い書物にも出てくる。例えば，古事記の日本創造の説話にも，次のような文章がある。

"剣のしずくから日本の島をつくった。その中で最初の男女であるイザナギノミコトとイザナミノミコトが初めて子孫をつくるときに，まず女性のほうから男性のほうへ声をかけて子供をつくったら蛭子（骨のないような手足の不自由な子：いわゆる障害者）だった。その子は水に流した。次に，男性のほうから声をかけて子供をつくったら立派な神ができた。"

まさに障害者を排除せんとする文章とも受け取られる。また，人々の間の偏見については，昔から男女の偏見がある。大智度論「女人之体」に，「子は親に従い，妻は夫に従い，老いては子に従う」や「女に三界の家なし，鏡のみが己の家」といった文面がみられる。これは障害者ではないが，同じ人として平等な立場から接することができないということでは共通点がある。障害者に対するエピソードとして，関東の人がよく使う言葉に「べらぼうめ」という言葉がある。「可坊さん」と書いて「べらぼうさん」と読むのであるが，この人は江戸時代の小頭症の人で，とんでもないことをよくしたということから，生まれてきた言葉といわれている。まさに障害者を「とんでもない人」としている言葉である。

諸外国の歴史をみても，ノーマライゼーションに関する様々なものがある。古代栄華を極めたスパルタの国にも，次のようなエピソードがある。強い国をつくるために，6～30歳まで兵役を課した。強い国であるために女性は強い男子をつくることに精を出し，教え鍛えた。そこには障害者を育ててはいけないという法律があり，自然に生まれてくる障害者を両親から離さなければならなかった。そのようなところから国の方針と人間の心との間に亀裂がつくられ，排除の心が市民に受け入れられずに滅んでいったという。

わが国には，「すべて国民は，個人として尊重される」とした日本国憲法第13条があり，健常者と障害者の隔たりは，一部の人の間ではなくなりつつあるが，一般市民のなかにはまだ大きい。

米国ではようやく1990年になって「障害をもつアメリカ人法」という法律ができた。その内容は，米国人2億8千万人のうち，4,000万人は何らかの障害をもっている。そのなかで，障害者に対し，「健康診断のときカルテを別にしたり，別に検査を受けさせたりしてはならない」とか「バスは車椅子が乗れるようなものでなければならない。でなければ5年後に廃車となる」，「サンフランシスコの路面電車のような歴史的なものであっても，別に障害者が乗れるような工夫をしなければ，それすら歴史的といって残してはいけない」などが盛り込まれているのは，目を見張るものがある。

このようにノーマライゼーションの思想は確実に定着しつつあり，われわれは障害者が社会にいて普通に健常者と隔たりなく暮らしていける世の中にしていく義務があると思われる。

C 人間のもつ防衛機制

欲求不満などによって適応できない状態になったときに，不安が動機となって行われる自我の再適応のメカニズムが防衛機制である。障害は個人によって，受け取り方が異なり，機能障害に対する心理的克服のための対処には個人差が大きい。

障害が生じた急性期を過ぎたときに，患者・障害者は無意識のうちに不安を抑制することで，自分を守る防衛機制（表V・1・1）をとることが多い。

D リハビリテーションと心理

リハビリテーションを進めるにあたり，身体的問題と並行して扱わなければならない問題に，心理的問題に対するアプローチがある。以下にその具体的な問題点とその解決法について概説する。

リハビリテーションの立場からみた障害者の好ましい心理状態は，自信と誇り，自主決定の意思，

表 V・1・1　主な防衛機制

1.	抑圧(repression)	意識と合い入れない衝動や思考を意識から排除する[心因性健忘・逃避機制]
2.	否認(denial)	不安な耐え難い現実に直面することを拒否，無視する[障害軽視・麻痺の否認]
3.	取り入れ(introjection)	自分の理想とする人の特性をまねる[先生や教師の言動をまねる]
4.	同一化(identification)	願望を代償的に満足させるため，主人公やヒーローの言動をまねる
5.	投影(projection)	自分のもつ感情や欲求を他人が自分に対して抱いているとみなす[被害意識・敵意]
6.	退行(regression)	適応困難な状況で，未熟な発達段階(年齢)に逆戻りして責任回避し，不安から逃れる[赤ちゃん返り]
7.	置き換え(displacement)	ある対象に抱く感情や衝動を，より危険のない対象に向ける[八つ当たり・攻撃機制]
8.	反動形成(reaction formation)	本来の意思や感情を行動に現れないよう正反対の行動をとる
9.	分離(isolation)	日頃好きでない人とすれ違うときに，笑顔で挨拶するように，表現と情動が分離されている
10.	打ち消し(undoing)	分離された情動をさらに打ち消す．間違った治療をしたときに，過剰と思われるような親切な言動で対応する．分離と一緒に出現する
11.	観念化(intellectualization)	自分の病気の専門的知識を得ようと書物を読みあさる→合理化へ
12.	合理化(rationalization)	自分の行動，特に失敗や不履行に対してもっともらしい理由を述べて，正当化しようとする[屁理屈・自我防衛機制]
13.	補償(compensation)	自分のもつ失敗や欠点を直視せず，長所や才能，成功などを強調する
14.	昇華(sublimation)	社会的に容認されない衝動を社会に認められる形に変えて表現する

潜在能力の認識と活用意欲，生きがいなどに対する積極思考である．しかし，一般的にはこのような積極思考は，身体障害の程度に相当した抑制を受けているのが現実である．そこで，その抑制の因子ともいうべき問題点を障害者自身とそれを取り囲む環境の2つの側面から検討する．

1　障害者を取り囲む側からの問題点

障害者を取り囲む側からの問題点は，第1に，障害者の障害像を漠然と評価し，「障害者イコール社会的不適応者」と決めつけてしまう社会的偏見がいまだに残っていることが指摘される．障害者個人個人のもつ1つひとつの能力を評価し，その社会的適応についてどの点が不適応で，どの点が適応なのかを見極めることが大切である．

第2には，「障害のないものの尺度で事物を計り判断する傾向」が指摘される．例えば，障害のない者が障害者をみて苦労が多いであろうと思えることでも，障害者にとっては，その環境内で適応していれば苦労なく生活していることが往々にしてある．

第3には，「障害者と悲劇的な生涯とを直観的に結びつけてしまう可能性」が指摘される．このことが，同情心とその反作用としての優越感を生じさせ，障害者に対する正しい理解の妨げになる．

第4には，最近は減ってはいるものの，「障害者イコール罪悪」であるという考え方が指摘される．例えば，脳性麻痺に対する母親の罪悪感や，手足の変形切断に対する罪悪感であり，このような障害そのものが恥であるとする考え方である．

以上4点に対する対策，すなわち社会心理学的リハビリテーションの基本的アプローチは，このような考え方の1つひとつを是正し，障害を正しく理解して，社会の中に障害者がいることがむしろ当然であるという考えのもとに，障害者を取り囲んだ社会こそが自然体であるという啓蒙を根気よく継続していくことが必要になろう．

2　障害者側の問題点

次に，障害者側の問題を考えてみよう．一般的に四肢機能の障害の程度が大きくなればなるほど，行動できる生活空間は限られてくる．しかし，

一概に四肢機能の障害が大きいからといって，心理的障害が大きいとは限らない。また，交通外傷のように障害が大きくても非進行性のもの，筋萎縮性側索硬化症のように初期には障害が小さいが進行性のものというように，障害が進行性か非進行性かによっても異なり，障害者を取り囲む環境条件によっても一様ではない。

例えば，障害が重度で起きることも不可能であっても，保障が受けられたり，今後の生活の見通し，生きがいなどが確立されているならば，その心理状態は落ち着いている。逆に，中途半端に障害を生じているために，健常者でもなければ障害者でもなく，宙ぶらりんとなっているため，健常者になろうとして，あるいは障害者でとどまろうとするように心のなかで競合することがある。また障害を隠そうとしたり，逆に誇張しようとしたりして心理的に不安定である場合がある。この場合の心理的負担は大きくなる。

3 年齢別の心理的アプローチ

さらに，心理的要素としての1つに障害の発生時の年齢があげられる。どの年齢層で障害を生じたかによって，障害者および周囲の人々の心理状況が異なってくる。

以下，主としてこの年齢の問題を取り上げ，その対策を論じることとする。

a 幼児期

幼児期では障害児そのものは自分の置かれた環境に対して比較の順応性がよく，心理的負担は少ない。しかし問題は，障害児を抱えた家族に波及し，育児，教育問題を含め社会的な尺度でもって，社会との間に板ばさみ状態になることがあり，特に母親に著しいものがみられる。したがって，この時期の心理的アプローチとしては，家族，特に母親に対して，障害の内容，予後，これからの生活について詳細によく話し合うことが大切であり，このことが，障害児の育成にとって心理的安定感を与えるものと考えられるのである。

b 思春期

次に，思春期に障害を生じた場合は，幼児期より持ち続けた将来像が障害のための制限により打ち砕かれることが多く，ライフサイクル像に混乱を生じる。また，結婚などを控え性的な抑圧も大きく，将来に対する不安が大きい。このようなことから，心理的な混乱が若いうちより生じ，ものごとに対する考え方に未熟性が伴いやすくなる。

したがって，この時期の障害者に対する心理的アプローチは難しく，心理的成熟性を育成しながら障害に対して詳細な理解をさせることが大切で，そのことに多くの時間をかけ，そのうえで将来に向けて障害者としての自分の生き方を明確に把握させることが理想的である。

c 青壮年期

続いて，青壮年期に障害が生じた場合である。この時期では，障害者は一家の支柱であったり配偶者であったりすることがほとんどで，家族内で何らかの役割を担っているため，障害を生じると家族内に混乱を生じる。そのため，心理的アプローチとしては，家族全体を治療対象とすることが大切で，家族の役割変更などを含めての話し合いが必要である。ここで大切なことは，障害者の役割であり，すべての役割を他の家族に変更させず，障害者ができる限りの範囲内で何らかの役割を担うようにすることである。

d 老年期

最後に，老年期に障害を生じた場合，一家の支柱であることは少なくなり，家族全体への影響も少なくなる。心理的アプローチとしても障害者にとってこれまで築きあげた性格や生活様式を極端に変更することは難しく，障害の程度に応じてその状況に適応することを学習させるようにし，障害と年齢によって衰退した状態に合わせるようにしていくことである。そのうえで，自分の行える範囲内で今後の生きがいを見いだしていくように指導すべきであると考えられる。

以上のようにして，障害よりくる心理的要因を

極力排除し，安定した心理状況を障害者も周囲の人々も，ひいては社会も得るようにしていくべきである。

4 障害告知とその後の心理的過程

社会的環境として，障害に対する理解度は逐年的に高まりつつあり，日常生活の種々の場面で障害者と接する機会が比較的多くなっている。このことは，障害者が自室に閉じこもっていた一昔前の時代から，積極的に外へ出るようになった傾向の現れであり，それだけ障害者自身の心理状況は開放的な方向に向かっているといえるであろう。しかし，このような社会的環境は障害者に対し依存的な心理を排し，社会の一員として確固たる自立心を要求されていることでもある。

a 段階理論による受容過程

障害者の心理的自立に至るまでの心理的回復過程については多くの人々の研究がある。以下に段階理論といわれる障害認知の過程を述べる。

Cohn[1]は，ポリオの患者について障害後の心理状態を調べている。それによると，障害直後の何が起こったかわからないショック期，引き続いて，自分の障害について漠然とはわかっているが，認めようとする気はなく否定する気持ちが強い否定の時期，それに続いて，どうしてこのような障害に陥ってしまったのか，またあのときにこんなことをしなければよかったなど過去に行ったことに対する後悔の悲嘆・落胆の時期，これらを経て次に立ち直っていく努力と，種々の心理的葛藤に対する防衛機制が生じる時期を経て，最後に心理的自立を迎え社会復帰できる状態となるとしている。

KlausとKennelは，障害者を取り巻く側として，障害児をもった親の心理的経過を調べた。それによると，ショック，否認，悲しみと怒り，適応から再起へと順に進み，障害者がもつ心理的過程と同じ経過をとることが示されている[2]。つまり，これらの心理経過は障害者だけが特異的にもつものではなく，健常な人間が示す環境適応の一反応にすぎないものと考えられる。したがって，障害者と周囲の人々の心理反応は，たとえ時間的な差があったとしても，同様な過程をとることがわかる(図V・1・1)。

b 段階理論に対する反論

障害受容過程についての最近の研究では，すべての障害者がショックから否認，抑うつ，受容へと経験するわけではないことがわかってきている。障害の受容についてWright[4]は，①価値範囲の拡張，②身体的外観を従属させる，③相対的価値から資産価値への変換，④障害に起因する波及効果の抑制，の4つの価値変換があるとしている。これらの価値転換を経験することが受容に対して重要な要素であるとしている。また，表V・1・2にみられるように，Fink[5]は様々な角度から心理的変化を検討している。

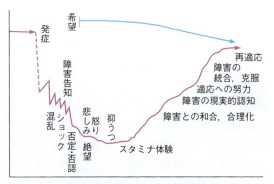

図V・1・1 中途障害者の典型的な障害受容過程のモデル
〔文献3)より一部改変〕

表V・1・2 危機における心理的変化

	ショック	防衛的退行	容認	適応と変化
身体面	急性の障害	回復	回復の停滞	固定
現実検討	"圧倒"される	逃避	直面化	新たな現実検討
情緒的体験	パニック	無関心	抑うつ	満足感増大
認知面	崩壊状態	防衛的再編成	防衛の崩壊	現実に基づく再編成

〔文献5)より一部改変〕

表Ⅴ・1・3 種々の段階理論

報告者	対象疾患	推理方法	段階内容
Cohn(1961)	ポリオ	洞察	ショック→回復への期待→防衛→適応
Kübler-Ross(1969)	死にゆく人々	観察	否認→怒り→抑うつ→取り引き→受容
Drotar(1975)[8]	先天障害（親）	面接結果からの推論	ショック→否認→悲しみと怒り→適応→再編成
Weller(1977)[9]	脊髄損傷者	印象	ショック→否認→怒り→抑うつ

また，Cohn[1]，Kübler-Ross[6,7]らによって様々な段階理論もその後に展開されている（表Ⅴ・1・3）。表でみられるように，段階理論では障害受容に際し，自分の失ったものを嘆き悲しむことは，障害を受容する重要なプロセスであるとしている。

しかし，これら段階理論に対しRohe[10]は，すべての障害者が，①障害直後にショックを体験するのか，②その後に抑うつ状態を体験するのか，③最後に「受容」の境涯に到達するのか，などの疑問を投げかけている。そして，本田[11]はこれらの段階を経ない人も2つの心理的転換を経過するとして，その1つが，自分の身体に自覚をもつときであり，もう1つが自分を取り巻く社会に自覚をもつときであると提案している。

5 自立と病前性格

このような過程を経て多くの人々は障害より自立してくるのであるが，この心理的経過は病前性格によって大きく左右されることが知られている。すなわち，心理的な自立に望ましい条件としては，①成熟 maturity，②根気，③積極性，④社交性，⑤家族の協和があげられ，これらの1つひとつが自立を促進させる要因となる。逆に，望ましくない条件としては，①無関心，②過度の依存性，③非社交性などがあげられ，これらは阻害要因として働く。

しかし，個人個人によってその性格は異なり，一律に扱うべきではない。過度に依存的な性格，感情的になりやすい性格，自己犠牲的な性格，優越感をもちやすい性格，冷淡な性格などの好ましくない性格の人と，これとは全く対照的に，よく統制され自立性の性格の人を一律に扱うことは絶対に避け，個人の心理状態に合わせて指導する必要性がある。

6 心理的到達レベル

ところで，この病前性格により，最終的に到達する心理レベルが異なり，それらを大きく4つに分けている。順に述べる。

第1は，甘えやわがままがその経過中に大きく作用してしまう型で，低いレベルの心理レベルに低迷し，"退行"を生じる。これは，障害を克服できず，自分の心を自制できなくなってしまい，病前の心理レベル以下となる状況である。

第2は，"妥協"というレベルである。これは，障害に対して，十分理解，了解することが一定レベルに達せず，障害を耐え我慢している状況である。現代のリハビリテーションでは，この第1，第2のレベルを次に述べる段階へ結びつけていくことを目標とすることが要求される。

第3のレベルとは，"折衷"であり，自分の障害に打ち勝つように常に努力，競合している状況をいい，少なくとも病前の心理レベルに達している段階である。

第4のレベルは，"障害の統合"である。これは，病前の心理レベルを超えるもので，障害を受けたがゆえにここまで昇華したという考え方である。障害を正確に受けとめ障害を栄養として病前より高度な心理段階となるものである。

この第4のレベルは，われわれが常に目標とするレベルであり，障害を受けたことによってスタートする新しい生活に対し，将来へ向かって明るい展望を抱くものである。したがって，リハビリテーションにたずさわるわれわれは，障害者の心理を第3のレベルから第4のレベルに導くこと，すなわち，心理的には，常に障害のことが頭に残っている状況である第3の折衷レベルから，障害を是認し，そこを出発点として積極的に将来へ

の展望を設計していく第4の統合のレベルに至るような指導を心がけるべきであり，このことに向ける努力こそがリハビリテーションの成否を握る最大のポイントといっても過言ではないと思われる．

7 具体的な指導法

まず，よりよい障害の受容過程の必要条件として，積極的な行為の意志(モチベーション motivation)[12]が必要である．これは，障害に対する現実と直面する勇気と知恵を与えるものであり，克服過程における悲観的なあきらめを避けるものである．

a モチベーションの形成

モチベーションを形成するためには，現実の状況をよく理解することから始めることが重要である．すなわち，障害についての成因，病状をわかりやすく説明し，身体機能障害レベルでの状態を理解させることより始めなければならない．そのうえで，麻痺があるために何ができないということよりも，麻痺が生じていても何ができるのかという能力障害レベルの説明，認識が必要で，このための手段としてはもっぱら自己体験を積み重ね，認識を高めていくことが効果的である．さらに，その障害の自然経過，治療，予後について説明し，それと並行して社会福祉制度などについても教育し，社会的障害レベルでの将来の現実的展望を把握させていく．これらいずれのプロセスを欠いても，良好なモチベーションが形成されないことを十分に認知する必要がある．

b 効力感とゴール設定

またモチベーション形成には，いつも将来の目標に対しての効力感competenceが必要とされている．効力感とは，より良好な変化が努力によって得られる自信と見通しをもち，積極的な姿勢で周囲に働きかけ，その結果，自分の努力が有効であるという効力感を生じ，その効果が内因的動機付けを生じさせるとしている．リハビリテーションにおいて，この効力感をもつためには，まずこれから先，生きることの意味と目標をもつことが根本的に重要である．いくらリハビリテーションを行ったとしても生きることの意味がつかめていない者にとっては無意味なことである．そのうえで，リハビリテーションにおいては，やさしすぎず，少し難しいかなというレベルをゴールに設定しこのゴールに向かい，リハビリテーションの意味を個別的に納得させていく過程が必要である．そして，近い将来に対するゴールを1つひとつマスターしていき，半永久的に可及的無限なゴールに向かって進めていくべきである．そして，その過程において，われわれは効力感を向上させるため，1つひとつの障害者の努力に対して敏感に応答することが重要である．これらにより，障害を受けた時点の未熟な自己より，社会復帰していく成熟した自己となるのである．

すなわち，①受動的状態から能動的状態，②他者依存性から自主独立，③単一行動様式から多様な行動能力，④浅薄な関心からより深い関心，⑤短い時間展望からより長い時間展望へ，⑥従属的な地位から平等またはより優越した地位，⑦より低い価値への執着からより高い価値の実現へと改善していくのがリハビリテーションでの心理的改善である．このことにより，自制心，自己決定性，自己計画性が生まれてくるのである．

8 障害者と医療者間のずれとそのアプローチ

このように，細心の注意を払いながら障害者にアプローチをしても，相互の認識のずれから様々な問題点が浮かび上がる．急性期にはパニックの状態から妄想や不安が生じ，訓練期には治療に対する理解のずれから訓練拒否などが，慢性期には，社会的自覚の欠如から社会復帰への意欲低下や訓練意欲の低下などが生じることがある．表V・1・4のように，特に治療開始期には医療者と障害者の理解のずれから訓練の大きな阻害因子になることも多い．

また，十分な理解がなされないまま様々な情報が入ってくると，認知的なゆがみが生じることがあり，是正を必要とすることもある．

表V·1·4　医療者と障害者の理解のずれによる問題点

医療者	障害者
急性期を脱し疾患の医学的治療は落ち着いているので，患者というよりも1人の障害者として自立していってほしい	手足が動かず，以前の状態に早く戻してほしいので，患者として治療してほしい．受身でいられる患者でいたい
残存機能訓練を早く行いたい	麻痺肢の機能回復を希望
麻痺域の自己管理指導をしたい	拒否：麻痺の通告を受け入れたくない
リハビリテーション訓練出棟を指示	歩けないなら，放っておいてほしい

身体障害後の「認知的ゆがみ」

① 過度の一般化：ある場合に正しかったら類似するすべての場合に適応される．
　　→ゴルフで打てなかったらスポーツはすべてダメ
② 選択的抽象化：重要である唯一のことは，失敗である．
　　→何をやってもダメ
③ 恣意的推論：証拠がないのに推論に飛躍する．
　　→セックスをすると再発する
④ 二分的思考：すべては両極端のどちらかだ．
　　→「完全に治らなければ」仕事に行けない

(Beck, 1976より)

このような問題点に対し，① 支持的な環境をつくりながら，② 認知的ゆがみを是正して身体的自覚・社会的自覚をうながすように認知面へ働きかけ，③ 新しい行動パターン形成を強化して，④ 価値観変化の促進をするとよい．

9　心理的アプローチの開始時期とその問題点

これらの心理的アプローチの開始時期と各時相における具体的な問題について，以下に述べることにする．

アセルスタンは，開始時期に対して混乱の時期よりアプローチを始めるべきだとしており，ごく初期の時期より障害者および周囲の人々に積極的な心理的指導が必要であるとしている．しかし，この時期は，自分に対し現実に何が起こっているかわからない時期であり，詳細に説明しても納得されることが少ない．そこで，そのアプローチは，第1段階としての人間同士の信頼感を高めることが重要視され，このことに全力が注がれる．具体的には，医療者側からは，ある程度の障害に対する知識を深めるような説明を加えながら，種々の具体例を正確に伝えることと，障害者側からは，障害を受ける前の性格や生活様式を聞き出すことより始める．

続いて否定，抑うつの時期に，正確な障害の状態，予後などを話していく．この時期の話し方として，観察できるようにある程度の距離を常にあけながら，初期には全面的によりかからせて温かく見守るようにし(tender loving care)，否定から悲嘆，落胆へ移る時期には，ある程度競合心を高めるためにゴール設定を順次上げていく．それにより効力感を高めながらリハビリテーションを進める．

ほぼ同時期より，種々の成功例を述べながら将来に対する展望を正確に提示すべきである．このときに大切なことは，障害者自身の自主決定判断の範囲を狭めてはならないということである．この時期を乗り越えると自立心ができ，障害に対しても十分な理解が得られる．こうなれば，障害者は自分で将来の道を決定することができ，これまで病院内で制限されていたものが，外に出ることにより，さらに広い視野でものごとをみることができ，さらに上の段階の生きがいをもった人生を設計できる能力をもつことができるようになる．したがって，十分，家族に準備させたうえで，この時期に病院から社会へ出る時期を宣言するべきである．むやみに，この時期を早めても遅めても社会的自立の時期を遅らせることになり，このタイミングが社会復帰に大切と考えられる．これより先は，障害者自身が自分の意思で社会復帰することになり，われわれは社会人同士として同等のレベルで話す機会をもつこととなるのである．

このようにして，1人ひとりの障害者に対して心理的アプローチを通じ，健全なる社会生活を営むように指導するのが医療者の責務と考えられる．しかし，このような経過を介しても，現代社会において障害者および周囲の人々にとって問題となる点がいくつかある．それらを羅列していくと，社会に出たときの対人関係，プライバシーの

確保，社会からの偏見，また，以前に比べ，就職の機会は多いとはいえ行動制限からくる職業上の差別が存在することなどがあげられる。これらに対する改革的アプローチが積極的に進められ，文字通り，障害者が自然に生きることができる社会が迎えられれば，その分だけでも障害者の心理的負担は軽くなることは必定であり，社会的改革も心理的アプローチの大きな要因となることを付言しておきたい。

10 障害をもつ患者への対応

リハビリテーションの場面で「これ以上良くなりませんか」と繰り返し聞いてくる患者について，医療者が「まだ障害の受容ができてないようです。病状を再度説明してあげてください」と依頼する場合がある。医療者側は患者が認めないことを「障害受容に至ってない」と受けとめているが，患者の受容過程から見ると，受容の時期ではなく，否認・混乱の時期にあるかもしれない。まだ認めようとする時期ではなく，否定・否認の中に閉じこもり，心理的に不安を抱いている時期と思われる。ここで無理やり認めさせると，失望させ，ますます意欲が低下する可能性がある。

この時期にはPT(理学療法)・OT(作業療法)・ST(言語聴覚療法)・ORT(視能訓練)を積極的に行っており，患者は，回復するための練習だと思っている。そこに医療者が「障害の受容」をうながそうと思うため，「改善しない」とまじめに伝える。しかし，患者は「妙だ，改善しないのになぜ練習しているのか」という疑問をもつかもしれない。足に装具などを付けている患者は，「回復しないのに装具を付ける」という思いは生じない。患者は装具を付けて改善させるものと思っている。

障害をもつ患者には，自然に諭すことも重要と思われる。障害を受容していない人は，訓練が必要なため退院を拒むようなことは少ない。たとえ練習が必要だからといっても，患者は今後自宅で生活しなければならないことを，退院前の自宅調整，家屋改造を通して自然に諭していくことで心理的に徐々に受容していくと思われる。

障害受容の過程で本心を打ち明ける患者は少ない。障害受容を積極的に進めなければならないと話すと，逆に反発や心理的ショックを生じる場合がある。患者と接するときに共感しながら，自然に悩みを聞くようにすることを心がけなければならない。そのためには，医療者・患者間の信頼関係が構築されていなければならない。また，患者からも聞いてくれそうだという雰囲気が必要である。そのうえで，患者の話すことを傾聴し，患者自身のことを理解していくことで，一緒に患者の将来に向けての生活を整理していくことができる。その際，患者はこれまでどのような人生であったかなども聞いておくことは重要である。このような話を進めるうえで，日本人の場合，配偶者，家族，子供の存在は大きい。

障害を認めていないような言動が聞かれたとしても，リハビリテーションで練習をしている患者は暗い気持ちでいるよりは明るい気持ちの人がほとんどで，障害をある程度理解していることが多い。実際にも完全麻痺のような重度の麻痺の患者の場合にも「頑張れば良くなる」と思って練習する人はほとんどいないことも事実である。全く良くならないと思っているよりも，「きっと」というような少しでも可能性のある思いを残し，「淡い期待」と「淡い否認」を抱きながら，あいまいで多少とも良くなると思っていたほうが，前向きに明るく生きられると思われる。このような日本人のもつ感覚のなかには独特なものがあり，悲観的にならずに練習に励むことができる。

日常診療でよく用いられる「頑張ってね」という言葉も，一生懸命頑張っている患者には掛けづらいと考えるかもしれない。しかし，この「頑張ってね」には「よくここまで頑張ってきましたね。もう一息ですよ」，「これまで頑張ってきたからこそ，こんなに良くなったですね。頑張りすぎると体を壊すといけないので，頑張り過ぎないでね」，「ここまで頑張ってきて，どんなにかつらかったでしょうね」といったような共感や激励の意味がこめられていると思われる。患者とともにつくり上げていく医療という実感が得られる生きている言葉として，患者・医療者間の関係性が充実する。この意味で「頑張ってね」と声掛けすることの意味は大きい。

2 廃用症候群，誤用症候群，過用症候群

身体の一部や全体を使わずにおいた場合に起こる二次的障害を廃用症候群 disuse syndrome，運動が適切にされなかった場合の二次的障害を誤用症候群 misuse syndrome[1]，もっている筋力や身体機能に見合わない過度の身体活動によって引き起こされる二次的障害を過用症候群 overuse syndrome という[2]。

廃用・誤用・過用症候群は，それぞれ概念が異なる。リハビリテーションで問題となるものは，麻痺や筋力低下が原因で，動かさなければ廃用が生じるが，動きなどを補うために間違った使い方がされること(誤用)，また筋力低下に陥った筋肉を病前の筋力と同じような感覚で使うことによる使い過ぎ(過用)などである。また，麻痺などによって筋力低下があると，通常の使用でもその筋にとっては使い過ぎとなっていることもあり，簡単に過用症候群を生じてしまうことがあるので，特に訓練の際は注意が必要である[3]。さらに，代償運動も出やすく誤用になりやすいことも注意する必要がある。このように，廃用に陥った筋肉は誤用も過用も生じやすいことから，各々の概念は異なっても，互いに関連する現象とも考えられる。

A 廃用症候群 disuse syndrome

廃用症候群は「長期臥床などで活動しなかったりギプスその他で固定されて動かせなかったことで生じる合併症である。筋萎縮，関節拘縮，骨萎縮，心肺機能や消化機能の低下などの身体的低下とともに，知的・精神機能の低下なども認められることがある」とも定義され[4]，「安静の害」を示す二次的障害の総称[5]である。廃用症候群の代表的なものを表V・2・1 に示した。

表V・2・1 身体諸器官における廃用症候群

① 筋肉：筋萎縮，筋力低下（1日2％，月50％）
② 関節：腱，靱帯，関節包の硬化，拘縮
③ 骨：骨粗鬆症
④ 心臓：心筋萎縮，収縮力低下，血圧低下，心拍出量低下，負荷予備力低下
⑤ 血管：毛細管/組織比の低下，循環不全，浮腫，褥瘡，冷感
⑥ 血液，体液：血液量低下，貧血，低蛋白，低 K
⑦ 内分泌，代謝：ホルモン分泌低下，BMR 低下，低体温，易感染，N バランス，Ca バランス
⑧ 呼吸器：呼吸筋萎縮，肺血流不均一，無気肺，肺炎
⑨ 腎・尿路：腎血流低下，感染，結石，失禁
⑩ 消化器：消化液減少，呼吸不全，便秘
⑪ 精神機能：抑うつ，仮性認知症，幻覚，妄想
⑫ 自律神経：緊張低下，反射機能不全，低血圧，起立性低血圧
⑬ 感覚器：末梢感覚器の機能低下は少ないが，中枢の感受性低下

また，代謝機能への悪影響として，1日3.5gの窒素の消失，Caの消失(骨粗鬆症)，代謝調節機能の失調などが知られている[6-8]。

1 筋萎縮 amyotrophy

筋萎縮は神経損傷などに伴う「動かせないこと」によるものと，ギプス固定などによる「動かさないこと」によるものがあるが，双方とも全く動かさないとすれば，筋力は1日2～5％程度ずつ低下する(図V・2・1)。筋力維持のためには，日常生活動作(ADL)のほかに2週間ごとに最大筋収縮をさせる必要があるといわれている[9]。

高齢者では，加齢に伴う自然・生物学的な筋力，持久力の低下がすでにあるため，不動に伴う筋力低下をきたしやすい。加えて重度な患者では通常筋肉を動かす機会が少なく，筋萎縮は進みやすい。したがって，高齢者や重症者ほど早期に回復のための訓練を行う必要がある。

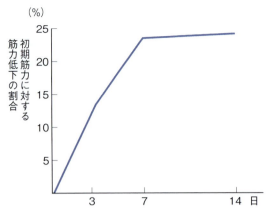

図 V・2・1　ギプスで固定したときの上腕二頭筋の筋力低下

具体的な予防法として，筋力を維持・増強するためには1日1〜2回最大筋力の20％で数秒間筋収縮させたり，各筋肉の数秒間の等尺性収縮運動が必要である[10]．さらに，1日2時間程度の運動も廃用性筋萎縮を予防できるとしている[1]．

しかし，廃用性筋力低下は，再度動かせば必ず回復するとは限らず，回復は予想より長くかかる．

また，廃用性筋力低下などの訓練では，訓練開始時は疲労も強いので，短時間を何回も繰り返す少量頻回の訓練が効率的である．

以下，具体的な予防法について述べる．

筋萎縮の予防法

① 自動運動 active exercise
　徒手筋力テスト4〜5の場合
・運動可能な部分すべてを1〜2分間動かすことを毎日5〜6回繰り返す．
・ベッド上の寝返り，体位変換，ADLも含めて．
② 自動介助運動 active assistive exercise
　徒手筋力テスト3〜4の場合
・多少自動運動可能で関節全可動域の動きがなければ，介助しながらでも動かすようにする．
③ 他動運動 passive mobilization
　徒手筋力テスト0〜3の場合
・自動運動ができないときには，他動的に全関節を全可動域にわたって動かす．麻痺が重度なときは関節への損傷を避けるため愛護的に行う．
④ 体位変換
・体位変換により，重力を利用して体幹筋の筋力維持を図る．
・臥床患者なら座位に，座位可能患者なら立位にすることも重要である．

⑤ ADL・歩行
・一定以上の日常生活をすることにより萎縮を防ぐ．特に，数十分以上の歩行は重要である．歩数にして1日3,000歩以上[11]．
⑥ 体操・レクリエーション
　簡単な体操や楽しみながら行えるレクリエーションは，心身ともに良好な状態に維持できる．
以上を一度に行うのではなく，数回に分けて行うほうがよい(少量頻回)．

2　拘縮 contracture

拘縮は，骨および関節軟骨を除く関節構成体(滑膜，関節包，靱帯)，筋，腱，皮下組織，皮膚などの短縮による関節可動性の低下と定義される．

高齢者の関節拘縮は脳血管障害や脊髄損傷などの運動麻痺を認める例で特に出現しやすく，また高齢者では軽微な疾患でも拘縮を生じやすく，それが寝たきりを誘発する可能性が非常に高いので注意が必要である．

関節可動域に対する悪影響

肩損傷の場合
　1日間安静：完全回復に18日必要
　7日間安静：回復に52日必要
　14日間安静：回復に121日必要
　21日間安静：回復に300日必要

〔文献12)より〕

拘縮予防は関節可動域 range of motion (ROM)の維持増大訓練が最も有効で，以下にその具体的方法を示す．

拘縮の予防法

1．関節可動域維持訓練
　軟部組織の拘縮予防には各関節の正常全可動域を1日3〜5回(それぞれ2〜3回ずつ)動かすことにより維持される．その際，他動的運動による関節の損傷を極力防ぐために愛護的に行うことを原則とする．

2．関節可動域増大訓練
　すでに拘縮している筋には，痛みをわずかに超える範囲まで，ゆっくりと伸張運動を行い，その肢位を数秒間維持する．骨萎縮，麻痺のある場合は組

織損傷に極力注意する。可能であれば，ホットパックやパラフィン浴などで温熱療法を併用し，組織を愛護しながら行うのがよい。痛みは中断すればすぐに鎮まる程度にとどめる。

3. 良肢位保持

すべての関節の機能を温存するためにも良肢位保持は必要であるが，特に肩関節，股関節および足関節の良肢位の保持は重要である。この部位はベッド上安静で拘縮が生じやすいことから，肩関節では，肘の下に枕を入れることにより肩軽度前方挙上・軽度外転位に保持し，股関節では大腿外側に枕を入れることにより外旋を防止し，足関節ではフットボードなどを使用して尖足予防するとよい。また，立位に必要な股関節伸展 20° の不足を取り戻すため，腹臥位を短時間でもとらせることを勧める[8]。

4. 日常生活における予防

歩行することで下肢の拘縮予防はできる。歩行不能の場合でも車椅子や椅子の生活を準備する。「寝たきりの生活」をさせるよりも「座りきりの生活」をさせたほうがよい。そのことで，腰をかけたり，移動動作により下肢の伸展拘縮の予防は可能となる。上肢では食事，整容，更衣などを自力で行わせることにより手指や肩，そして肘の拘縮予防を行う。

〔文献 13) より〕

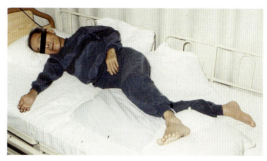

図 V・2・2　片麻痺患者の健側が上になる側臥位（右片麻痺）

痙性によって生じる異常肢位

① 肩甲骨の後方突出
② 肩の屈曲・内転
③ 肘の屈曲
④ 手関節の掌屈
⑤ 手指の屈曲
⑥ 股関節の屈曲・外転・外旋
⑦ 膝の屈曲
⑧ 足関節の底屈
⑨ 足部の内反尖足
⑩ 足趾の屈曲

a　ポジショニング[14]

運動麻痺や筋力低下のある患者にとって早期に機能的リハビリテーションに移行するために，急性期，慢性期にかかわらずベッド上でとるポジショニングは意義深いものである。特に急性期は拘縮予防，痙性の軽減にとって不可欠なものである。中枢性運動神経麻痺に代表される痙性麻痺では，他の治療を的確に行ったとしても，不用意な姿勢で多くの時間を過ごせば治療も無効になりかねない。その具体的な方法を脳卒中を例に述べる。

脳卒中では片麻痺を生じる場合が多く，左右いずれかが運動麻痺や知覚麻痺を生じ患側となる。

b　片麻痺患者の健側が上になる側臥位
（図 V・2・2）

以前はこの肢位は患側の肩を痛めるとして禁忌としていたこともあった[15]。最近は肩甲骨を十分前方に引き出し，肩を保護しながら，患側上肢全体を伸展位にすることで痙性が軽減され，さらに健側の上肢が自由に使えるという利点[16]もあってかなり利用されるようになった。しかし，肩の痛みがすでに出ている患者では痛みの増強しない範囲で行うことが望ましい。感覚障害の強い場合は肩を痛める危険が大きいので 5 分，10 分と短時間から注意深く導入する必要がある[17]。

① 頭は枕で十分かつ楽に支えておく。
② 頸部は軽度屈曲位で顎を引くようにしておく。
③ 背中に枕をあて十分支持し，少し寄り掛かりぎみにする。肩関節への直接の荷重を避けるためにも真横にはしない。
④ 介助者は肩甲骨と肩関節をもって十分に患側上肢を前方に愛護的に引き出す[16]。患側上肢は肩屈曲 90° 程度に保つ。
⑤ 患側肘は伸展し，前腕は回外しておく。
⑥ 手は自然に背屈位になり，痙性が強いときには手指屈筋群の筋緊張を誘発しないために手には何も握らせない[16]。しかし，弛緩性麻痺の場合には肩手症候群に伴う手指の屈曲制限が生じる確率が高いので，ハンドロールなどを軽く握ら

せるとよい。
⑦患側股関節は伸展位に，膝は軽度屈曲位にする。
⑧患側足部は痙縮の強い場合何もせず自然にしておく（足板などを用いて90°にしない）[16,18]。足底屈筋，足指屈筋群の筋緊張亢進を誘発しないためであるが，近年のように早期の立位，歩行が一般化してくると，尖足予防のための足板の使用はその必要がなくなる。しかし，何らかの理由で長期臥床を余儀なくされる患者や弛緩性麻痺の患者では，足板その他を用いて尖足拘縮予防のために足関節を90°に保持する必要がある[19]。
⑨健側上肢は体の上あるいはやや後方に置く（患側肩甲骨の後退予防のため健側上肢は前にはもってこないようにする）。
⑩健側下肢は患側下肢の前に枕を置き，その上に股関節・膝関節屈曲位でのせる。

⑦患側の足部は内反尖足が助長されないように足先まで枕にのせ宙に浮かせない。足関節90°保持については b-⑧ 同様，痙縮の有無によって決めるとよい。
⑧健側上肢は楽なところにおくが，自由度は健側が上になる側臥位に比べて少ない。
⑨健側下肢は患側下肢の後方に楽に横たえるようにし，患側の骨盤が後方に引けないようにする。

c 片麻痺患者の患側が上になる側臥位（図Ⅴ・2・3）

健側上肢が上になる側臥位に比べ，健側上肢の自由度は少なく活動性は低くなりやすいが，安定感があり患者の好む体位の1つである。

①頭は枕で支え，後ろに反らせないようにする。
②体幹はほぼ真横にする。
③患側肩甲骨は十分前方に引き出し，患側肩は100°程度に屈曲させ，枕の上に上肢をのせる[16]。
④肘と手は枕の上に楽に置き，肘や手関節はできる限り伸展位とし，屈曲方向の拘縮を抑制する。
⑤手指は痙縮を認めるときには何も握らせず，弛緩性麻痺のときにはハンドロールなどを握らせる〔前頁b-⑥同様〕。
⑥患側の下肢は股関節軽度屈曲，膝関節軽度屈曲で1歩踏み出したような格好で健側下肢の前方に置いた枕の上にしっかりと横たえる。

d 片麻痺患者の背臥位（図Ⅴ・2・4）

背臥位は看護上最もとらせやすい肢位である。緊張性迷路反射や緊張性頸反射による異常反射活動の起こりやすい肢位でもある[16]。

①頭部は低い枕で支える。枕が高すぎると緊張性迷路反射に加えて対称性緊張性頸反射の影響で下肢伸筋痙縮性を強める結果につながる。
②非対称性緊張性頸反射の影響を避け[18]，患者の受ける刺激を多くするために顔は患側を向けるようにする。特に急性期や半側空間無視のある患者はその必要がある[20]。
③患側肩甲骨を前方に引き出すように患側肩甲骨の下に枕を入れる。
④上腕は肘伸展位でその枕の上にのせ，前腕は回外して，手は軽度背屈位，指伸展位で枕の上に横たえる。手指のハンドロールの有無については痙性によって決めるとよい〔前頁b-⑥同様〕。また肘に関しては完全伸展位での強直の回避の観点から約90°屈曲位にするという意見[21]もある。
⑤上肢は全体として末梢にいくほど枕で高くしておく。
⑥さらに患側大腿が外旋しないように外側から大腿部を枕で支える。
⑦膝は両側とも伸展し，屈曲拘縮予防のためにも膝の下には枕などを入れない。
⑧踵の下に枕を入れると膝の過伸展を引き起こしたり，褥瘡の原因になるので，もし足を上げるなら骨盤の後ろから下肢全体の下に枕を入れ，全体として末梢にいくほど枕で高くしておく。

図Ⅴ・2・3　片麻痺患者の患側が上になる側臥位（右片麻痺）

図Ⅴ・2・4　片麻痺患者の背臥位

⑨ 足部には痙縮がある場合には，尖足予防のための足板などは用いず何もつけずそのまま横たえておくが，布団などで底屈しないようにする必要がある（離被架の使用）[16]。足板の使用については同様である。

3 褥瘡 decubitus, pressure sores

褥瘡は過度の持続的圧迫による組織の局所的壊死であり，病理学的には皮膚の圧迫性潰瘍であるが，時には皮膚・皮下組織のみならず，筋や骨組織に及ぶこともある。その発生要因には低栄養，失禁による皮膚の湿潤など様々な因子が関与していることが多く，その予防，治療にあたってはそれぞれの要因に対する対策が必要である。

褥瘡が生じる圧迫の力と時間の関係については，60 mmHg 程度 1 時間かけると，組織学的異常が生じ[22]，さらに，70 mmHg 2 時間で筋肉に好中球，リンパ球の浸潤を伴う壊死が生じるといわれる[23]。圧迫により皮膚ははじめは発赤し，次に水疱を形成し，表皮のびらん剥脱を認める。さらに圧迫が続き皮膚全層，皮下組織，筋肉が壊死になる。初め黒く変化した壊死組織が自壊脱落して潰瘍を形成する（図 V・2・5）。

特に生じやすいところは骨の突出部で，仙骨部・大腿骨大転子外側部・踵部・肩甲骨後方部などである（図 V・2・6）。発症にかかわる要因には，以下のような局所因子と全身因子がある。

① 局所的因子
　ⓐ 皮膚の汚染・不衛生：汗や尿で汚れた皮膚は抵抗力がなく，特に寝たきり生活では背部も不潔になりやすい。
　ⓑ 皮膚炎：尿や便あるいはおむつなどによる刺激は，仙骨部や大転子部などに皮膚炎（かぶれ）が生じやすい。
　ⓒ 浮腫：皮膚の伸張や代謝循環の低下から皮膚の抵抗力を減弱させる。
　ⓓ 運動麻痺，知覚麻痺：麻痺により，正常の除圧機構と刺激に対するフィードバック機構の欠如により局所に圧集中がなされ，持続される。褥瘡の最大の原因となる。

② 全身的因子
　ⓐ 全身状態の悪化：安静を余儀なくされる患者は，全身状態が悪い場合が多い。そのため，代謝異常が起こりやすく，皮膚の抵抗性の減弱をきたす。
③ 関節拘縮：圧が一部に集中する可能性が高く，特に下肢の屈曲拘縮は要注意である。
④ 貧血，低酸素状態：貧血や心肺疾患による低酸素状態は，細胞の低酸素状態をもたらし，皮膚の抵抗性を弱める。
⑤ 低栄養：慢性的な低栄養状態は，新陳代謝を低下させ，皮膚や皮下組織の抵抗性を弱め，さらに貧血，低蛋白による浮腫を助長するという悪循環から，褥瘡の危険性を増大させる。

a 褥瘡の予防

1. 全身管理

原因疾患の治療，関節拘縮の予防，低栄養状態，貧血，浮腫などの改善，全身の清潔保持など。

2. 局所管理

❶ 体位変換：麻痺など身体が動かない場合は，局所への圧迫を集中させないように 1〜2 時間ごとの体位変換が必要となる。その際，褥瘡の初期症状としての皮膚発赤に注意しなければならない。さらに，シーツや衣服のしわなどに注意し圧が集中しないような気配りも必要である。

❷ 清拭，入浴：清拭や入浴は全身および局所の清潔を保ち，循環改善，体位変換による除圧などの効果がある。

❸ 褥瘡予防用マットとベッド：ポンプで空気を送り込み時間的に圧迫部位を変えるエアーマットや体重を分散させるウォーターマット，時間でベッドの角度が変わる回転ベッドなどを使用する。しかしこれらを過信してはならない。

3.「寝たきり」から「座りきり」生活への移行

ベッド上での寝たきり生活を避け，座位で過ごす時間を増やすことによって仙骨部や大転子，踵などに褥瘡をつくる危険性を低下させることができる。

Ⅴ．知っておくべき多様な問題点

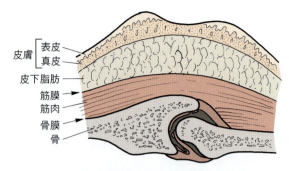

① 褥瘡ステージⅠ
急性の炎症反応は，軟部組織全層にみられるが，不整形の湿潤した潰瘍は表皮のみに限局しており，真皮層を露出させている。

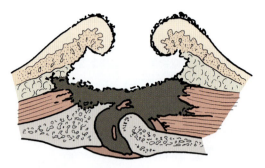

④ 褥瘡ステージⅣ
壊死は筋膜からさらに深部にも及び，骨髄炎や化膿性関節炎を伴う。

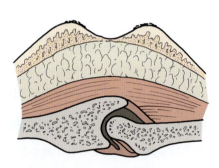

② 褥瘡ステージⅡ
同じく炎症反応は軟部組織全層にみられるが，潰瘍は皮下脂肪層に達している。

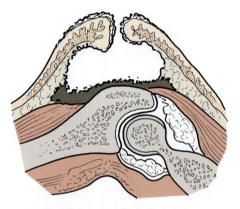

⑤ 滑膜腔様褥瘡(closed pressure sore)
大きな滑膜腔のような内腔をつくり，その内壁は慢性の炎症性組織で覆われている。深部筋膜から骨まで及ぶが，周辺の炎症反応は比較的少ない。炎症性滲出液が，小さな瘻孔から排出されている。

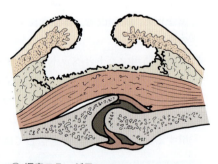

③ 褥瘡ステージⅢ
典型的な褥瘡はこのステージであることが多く，感染を起こした汚い壊死組織は皮下脂肪層に広がり，皮下にもぐり込む。壊死はかろうじて筋膜でくいとめられているが，炎症反応は筋・骨膜にも及んでいる。

図 Ⅴ・2・5　Shea の褥瘡の分類
〔文献 24) より〕

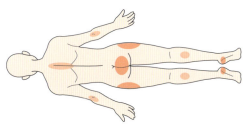

図V・2・6 褥瘡の分布

褥瘡の予防

1. **環境要因による予防**
   ① ベッド
      ⓐ エアーマット
      ⓑ ウォーターマット
      ⓒ 回転ベッド
         ストライカーベッド
      ⓓ クリニシステム
      ⓔ ブロックマット
      ⓕ 円座，羊毛
   ② 車椅子
      ⓐ フローテーションパット
      ⓑ フォームラバークッション
2. **身体的要因に対する予防**
   ① 全身管理
      ⓐ 栄養管理
      ⓑ 循環改善
   ② 局所管理
      ⓐ 体位変換
      ⓑ 関節拘縮予防
      ⓒ 熱傷・外傷予防
      ⓓ 便・尿失禁管理
3. **精神・心理的要因に対する予防**
      ⓐ 生活意欲の向上
      ⓑ 褥瘡に対する教育指導

b 褥瘡の治療

1. 保存的治療

保存的治療の原則は，① 局所圧迫の除去，② 厳重な無菌操作，③ 栄養補給・水分補給による全身管理である。

ⓐ 薬物療法：各種抗菌薬，消炎酵素剤（ブロメライン軟膏）などが用いられる。

ⓑ 褥瘡周辺部のマッサージ：アルコールや徒手的マッサージ light stroking massage が用いられる。局所の反応性充血による循環改善作用がある。

ⓒ 温湿布・赤外線療法：熱による血行の刺激作用がある。特に，炭酸ガスによる温湿布も有効である[25,26]。

ⓓ 日光浴，ヘアドライヤー：温風による刺激と循環改善作用。

ⓔ 紫外線療法：主に潰瘍面の殺菌効果を期待する。

ⓕ 薬浴・入浴：イソジンなどの消毒液を入れ，気泡などにより創部の滲出液や膿を洗い落とし，肉芽組織にマッサージ的効果を与え，温熱効果による循環改善と消毒殺菌効果を期待して行う。

2. 外科的治療法

デブリードマン，褥瘡形成術がある。回転皮膚弁形成術や有柄植皮術など有効な方法があるが，いずれも全身状態が改善しない限り成功の可能性は少ない。

4 骨萎縮 bone atrophy

骨の水酸化アパタイト結晶が外力に応じて，その両面に正負の電気（ピアゾ電気）が生じ[27]，水酸化アパタイト結晶の溶解度が低くなる結果，細胞外液の Ca 濃度が低くなる[28]。逆に，骨に対する機械的刺激が減少すると，細胞外液の Ca 濃度が高くなることで破骨細胞の骨融解能が高まり，尿中の Ca 量が増加し，そのため骨量の減少をきたすとされている。4～5日ぐらいのベッド上安静で窒素や Ca のバランスは負となり，結果的に廃用性骨萎縮が生じる。

無重力下の宇宙飛行士では，わずか4日間の生活により手の骨量の減少は最大12％にも及び，8日間のジェミニ5号では骨減少量は20％以上になったという。ジェミニ7号では飛行中の運動処方で骨減少量を小さく食い止めることができた[29]，というように重力の関与も大きい。

高齢者に対する廃用性骨萎縮の予防は，抗重力位で体重を負荷し，日常生活のなかで頻回に使うことに尽きる。そのためには，可能な限り離床を早め，歩行能力を保持し，早期から運動訓練などをベッドサイドでも行いながら骨萎縮の進行を食い止める必要があろう。

5 起立性低血圧症 orthostatic hypotension

臥位から座位，立位への急な体位の変換によって生ずる低血圧（通常収縮期血圧で 30 mmHg 以上の低下）のことを指す．めまい，脱力，視力障害，失神などの症状を呈することがある．

起立による循環動態の変化は心臓以下の静脈の拡張，心臓への静脈還流量の減少，心拍出量の減少，末梢血管抵抗の減少，動脈圧の下降，脳血流量の減少などを生じる．一方，この変化に対して，交感神経系などの自律神経系により，静脈系の反射的な収縮，内臓および四肢の反射的収縮による末梢血管抵抗の増加などの調節が行われている．したがって，これらの調節機構は動脈壁の圧受容体を含む自律神経系や筋肉のポンプ作用などが関与している．

予防として，臥床期間をできるだけ短くすることは当然であるが，高齢者で臥床期間が長期にわたる場合には，ギャッチベッドやバックレストを利用して徐々に座位時間を延長したり，斜面台 tilt table を用いて徐々に起立位をとることによって，自律神経の回復を促すことが重要となる．また，下肢筋力の改善が見込めず，静脈貯留を回避できない例には弾性包帯や，エラスティックストッキングなどを用いてもよい．

6 静脈血栓症

わが国では発生頻度は低いとされているが，肺塞栓を生じると生命予後に関与してくるため，早期発見と予防が重要になる．

部位としては，一側の下肢，特に左側が生じやすく，下腿周径などを定期的に測定して早期発見に努めるべきである．発生機序としては，運動麻痺による筋ポンプ作用の消失と，交感神経系障害による血管運動麻痺が静脈のうっ滞を引き起こし，血球成分の sludging から血栓形成へ発展する．したがって，その予防としては，下腿周径計測，下肢挙上，体位変換などを厳行することである．

7 尿路結石

尿路結石の発生率は，臥床期間の増加に比例して多くなる．その原因には多くの要因が絡んでいるが，骨からの Ca 吸収増加の結果として高 Ca 血症となることもその一因である．ほかに長期の背臥位保持や体位変換不足による尿の腎・膀胱での停滞，残尿の結果として生じる尿路感染症，アルカリ尿もその原因となる．

予防としては，適切な体位変換，体重負荷による骨からの Ca 吸収低下，残尿の減少・導尿，尿酸性化剤の使用などである．結石が生じてしまったものについては，小さなものであれば，自然排出や，膀胱鏡による排出を行えるが，大きなものについては，破砕術や開腹摘出術を講じなければならなくなることもある．

8 精神的・知的・心理的障害

長期臥床により，身体的にも，精神的にもあまり刺激がない状態が続くと，知的能力の低下や依存性のほか，興味・自発性の低下，食欲低下，睡眠障害，感情・行動異常，ホスピタリズムなどの精神的，あるいは人格的変化が起こってくる．

精神的・知的・心理的障害のうち，特に高齢者で問題となるのは知能である．知能の構成要素は，記憶，理解，判断，計算，推理，学習能力などを含み，経験や知識に負うところも大きい．高齢化によって知能の各要素は一様に低下していくことが知られているが，一般的には老化の影響を受けがたいのは知識や経験による言語性知能であり，逆に衰退しやすいのは動作性知能など速度の要素をもつ知能である．

これらの障害に対し特異的な治療法はなく，予防が大切である．そのためには以下のようなことに注意すべきである．

① 脳血管障害や全身的衰弱をきたさないように内科的な管理，治療をする．
② 転倒による骨折を防止する：大腿骨頸部骨折がよく認知症を生じやすい．

③ 心理的状況，環境状況の安定化：急激な環境変化をさせない。
④ 家族・地域社会とのつながりを保持する：家庭における自分の場というものを常に保持させる。
⑤ 常に適切な刺激を与える：家庭内のできごとなど高齢者の身近なことなどを話したり，読書や書くことを生活習慣として組み入れたり，作業療法などを行うことで，脳に適切な刺激を与え，知的機能を保持させる。

最近，ホスピタリズムが問題として取り上げられるようになってきている。すなわち，自己の障害を克服しようとする意欲を失い，そのぶん病院への依存が強くなり，社会復帰への働きかけに抵抗を示す状態への対応が問題となっている。この心理的機制の背景には，まず第一に，身体障害という対象喪失に伴う苦悩の心理的過程を経ずに入院が長期化した場合である。障害告知により，通常はショック，現実の否認，抑うつの後に障害受容へと進むわけであるが，これを経験しなかった場合は，いつまでも障害の治癒を夢見て固執することになる。したがって，障害受容には予後告知を含む心理的アプローチが必要不可欠であると思われる。第二には加齢に伴う問題である。高齢者は，社会的には復職や再就職の可能性は乏しく，家庭内では自分の場を失いかけている。このような高齢者にとって，病院は友人や話し相手を得ることのできる格好の場所となる。今後，このような社会的配慮をした施設などの設立が課題となるであろう。

9 肩手症候群 shoulder hand syndrome

脳卒中や心筋梗塞などで上肢を動かさないような状態が続くと，特に細動脈などに分布している血管運動性の自律神経が障害されることがある。その際，肩の痛みとふわふわして軟らかい手の腫脹 puffy swelling，MPやPIP関節部の赤みの増大，温度上昇，手の拘縮と骨萎縮などをきたす（図Ⅴ・2・7）。

この診断には，① 肩手症候群を誘発する先行疾患の存在，② 肩と手を主として侵し肘には変化がない特徴的な臨床症状，③ X線所見などが参考と

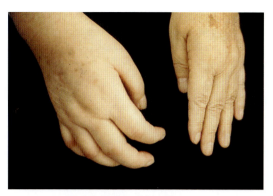

図Ⅴ・2・7　肩手症候群の手（右手）

される。その特徴的な病期分類を表Ⅴ・2・2に示した。治療はパラフィン浴などの温熱療法や頸部交感神経ブロックなどが有効である（表Ⅴ・2・3）。

B 誤用症候群 misuse syndrome

運動の不適切によって生じるものであり，訓練士による適切な訓練によって，予防できるものである。したがって，訓練時には特に注意して観察指導する必要がある。以下に，代表的な原因を列挙する。

誤用症候群
① 関節への無理な力による炎症 ② 靱帯，腱などの軟部組織の損傷 ③ 骨，関節の変形 ④ 痙縮の増強 ⑤ 強い筋と弱い筋のアンバランスの増悪 ⑥ 異常歩行パターンの習慣化 ⑦ 転倒による骨折

不適切な可動域訓練により関節に無理な外力が加わり損傷をきたす場合がある。

1 肩関節

肩関節は狭義の肩関節（肩甲上腕関節）と肩甲骨と肋骨との間の軟部組織によって動き，肩甲上腕関節と軟部組織とが2：1のリズムをもって動いている。しかし，麻痺などで筋肉が動かず肩関節が

表V・2・2　肩手症候群の病期分類

	第1期	第2期	第3期
肩	自発痛，運動痛，圧痛 運動制限	疼痛寛解または持続関節拘縮 筋萎縮	疼痛軽快 拘縮軽快または残存
手指	疼痛 腫脹 熱感 圧痛 知覚過敏 異常発汗 運動制限	疼痛寛解または持続 腫脹寛解 皮膚・皮下・固有筋の萎縮 冷感 爪の栄養障害 関節拘縮	疼痛軽快 皮膚・皮下・固有筋の萎縮残存 爪の変化残存 関節拘縮軽快または残存
X線	上腕骨頭と手指の関節近傍の斑状の骨萎縮	左記の変化がより著明になる	すりガラス状の全体的な骨萎縮

〔文献30）より〕

表V・2・3　肩手症候群の治療

内科的治療	消炎鎮痛剤，ノイロトロピン，ステロイド，抗てんかん薬，抗不安薬，抗うつ薬，向精神薬，α・β遮断薬，Ca拮抗薬，カルシトニン療法
外科的治療	交感神経節切除術 硬膜外脊髄刺激法
神経ブロック	トリガーポイントブロック 交感神経節ブロック 硬膜外ブロック 局所静脈内交感神経ブロック
リハビリテーション的アプローチ	物理療法：温熱療法，寒冷療法，水治療法，低周波，TENS，陽陰圧治療器 ROM訓練，良肢位保持 三角巾（各種スリング），スプリント

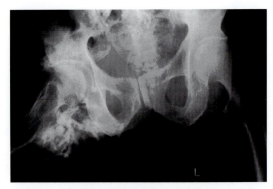

図V・2・8　股関節の異所性化骨（右股関節）

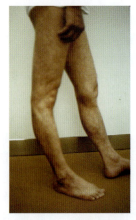

図V・2・9　反張膝（右膝）

保護されないと，直接靱帯や関節包に外力が加わり断裂や内出血をきたし，これが繰り返されれば慢性炎症となり不可逆性の拘縮をつくってしまうことがある。また，その際の肩の痛みから肩手症候群（痛み刺激に対する交感神経の異常興奮と考えられる）[31]を引き起こすことがあるので注意を要する。そのため，肩関節の関節可動域訓練は安全域を考慮して屈曲・外転は 90° 以内にとどめるべきである。

2 股関節

股関節の過大で頻回の関節可動域の訓練は，股関節周囲の軟部組織の損傷を招き，内出血を生じた後に慢性炎症をきたし，その結果 Ca 沈着をもたらす。この異所性化骨 ectopic ossification は，股関節の不良肢位での拘縮をきたし後のリハビリテーションの大きな阻害要因となる（図V・2・8）。

3 その他

足関節尖足矯正のための他動的背屈運動による扁平足や舟底足，不適切な荷重歩行訓練による反張膝（図V・2・9），杖の不適切な使用による正中神経麻痺や腋窩神経麻痺 crutch palsy[32]，車椅子の使用による手根骨部の関節症[33]にも注意すべきである。

C 過用症候群 overuse syndrome

　過用症候群は過激なスパルタ式の訓練で生じやすいと考えるかもしれないが，実際には麻痺や廃用性筋力低下で弱った筋には通常よりわずかに多い筋力訓練でも過用になりやすく損傷を生じやすい。過用性筋力低下はポリオ，ギラン・バレーGuillain-Barré症候群，筋萎縮性側索硬化症（ALS）など神経筋疾患で多く報告がある。

3 嚥下障害

　高齢者における嚥下障害は，種々の原因によって生じ，日常生活において最も問題になる障害の1つである。そのため，嚥下障害に対する対応は重要なものとなる。

A　嚥下障害とは

　嚥下運動は食べ物が口から咽頭，食道を経由して胃に到達するまでの一連の動きをいう。この運動はごく短時間に行われるが，通常，嚥下はその時期によって次の3期に分けられる（図Ⅴ・3・1）。
① 嚥下第1期（口腔相）：随意運動で口腔から咽頭に食塊を送る。
② 嚥下第2期（咽頭相）：不随意的反射運動で咽頭から食道に食塊を送り込む。
③ 嚥下第3期（食道相）：蠕動運動で食道から胃に食塊を送る。
　また，リハビリテーションの視点でみると，第1期口腔相の前に食物であることを認識し食べようとする意欲が出る先行期と，食物を手などで口へ運び咀嚼し食塊をつくる準備期の5段階に分類して嚥下運動をとらえたほうが臨床的である[1]。脳障害などで知能が低下したため食べようとしないのは先行期の障害であり，運動の持続の障害のために，口の中までは食物を運ぶけれどもずっと口に含んだままでなかなか飲み込もうとしなかったり，脳卒中などの安静期間の後で，義歯をしばらく外していたために合わなくなり食べづらくなったりするのは，準備期の障害ととらえられる。
　嚥下障害（広義）とは，嚥下第1〜3期の障害を総称するが，一般的に嚥下障害（狭義）というと嚥下第2期の障害を指すことが多い。すなわち嚥下障害を広義に解釈すれば，嚥下第1期障害の咽頭炎や扁桃炎で疼痛のために嚥下できない場合や，消化器内科的に診察されるような食道がんで，患者が食道に食塊の停滞感を意識するような嚥下第3期障害としての食道通過障害も含まれるが，ここ

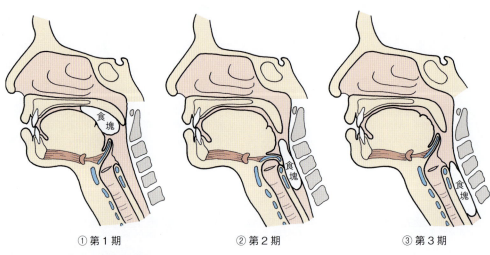

①第1期　　　②第2期　　　③第3期

図Ⅴ・3・1　嚥下の各相の略図

では狭義の嚥下第2期の神経あるいは筋の障害によって生じる場合を主として述べる。

B 病態生理

口腔内に入ってきた食物は咀嚼運動によって食塊となる。これが一連の組織化された嚥下運動によって胃に到達する。この嚥下運動にかかわる神経筋機構は複雑である。運動調節の中心となるのは延髄の嚥下中枢であり，これに中枢神経系の大脳皮質，視床下部，脳幹網様体などと末梢神経系の口腔，咽頭，喉頭筋群などとの神経・筋ネットワークによる組織的な運動によって嚥下運動が営まれている。

前述のように，嚥下運動は以下の3期に分けられる。

表 V・3・1 嚥下に関する主な神経

三叉神経	顔面神経	迷走神経	舌下神経
側頭筋	顔面筋	輪状甲状筋	内舌筋
咬筋		甲状披裂筋	オトガイ舌筋
外側翼突筋		外側輪状披裂筋	舌骨舌筋
内側翼突筋		披裂間筋	茎突舌筋
顎二腹筋前腹	顎二腹筋後腹	披裂喉頭蓋筋	オトガイ舌骨筋
顎舌骨筋	茎突舌骨筋	甲状喉頭蓋筋 口蓋帆挙筋 口蓋舌筋 口蓋咽頭筋 茎突咽頭筋 耳管咽頭筋 上咽頭収縮筋 中咽頭収縮筋 甲状咽頭筋 輪状咽頭筋 食道筋	甲状舌骨筋

〔文献2)より改変〕

1 嚥下第1期(口腔相：0.5～0.8秒)

この時期には食塊は口腔内から咽頭へ移動する。

主として舌の随意運動が中心となり，関与するのは舌骨上筋群(口蓋挙筋，口蓋帆張筋，口蓋舌筋，顎舌骨筋など)で，この働きにより舌は挙上し口腔内圧は高まってくる。これと同時に，口腔内筋群(口蓋挙筋，口蓋帆張筋，口蓋舌筋，口蓋咽頭筋など)の緊張収縮によって口腔内は非常に狭くなり，下咽頭収縮筋群の収縮により食塊は咽頭から下咽頭へと送られる。

この際，主として働く運動神経は舌下神経，三叉神経，顔面神経であるが，咽頭部の筋収縮に関しては，迷走神経の影響も受ける。感覚神経は三叉神経，迷走神経である(表V・3・1)。

2 嚥下第2期(咽頭相：1.0～1.4秒)

不随意的反射運動によって食塊が咽頭，下咽頭から食道に送られる時期である。

これに関与する筋群は，収縮する順に列記すると，①下咽頭収縮筋群，②舌骨下筋群，③甲状舌骨筋，④甲状咽頭筋，⑤輪状咽頭筋，⑥喉頭内筋群(輪状喉頭蓋筋，甲状披裂筋，外側輪状披裂筋，披裂筋)である。

順に動きを要約する。

① 喉頭の挙上が始まる。
② 軟口蓋の挙上と舌根部が後方に突出する。
③ 喉頭蓋は後下方に倒れ始める。
④ 喉頭はさらに挙上する。
⑤ 喉頭蓋は完全に後下方に倒れて，喉頭入口部を蓋する形となる。
⑥ 喉頭入口部は閉鎖する。
⑦ 食道入口部が開大する。
⑧ 舌根部は前方に移動し，もとの位置に戻る。
⑨ 喉頭が下降を始める。
⑩ 喉頭蓋はその弾力によって直立位に戻る。
⑪ 喉頭は下降してもとの位置に戻る。

働く神経は，まず，舌咽神経が咽頭の触覚受容器からインパルスを受け，延髄の嚥下中枢へ送られる。そこから，迷走神経などへ運動インパルスが反射的に送られ嚥下運動が起こる。

3 嚥下第3期(食道相：3.0～4.0秒)

食塊が食道を通過する時期である。食塊が弛緩

表 V・3・2　嚥下障害の原因とその分類

A. 器質的障害(静的障害 static disorders)
通路の狭窄ないし閉塞，通路自体の病変と通路周囲の病変とが含まれる。
① 炎症：非特異性急性・慢性炎症，火傷(熱，化学薬剤など)による炎症，梅毒，結核など
② 腫瘍，腫瘤：良性・悪性腫瘍，静脈瘤，動脈瘤など
③ 外傷(手術を含む)
④ 異物
⑤ 奇形
⑥ 瘢痕狭窄：炎症の後遺症 Plummer-Vinson 症候群の器質的障害型など
⑦ その他：憩室，変形性頸椎症など

B. 機能的障害(動的障害 dynamic disorders)
嚥下運動の障害
I. 核上性：錐体路両側障害＝仮性球麻痺，錐体外路障害(運動減退性不随意運動，運動亢進性不随意運動)
① 血管障害：lacunar state，上矢状静脈洞血栓症，両側性多発性脳梗塞，脳出血(大出血または両側性)，クモ膜下出血など
② 腫瘍：前頭葉腫瘍(グリオーマ，転移性脳腫瘍など)
③ 外傷性：両側慢性硬膜下血腫，広範な脳挫傷(contusion)
④ 炎症：脳炎，神経梅毒，多発性脳膿瘍，Creutzfeldt-Jakob 病
⑤ 脱髄性疾患：多発性硬化症
⑥ 代謝疾患：低酸素脳症，リピドーシス，アミノ酸代謝異常，尿毒症性脳症
⑦ 変性疾患：筋萎縮性側索硬化症，線条体黒質変性症，パーキンソン病
⑧ その他：正常圧水頭症，中毒
II. 核性(球麻痺)
① 変性疾患：筋萎縮性側索硬化症，脊髄性進行性筋萎縮症など
② 血管障害：Wallenberg 症候群などの延髄の梗塞，あるいは出血
③ 炎症：急性灰白髄炎，脳幹脳炎など
④ 腫瘍：延髄部の腫瘍
⑤ 先天性：延髄空洞症
⑥ 中毒
⑦ 外傷
III. 核下性
① 炎症：脳神経炎，髄膜炎，ギラン・バレー症候群
② 腫瘍：頭蓋底部，頸部，胸部などの腫瘍
③ 代謝異常：糖尿病など
④ 中毒
⑤ 外傷(手術を含む)
IV. 神経筋接合部，筋原性
① 特発性：重症筋無力症，筋ジストロフィー症(眼筋型，筋緊張型，Duchenne 型末期)など
② 炎症：多発性筋炎，全身性エリテマトーデスなど
③ 中毒：有機リン中毒，ボツリヌス中毒など
④ 外傷(手術を含む)
⑤ 内分泌障害：甲状腺機能亢進症(甲状腺中毒性ミオパチー)
V. 心因性
① ヒステリー
VI. その他
① 食道けいれん，特発性食道拡張症(無弛緩症，アカラシア)，強皮症

C. 知覚異常
I. 嚥下痛をきたすもの
① 口腔内の疼痛(口内炎，アフタ)
② 咽頭痛(急性扁桃炎，扁桃周囲膿瘍)
③ 喉頭痛(喉頭蓋，披裂部の炎症・潰瘍)
④ 食道痛(炎症性疼痛)
II. 知覚鈍麻をきたすもの

〔文献3〕より改変〕

した輪状咽頭筋を通過し食道に達し第2期が終わると，喉頭はすぐに下降して呼吸を再開する。第3期はこの直後に上部食道括約筋の収縮によって開始される。括約筋の収縮によって食道入口部が密閉され呼吸器系へ食塊が逆流するのを防いでいる。その後，食道の蠕動運動によって食塊は胃へと送られる。この段階で働く神経は，主として迷走神経の不随意的な運動機能による。

C 嚥下障害の原因疾患

嚥下障害の生じ方から分類すると，通路が狭くなっていたり，閉塞している静的障害と，食塊を運搬する動きが障害されている動的障害とに大きく分けられる(表V・3・2)。

D 嚥下障害の診断

嚥下障害といっても「のどの痛みのため飲みこめない」，「食べた物がのどにつかえる」，「食べた物が鼻から逆流する」，「咳込んでしまう」などその症状は多彩である。高齢者の場合このような症状に加え，「肺炎の繰り返し」，「食事を飲み込もうとしない」，「食事中むせることが多い」，「夜間の咳や痰が多い」，「食事の量が減ってやせてきた」などの症状にも目を向けるべきである。また，むせは必発ではなく，むせのない誤嚥 silent aspiration もあり注意すべきである(表V・3・3)。

表V・3・3　問診による嚥下障害の原因の鑑別

	口腔・咽頭性	神経筋麻痺	食道性
嚥下困難の発生機序および発生時間	嚥下第1, 2期の障害で嚥下直後に現れる	嚥下第2期の障害で嚥下直後に現れる	嚥下第3期の障害で嚥下後5〜15秒で現れる
鼻腔・気管への流入	あり	あり	なし
嚥下障害をきたしやすい食物	流動物	流動物	固形物
頭や首を曲げると	飲み込みやすくなる	少し飲み込みやすくなる	変わらない
言語障害・開鼻声	なし	あり	なし
胸骨後方のつかえ感	なし	なし	あり
前胸部痛	なし	なし	しばしばあり
胸やけ	なし	なし	しばしばあり
原因疾患	口腔・咽頭・喉頭疾患	球麻痺 仮性球麻痺	食道疾患

(戸倉より)

嚥下障害を思わせる臨床症状

① 意識障害，気管切開
② 頻回の吸引が必要
③ 口が開いていることが多い
④ 流涎，口のまわりをティッシュペーパーでふく回数が多い
⑤ 口唇や舌の動きが緩慢，左右非対称
⑥ 構音障害・嗄声，口腔・頬失行
⑦ むせ，繰り返す肺炎
⑧ 食べにくさの自覚
⑨ 体重減少

表V・3・4　球麻痺と仮性球麻痺の鑑別

	球麻痺	仮性球麻痺
嚥下障害	固形物が先に障害される	流動物が先に障害される
舌萎縮	あり	なし
顔面筋	緊張低下，表情に乏しい	緊張亢進，硬い印象を与える
強制笑い，強制泣き	なし	あり
下顎反射，眼輪筋反射	低下	亢進
snout reflex	−	+

しかし，注意深く，系統立てて問診を行えば，原因疾患の診断，部位，重症度などがある程度予測でき，迅速な処置，専門医への紹介が適切にできる。

E 嚥下障害の検査

1 身体所見

意欲の障害，運動の持続の障害，意識レベル，知的障害，脳神経障害（三叉・顔面・舌咽・迷走・舌下神経），口腔顔面失行の有無，義歯の適合性，頸部の安定性などの所見をとることから始める。

そのうえで，実際にスプーンで水を口に含ませ，合図とともに飲ませてみる。この際，合図の後にすぐに嚥下できるか，むせはないかなどを観察し，嚥下の後で咳をさせてみて随意的に咳ができるかどうかを調べ，さらに「アー」と言わせてみてガラガラした湿性嗄声がないかをみる必要がある。湿性嗄声の存在は咽頭部の食塊の残留を疑わせるものである。

また，下位運動神経損傷の球麻痺と左右上位運動神経損傷の仮性球麻痺の違いを表に示す（表V・3・4）。

2 臨床検査

嚥下の客観的評価には硫酸バリウムなどの造影剤によるX線写真検査や映像による検査（VF）が必要で，嚥下器官の動きと食塊の動き，誤嚥の有無や誤嚥しにくい姿位などを評価し，どの段階で

表V・3・5　嚥下障害のチーム医療

医師	全身管理，リスク管理，検査，訓練指示，ゴール・治療方針の決定 病状・治療方針の説明と同意
言語聴覚士	口腔機能評価，基礎訓練，摂食訓練，構音訓練，高次脳機能評価と治療
理学療法士	頸部体幹訓練，体力向上，全身耐久性向上，身体運動療法，肺理学療法
作業療法士	失認・失行評価と訓練，姿勢訓練，上肢の訓練，食器の工夫，自助具
看護師	バイタルサイン，薬の投与，点滴，経管栄養，気切カニューレ，口腔ケア，摂食介助，摂食・嚥下訓練，心理的サポート，家族指導
介護福祉士	口腔ケア，摂食介助
家族	心理的サポート
栄養士	嚥下障害食製作供給，カロリー・水分などの栄養管理，嚥下障害食の作り方の指導と紹介
薬剤師	調剤，嚥下しやすい薬剤の剤形の調整，薬効の説明
歯科医師	虫歯，歯周病など口腔疾患の治療，義歯の調整など
歯科衛生士	口腔ケア，口腔衛生管理の指導
放射線技師	嚥下の造影検査
ソーシャルワーカー	環境調整，家族などとの関係調整，社会資源紹介

表V・3・6　先行期の摂食障害とその対策

摂食障害	対策
①観念・観念運動失行：食器の使用法に障害があり食べられない ②半側空間無視：食物の一部を残す ③注意障害，集中力障害：食べることが持続せず食事量が少ない ④情動障害：感情失禁などが食事中に生じ食べられない ⑤食物を口一杯にほおばったまま，噛もうとも飲み込もうともしない	①食器，食事方法の工夫 ②配膳の工夫 ③食事時間の配分の工夫 ④感情失禁を生じさせないような接し方 ⑤持続的な摂食刺激 ⑥食事環境の調整 ⑦患者の嗜好を考慮した食事内容 ⑧1回に与える食事量の調整

障害されているかを診断する。

F 嚥下訓練

1 嚥下訓練チームによるアプローチ

嚥下治療において，欧米では嚥下治療士という特殊な職種があるが，この有無にかかわらず医師（リハビリテーション科，耳鼻咽喉科，神経内科，放射線科など），PT，OT，ST，栄養士，保健師，介護福祉士など多くの職種の嚥下訓練チームによるアプローチが必要である（表V・3・5）。各スタッフは誤嚥や肺炎などの兆候に注意して訓練を進めなければならない。

食事摂取はQOLにかかわる要素の高いものであるが，高齢者で障害がある程度重度の場合はむやみに嚥下訓練にこだわらず，早期に安全に栄養管理ができる方法を考えながら，無理をせず外科的な方法なども考慮に入れて進めるとよい。

2 訓練内容

嚥下訓練には食物を使わずに訓練する基本訓練と，食物を使う摂食訓練がある。前述の障害の内用に合わせて訓練内容を選択する。

a 先行期の障害

周囲に気を散らさないようする，意欲を持続させるなど，摂食のペースと環境づくりに配慮し，基本訓練に重点を置くようにする（表V・3・6）。

b 準備期および口腔相（嚥下第1期）の障害

顔面筋，口唇，下顎，舌の運動療法に重点を置く基本訓練が有効である（表V・3・7）。急性期に外された義歯は，可能な限り早期に再装着させるようにすることが大切である。また，口腔内の感覚能力を高め，誤嚥性肺炎を予防するために口腔ケア[5]を並行して行う必要がある。また，口腔相では基本訓練と合わせて，誤嚥の危険性が少なければ，効果的な摂食訓練も行う。この際，患者の嗜好に合った内容で，少量の食物から始めるようにする。むせは安全のためということを伝え，嚥下

表Ⅴ・3・7　嚥下関連筋の基本訓練

対象筋群	主な神経	訓練方法
顔面筋	顔面神経：Ⅶ	頬の内側・外側からのストレッチ 各顔面筋の抵抗運動などによる筋力増強 アイスクリッカーなどによるアイスマッサージも緊張をとるのに有効である
口唇	顔面神経：Ⅶ	口輪筋のストレッチ，バイブレーション 鏡による口唇の運動，ストローを吸う・吹く運動 頬をふくらます運動，リラクゼーション 口唇音（パ，バ，マ行）の発声練習
下顎	三叉神経：Ⅴ	下顎のストレッチ，側頭筋・咬筋のバイブレーション ガーゼやガムなどを嚙ませる筋力増強 下顎の自動運動，リラクゼーション
舌	舌下神経：Ⅻ	頬の内側を舌で押し上げる運動，口唇をなめる運動 舌を前へ突き出す運動，舌先を持ち舌を後方へ引く運動 舌を左右斜めから押し抵抗に抗する運動

〔文献4）より改変〕

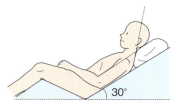

図Ⅴ・3・2　摂食容易な体位
30°ギャッチアップ，膝軽度屈曲，頸部軽度前屈

表Ⅴ・3・8　摂食容易な体位の利点と欠点

	利点	欠点
30°ギャッチアップ	食物が気道に入りにくい 枕などを用いて姿勢を安定させやすい 頸部の緊張緩和	頭部が後ろに反りやすい 食膳が見渡せない 自力摂取が困難
80°程度の座位	咽頭・舌骨が動きやすい 食膳が見渡せ食欲がわきやすい 自力摂取が容易	食物が気道に入りやすく誤嚥しやすい 体幹が不安定で保持しにくい

の失敗ではないことを説明し，自信がつくように指導するとよい。

c　咽頭相（嚥下第2期）の障害

咽頭相の訓練は，嚥下反射をスムーズに起こさせることが大切で，安定した口腔期を確立するために口腔器官に対する運動療法を十分に行う必要がある。そのうえで嚥下反射の活性化のために，舌圧子やブラシでの舌後方や軟口蓋の刺激，前口蓋弓を冷却刺激する thermal stimulation, 咽頭部のアイスマッサージ，頸部のリラクゼーションを行う。誤嚥防止のために随意的に声帯を閉じて，食物が気管に入らないようにする pushing exercise も有用である。随意的な咳の訓練も誤嚥防止に役立つ。大きく息を吸って→止めて→飲み込む→息を吐いて→咳をするという一連の動作で呼吸・嚥下の協調運動や誤嚥防止を習得する supra-glottic swallow という訓練もある。

また，摂食訓練では誤嚥を防止するために30°くらいのリクライニング位で頸部をやや屈曲位にした体位がよい（図Ⅴ・3・2，表Ⅴ・3・8）。

G　嚥下障害の治療法

1　摂取方法

a　一口量

1回に嚥下できる量を一口量とする。多すぎると誤嚥の原因になり，少ないと嚥下反射が起こりにくい。適量はVF検査（嚥下造影検査）で確認するのが理想的である。

b　摂取スピード

患者のペースに合わせる。食物を口に入れたら確実に嚥下反射が起こるまで，次の一口を入れない。一口一嚥下が基本である。介助者が喉頭挙上

を確認する．困難な場合には舌骨と甲状軟骨の間に軽く指をあてて確認する．

c 嚥下動作への注意集中

嚥下動作に注意集中し，誤嚥を防止する．

2 代償的嚥下法

a 頸部回旋[6]

麻痺がある場合，頸部を麻痺側へ回旋させることで，麻痺側の梨状窩に食物が流入するのを防ぎ，食塊を通過障害のない健側梨状窩を通過させて食道に導く．食道入口部に通過障害があるときに適応となり，食道入口部の静止圧を下げて通過しやすくする．

b 努力性嚥下

舌を後ろに引き込むように力を入れて嚥下する代償的嚥下法である．舌根部の咽頭方向への動きを強化し，食塊を送り出す圧を上昇させる．喉頭挙上を強化する効果もあり，嚥下時に咽頭圧が十分でない患者に適応する．

c supraglottic swallow（息止め嚥下/嚥下パターン訓練）

嚥下する前に息を止めて声門を閉鎖し，嚥下前と嚥下中の誤嚥を防止する方法．吸気→息止め→嚥下→すぐに咳または呼気のパターンの繰り返しを訓練する．途中で吸気を入れると，咽頭内の残留食物を気道内に誤嚥することになるので注意が必要である．

d メンデルソン手技
Mendelsohn maneuver

喉頭挙上の強化と食道入口部開大を目的とする方法で，嚥下を系統的に行わせ嚥下全体の協調性の改善も期待できる．訓練士や患者自身の喉頭を触れさせることで，喉頭の動きを認識学習させる．嚥下を促し，反射が生じ喉頭が最も挙上した位置で，息を止め，奥舌を口蓋に押しつけ保持させる．食道入口部が開大していることをVF検査

で確認するとよい．

e 複数回嚥下，交互嚥下

一口嚥下した後，数回空嚥下を行う（複数回嚥下）．空嚥下が困難であれば一口ごとに少量の冷水を嚥下させる（交互嚥下）方法である．咽頭部の食物残渣をきれいにし，嚥下後の誤嚥を防ぐ．

3 代償的栄養管理法

a 鼻腔チューブ

誤嚥による気道の閉塞，あるいは誤嚥性肺炎などの重篤な合併症を予防するために鼻腔チューブによる水分および栄養確保を第一に考えるべきである（食道静脈瘤があるときなどには禁忌である）．

特に慢性神経疾患などの症状固定疾患や進行性疾患における嚥下障害の治療として，早期に鼻腔チューブを用いることが必要である．しかし，鼻腔チューブは一時的には栄養補給の手段として使われるが，不快感が伴い，鼻孔の圧迫性壊死や喉頭の閉鎖不全を生じさせることでかえって誤嚥の原因ともなることもある．もし，鼻腔チューブを用いるなら可能な限り小径のものがよい．

b 間欠的経管摂食法
intermittent tube feeding（ITF）

摂食時のみにチューブを食道まで留置し栄養を摂取する方法で，それ以外はチューブから開放されるため，患者の違和感は少ない．

4 外科的治療法

a 胃瘻または食道瘻

重篤な筋力低下や意識障害の患者では，自力で食事がとれないことが多いので，胃瘻が栄養確保の手段として造設される．近年では意識障害者や重度知的障害者でも容易に行え，手術的侵襲の少ない経内視鏡的胃瘻造設術も盛んに行われている[7]（しかし，頻回の腹部手術，特に胃手術を行っている場合は，胃瘻より上の頸部での食道瘻のほ

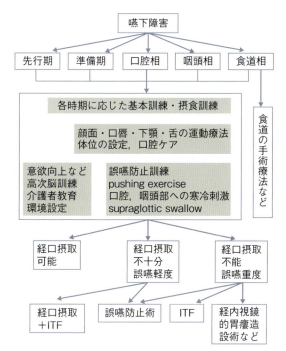

図 V・3・3　嚥下障害治療のアルゴリズム

うがよい）。長期に経鼻栄養チューブを用いるより家族介護や本人の負担を軽減し，肺炎などを予防するためには非常に有効な方法と考えられる。

胃瘻・食道瘻は栄養補給中はチューブを挿入し，それ以外ではガーゼで覆っておくだけでよいことから，外来患者に有用な方法である。

b 誤嚥防止術

咽頭相障害による誤嚥防止を目的に，輪状咽頭筋切除術，喉頭挙上術が行われることがある。

c 喉頭摘出術および気管切開

重度な仮性球麻痺などの場合，失声状態で，かつ気道が常に開いているため誤嚥の可能性が非常に高いときは，気管切開を行ったうえで喉頭摘出あるいは声帯縫合を行うことがある。このことにより，経口摂取が可能となり，かつ誤嚥も防ぐことができる。しかし，発声はできなくなるので術前に患者への説明を十分に行う必要がある。嚥下障害治療の進め方の概略を図 V・3・3 に示す。

5 半流動物による水分補給

軽度～中等度の仮性球麻痺の場合は，固形物はむせることが少なく栄養補給はできるが，流動物にむせやすいため水分不足が生じ脱水となることがある。このような場合，寒天，ゼリー，市販のスープ材料（トロミアップなど）などの半流動物により水分補給をすることがある。この際，嚥下の訓練が必要なことがあり，専門の訓練士とよく相談しながら進めていくとよい。

嚥下障害に対する水分摂取の工夫

① インスタント食品増粘剤
　商品名：トロミアップ（日清オイリオ製）
　　　　イナアガー（伊那食品工業），
　　　　ムースアップ（ヘルシーフード），ゼラチンパウダー
　特徴：食物の温度に左右されず粘度が調節できる。
　加熱処理の必要性がない。
　無味無臭。
② かたくり粉
　特徴：家庭で手軽に利用できるが加熱処理が必要。
　温度が低くなると粘度が増加する。
③ ゼラチン・寒天
　特徴：固形物を含む食品を固めるのに便利。
　ゼラチンは熱湯で，寒天は煮立てて溶かす。
　ゼラチンは冷蔵で，寒天は室温で固まる。

嚥下障害の重症度と訓練目標を表 V・3・9 に示す。

H 実際の嚥下障害食

嚥下障害食の一例を以下に示す。

1 栄養基準量

1,400 kcal，蛋白 60 g，脂肪 30 g，糖質 220 g，塩分 8～10 g

表Ⅴ・3・9　嚥下障害の重症度と訓練目標

重症	経口不可	① 嚥下困難または不能，嚥下訓練適応なし ② 基礎的嚥下訓練のみの適応あり ③ 条件が整えば誤嚥は減り，摂食訓練が可能
中等症	経口と補助栄養併用	④ 楽しみとしての摂食は可能 ⑤ 1～2食は経口摂取 ⑥ 毎食経口摂取＋補助栄養
軽症	経口のみ	⑦ 嚥下食で，毎食とも経口摂取 ⑧ 特別に嚥下しにくい食品を除き，毎食経口摂取 ⑨ 常食の経口摂取可能，臨床的観察と指導を要する
正常	経口のみ	⑩ 正常の摂食嚥下能力

〔文献8)より一部改変〕

2　適応

① 嚥下障害者，② 咀嚼障害，③ 食道手術後の嚥下障害

3　特徴

① 三分菜程度に柔らかく調理したものを，細かくつぶしたり，ブレンダーにかけ，さらにゲル化剤で固めたりして粘度をつけたものである。
② 咀嚼をほとんど必要としない。
③ 表面が滑らかで粘稠性があり，のどごしがソフトである。
④ スプーンなどで扱いやすく，かつ，口腔内である程度の食塊を形成できる。
⑤ 飲み物は，増粘剤を加えることにより半流動状になっている。

4　内容

① 嚥下困難な患者は，その機能レベルによって摂取できる食品の形態や量が異なるために，いずれの段階でも適応できるものとした。
② 水分補給食(液体)，訓練食(固形物)，嚥下基準食を設定した。

ⓐ 水分補給食：嚥下困難な患者は，液体の摂取が困難であり，水分補給が困難である。また，嚥下障害のない患者においても，高齢者では水分の補給が困難な状況にあるため，いずれの患者にも適応するようにした。
ⓑ 訓練食：訓練食の段階では嚥下機能が不安定であるため，必要栄養量は，経腸栄養剤や点滴の併用により確保する。

嚥下障害のある方のための食事援助

安全な形態の食事にすること，食事中の体位や速度に注意することが重要です。
食品選択のポイント
　舌ざわりがなめらかなこと
　適度のトロミと均一性があること
　少量で栄養価が高いこと
　嗜好を取り入れること
食物の形態
　粘度の低いもの：水・白湯
　粘度の高いもの：くず湯，ポタージュ，ネクターなど
　食塊をつくりやすいもの：プリン，ゼリー，茶碗蒸し
　食塊をややつくりにくいもの：おかゆ，かぼちゃ，マッシュポテト
　食塊をつくりにくいもの：ごはん，生野菜
次のようなものは誤嚥しやすいので，注意しましょう
・酸味の強いもの：酢・柑橘類
・刺激の強いもの：香辛料
・パサパサしたもの：かたゆでの卵・パン
・粘り気の強いもの：餅・納豆
・のどに貼りつくもの：きなこ・ゴマ・ピーナッツ
・極度に熱すぎるもの，冷たすぎるもの

(患者・家族用パンフレットより)

以上のような治療法の選択は，患者の全般的状態をよく把握したうえで行わなければならない(表Ⅴ・3・10～13)。

その他の嚥下訓練

神経疾患などに伴う嚥下障害患者の具体的な嚥下訓練法について述べる。

表 V・3・10　水分補給食の作り方

料理名	分量 （1個分の容量は100 mL）
緑茶	（2個分） 市販缶入りお茶　　200 mL 粉ゼラチン　　　　　2.5 g （小匙1杯弱）
はちみつレモン	（3個分） はちみつレモン　　300 mL 粉ゼラチン　　　　　　5 g （大匙1/2杯弱）
100％白ブドウジュース 100％リンゴジュース	（3個分） 100％果汁　　　　240 mL 水　　　　　　　　　60 mL 粉ゼラチン　　　　　　5 g （大匙1/2杯弱）
すまし汁	（2個分） だし汁　　　　　　200 mL しょう油・酒　　各2 mL 塩　　　　　　　　　1.2 g 粉ゼラチン　　　　　　5 g （大匙1/2杯弱）
麦茶	（2個分） 煮出した麦茶　　　200 mL 粉ゼラチン　　　　　2.5 g （小匙1杯弱）
アクアゼリー	（2個分） ポカリスエット　　200 mL 粉ゼラチン　　　　　2.5 g （小匙1杯弱）
コンソメゼリー	（2個分） コンソメスープ　　200 mL 粉ゼラチン　　　　　2.5 g （小匙1杯弱）

各材料にゼラチンを加え，加熱をしながらよく混ぜた後，器に流して固める。

1　訓練姿勢

　気管に食物が入らないように，座位で頭を前傾させ，顎を下げさせる。左右のどちらか麻痺の軽いほうがやや下になるようにする。
　訓練士は健側方向からアプローチする。

2　仮嚥下訓練

　実際の食物を用いないで訓練する。
　まず，綿棒などにつけたグリセリンなどで口唇・舌などの知覚の状態を調べ，各部位に刺激を与える。
　次に，口唇を閉じさせ吸うまねなどをさせてみる。さらに唾液を飲み込ませ，喉を触診しながら，嚥下を行わせてみる。

3　固形物の嚥下訓練

　最初に行う食物は固形物である。ごく少量の裏ごしにした固形物を用い，患者にその名前を教え，吸引装置を常に準備して，訓練を行う。
　喉頭挙上を確認しながら嚥下を行わせるが，通常の時間よりかなり長くかかることを銘記しなければならない。1回嚥下が終了した時点で，一度咳をさせる。さらにもう一度嚥下させ，「アー」という声を出させて，喉頭に食物がないことを確かめる。その後に，次の嚥下を行わせるとよい。
　これを行うに際し，どの程度の粘度であれば嚥下できるか，水溶性造影剤などを混ぜた食物で嚥下時の喉頭造影を行ってみるとよい。

表 V・3・11　水分補給食（1品100 mL，料理形態：ゼリー，1日水分量600 mL）

	第1日	第2日	第3日	第4日	第5日	第6日	第7日
朝食	はちみつレモン 麦茶	リンゴジュース 麦茶	パインジュース 麦茶	白ブドウジュース 麦茶	はちみつレモン 麦茶	リンゴジュース 麦茶	パインジュース 麦茶
昼食	中華スープ アクアゼリー	すまし汁 アクアゼリー	中華スープ アクアゼリー	すまし汁 アクアゼリー	中華スープ アクアゼリー	すまし汁 アクアゼリー	中華スープ アクアゼリー
夕食	パインジュース 緑茶	はちみつレモン 緑茶	リンゴジュース 緑茶	はちみつレモン 緑茶	パインジュース 緑茶	白ブドウジュース 緑茶	リンゴジュース 緑茶
エネルギー	118 kcal	107 kcal	107 kcal	114 kcal	107 kcal	114 kcal	107 kcal

表 V・3・12　嚥下訓練食

	第1日	第2日	第3日	第4日	第5日	第6日	第7日
朝食	湯豆腐	卵豆腐	半熟卵	冷奴	卵豆腐	半熟卵	卵豆腐
昼食	人参ゼリー	クリーム煮	フルーツゼリー	とろろ汁	人参ゼリー	マッシュポテト	かぼちゃの煮物
夕食	空也蒸し	かき卵うどん	けんちん蒸し	茶わん蒸し	ヨーグルト	おひたしのゼリー寄せ	野菜の煮もののゼリー寄せ
エネルギー	160 kcal	207 kcal	217 kcal	155 kcal	150 kcal	227 kcal	148 kcal

表 V・3・13　嚥下障害食献立表

	日	月	火	水	木	金	土
朝食	全がゆ(260 g) すまし汁 90 mL（イナアガー 1.5〜2 g） 湯豆腐(絹) 牛乳 100 mL（G-500, 0.5 g） 砂飴 100% ジュース 100 mL（G-500）	卵豆腐	半熟卵	冷奴(絹)	しらすのマヨネーズ和え	半熟卵	卵豆腐
昼食	全がゆ(260 g) ポタージュ 90 mL（イナアガー） 海老団子のあんかけ 人参ゼリー（G-500） サスタジェン入りプリン	すり流し汁 90 mL(G-500) クリーム煮のブレンダー トマトサラダ（みじん）	ポタージュ 90 mL（イナアガー） 蒸し魚（アケボノソース） おろし煮 サスタジェン入りゼリー	すり流し汁 90 mL(G-500) 白身魚の煮こごり（イナアガー） とろろ汁 サスタジェン入りゼリー	ポタージュ 90 mL（イナアガー） 豆腐のハンバーグ 人参ゼリー（イナアガー） サスタジェン入りプリン	すり流し汁 90 mL(G-500) 揚げ煮 マッシュポテト（ミキサー） サスタジェン入りゼリー	ポタージュ 90 mL（イナアガー） 豆腐の味噌あんかけ かぼちゃの煮物（ミキサー） サスタジェン入りプリン
夕食	全がゆ(260 g) のりの佃煮 空也蒸し さつま芋の重ね煮（ミキサー） ヨーグルト	かき卵うどん（2 cmに切り,一口サイズに） 野菜の煮物（ミキサー）のゼリー寄せ（G-500）	全がゆ(260 g) 鯛味噌 けんちん蒸し わかめ（ミキサー）のゼリー寄せ（イナアガー 2 g） リンゴクラッシュ缶	全がゆ(260 g) のりの佃煮 茶わん蒸し 白和え（みじん） ヨーグルト	全がゆ(260 g) ふりかけ 鶏肉の蒸し物（ショウユ） 野菜の煮物（みじん）のゼリー寄せ（イナアガー 2 g） リンゴクラッシュ缶	全がゆ(260 g) のりの佃煮 鮭のテリーヌ風 おひたし（みじん）のゼリー寄せ（イナアガー 1.5 g） ネクター	全がゆ(260 g) ふりかけ はんぺん卵 野菜の煮物（みじん）のゼリー寄せ（イナアガー 2 g） リンゴクラッシュ缶

4　半流動物の嚥下訓練

　固形物の訓練で完全に嚥下できるようになったら，次に半流動物に移る。これは，固形物では水分摂取に限界があるため，脱水などを防ぐためにも必要とされる。

　前述の増粘剤などで工夫しながら，粘稠度を下げていき，十分な水分摂取量が確保されるかどうかを確認する。また，その際の所要時間と疲労度もチェックする必要がある。

5　液体の嚥下訓練

　最後の段階として液体の訓練を行う。最初は短いストローと浅いコップを使ってほんの1〜2 mL程度行うだけにとどめ，その際，訓練士が与えるのではなく，患者が自分で飲むように促したほうがタイミングがつかみやすい。麻痺がある場合，ストローの先は健側を向かせることはいうまでもない。また，常温のものより，氷などで冷やしたもののほうが飲み込みやすいので，冷たいものから試すとよい。

文献

I 加齢と疾患

1) 主な年齢の平均余命．厚生労働省ホームページ．2020.7.31発表
   http://www.mh1w.go.jp（2021年8月閲覧）
2) 国立社会保障・人口問題研究所：日本の将来推計人口．http://www.ipss.go.jp（2021年8月閲覧）
3) 亀山正邦：老年者内科疾患の特徴．内科 59：805，1987
4) 平井俊策：図説老人疾患の治療と管理．メジカルビュー社，pp13-19，1985
5) 大塚哲也：寝たきり老年患者の看護ケアと家族の役割．臨床リハビリテーション：老年者の機能評価と維持（岩倉博光，他・編）．医歯薬出版，pp185-216，1990

II 老人の尊厳とその接し方

1) 江藤文夫：老人症候群とは．Medical Tribune，p21，1996.3.21

III 終末期のリハビリテーション

1) 太田仁史：終末期リハビリテーション．荘道社，2002
2) 太田仁史：終末期リハビリテーションの実際．病院 70：770-773，2011
3) 生命維持に関する医師指示書（POLST）
   https://capolst.org/wp-content/uploads/2016/10/Japanese_POLST_2016.pdf（2021年8月閲覧）

IV 主な老人性疾患のリハビリテーション

1. 神経疾患とそのリハビリテーション

1) 厚生労働省：令和2年（2020）人口動態統計月報年計（概数）の概況—第7表．死因順位（第5位まで）別にみた死亡数・死亡率（人口10万対）の年次推移
   https://www.mhlw.go.jp/toukei/saikin/hw/jinkou/suii09/deth7.html（2021年8月閲覧）
2) 厚生労働省：2019年国民生活基礎調査の概況—IV．介護の状況
   https://www.mhlw.go.jp/toukei/saikin/hw/k-tyosa/k-tyosa19/dl/05.pdf（2021年8月閲覧）
3) 豊田一則，中井陸運：日本脳卒中データバンク—17万例の臨床情報解析結果．脳卒中データバンク2021．中山書店，pp20-27，2021
4) 前掲3），pp101-104（宇野昌明：脳出血部位，血腫量と転帰）
5) 高木誠：脳梗塞—臨床病型の鑑別法．ブレインアタック—超急性期の脳卒中診療（藤井清隆，岡田靖編）．中山書店，p107，1999
6) 岡部信彦：脳梗塞の臨床病理．脳卒中（第2巻），脳梗塞．にゅーろん社，pp27-31，1976
7) 前田眞治，頼住孝二，横山巌：脳卒中患者の屋外歩行能力獲得に関する要因の分析．脳卒中 11：111-118，1989
8) 吉田洋二，大根田玄寿：脳卒中の病理．内科 22：1223-1232，1968
9) Locksley HB：Report on the cooperative study of intracranial aneurysms and subarachnoid hemorrhage. Section V Part I. Natural history of subarachnoid hemorrhage, intracranial aneurysms and arteriovenous malformations. Based on 6368 cases in the cooperative study. J Neurosurg 25：219-239, 1966
10) 鈴木二郎，堀重昭，桜井芳明，他：我国脳神経外科における脳動脈瘤．日本医事新報2407：11-15，1970
11) 中里洋一：脳動静脈奇形の病態，病理と分類．Clin Neurosci 15：486-489，1997
12) Graf CJ, Perret GE, Torner JC：Bleeding from cerebral arteriovenous malformations as part of their natural history. J Neurosurg 58：331-337, 1983
13) Britton M, Faire U, Helmers C：Hazards of therapy for excessive hypertension in acute stroke. Acta Med Scand 207：253-257, 1980
14) 日本高血圧学会高血圧治療ガイドライン作成委員会（編）：高血圧治療ガイドライン2019．ライフサイエンス出版，2019
15) 日本脳卒中学会脳卒中ガイドライン委員会（編）：脳卒中治療ガイドライン2021．協和企画，2021
16) Newman M：The process of recovery after hemiplegia. Stroke 3：702-710, 1972
17) 福井圀彦：脳卒中の機能回復．総合リハ 13：385-391，1985
18) Merrill EG, et al：Plasticity of connection in the adult nervous system. In Neuronal Plasticity（Cotman CW ed）, Raven Press, pp97-111, 1978
19) Goldberger ME：Recovery of Movement after CNS Lesions in Monkeys. In Plasticity and Recovery of Function in the Central Nervous System. Academic Press, pp265-337, 1974
20) 佐鹿博信：脳卒中急性期プロトコール，日本における脳卒中急性期リハビリテーションの標準化—プロトコールを中心に．臨床リハ 8：17-22，1999
21) 近藤克則：急性期リハビリテーションの安全管理．総合リハ 23：1051-1057，1995
22) 高見彰淑：脳卒中の病期別理学療法ガイドライン．理学療法 19：7-14，2002
23) 前田眞治：脳卒中超早期からのリハビリテーション．医学のあゆみ 170：1020-1021，1994
24) 前田眞治，長沢弘，平賀よしみ，他：発症当日からの脳内出血・脳梗塞リハビリテーション．リハビリテーション医学 30：207-216，1993
25) 原寛美：脳卒中急性期患者に対するリハ—私の早期離床プログラム．臨床リハ 6：38-43，1997
26) 大野喜久郎：脳卒中急性期の神経症状増悪因子—離床待機を考慮すべき病態．医学のあゆみ 183：397-400，1997
27) Davis PM：Steps to Follow. Springer-Verlag, pp57-83, 1985
28) Hirschberg GG, et al：Rehabilitation. 2nd ed, JB Lip-

文献

pincott, 1976
29) 上田敏：目でみるリハビリテーション医学 第2版, 東京大学出版会, 1994
30) 前田眞治, 丹沢章八, 他：脳卒中片麻痺患者の下肢装具. 総合リハ 10：919-926, 1982
31) 日本義肢装具学会(編)：脳卒中片麻痺者の下肢装具. 医歯薬出版, 1981
32) 橋崎仁司, 広瀬好郎, 他：脳卒中後片麻痺患者に対する short-SHB, 応用動作における SHB との比較分析. 理学療法学 15：421-426, 1988
33) 前田眞治, 頼住孝二, 他：新しいプラスチック製下肢装具の試み(short shoe horn brace). リハビリテーション医学 23：305, 1986
34) Brunnstrom S：Movement therapy in hemiplegia. Harper & Row Publisher, p83, 1970
35) 服部一郎：脳卒中のリハビリテーション. 治療 50：373, 1968
36) 福井圀彦：脳血管障害の予後とリハビリテーション. 脳血管障害の診断と治療. 武田薬品工業, 1967
37) 上田敏：中枢性麻痺. リハビリテーション基礎医学 第2版(上田敏, 他・編). 医学書院, p128, 1994
38) Cailliet R：Shoulder Pain. FA Davis Company, Philadelphia, 1972
39) Cyriax J：The Shoulder. In Text Book of Orthopedic Medicine, vol 1. Bailliere Tindall & Cassell, pp219-291, 1969
40) 川平和美, 下堂薗恵, 野間知一：片麻痺回復のための運動療法―促通反復療法「川平法」の理論と実際 改訂第3版. 医学書院, 2017
41) Lance JW：Symposium synopsis. In Spasticity：Disordered Motor Control(Feldman RG, Young RR, Koella WP, eds). Year Book Medical Publishers, Chicago, 1980
42) Ashworth B：Preliminary trial of carisoprodol in multiple sclerosis. Practitioner 192：540-542, 1964
43) Bohannon RW, Smith MB：Interrater reliability of a modified Ashworth scale of muscle spasticity. Phys Ther 67：206-207, 1985
44) 平上二九三, 軸屋和明：脳卒中による痙性に対する物理療法. 理学療法 4：121-126, 1987
45) 前田眞治：脳卒中による筋緊張異常とそのみかた. 臨床リハ 2：523-529, 1993
46) 村上富士夫, 塚原仲晃：シナプスの可塑性と学習. 生理学(入来正躬, 外山敬介・編), 文光堂, 1986
47) Khalili AA, Harmel M, Forster S, et al：Management of spasticity by selective peripheral nerve block with dilute phenol solution in clinical rehabilitation. Arch Phys Med Rehabil 45：513-519, 1964
48) Khalili AA, et al：Clinical and neurophysiologic effect of phenol block in spasticity-eight years' experience. Arch Phys Med Rehabil 51：722-723, 1970
49) 金原宏之：Phenol block の意義と成績. リハビリテーション医学 14：248-250, 1977
50) 根本明宣, 水落和也：痙縮に対する新しい治療 髄腔内バクロフェン投与. 臨床リハ 17：1049-1056, 2008
51) Mense S：Effects of temperature on the discharges of muscle spindles and tendon organs. Pflugers Arch 374：154-166, 1978
52) Noma T, Matsumoto S, Shimodozono M, et al：Anti-spastic effects of the direct application of vibratory stimuli to the spastic muscles of hemiplegic limbs in post-stroke patients：a proof-of-principle study. J Rehabil Med 44：325-330, 2012
53) Miyara K, Matsumoto S, Uema T, et al：Feasibility of using whole body vibration as a means for controlling spasticity in post-stroke patients：a pilot study. Complement Ther Clin Pract 20：70-73, 2014
54) 野間知一, 鎌田克也, 海唯子, 他：脳卒中片麻痺上肢の痙縮筋への振動刺激痙縮抑制療法と促通反復療法との併用による麻痺と痙縮の改善効果. 総合リハ 37：137-143, 2009
55) Knott M, Voss DE：Proprioceptive Neuromuscular Facilitation, Patterns and Techniques. 2nd ed, Harper & Row, 1969
56) Fellows SJ, Ross HF, Thilmann AF：The limitations of the tendon jerk as a marker of pathological stretch reflex activity in human spasticity. J Neurol Neurosurg Psychiatry 56：531-537, 1993
57) 山本正昭, 浅山滉：脳卒中片麻痺による足部変形に対する手術的療法. 整・災外 28：647-650, 1980
58) 三島博信：脳卒中片麻痺による整形外科的手術. 総合リハ 1：143-155, 1973
59) 田川宏：片麻痺の下肢の手術. 総合リハ 1：157-166, 1973
60) Keenan MAE, Ure K, Smith CW, et al：Hamstring release for knee flexion contracture in spastic adults. Clin Orthop 236：221-226, 1988
61) 浅山滉：脳卒中の痙縮, 固縮と対策. リハビリテーション医学 34：346-357, 1997
62) Braun RM, West F, Moony V, et al：Surgical treatment of the painful shoulder contracture in the stroke patient. J Bone Joint Surg 53A：1307-1312, 1971
63) 松尾隆：脳性麻痺手の治療. 整・災外 34：995-1002, 1991
64) Burke D, Hagbarth KE, Wallin BG, et al：Reflex mechanism in Parkinsonian rigidity. Scand J Rehabil Med 9：15-23, 1977
65) Mano T, et al：Muscle spindle activity in Parkinsonian rigidity. Acta Neurol Scand(Suppl) 60：176, 1979
66) 間野忠明：パーキンソン病の固縮時の筋紡錘活動について. 厚生省特定疾患・神経変性疾患調査研究班 1979年度研究報告書, pp181-186, 1980
67) 間野忠明：ヒトの固有受容器活動とその病態. 新生理科学大系(第10巻) 運動の生理学(佐々木和夫, 本郷利憲・編), 医学書院, pp417-430, 1988
68) Kollen BJ, Lennon S, Lyons B, et al：The effectiveness of the Bobath concept in stroke rehabilitation：what is the evidence? Stroke 40：e89-97, 2009
69) Pollock A, Baer G, Pomeroy V, et al：Physiotherapy treatment approaches for the recovery of postural control and lower limb function following stroke. Cochrane Database Syst Rev 24(1)：CD001920, 2007
70) 下堂薗恵, 野間知一：促通反復療法. Clin Neurosci 35：584-588, 2017
71) 川平和美, 下堂薗恵：ファシリテーションテクニック. 最新整形外科学体系 4 リハビリテーション. 中山書

店，pp213-217，2008
72) 川平和美：新たな促通法と機能的振動刺激法を用いた革新的片麻痺歩行訓練法の確立と効果の検討．科学研究費助成事業研究成果報告書．基盤研究(B)．2013
73) Shimodozono M, Noma T, Nomoto Y, et al：Benefits of a repetitive facilitative exercise program for the upper paretic extremity after subacute stroke：a randomized controlled trial. Neurorehabil Neural Repair 27：296-305, 2013
74) 道免和久，田中章太郎：講座 脳の可塑性．運動療法．総合リハ 30：1389-1395, 2002
75) Shimodozono M, Noma T, Matsumoto S, et al：Repetitive facilitative exercise under continuous electrical stimulation for severe arm impairment after subacute stroke：a randomized controlled pilot study. Brain Inj 28：203-210, 2014
76) 正門由久，千野直一：ADL, APDL の評価．臨床リハ別冊：リハビリテーションにおける評価(米本恭三，他・編)．医歯薬出版，pp45-54, 1996
77) 上田敏：日常生活動作を再考する—「できる ADL」，「している ADL」から「する ADL」へ．リハビリテーション医学 30：539-549, 1990
78) 服部一郎，細川忠義：図説脳卒中のリハビリテーション 第2版．医学書院，1978
79) 井口恭一：脳卒中のホーム・エクササイズ 第2版(荻島秀男・監修)．医歯薬出版，1985
80) 村上慶郎：寝たきりを防ぐ脳卒中の家庭リハビリ．主婦の友社，1989
81) Davis PM：Steps to Follow. Springer Verlag, pp57-83, 1985
82) 原斉：脳卒中危険因子のコントロールと再発予防．循環器疾患の治療指針(国立循環器病センター・編)．丸善，pp385-395, 1987
83) 土肥豊：片麻痺における心疾患の合併と治療上のリスク．理学療法と作業療法 5：438-441, 1964
84) 頼住孝二，前田眞治，村山正昭，他：脳卒中リハビリテーションにおけるホルター心電図の有用性の検討．リハビリテーション医学 25：226, 1988
85) 前田眞治，椿原彰夫，高岡徹，他：リハビリテーション医療における安全管理・推進のためのガイドライン．医歯薬出版，pp2-17, 2006

2. 脳血管障害の画像診断

1) 前田眞治：標準理学療法学・作業療法学・言語聴覚障害学 別巻「脳画像」．医学書院，2017
2) Moulin T, Cattin F, Crépin-Leblond T：Early CT sings in acute middle cerebral artery infarction：predictive value for subsequent infarct locations and outcome. Neurology 47：366-375, 1996
3) 松井孝嘉，平野朝雄：CT scan のための脳解剖図譜．医学書院，1977

3. 脳損傷と高次脳機能障害

1) Penfield W, Rasmussen T：The cerebral Cortex of Man. MacMillan, 1950
2) Mesulam MM：Frontal cortex and behavior. Ann Neurol 19：320-325, 1986
3) Teuber HL：The middle of frontal lobe function in man. In The Frontal Granular Cortex and Behavior (Warren JM, et al eds), McGraw-Hill, pp410-444, 1964
4) Luria AR：Osnovy Neiropsikhologii. MGY, 1973
5) Shallice T, Coughlan AK：Modality specific word comprehension deficits in deep dyslexia. J Neurology Psychiatry 43：866-872, 1980
6) Baddeley AD, Wilson B：Comprehension and working memory：A single case neuro-psychological study. J Memory and Language 27：479-498, 1988
7) Fuster JM：The Prefrontal Cortex. 2nd ed, Raven Press, 1989
8) Damasio AR, Tranel D, Damasio H：Individuals with sociopathic behavior caused by frontal damage fail to respond automatically to special stimuli. Behavioural Brain Research 41：81-94, 1990
9) Lhermitte F：Human autonomy and the frontal lobes. Part Ⅱ：Patient behavior in complex and social situations：the "environmental dependency syndrome". Annals of Neurology 19：335-343, 1986
10) Shallice T, Burgess PW, Schon F, et al：The origins of utilization behavior. Brain 112：1587-1598, 1989
11) Von Cramon DY, Matthes-von Cramon G：Frontal lobe dysfunctions in patients—therapeutical approaches. In Cognitive Rehabilitation in Perspective (Rodger LI, Wood IF, eds), Taylor & Francis, pp164-179, 1990
12) Rodger LI, Wood, IF (eds)：Cognitive Rehabilitation in Perspective. Taylor & Francis, London, 1990〔清水一，千島亮，原寛美，他(訳)：認知障害のリハビリテーション．医歯薬出版，p195, 1998〕
13) Zaki J, Ochsner KN：The neuroscience of empathy：progress, pitfalls and promise. Nature Neuroscience 15：103-104, 2012
14) Baddeley AD：Working memory. Science 255：556-559, 1992
15) 山鳥重：記憶障害のみかた．失語症研究 22：237-240, 2002
16) バージャー J，沢耕太郎(監訳)，笠原美智子(訳)：見るということ．白水社，1993
17) Behrmann M, Black SE：The evolution of pure alexia：a longitudinal study of recovery. Brain Lang 39：405-427, 1990
18) Arguin M, Bub DN：Pure Alexia：attempted rehabilitation and its implications for interpretation of the deficit. Brain Lang 47：223-268, 1994
19) Seki K, Yajima M, Sugishita M：The efficacy kinesthetic reading treatment for pure alexia. Neuropsychologia 33：595-609, 1995
20) Zihl J, et al：Selective disturbance of movement vision after bilateral brain damage. Brain 106：313, 1983
21) Berry D：Arch Ophthalmol (Paris) 8：289, 1988
22) Satoh M, Takeda K, Murakami Y, et al：A case of amusia caused by the infarction of anterior portion of bilateral temporal lobes. Cortex 41：77-83, 2005
23) Singer T, Seymour B, O'Doherty J, et al：Empathy for pain involves the affective but not sensory components of pain. Science 303：1157-1162, 2004
24) Eisenberger NI, Lieberman MD, Williams KD：Does

rejection hurt? An FMRI study of social exclusion. Science 302：290-292, 2003

4. 失語症，失認，失行と記憶・回復

1) 高次脳機能障害全国実態調査委員会：高次脳機能障害全国実態調査報告．高次脳機能研究 36：492-502, 2016
2) 安保雅博，宮野佐年：高次脳機能障害への対応．MB Med Reha 13：38-46, 2002
3) 綿森淑子：失語症の分類とメカニズム．Clinical Neuroscience 4：371, 1986
4) 重野幸次：失語症のみかた．臨床リハビリテーション，脳卒中1 脳卒中のみかた(岩倉博光，他・編)，医歯薬出版，pp153-180, 1990
5) 杉原勝宜，新舎規由，田谷勝夫，他：特集 半側空間無視 リハビリテーション．総合リハ 29：23-28, 2001
6) Kinsbourne M：A model for the mechanism of unilateral neglect of space. Trans Am Neurol Assoc 95：143-146, 1970
7) Davis PM：Steps to Follow. Springer Verlag, pp57-83, 1985
8) 水野勝広，辻哲也，長山洋史，他：Catherine Bergego Scale(CBS)を用いた左半側空間無視の評価 Behavioral Inattention Test(BIT)との比較．リハビリテーション医学 44(Suppl)：S253, 2007
9) 市川勝，前田眞治，菅原光春，他：右大脳半球損傷患者の談話の分析—SLTA「まんがの説明」を用いて．第30回日本高次脳機能障害学会抄録集．2006
10) 石合純夫：脳梗塞・脳出血(右大脳半球損傷)．MB Med Reha 70：1-7, 2006(BIT)
11) 石合純夫：半側空間無視と関連症状．Clinical Neuroscience 19：441-444, 2001
12) Halligan PW, Marshall JC：How long is a piece of string? A study of line bisection in case of visual neglect. Cortex 24：321-328, 1980
13) 中野直美，石合純夫，小山康正，他：左半側空間無視患者の線分二等分試験結果に与えるフレームと線分配置の影響．神経心理学 18：200-207, 2002
14) 石合純夫：半側空間無視—新たなメカニズム論と無視改善への手がかり．神経心理学 18：182-187, 2002
15) Driver J, et al：Can Visual neglect operate in object-centered co-ordinates? An affirmative single case study. Cogn Neuropsychol 8：475-496, 1991
16) Ota H, Fujii T, Suzuki K, et al：Dissociations of body-centered and stimulus-centered representations in unilateral neglect. Neurology 57：2064-2069, 2001
17) Maeda M, Nakagome Y, Shimizu S, et al：Effects of left hemineglect in facial image recognition. 3rd International Society of Physical and Rehabilitation Medicine(ISPRM), April. 10-14, 2005
18) 武田克彦：半側空間無視とそのリハビリテーションはここまで変わった．高次神経機能障害の臨床はここまで変わった(宇野彰，波多野和夫・編)，医学書院，pp93-114, 2002
19) 田川皓一：半側空間無視．Clinical Neuroscience 15：738-741, 1997
20) 前島伸一郎，坊岡進一，松本朋子，他：責任病巣．総合リハ 29：15-21, 2001
21) 石合純夫：視床と半側空間無視．Clinical Neuroscience 24：1129-1130, 2006
22) Henderson VW, Alexander MP, Naeser MA：Right thalamic injury, impaired visuospatial perception and alexia. Neurol 32：235-240, 1973
23) Valenstein E, Heilman KM：Unilateral hypokinesia and motor extinction. Neurol 31：445-448, 1981
24) Valenstein E, Heilman KM, Watson RT, et al：Nonsensory neglect from parietotemporal lesions in monkeys. Neurol 32：1198-1201, 1982
25) Damasio AR, Damasio H, Chui HC：Neglect following damage to frontal lobe or basal ganglia, Neuropsychol 18：123-132, 1980
26) Bauer RM：Visual hypoemotionality as a symptom of visual-limbic disconnection in man. Arch Neurol 39：702-708, 1982
27) Healton EB, Navarro C, Bressman S, et al：Subcortical neglect, Neurol 32：776-778, 1982
28) Watson RT, Miller BD, Heilman KM：None sensory neglect. Ann of Neurol 3：505-508, 1978
29) Kertesz A(ed)：Localization in Neuropsychology, Academic Press, 1983〔鈴木康裕，長田乾：無視を呈する病巣の局在．神経心理学の局在診断(田川皓一・監訳)，pp361-378, 西村書店，1987〕
30) 石合純夫：ヒト脳の側性化と臨床—言語と空間性注意の神経ネットワーク．第58回日本リハビリテーション医学会学術集会, 2021
31) McGlone J, Kertesz A：Sex difference in cerebral processing of visuospatial task. Cortex 11：313-320, 1973
32) Kinsbourne M：Mechanism of unilateral neglect. *In* Neurophysiological and aspects of spatial neglect (Jeannerod M, et al eds), Elsevier, pp69-86, 1987
33) Weintraub S, Mesulam MM：Neglect；hemispheric specialization, behavioral components and anatomical *correlates*. *In* Handbook of Neuropsychology, Vol. 2 (Boller F, Grafman J, eds), Elsevier Science Publishers, pp357-374, 1989
34) Bisiach E, Luzzatti C：Unilateral neglect of representation space. Cortex 14：129-133, 1978
35) Heilman KM, Watson RT, Valenstein E：Neglect and related disorders. *In* Clinical Neuropsychology, 3rd ed(Heilman KM, Valenstein E, eds), Oxford University Press, pp279-336, 1993
36) Tegnér R, Levander M：Through a looking glass：a new technique to demonstrate directional hypokinesia in unilateral neglect. Brain 114：1943-1951, 1991
37) Vallar G, Perani D：The anatomy of unilateral neglect after right-hemisphere stroke lesions：a clinical/CT-scan correlation study in man. Neuropsychologia 24：609-622, 1986
38) Weinberg J, Diller L, Gordon WA, et al：Visual scanning training effect on reading-related tasks in acquired right brain damage. Arch Phys Med Rehabil 58：476-486, 1977
39) Rubens AB：Caloric stimulation and unilateral visual neglect. Neurology 35：1019-1024, 1985
40) Diller L, Weinberg J：Hemi-inattention in rehabilitation：the evolution of a rational remediation program. Adv Neurol 18：63-82, 1977

41) Vallar G, Rusconi ML, Barozzi S, et al：Improvement of left visuo-spatial hemineglect by left sided transcutaneous electrical stimulation. Neuropsychologia 33：73-82, 1995
42) 網本和：半側無視治療における電気刺激療法. 理学療法 14：554-558, 1997
43) Robertson IH：Use of left vs right hand in responding to lateralized stimuli in unilateral neglect. Neuropsychologia 29：1129-1135, 1991
44) 前田眞治：音楽療法. 小林祥泰(編)：脳血管性うつ状態の病態と診療, メディカルレビュー社, pp169-173, 2001
45) Stanton KM, Pepping M, Brockway JA, et al：Wheelchair transfer training for right cerebral dysfunctions：An interdisciplinary approach. Arch Phys Med Rehabil 64：276-280, 1983
46) Butter CM, Buchtel HA, Santucci R：Spatial attentional shifts：Further evidence for the role of polysensory mechanisms using visual and tactile stimuli. Neuropsychologia 27：1231-1240, 1989
47) Butter CM, Kirsch N：Combined and separate effects of eye patching and visual stimulation on unilateral neglect following stroke. Arch Phys Med Rehabil 73：1113-1119, 1992
48) Rossi PW, Kheyfets S, Redding MJ：Fresnel prism improve visual perception in stroke patients with homonymous hemianopia or unilateral visual neglect. Neurology 40：1597-1599, 1990
49) Rossetti Y, Rode G, Pisella L, et al：Prism adaptation to rightward optical deviation rehabilitates left hemispatial neglect. Nature 395：166-169, 1998
50) Arai T, Ochi H, Sasaki H, et al：Hemispatial sunglass；effect on unilateral spatial neglect. Arch Phys Med Rehabil 78：230-232, 1997
51) Gordon WA, Hibbard MR, Egelko S, et al：Perceptual remediation in patients with right brain damage：a comprehensive program. Arch Phys Med Rehabil 66：353-359, 1985
52) Seron X, Deloche G, Coyette F：A retrospective analysis of a single case neglect therapy ；a point of therapy. In Cognitive approaches in neuropsychological rehabilitation(Seron X, Deloche G, eds), Lawrence Erlbaum Associates, pp289-316, 1989
53) Robertson IH, North N, Geggie C：Spatiomotor cueing in unilateral left neglect：three case studies of its therapeutic effects. J Neurol Neurosurg Psychiatry 55：799-805, 1992
54) Karnath HO, Schenkel P, Fisher B：Trunk orientation as the determining factor of the physical anchor of the internal representation of body orientation in space. Brain 224：1997-2014, 1991
55) 杉本諭, 他：体幹回旋により見かけ上の右無視(左偏位)を示した左半側半側無視の1例. 失語症研究 15：209-214, 1995
56) Fleet WS, Valenstein E, Watson RT, et al：Dopamine agonist therapy for neglect in humans. Neurology 37：1765-1770, 1987
57) 井上雄吉：半側空間無視に対する低頻度経頭蓋磁気刺激(rTMS)の効果と局所脳血流量(rCBF)の変化について. リハビリテーション医学 44：542-553, 2007
58) 大沢愛子, 前島伸一郎：半側空間無視と身体失認. Clinical Neuroscience 24：810-812, 2006
59) Denny-Brown D, Banker BQ：Amorphosynthesis from left parietal lesion. Arch Neurol Psychiat 71：302-313, 1954
60) Weinstein EA, Kahn RL：Denial of Illness：Symbolic and psychological aspects. Charles C Thomas, 1955
61) Ullman M：Behavioral Changes in Patients Following Strokes Ⅲ, Charles C Thomas, 1962
62) Babinski J：Contribution à l'étude des troubles mentaux dans l'hémiplégie organique cérébrale(anosognosie). Rev Neurol 27：845-848, 1914
63) Bisiach E：Unawareness of disease following lesions of the right hemisphere：Anosognosia for hemiplegia and anosognosia for hemianopsia. Neuropsychologia 24：471-482, 1986
64) Cutting J：Study of anosognosia. J Neurol Neurosurg Psychiatry 41：548-555, 1978
65) Starkstein SE, Fedoroff JP, Price TR, et al：Anosognosia in patients with cerebrovascular lesions. A study of causative factors. Stroke 23：1446-1453, 1992
66) Hecaen H, Albert ML：Human neuropsychology. John Wiley & Sons, pp303-307, 1978
67) 森悦朗：右半球損傷患者における片麻痺の否認と半身の認知異常—脳血管障害急性期での検討. 臨床神経 22：881-890, 1982
68) 峰松一夫：病態失認. 失語症研究 11：100-106, 1995
69) Hecaen H：Clinical symptomatology in right and left hemisphere lesions. In Interhemispheric relations and cerebral dominance(Mountcastle V, ed), Johns Hopkins University Press, pp215-243, 1962
70) Hier DB, Mondlock CJ, Caplan LR：Behavioral abnormalities after right hemisphere stroke. Neurology 33：337-344, 1983
71) Maeshima S, Dohi N, Funahashi K, et al：Rehabilitation of patients with anosognosia of hemiplegia due to intracerebral hemorrhage. Brain Injury 11：691-697, 1997
72) Berti A, Bottini G, Gandola M, et al：Shared cortical anatomy for motor awareness and motor control. Science 309：488-491, 2005
73) Sakai Y, Nakamura T, Sakurai A, et al：Right frontal area 6 and 8 are associated with simultanapraxia, a subset of motor impersistence. Neurology 54：522-524, 2000
74) Denny-Brown D, Banker BQ：Amorphosynthesis from left parietal lesion. Arch Neurol Psychiatry 71：302-313, 1954
75) Yamadori A：Self-awareness and its disorders. Proceedings of International Symposium "Computation, cognition & consciousness" International Institute for Advanced Studies, Kyoto, pp137-142, 1994
76) Geschwind N：Disconnection syndromes in animals and man. Brain 88：237-294. 1965
77) Levine DN：Calvanio R, Rinn WE：The pathogenesis of anosognosia for hemiplegia. Neurology 49：1316-1322, 1991

78) Heilman KM：Anosognosia：possible neuropsychological mechanisms. In Awareness of deficit after brain injury(Prigatano GP, Schacter DL, eds), Oxford University Press, pp53-62, 1991
79) Weinstein EA, Kahn RL, Malitz S, et al：Delusional reduplication of parts of the body. Brain 77：45-60, 1954
80) Mesulam MM：Attention, confusional state, and neglect. In Principles of Behavioral Neurology (Mesulam MM, ed), FA Davis, pp125-168, 1985
81) Denny-Brown D：The nature of apraxia. J Nerv Ment Dis 126：9-33, 1958
82) Gerstmann J, Schilder P：Über eine besondere Gangströng bei Stirnhirnerkrankung. Wien Med Wschr 76：97-102, 1926
83) Yamadori A, Osumi Y, Imamura T, et al：Persistent left unilateral apraxia and a disconnection theory. Behav Neurol 1：11-22, 1988
84) Jackson JH：Notes on the physiology and pathology of language. Remarks on those cases of disease of the nervous system, in which defect of expresscon is the most striking symptom. In Selected Writings(Taylor J, ed), Hodder and Stoughton, 1932
85) 前島伸一郎，前島悦子，松本朋子，他：構成障害のリハビリテーション．臨床リハ 8：504-508, 1999
86) Gerstmann J：Fingeragnosie：Eine umschriebene Störung der Orientierung am eigenen Körper. Wschr 37：1010, 1924.：Fingeragnosie und isolierte Agraphie：ein neues Syndrom. Z Gesamte Neurol Psychiatr 108：152, 1927〔坂東充秋，杉下守弘（訳，解説）．精神医学 24：665, 773．1982〕
87) Heimburger RF, Demyer W, Reitan RM：Implication of Gerstmann's syndrome. J Neurol Neurosurg Psychiatry 27：52, 1964
88) Poeck K, Orgass B：Gerstmann's syndrome and aphasia. Cortex 2：421, 1966
89) 前田眞治，頼住孝二，横山巌：脳卒中患者の屋外歩行能力獲得に関する要因の分析．脳卒中 11：111-118, 1989
90) 福井圀彦，小林邦雄，今村哲夫，他：脳血管損傷と失認症（第1報）．リハビリテーション医学 5：323, 1968
91) 日本失語症学会（編）：標準高次動作性検査，失行症を中心として．医学書院，1985
92) 日本失語症学会（編）：標準高次視知覚検査．新興医学出版，1997
93) Weinberg J, Diller L, Gordon WA, et al：Visual scanning training effect on reading-related tasks in acquired right brain damage. Arch Phys Med Rehabil 58：479-486, 1977
94) Luria AR, Naydin VL, Tsvetkova LS, et al：Restoration of Higher Cortical Function Following Focal Brain Damage. In Handbook of Clinical Neurol, Vol. 3 (Vinken PJ, et al eds), North-Holland Publish Company, pp368-433, 1969
95) Siev E, Freishtat B：Perceptual Dysfunction in the Adult Stroke Patient〔福井圀彦，河内十郎（監訳）：失行・失認の評価と治療，成人片麻痺を中心に，医学書院，1980〕
96) Ayres JA：Perception of space of adult hemiplegic patients. Arch Phys Med 43：552-555, 1962
97) Ayres JA：Institute on Sensory Integrative Dysfunction and Learning Disabilities. Lecture, Sheraton-Boston, pp13-14, 1972
98) Fox JVD：Effect of Cutaneous Stimulation on Performance of Hemiplegic Adults on Selected Tests of Perception, Thesis Univ S, 1963
99) 鎌倉矩子：失行・失認の治療とリハビリテーション．精神科 MOOK，失語・失行・失認，金原出版，pp148-154, 1982

5. パーキンソン病のリハビリテーション

1) 日本神経学会（監修），「パーキンソン病診療ガイドライン」作成委員会（編集）：パーキンソン病診療ガイドライン 2018．医学書院，2018
2) 山永裕明，中西亮二，野尻晋一：パーキンソン病．臨床リハ 1，138-142，1996
3) 堀場充哉，岡雄一，山下豊，他：パーキンソン病に対する深部脳刺激術と理学療法．理学療法ジャーナル 47：1069-1077, 2013
4) 向井洋平，西川典子，高橋祐二，他：Lドパ持続経腸療法（Levodopa-carbidopa continuous infusion gel therapy）の初期導入時における合併症とトラブルシューティングの単施設における報告．臨床神経 59：177-184, 2019
5) Wroe M, Greer M：Parkinson's disease and physical therapy management. Phys Ther 53：849-854, 1973
6) Bilowit DS：Establishing physical objectives in the rehabilitation of patients with Parkinson's disease (gymnasium, activities). Phys Ther Rev 36：176-178, 1956
7) Szekely BC, Kosanovich N, Sheppard W：Adjunctive treatment in Parkinson's disease；physical therapy and comprehensive group therapy. Rehabil Lit 43：72-76, 1982
8) Gauthier L, Dalziel S, Gauthier S：The benefits of group occupational therapy for patients with Parkinson's disease. Am J Occup Ther 41：360-365, 1987

6. 心臓疾患のリハビリテーション

1) Izawa H, Yoshida T, Ikegame T, et al：Japanese Association of Cardiac Rehabilitation Standard Cardiac Rehabilitation Program Planning Committee. Standard Cardiac Rehabilitation Program for Heart Failure. Circ J 83：2394-2398, 2019
2) 日本循環器学会，日本心臓リハビリテーション学会（編）：2021年改訂版 心血管疾患におけるリハビリテーションに関するガイドライン．https://www.j-circ.or.jp/cms/wp-content/uploads/2021/03/JCS2021_Makita.pdf（2021年11月閲覧）
3) 小西治美：心不全疾患指導の実際とエビデンス．Jpn J Rehabil Med 57：1126-1130, 2020
4) 土肥豊：虚血性心疾患．リハビリテーション医学全書Ⅱ（明石謙・編）：合併症の管理，医歯薬出版，p151, 1988
5) 日本臨床検査医学会ガイドライン作成委員会（編）：臨床検査のガイドライン JSLM2015—検査値アプローチ/症候/疾患．p271, 2015

6) 佐藤德太郎：内部障害のリハビリテーション．医歯薬出版，1995
7) 丸岡弘，他：虚血性心疾患の病気別理学療法ガイドライン．理学療法 19：225-232，2002
8) American association of cardiovascular and pulmonary rehabilitation：Guidelines for cardiac rehabilitation program, 3rd eds, Human Kinetics, 1999
9) 川久保清：運動負荷試験．理学療法 11：97-105，1994
10) 篠山重威：心不全，重症度．現代医療 22：555-560，1990
11) Borg G：Perceived exertion as an indicator of somatic stress. Scan J Rehab Med 2：92-98, 1970
12) 日本循環器学会：急性冠症候群ガイドライン（2018年改訂版）．
https://www.j-circ.or.jp/cms/wp-content/uploads/2020/02/JCS2018_kimura.pdf（2021年11月閲覧）
13) Lear SA, Ignaszewski A：Cardiac rehabilitation：a comprehensive review. Curr Control Trials Cardiovasc Med 2：221-232, 2001
14) 宮野佐年：急性心筋梗塞．別冊/実践リハ処方，臨床リハ，医歯薬出版，pp149-154，1996
15) 村上元彦，大津正一，他：老年心筋梗塞の特徴．老年病 1：137，1957

7. 呼吸器疾患のリハビリテーション

1) 花山耕三：呼吸器疾患．現代リハビリテーション医学改訂第4版．金原出版，pp356-361，2017
2) GOLD日本委員会（代表・福地義之助）：慢性閉塞性肺疾患のためのグローバルイニシアティブ日本語版．慢性閉塞性肺疾患の診断・治療・予防に関するグローバルストラテジー（2011年改訂版）
3) 植木純，神津玲，大平徹郎，他：呼吸リハビリテーションステートメント．日呼ケアリハ学誌 27，2018
4) 日本呼吸ケア・リハビリテーション学会，他（編）：呼吸リハビリテーションマニュアル—運動療法 第2版．照林社，2012
5) 谷本晋一：呼吸器疾患のリハビリテーション．標準リハビリテーション医学（津山直一・監修），医学書院，pp315-327，1986

8. 腎臓・尿路疾患のリハビリテーション

1) 上月正博（訳）：American Collage for Sports Medicine：ACSM's Guidelines for exercise testing and prescription, 10th ed. Lippncott Williams & Wikins, Philadelphia, 2017
2) 高橋麻子，伊藤修：非透析腎機能障害者に対するリハビリテーション治療．リハビリテーション医学 57：208-213，2020
3) 上月正博：腎臓リハビリテーション—現状と将来展望．リハビリテーション医学 43：105-109，2006
4) 日本腎臓リハビリテーション学会（編）：腎臓リハビリテーションガイドライン．南江堂，p40，2018
5) 服部孝道，安田耕作：神経因性膀胱の診断と治療 第2版．医学書院，1990
6) 中島照夫，辻元宏：いろいろな疾患における排尿障害 痴呆と尿失禁．Clinical Neuroscience 11：769-772，1993
7) 河邉香月：排尿のメカニズム，神経因性膀胱の原因，分類，診断・治療の原則．臨床リハビリテーション；排尿排便障害・性機能障害（岩倉博光，他・編）．医歯薬出版，pp1-25，1990
8) 安田耕作，東條雅季，服部孝道：能血管障害による排尿障害，Pharma Medica 8：41-45，1990
9) 能登宏光，土田正義：能血管障害による排尿無抑制収縮に関する検討．脊椎脊髄ジャーナル 4：13-17，1991
10) 土田正義，西沢理：能血管障害と排尿障害．老化と疾患 5：24-27，1992
11) 中内浩二：いろいろな疾患における排尿障害 高齢女性の尿失禁．Clinical Neuroscience 11：779-781，1993
12) 江藤文夫：臨床リハ 1：761，1992

9. 生活習慣病のリハビリテーション

1) メタボリックシンドローム診断基準検討委員会：メタボリックシンドロームの定義と診断基準．日本内科学会雑誌 94：188-203，2005
2) 糖尿病性腎症合同委員会：糖尿病性腎症病期分類 2014の策定（糖尿病性腎症病期分類改訂）について．糖尿病 57：529-534，2014
3) 佐藤祐造：糖尿病のコントロールと運動．臨床リハ 3：187-191，1994
4) 日本糖尿病学会（編）：糖尿病専門医研修ガイドブック 改訂第8版．診断と治療社，p229，2020
5) 日本糖尿病学会（編・著）：糖尿病診療ガイドライン 2019．南江堂，pp57-65，2019
6) 佐藤徳太郎：内科疾患と運動療法—糖尿病．総合リハ 25：131-136，1997
7) 日本高血圧学会高血圧治療ガイドライン作成委員会（編）：高血圧治療ガイドライン 2019．ライフサイエンス出版，2019
8) 日本動脈硬化学会（編）：動脈硬化性疾患予防ガイドライン 2017年版．p26，2012

10. 肝疾患のリハビリテーション

1) van der Heijden GJ, et al：A 12-week aerobic exercise program reduces hepatic fat accumulation and insulin resistance in obese, Hispanic adolescents. Obesity 18：384-390, 2010
2) 小田耕平，井戸章雄：NAFLD/NASH患者のリハビリテーション．臨床リハ 29：20-26，2020
3) 日本消化器病学会：NAFLD/NASH診療ガイドライン 2014．南江堂，2014
4) European Association for the Study of the Liver (EASL), et al：EASL-EASD-EASO Climical Practice Guidelines for the management of non-alcoholic fatty liver disease. J Hepatol 64：1388-1402, 2016
5) Chalasani N, et al：The diagnosis and management of non-alcoholic fatty liver disease：Practice guidance from the American Association for the Study of Liver Disease. Hepatology 67：328-357, 2018
6) 日本肝臓学会（編）：慢性肝炎・肝硬変の診療ガイド 2019．文光堂，p53，2019
7) Alameri HF, et al：Six minute walk test to assess functional capacity in chronic liver disease patients. World J Gastroenterol 13：3996-4001, 2007
8) Garcia-Pagan JC, Santos C, Barberá JA, et al：Physical exercise increases portal pressure in patients with cirrhosis and portal hypertension. Gastroenterology 111：1300-1306, 1996

9) 加藤眞三：慢性肝炎・肝硬変患者のリハビリテーション．臨床リハ 20：322-327，2011
10) Naseer M, EP Turse, Syed A, et al：Interventions to improve sarcopenia in cirrhosis：A systematic review. World J Clin Cases 7：156-170, 2019

11. 認知症のリハビリテーション

1) 朝田隆（研究代表者）：都市部における認知症有病率と認知症の生活機能障害への対応．平成23年度～平成24年度総合研究報告書．筑波大学精神神経科ホームページ．http://www.tsukuba-psychiatry.com/wp-content/uploads/2013/06/H24Report_Part1.pdf（2021年8月閲覧）
2) Petersen RC, Smith GE, Waring SC, et al：Mild cognitive impairment；clinical characterization and outcome. Arch Neurol 56：303-308, 1999
3) Matsui Y, Tanizaki Y, Arima H, et al：Incidence and survival of dementia in a general population of Japanese elderly；the Hisayama study. J Neurol Neurosurg Psychiatry 80：366-370, 2009
4) American Psychiatric Association（原著），日本精神神経学会（日本語版用語監修），高橋三郎，大野裕（監訳）：DSM-5精神疾患の診断・統計マニュアル．医学書院，pp602-603，2014
5) 品川俊一郎，池田学：前頭側頭型痴呆の前駆症状と初発症状．老年精神医学雑誌 16：329-335，2005
6) 厚東篤生：痴呆の病理学—Alzheimer病におけるMeynert核の病変．Clinical Neuroscience 1：156-159，1983
7) 森島真帆，井原康夫：Alzheimer病とタウ蛋白．Clinical Neuroscience 9：28-30，1991
8) 朝長正徳：痴呆の病理．痴呆の百科（長谷川和夫・監修），平凡社，pp122-134，1989
9) 介護保険制度の検討．国民の福祉の動向，厚生統計協会，p92，1997
10) American Psychiatric Association（原著），日本精神神経学会（日本語版用語監修），高橋三郎，大野裕（監訳）：DSM-5精神疾患の診断・統計マニュアル．医学書院，pp612-613，2014
11) Hachinski VC, Lassen NA, Marshall J：Multi-infarct dementia. A cause of mental deterioration in the elderly. Lancet 2：207-210, 1974
12) 下垣光：アルツハイマー病のデイケア．老年期痴呆診療マニュアル　第2版（上田慶二，他・編，長谷川和夫・監修），日本医師会，pp251-260，1999

12. 運動器疾患のリハビリテーション

1) Tinetti ME, Speechley M：Prevention of falls among the elderly. NEJM 320：1055-1059, 1989
2) Abrass IB, Kane RL, Ouslander JG, et al：Instability and Falls. Essentials of Clinical Geriatrics. McGraw-Hill Information Services, pp191-211, 1989
3) Magness JL, Garrett TR, Erickson DJ：Swelling of the upper extremity during whirlpool baths. Arch Phys Med Rehab 51：297-299, 1970
4) Duffield MH（ed）：Exercise in Water（宮下充正，他・訳）：ダッフィールド・水治療法．医歯薬出版，1984）
5) 木村博光：脳血管障害に合併した大腿骨頸部骨折．臨床リハ 2：718-722，1993
6) Garden RS：Low-angle fixation in fractures of the femoral neck. J Bone Joint Surg 43-B：647-663, 1961
7) 神中正一：神中整形外科学．南山堂，p773，1964
8) Jensen JS, Michaelsen M：Trochanteric femoral fractures treated with McLaughlin osteosynthesis. Acta Orthop Scand 46：795-803, 1975
9) 軽部俊二，木村博光，益田峯男，他：高齢者の大腿骨頸部内側骨折の治療．整形外科 30：147，1979
10) 軽部俊二，亀田英俊：大腿骨頸部骨折の治療とリハビリテーション．臨床リハ 5：1002-1008，1996
11) 岩本幸英（編）：神中整形外科学下巻　改訂23版．南山堂，p424，2013
12) 渡辺丈眞：高齢者の転倒の疫学．理学療法 18：841-846，2001
13) Bougie JD, Morgenthal AP：The Aging Body, Conservative Management of Common Neuromusculoskeletal Conditions, McGraw-Hill, pp1-45, 2001
14) Perell KL, Nelson A, Goldman RL, et al：Fall risk assessment measures：an analytic review. J Gerontol A Biol Sci Med Sci 56：M761-766, 2001
15) Shumway-Cook A, Woollacott M：Motor control theory and practical applications. Williams & Wilkins, Baltimore, pp119-142, 1995
16) 折茂肇（編）：新老年医学．東京大学出版会，pp125-143，291-319，411-437，527-536，1999
17) Winegard KJ, Hicks AL, Sale DG, et al：A 12-year follow-up study of ankle muscle function in older adults. J Gerontol Biol Sci 51：B202-207, 1996
18) 新野直明：老年症候群　運動療法(1)転倒．Geriatric Medicine 36：849-853，1996
19) 骨粗鬆症の予防と治療ガイドライン作成委員会（編）．骨粗鬆症の予防と治療ガイドライン2015年版．p126，ライフサイエンス出版，2015
20) 山内美香，杉本利嗣：骨粗鬆症新診断基準—内科の視点から．Rheumatology Clinical Research 3：14-18，2014
21) 日本骨代謝学会，日本骨粗鬆症学会合同原発性骨粗鬆症診断基準改訂検討委員会：原発性骨粗鬆症の診断基準(2012年度改訂版)．Osteoporo Jpn 21：9-21，2013
22) Rich C：Harrison's Osteoporosis, Principles of Internal Medicine. McGraw-Hill, p1335, 1966
23) 水野耕作：老年者の診断，各論—運動器系（主としてosteoporosis）．診断と治療 77（別冊）：206-215，1989
24) Williams PC：Examination and conservative treatment for disc lesion of the lower spine. Clin Orthop 5：28-40, 1965
25) 石田肇：骨関節疾患．臨床医 11：982-986，1985
26) Yoshimura N, Muraki S, Oka H, et al：Prevalence of knee osteoarthritis, lumbar spondylosis, and osteoporosis in Japanese men and women：the research on osteoarthritis/osteoporosis against disability study. J Bone Miner Metab 27：620-628, 2009
27) 守屋秀繁：シンポジウム変形性膝関節症の病態から見た治療法の選択．変形性膝関節症の治療方針．臨床整形外科 35：114-116，2000
28) 大森豪：変形性膝関節症．臨床リハ 24：344-351，2015
29) 石井信一郎，石井美和子，赤木家康：変形性膝関節症の理学療法における課題と今後の展望．理学療法 17：

30) 石川齋, 武富由雄（編）：図解理学療法技術ガイド―理学療法臨床の場で必ず役立つ実践の全て 第2版. 文光堂, p986-994, 2001
31) 戸田佳孝, 竹村清介, 戸田圭美, 他：変形性膝関節症と体重に対する下肢除脂肪量の関連性について. 整形外科 51：356-360, 2000
32) 市橋則明, 大畑光司, 才藤栄一：変形性膝関節症に対する筋力トレーニング再考. 理学療法学 28：76-81, 2001
33) 守屋秀繁, 南昌平, 高橋和久, 他：変形性膝関節症の病態から見た治療法の選択―変形性膝関節症に対する鏡視下手術. 臨床整形外科 35：133-139, 2000
34) 斎藤知行, 腰野富久, 赤松泰, 他：変形性膝関節症の病態から見た治療法の選択―変形性膝関節症に対する高位脛骨骨切り術. 臨床整形外科 35：141-147, 2000
35) 秋月章, 瀧澤勉, 安川孝廣, 他：シンポジウム変形性膝関節症の病態から見た治療法の選択―人工膝単顆置換術の術後成績と非置換部位の変化―術後5～12年の前向き研究. 臨床整形外科 35：149-157, 2000
36) 山本亨, 若杉文吉：図解痛みの治療. p125, 医学書院, 1972
37) 中村耕三：超高齢社会とロコモティブシンドローム. 日本整形外科学会誌（J Jpn Orthop Assoc）82：1-2, 2009
38) 日本整形外科学会：ロコモ度テスト. https://locomo-joa.jp/check/test/（2021年8月閲覧）
39) Rosenberg I：Summary comments：epidemiological and methodological problems in determining nutritional status of older persons. Am J Clin Nutr 50：1231-1233, 1989
40) 厚生労働科学研究補助金（長寿科学総合研究事業） 高齢者における加齢性筋肉減弱現象（サルコペニア）に関する予防対策確立のための包括的研究 研究班：サルコペニア：定義と診断に関する欧州関連学会のコンセンサスの監訳とQ＆A. Cruz-Jentoft AJ, Baeyens JP, et al：Sarcopenia：European consensus on definition and diagnosis：Report of the European Working Group on Sarcopenia in Older People. Age Ageing 39：412-423, 2010
41) 山田実：サルコペニア新診断基準（AWGS2019）を踏まえた高齢者診療. 日老医誌 58：175-182, 2021
42) Satake S, Arai H：The revised Japanese version of the Cardiovascular Health Study criteria（revised J-CHS criteria）. Geriatr Gerontol Int 20：992-993, 2020
43) 道場信孝：臨床老年医学入門. 医学書院, p71, 2005

13. 脊髄損傷のリハビリテーション

1) 大橋正洋, 森井和枝, 前田淳一：呼吸機能障害に対するアプローチ. 総合リハ 20：973-977, 1992
2) Basso DM：Neuroanatomical substrates of functional recovery after experimental spinal cord injury：implications of basic science research for Human spinal cord injury. Phys Ther 80：808-817, 2000
3) Thomas SL, Gorassini MA：Increases in corticospinal tract function by treadmill training after incomplete spinal cord injury. J Neurophysiol 94：2844-2855, 2005
4) Curt A, Nitsche B, Rodic B, et al：Assessment of autonomic dysreflexia in patients with spinal cord injury. J Neurol Neurosurg Psychiatry 62：473-477, 1997

14. 切断者のリハビリテーション

1) 林富貴雄：閉塞性動脈硬化症に対する運動療法プロトコールと効果. 循環器科 45：542-547, 1999
2) 日本脈管学会（編）：下肢閉塞性動脈硬化症の診断・治療指針（日本語版）. BIOMEDIS, p127, 2000
3) 吉川純一, 松尾汎, 高木誠：閉塞性動脈硬化症診療の手引き. 協和企画, 2000
4) 古森公浩：重症別薬物治療の実際. 末梢血管疾患の薬物治療（江里健輔, 善甫宣哉・編）, 医歯薬出版, pp127-136, 2000
5) Regensteiner JG, Meyer TJ, Krupski WC, et al：Hospital vs home based exercise rehabilitation for patients with peripheral occlusive disease. Angiology 48：291, 1997
6) 中山彰一：四肢閉塞性動脈硬化症. 細田多穂, 柳沢健（編）：理学療法ハンドブックケーススタディー. 協同医書出版社, pp819-828, 1994
7) 石神重信：下肢血行障害とリハビリテーション. 臨床リハ 4：515-521, 1995
8) 岡田恒夫：ASOと高脂血症. 臨床リハ 7：998-1001, 1998
9) 水落和也：切断の疫学―最近の動向. リハビリテーション医学 55：372-377, 2008
10) 澤村誠志：切断の原因となる疾患・障害. 切断と義肢, 医歯薬出版, p10, 2007
11) 武智秀夫：切断のリハビリテーション. 標準リハビリテーション医学（津山直一・監修）. 医学書院, pp252-260, 1986
12) 前田眞治, 長澤弘, 正木かつら, 他：脳卒中発症後に生じた下肢閉塞性動脈硬化症による壊疽患者のリハビリテーション. 第32回日本リハビリテーション学術集会抄録集, 1995

15. 関節リウマチのリハビリテーション

1) 前田眞治：特集・関節リウマチ. 薬物療法の変遷と最近の動向. リハビリテーション医学 57：1011-1016, 2020
2) Momohara S, Inoue E, Ikari K, et al：Recent Trends in Orthopedic Surgery Aiming to Improve Quality of Life for Those With Rheumatoid Arthritis：Data From a Large Observational Cohort. J Rheumatol 41：862-866, 2014
3) Pincus T, Summey JA, Soraci SA, et al：Assessment of patient satisfaction in activities of daily living using a modified Stanford Health Assessment Questionnaire. Arthritis Rheum 26：1346-1353, 1983
4) Meenan RF, Mason JH, Anderson JJ, et al：AIMS2. The content and properties of a revised and expanded arthritis impact measurement scale health status questionnaire. Arthritis Rheum 35：1-10, 1992
5) 佐藤元, 他：AIMS2日本語版の作成と慢性関節リウマチ患者における信頼性および妥当性の検討. リウマチ 35：566-574, 1995
6) 水落和也, 高倉朋和：早期リハのかかわり（特集 関節リウマチ―最近の知見とリハビリテーション）. 総合

リハ 32：723-727，2004
7) 福元哲也：クリティカルパスを用いた計画的治療（特集　関節リウマチ―最近の知見とリハビリテーション）．総合リハ 32：729-738，2004
8) 前田眞治：増補リウマチの生活ガイド．医歯薬出版，pp61-73，2000
9) 南川義隆：手の痛みと変形（特集　リウマチの外来リハビリテーション―主訴からみるコツ）．臨床リハ 11：280-288，2002
10) 佐浦隆一，木田晃弘，伊藤智永子：足部の痛みと変形（特集　リウマチの外来リハビリテーション―主訴からみるコツ）．臨床リハ 11：289-297，2002
11) 松元義彦，安藤千恵，古別府さおり：関節リウマチ（増大特集　最新版　テクニカルエイド　福祉用具の選び方・使い方　Ⅳ．障害・疾患特性からみたテクニカルエイドのプランニング）．作業療法ジャーナル 36：741-745，2002

16. 悪性腫瘍（がん）患者のリハビリテーション

1) 日本リハビリテーション医学会　がんのリハビリテーション診療ガイドライン改定委員会（編）：がんのリハビリテーション診療ガイドライン　第2版．金原出版，2019
2) 辻哲也：がんのリハビリテーションの診療総論．がんのリハビリテーションマニュアル　第2版（辻哲也・編），医学書院，p32，2021
3) 相良亜木子，道免和久：がんの周術期のリハビリテーション．臨床リハ 24：19-25，2015
4) Silver JK et al：Rehabilitation for patients with cancer diagnosis. DeLisa's Physical Medicine and Rehabilitation：Principles and Practice 6th ed. p821, Walters Kluwer, 2020
5) Halar EM, Bell KR：Rehabilitation's relationship to inactivity. In Krusen's Handbook of Physical Medicine and Rehabilitation. 4th ed (Kottke FJ, Lehmann JF, eds), WB Saunders, pp1113-1133, 1990
6) 辻哲也：緩和ケアにおけるリハビリテーション．実践！がんのリハビリテーション（辻哲也・編）．メヂカルフレンド社，pp159-162，2007

Ⅴ 知っておくべき多様な問題点

1. 障害者の心理

1) Cohn N：Understanding the process of adjustment to disability. J Rehabil 27：16-18, 1961
2) Lozoff B, Brittenham GM, Transe MA, et al：The mother-newborn relationship：limit of adaptability. Josanpu Zasshi 32：564-567. 1978
3) 三沢義一：障害と心理．リハビリテーション医学講座　第9巻，医歯薬出版，p42，1985
4) Wright BA：Physical disability-A psychological approach, Harper & Row, New York, pp134-137, 1960
5) Fink SL：Crisis and motivation：A theoretical model. Arch Phys Med Rehabil 48：592-597, 1967
6) Kübler-Ross E：The care of the dying-whose job is it？Psychiatry Med 1：103-107, 1970
7) Kübler-Ross E：On death and dying. Macmillan, 1969 （川口正吉・訳：死ぬ瞬間．読売新聞社，1971）
8) Drotar D：The adaptation of parents to the birth of an infant with a congenital malformation：a hypothetical model. Pediatrics 56：710-717, 1975
9) Weller DJ：Emotional reactions of patient, family, and staff in acute-care period of spinal cord injury：part 1. Soc Work Health Care 2：369-377, 1977
10) Rohe DE：Psychological aspects of rehabilitation. In Rehabilitation Medicine (DeLisa JA, et al eds), Principles and Practice. 2nd ed, Lippincott, pp131-151, 1993
11) 本田哲三：障害適応へのアプローチの概説．リハビリテーション医学 32：648-650，1995
12) 加藤正明，他（編）：精神医学事典．弘文堂，1978

2. 廃用症候群，誤用症候群，過用症候群

1) Hirschberg G, Lewis L, Vaughan P：リハビリテーション医学の実際．pp34-45，日本アビリティーズ協会，1980
2) 蜂須賀研二：二次障害の発症と予防―廃用，過用，誤用．リハビリテーション医学 30：634-638，1993
3) 大川弥生，上田敏：重症ハイリスク疾患による全身体力消耗状態のリハビリテーション―東京大学の場合．総合リハ 17：330-336，1989
4) 竹内孝仁：図解・リハビリテーション事典．廣川書店，p155，1988
5) 上田敏：リハビリテーションの思想．医学書院，pp45-57，1987
6) Detrick JB, Whedon GD, Shorr E：Effects of immobilization upon various metabolic and physiologic functions of normal men. Am J Med 4：3-36, 1948
7) Taylor HI, Henschel A, et al：Effects of bed rest on cardiovascular function and work performance. J Appl Physiol 2：223-239, 1949
8) Buxton WH, Heron W, Scott RH：Effects of decreased variation in the sensory environment. Can J Psychol 8：70-76, 1954
9) Muller EA：Influence of training and of inactivity on muscle strength. Arch Phys Med Rehabil 51：449-463, 1970
10) Washburn KB（著），千野直一（監訳）：リハビリテーションマニュアル．医学書院，pp99-102，1987
11) 広瀬好郎，松本真美，橋崎仁司，他：在宅脳卒中後遺症者のQOLとその活動量．第22回日本理学療法士学会抄録，1987
12) Perkins G：Rest and movement. J Bone Joint Surg 358：521-539, 1953
13) Krusen F，他（編著），荻島秀男，他（訳）：KRUSENリハビリテーション体系．医歯薬出版，1981
14) 前田眞治，横山巌：ポジショニングと姿勢変換．総合リハ 20：749-754，1992
15) 服部一郎，細川忠義，和才嘉昭：体位変換．リハビリテーション技術全書，医学書院，pp418-421，1974
16) Davis II, Davis PM：急性期―ポジショニングとベッドや椅子での動き．Steps to Follow（富田昌夫・訳），Springer-Verlag，pp63-83，1987
17) 松井猛，他：ベッドポジショニングと体位変換（1）．Brain Nursing 5：502-506，1990
18) 両角久子：片麻痺患者のベッドの上の良肢位をどう保つべきか．脳卒中最前線（福井圀彦，他・編），医歯薬

19) 豊倉穣：ベッドサイドのリハビリテーションプログラム．臨床リハ1：18-25, 1992
20) 箭原修：Right neck rotation. 神経心理学3：27-32, 1987
21) 横山巌：リハビリテーション・プログラム．治療学6：84-88, 1981
22) Kosiak M：Etiology of decubitus ulcers. Arch Phys Med Rehabil 42：19-29, 1961
23) Landis EM：Micro-injection studies of capillary permeability：Effect of lack of oxygen in permeability of the capillary wall to fluid and plasma protein. Am J Physiol 83：538-542, 1928
24) Shea JD：Pressure sore. Clin Orthop Relat Res 112：89-100, 1975
25) 前田眞治，高橋由美，頼住孝二，他：人工炭酸泉浴剤の褥瘡温湿布療法における皮膚温の変化．日本温泉気候物理医会誌53：195-199, 1990
26) Maeda M, Hayashi H, Yokota M：The effects of high concentration artificial CO_2 warm water bathing for arteriosclerotic obstruction. 34th World Congress of the International Society of Medical Hydrology and Climatology（ISMH）, 2002
27) Bassett CAL, Becker RO：Generation of electric potentials by bone in response to mechanical stress. Science 137：1063-1064, 1962
28) Justus R, Luft JH：A mechanochemical hypothesis for bone remodeling induced by mechanical stress. Calcif Tissue Res 5：222-235, 1970
29) Mack PB, La Chance PL：Effects of recumbency and spaceflight as bone density. Am J Clin Nutr 20：1194, 1967
30) Steinbrocker O：The shoulder-hand syndrome. Present perspective. Arch Phys Med Rehabil 49：389-395, 1968
31) 上田敏：肩手症候群．日本臨牀45：278, 1987
32) 太田喜久夫：杖の使用による誤用症候群について．総合リハ22：375-380, 1994
33) Blankstein A, Shmueli R, Weingarten I, et al：Hand problems due to prolonged use of crutches and wheelchairs. Orthop Rev 14：29-34, 1985

3. 嚥下障害

1) 藤島一郎：嚥下障害の評価．臨床リハ1：705-708, 1992
2) 平野実：嚥下の生理と病態生理．理学療法2：167-179, 1985
3) 吉田義一，他：嚥下障害の原因とその分類—主として動的障害の原因について．耳鼻咽喉48：699-702, 1976
4) 田口順子：嚥下障害に対するリハビリテーション．耳鼻咽喉科展望29：587-592, 1986
5) 鈴木俊夫（監修）：口腔ケア．日総研出版, pp24-32, 1996
6) Ohmae Y, Ogura M, Kitahara T, et al：Effects of head rotation on pharyngeal function during normal swallow. Ann Otol Rhinol Laryngol 107：344-348, 1998
7) 前田眞治，頼住孝二，古橋紀久，他：脳血管障害後の仮性球麻痺による嚥下障害のリハビリテーション．第26回日本リハビリテーション医学会総会抄録, 1989
8) 藤島一郎：脳卒中の摂食・嚥下障害　第2版．医歯薬出版, p85, 1998

索引

・用語は電話帳配列とし，各項のなかは片仮名，平仮名，漢字の順とした．
・主要な説明および重要な語のある頁については**太字**で示した．

和文索引

あ

アーチサポート　310, 363, **366**
アイスマッサージ　399
アキレス腱Z延長術　72
アキレス腱伸張　302
アシドーシスに対する治療　210
アスピリン　353
アダムス・ストークス症候群　96
アダリムマブ　355
アテトーゼ　25
アテローム血栓性脳梗塞　**28**, 39
アテローム硬化　339
アドバンス・ケア・プランニング　16
アバタセプト　355
アリセプト　274
アルツハイマー型認知症
　　　　　　124, 141, 257, **261**, 292
　── との鑑別　267
アルテプラーゼ　35
アントン症候群　133
亜脱臼　61
悪性関節リウマチ　351
朝のこわばり　349
新しい出来事の記銘力障害　176
歩く練習　184

い

イクセロン　274
インスリン　246
インスリン依存型糖尿病　241
インターロイキン　355
インフォームドコンセント　16
インフリキシマブ　355
いざり動作　54
入れ子現象　157
医学的リハビリテーション　42
胃瘻　400
異所性化骨　392
異常行動への対応　264
異常高熱　30
移乗動作　56, 87
椅子から立ち上がる　220
意識障害と認知症の鑑別　260
意味記憶　176
意味性認知症　268
遺伝子組換え組織型プラスミノーゲン
　　活性化因子　35
遺伝子組換えヒト副甲状腺ホルモン
　　　　　　　　　　　　　　295

う

ウイルス性肝炎　253
ウィリアムスの体操　300
ウィリス輪　29, 32, 106
ウェルニッケ失語　10, 135, **143**, 146, 164
ウパダシチニブ　354
うつ状態　258, 273
　── と認知症症状の違い　260
うっ血性心不全　97, **190**, 337
右心不全　97
烏口上腕靱帯　61
烏口突起炎　314
訴えの特徴　12
上着・シャツの着脱　89
運動器疾患　5
　── のリハビリテーション　277
運動器症候群　318
運動器不安定症　322
運動交換表　244
運動持続困難症　121
運動失行　168
運動失調　25, 292
運動処方の目安　244
運動性半側空間無視　121
運動前野　121
運動知覚の消失　132
運動負荷試験　198
　── 時のエンドポイント　245
運動麻痺性膀胱　232
運動盲　132
運動野　117, 120
運動浴　363
運動療法　71, 343

え

エタネルセプト　355
エピソード記憶　176
エルゴメーター　312
栄養管理　275
腋窩神経麻痺　392
延髄のレベル　104
遠隔記憶　176

縁上回　131
嚥下運動　395
嚥下訓練　398
嚥下失行　152
嚥下障害　394
　── に対する水分摂取の工夫　401
　── の食事援助　402
　── の検査　397
　── の原因疾患　396
　── の重症度と訓練目標　401
　── の診断　396
　── のチーム医療　398
　── の治療法　399
　── への配慮　189
　── を思わせる臨床症状　397
嚥下障害食　401
嚥下造影検査　399

お

オリーブ核　104, 105
おむつのタイミング　265, 270
折りたたみナイフ現象　66
起き上がり訓練　51
応用歩行動作　56
嘔吐　26
横溢性尿失禁　232
横隔膜呼吸　216
音楽療法　161
温湿布　389
温泉浴　279
温熱療法
　　70, 279, 287, 299, 315, 344, 364, 391

か

カクテルパーティー現象　130
カテーテル　237
カテーテル治療　35
カテゴリー特異性連合型視覚失認　132
カニ歩行　55
カルシウム製剤　295
ガランタミン　274
ガンマ-アミノ酪酸　274
ガンマロン　274
がん患者のリハビリテーション　368
がんに伴う廃用症候群　371
がんの脳への転移　260
下肢　51
　── の屈曲拘縮　67
下肢FESシステム　80
下肢切断　337

下肢装具療法 57
下前頭回弁蓋部 129
下側肺障害 211
下腿骨骨折 277, 286
下腿切断 346
下腿内反 307
下腹神経 228
加齢に伴う変化 3
可塑性 42
仮性球麻痺 397
仮性認知症 44, 191, 260
仮面様顔貌 179
渦流浴 **279**, 287, 364
過用症候群 393
画像失認 132
臥位 86
介護者の生活と健康維持 271
介助自動運動 **49**, 61
回旋 219
回旋筋腱板 61
回転性めまい 26
回復の機構 177
改定シャープスコア 357
改訂長谷川式簡易知能評価スケール 259
改良フランケル分類 328
海馬回 137
海馬体 138
開眼失行 152
開扇現象 122
階段昇降 56, 221
外固定法 286
外側型出血 23
外転神経麻痺症状 26
外反 307
外反母趾 350
咳嗽補助法 327
鏡徴候 262
書取障害 150
角回 131
拡散強調画像 99
拡散テンソル画像 99
喀痰の減少・排出 210
片脚立ち 319
片麻痺患者
 ── の側臥位 385, 386
 ── の背臥位 386
 ── の手段的日常生活動作 91
 ── のリハビリテーション 30, 41, 59
肩関節 73, 391
肩関節包炎 314
肩すくめ 61
肩水平伸展 317
肩手症候群 316, **391**
活性型ビタミン D_3 製剤 295
合併症の管理 42
仮嚥下訓練 403
川平法 77
肝疾患のリハビリテーション 252

寒冷療法 70, 364
間欠性跛行 340, 343
間欠的経管摂食法 400
間欠的陽圧呼吸 210
間質性肺炎 351
感覚過敏 25
感覚器疾患 5
感覚系の変化 288
感覚神経 110
感覚性失音楽症 135, 151
感覚性失語 135
感覚統合アプローチ 175
感覚野 117
感情易変容 121
感情失禁 142, 267
感情変化 123
関節可動域 307, 384
関節可動域訓練 49, 331, 384
関節外症状 351
関節鏡視下手術 312
関節包外骨折 280
関節包内骨折 280
関節リウマチ 349
緩和ケアにおけるリハビリテーション 371
環境依存症候群 124
環軸椎亜脱臼 351
観念運動性失行 130, 152, **168**, 169
観念性失行 130, 152, **168**
眼窩回 129
眼球運動失行 152
眼瞼けいれん 26
眼振 26
顔面失行 152
顔面神経不全麻痺 26

き

ギックリ腰 298
ギャンブリング課題 129
ギラン・バレー症候群 232, 393
企図振戦 25
机上検査 156
気管支拡張症 208
気管切開 401
気道に対する刺激の軽減 210
気泡浴 364
奇異性塞栓 31
奇異性歩行 179
記憶 175
記憶障害 123, 142, **176**
記銘・記憶力の低下 266
起居動作 82, 86
起座 53
起座運動 300
起立性低血圧 48, **332**, 390
着替え 222
器質性精神障害 272
機械的血栓回収療法 35
機能訓練期の注意点 50

機能性精神障害 273
機能性尿失禁 234
機能的アプローチ 175
機能的代償 43
機能的電気刺激 79, 332
機能的排尿障害 235
偽関節 278, 286
義肢装着前訓練 347
義肢の名称 336
義足処方 337, 347
逆説性歩行 179
逆行性健忘 176
急性期のリハビリテーション看護 50
急性期脳内出血の外科的治療 26
急性偶発性心合併症 95
急性呼吸不全に対する治療 210
急性動脈閉塞症 342
球麻痺 397
巨大視 131
居室の配置と動線 290
虚血性心疾患 190, 192
共同運動 76
共同偏視 26
協調動作 63
狭心症 95, 193
 ── のリハビリテーション 194
胸郭の柔軟性を高める運動 219
胸膜炎 351
胸腰椎圧迫骨折 283
強化言語治療 148
強制泣き 267
強制笑い 267
強迫的・反響的行為 123
強迫的音読 123
強迫的言語応答 123
強迫的行動 124
強膜炎 351
橋下部 105
橋出血 25
頬・顔面失行 152, 170
近時記憶 176
金属支柱式短下肢装具 59
筋萎縮 48, 279, **383**
筋萎縮性側索硬化症 393
筋強剛 178
筋緊張 66
筋固縮 178
筋骨格系の変化 289
筋力増強 54, 66, **279**
緊張性頸反射 76
緊張性尿失禁 232
緊張性迷路反射 76
緊張性腰反射 76

く

クモ膜下出血 31, 141
クリューバ・ビューシィ症候群 136
クロージングイン現象 170
クローヌス 63

索引

グループセラピー 265
空間の認知障害 151
空気塞栓 31
釘による固定法 281
口すぼめ呼吸 216
靴下エイド 365
靴べら型短下肢装具 59
車椅子への移乗 87
　　の段階的ステップ訓練 161
訓練支援ロボット 80

け

ゲルストマン症候群 151, 167, **171**
外科的療法 71
　　，下肢の 72
計算力の低下 267
経時的誘導 77
経頭蓋直流電気刺激療法 79
経尿道的切除術 234
経皮的冠動脈インターベンション 194
経皮的髄核摘出 305
経皮的レーザー照射 305
軽度認知症 256
痙固縮 74
痙縮
　　に対するリハビリテーション 63
　　の治療 68
　　の評価 65
　　抑制 71
痙性萎縮膀胱 334
痙性によって生じる異常肢位 385
痙性麻痺 65
頸髄損傷 350
頸椎カラー 363
頸椎固定術 350
頸椎症 231, 326
頸椎の亜脱臼 351
頸部回旋 400
頸部交感神経ブロック 391
血管炎 351
血管拡張術 41
血管外科的療法 345
血管内手術 35, 41
血行再建術 345
血栓内膜剝離術 345
血流不全 278
見当識障害 142, 262, **267**
肩甲関節周囲炎 314
肩甲上神経ブロック 316
肩甲上腕靱帯 61
肩峰下滑液包 61
肩峰下滑液包炎 314
健側肢の強化訓練 347
健忘症候群 176
腱炎 314
腱板断裂 314
幻覚 263
幻肢 167
幻視 136

幻聴 136
言語訓練 82
　　，パーキンソン病の 186
言語症状 179
言語障害 141
言語の脳内処理過程 143
減量 311

こ

コイル塞栓術 35
コミュニケーション 9
コミュニケーション能力促進法 148
コルサコフ症候群 164
コルセット 299, 305
コレス骨折 283
ゴール設定 380
ゴリムマブ 355
小刻み歩行 179
呼吸異常 25
呼吸器疾患 5
呼吸筋麻痺 30
呼吸訓練 82, **213**, 327
呼吸困難時の呼吸 218
呼吸障害 327
呼吸障害患者に対する訓練法 216
呼吸リハビリテーション 216
呼吸理学療法 327
固形物の嚥下訓練 403
固縮 74
股関節 392
　　の異所性化骨 392
　　の外転運動 363
股関節屈曲拘縮 337
股屈筋の伸張 302
五十肩 314
語義失語 262
誤嚥防止術 401
誤用症候群 391
口腔ケア 398
口腔相 395
口腔内疾患 5
巧緻動作 63
叩打 213
交互嚥下 400
交叉性失語 141, 151
交代浴 279
光線療法 364
行為・行動抑制障害 125
行動障害 123
抗痙縮薬 68
抗ランクル抗体 295
抗リウマチ薬 353
更衣動作 89
効力感 380
拘縮 48, **384**
　　の予防 82, 279
後縦靱帯骨化症 326
後頭部痛 26
後頭葉 131

後方突進 179
降圧治療(療法) 37, 248
高位脛骨骨切り術 312
高位中枢 227
高血圧 28, 32, 95, 190
　　患者の運動療法 249
　　患者のリハビリテーション 247
　　の診断基準 247
高次運動障害 139
高次脳機能障害 120
　　の評価 42
高尿酸血症・痛風の運動療法 251
高熱 25
高齢者に適した作業療法 81
高齢者の疾患の特徴 4
高齢女性に生じやすい尿失禁 236
喉頭摘出術 401
硬膜外ブロック 305
構音障害 149
構成失行 130, 131, 152, **170**
構成障害 142
酵素注入法 305
膠原病 31
国立精研式認知症スクリーニングテスト 259
骨萎縮 48, 389
骨吸収抑制薬 295
骨形成促進薬 295
骨折 94, 277
　　後のリハビリテーション 279
　　時の合併症 277
　　の骨癒合を妨げる因子 278
　　の種類とその治療 280
骨折端の整復 278
骨折部の固定，接合の不良 278
骨粗鬆症 292, 318
骨盤傾斜運動 300
骨盤神経 228
昏睡 25, 30
混合型(性)認知症 257, **267**

さ

サイトカイン 355
サイム切断 346
サリルマブ 355
サルコペニア 253, **322**
左心不全 97
左右失認 151
左右障害 172
作業記憶 128
作業療法 80
座位 50, 86
　　からの起立訓練 54
座位訓練 327
座位保持訓練 51
再生発芽 42
再編成 42
細胞内浮腫 99
在宅でのリハビリテーション 370

作話 262
三脚杖 55
酸素吸入下運動療法 214
残存能力の強化 41

し

シャツの着かた 90
シャツの脱ぎかた 90
シャワー 221
シルビウス溝 108
ジアゼパム 235
ジャメヴー 136
四肢関節可動域訓練 327
四肢の障害 204
四肢麻痺 25
四十肩 314
弛緩性四肢麻痺 30
刺激によるアプローチ 147
刺激法 148
肢節運動失行 130, 152, 168, **170**
姿勢反射 76
姿勢反射障害 179
脂質異常症 249
脂肪硝子変性 28
脂肪塞栓 31
紫外線療法 389
視覚
　── の一次記憶中枢 131
　── の変化 288
視覚機能低下への配慮 291
視覚失調 133, 134
視覚失認 131, 151
視覚性運動失調 134
視覚性錯覚 131
視覚性注視障害 133
視覚性物体失認 151
視覚像の認識 131
視覚探索訓練 161
視覚的文字言語認識障害 133
視空間認知障害 131
視床 139
視床下部 138
視床失語 25
視床手 24, 25
視床出血 24
視床症候群 24
視床性認知症 25
視床痛 25
視知覚障害 132
自家静脈バイパス移植術 345
自助具 365
自転車エルゴメーター 198
自動運動 **49**, 62, 384
自動介助運動 384
自動的 ROM 訓練 315
自立 379
自律神経過緊張反射 333, 334
自律神経機能障害 332
自律神経障害 25, 179

自律性膀胱 232
磁石症候群 168
磁石歩行 121
色彩呼称障害 133
色彩失認 133, 151
失計算 131
失語 130
　── の純粋型 150
失語症 **141**, 149
　── に対しての理解と知識 149
　── の訓練方法 148
　── の語列挙のテスト 142
　── の診断 142
　── の治療法 148
　── の物品呼称テスト 141
　── の分類 143〜145
　── のリハビリテーション 147
失行 130, 139, 151, 168
　── と麻痺肢機能との関係 173
　── のリハビリテーション 174
失行認 168
失算 172
失書 139, 173
失調症 55
失読 139
失読失書 150
失認 130, 151
　── と麻痺肢機能との関係 173
　── のリハビリテーション 174
失名詞失語 145, 146
疾患修飾性抗リウマチ薬 353
疾病無関知 164
膝蓋腱部荷重ギプス 287
尺側偏位 350
手圧排尿 239
手根管症候群 283, 284
手根骨部の関節症 392
手指失行 152
手指失認 151, 172
手指の関節可動域訓練 363
手術療法 72
　──, 尖足に対する 72
　──, 槌趾変形に対する 72
　──, 内反尖足に対する 72
　──, 内反に対する 72
　──, 膝関節, 股関節に対する 73
手段的日常生活動作 91
腫瘍塞栓 31
舟底足 392
周期性リハビリテーション 368
終期同時収縮 77
終末期医療をめぐる問題 16
集学的医療体制 345
集団訓練 148
住居環境整備 290
重症虚血肢 343
重複趾 350
縮瞳 25, 26, 30
粥状硬化 31

出血性素因 31
純粋語唖 129, 151
純粋語聾 135, **150**, 151
純粋失書 150
純粋失読 132, 133, **150**, 151
純粋発語失行 129
循環器疾患 5
書字障害 150, 179
除圧テクニック 327
除脳硬直 30
小字症 179
小児失語 151
小脳失調 26
小脳出血 26
小脳のレベル 104
松果体のレベル 107
消化器疾患 5
消化性潰瘍 98
症候性パーキンソニズム 179
障害告知 378
障害者
　── 側の問題点 376
　── と医療者間のずれ 380
　── の心理 374
　── の人権 374
　── を取り囲む側からの問題点 376
障害受容過程 378
障害をもつ患者への対応 382
上位運動ニューロン障害 66
上丘 107
上強膜炎 351
上肢訓練支援ロボット 80
上肢切断 338
上肢の機能回復 59, 60
上肢の外科的療法 73
上腕骨近位部骨折 284
上腕骨骨幹部骨折 285
情動障害 136
静脈血栓症 390
静脈血栓溶解療法 35
食事動作 87, 188
食事療法 294
食道相 395
食道瘻 400
褥瘡 48, 387
褥瘡形成術 389
触覚失認 151
心合併症 95
心筋梗塞 31, 96, **195**, 339, 391
　── の特異性 196
　── のリハビリテーション 199
心原性脳塞栓 28, 30
心疾患 28
心室内血栓 31
心臓に関連するプログラム修正・中止
　基準 200
心臓の生理，病理 190
心臓弁膜症 28
心臓リハビリテーション 201

心内膜炎 31
心不全 97, **191**
心弁膜疾患 31
心弁膜症 31
心房血栓 31
心房細動 28
心房粘液腫 31
心理的・精神的変化 255, 275
心理的アプローチ 381
心理的回復過程 378
心理的到達レベル 379
伸筋突出 76
伸張 71, 77
伸張運動 302
伸張訓練 186
伸張反射 66, 76
身体失認 163
身体図式障害 163
身体的リハビリテーション 329
身体的認知障害 151
身体の認知障害 151
身体パラフレニー 165
身体部位失認 130, 151, **167**
神経因性膀胱 226, 229, 235
―― の尿路管理 233
神経幹細胞 43
神経筋促通法 75
神経筋電気刺激 79
神経根ブロック 305
神経疾患 22
神経精神疾患 5
神経内科疾患 337
神経ブロック 68
神経薬理学的治療 162
振動 213
振動刺激痙縮抑制療法 71
振動療法 70
真性腹圧性尿失禁 235, 236
深部静脈血栓症 44, 371
深部知覚障害 24
深部脳刺激術 180
進行性核上性麻痺 124, 180
進行性経過 263
進行性非流暢性失語 268
人格の崩壊 262
人格変化 142
人工関節置換術 313, 350
人工血管バイパス移植術 345
人工呼吸器 327
―― 下のリハビリテーション 327
人工股関節全置換術 281
人工骨頭置換術 281
人工膝関節置換術 313
人工膝単顆置換術 313
腎・尿路疾患 5
腎臓のリハビリテーション 224
腎不全 242

す

スクワット 319
スタインブロッカーのステージ分類 357
ステロイド 353
ステント留置術 35, 41
スナッピング 54
スプリント療法 71, 364
スワンネック変形 350
ズボンをはく 89
すくみ足 179
―― に対する訓練指導 184
水治療法 70, **279**, 287, 299, 315
水分補給食 402
遂行機能障害 126
遂行機能障害症状群 123
錐体路 104, 107, 110

せ

セルトリズマブペゴル 355
せん妄 270
せん妄状態 272
ぜいたく灌流 101
正常圧水頭症 33, 180
正常圧水頭症性認知症 268
正中神経麻痺 392
生活関連動作 83
生活指導 248
生活習慣病 **241**, 339
生物学的製剤 354
性格の変化 127
星状神経節ブロック 316
精神因性排尿異常 235
精神興奮 263
精神症状 179
精神症状や異常行動への対応 270
精神障害とリハビリテーション 272
精神性注視麻痺 133, 134
精神的・知的・心理的障害 390
精神的側面の管理 275
精神的老化の要因 255
静止時振戦 179
整復 278
整容動作 89
赤外線療法 389
脊髄腔 105
脊髄腫瘍 231, 327
脊髄神経障害 351
脊髄損傷
―― における作業療法 332
―― における理学療法 331
―― にみられる尿路合併症 334
―― の特徴 326
―― のリハビリテーション 325
―― レベルとADL 330
脊髄動脈閉塞 327
脊髄内排尿中枢 228
脊髄の解剖 325
脊損高位と到達レベル 329
脊柱管狭窄症 **306**, 327
脊柱管形成術 305

脊椎圧迫骨折 283
脊椎固定術 305
脊椎症 326
脊椎椎間板ヘルニア 326
切断 345
切断者の経過 338
切断者のリハビリテーション 336
切断術における問題点 345
切迫心筋梗塞 204
石灰沈着 314
摂食機能療法 82
摂食障害 398
先行期の障害 398
先天性血管奇形 32
遷延性弛緩性麻痺 173
選択的エストロゲン受容体モジュレーター 295
選択的注意集中 130
全失語 145, 146
全身性エリテマトーデス 31
全般認知症 262
前屈姿勢 179
前脛骨筋移行術 73
前交連のレベル 107
前向性健忘 176
前梗塞症候群 204
前帯状回 129
前頭前野 122
前頭前野症候群 123
前頭側頭型認知症 124, 141, 257, **268**
前頭側頭型変性症 268
前頭葉 120
前頭葉-辺縁系との連絡部 137
前頭葉型認知症 124
前頭葉前野障害 292
前立腺がん 235
前腕骨骨折 283

そ

ソーシャルワーカー 368
ソックスコーン 366
阻血性拘縮 284
咀嚼障害 402
相貌失認 132, 151
装具療法 71, 305, **310**, **345**, 365
総合情報失認 136
即時記憶 176
足趾切断 346
足底板 310, 363, 365
促通反復療法 77
側芽 43
側屈 219
側頭葉 135

た

タマネギ現象 157
ダビデの星のレベル 106
他動運動 61, 384
他動的関節可動域訓練 49

立ち上がり訓練 51
立ち上がりテスト 318
立ち直り反射 76
多系統萎縮症 180
多重綱線法 280
多重支配 42
多発脳梗塞性認知症 266, 292
多弁 262
代謝異常症候群 241
代謝性心不全 97
代謝不全 278
体位ドレナージ 211, 327
体位変換 384
　── による褥瘡予防 48
　── の効果 211
体温調節障害 333
体幹 51
体幹下肢失行 152
体幹筋強化訓練 347
体幹装具 299
体操 384
体力の維持 219
対角線回旋運動パターン 76
対側性相反性連合運動 76
対側性対称性連合運動 76
帯状回 129
帯状回性半側空間無視 129
帯状溝のレベル 110
帯状溝辺縁枝 117
大腿骨近位部骨折 277, 280
大腿骨頸部骨折 280
大腿骨転子部骨折 280
大腿四頭筋筋力増強訓練 310, 363
大腿切断 346
大腿内反 307
大脳基底核 107, 108
大脳脚 106, 107
大脳性運動視覚喪失 134
大脳性色覚異常 132
大脳性色覚喪失 135
大脳半球の出血 23
大脳皮質基底核変性症（CBD） 180
代償的栄養管理法 400
代償的嚥下法 400
高さ不明のレベル 110
脱神経過敏 43
短下肢装具 59, 310
短期記憶 145
段階理論 378
断端訓練 347
断端拘縮の予防 347
断片的接近現象 171
弾発肩 62

ち

チャイルド・ピュー分類 252
地誌的記憶障害 130, **133**, 137
地誌的失認 151
地理的方向定位障害の症候 131

知覚脱失 30
知覚麻痺性膀胱 232
知的機能の変化 288
知能障害 123
着衣失行 152, 171, 175
中心溝が大脳縦裂まで達している/いないレベル 111
中心前回下部皮質下 129
中枢性疼痛 25
中足骨切断 346
中大脳動脈外側前頭枝の閉塞 146
中大脳動脈起始部の閉塞 146
中大脳動脈側頭下行枝の閉塞 146
中脳水道 104
中脳のレベル 107
中葉症候群 209
注意機能障害 125
注意集中 156
注意障害 123, 397
注意障害説 159
注意制御システム 126
注意の空間的障害 134
長下肢装具 58
超皮質性運動失語 121, **145**, 146
超皮質性感覚失語 130, **145**, 146
聴覚失認 135, 151
聴覚連合野 135
聴放線 107
聴力低下 12
陳述記憶 176

つ

つち指変形 350
椎間板ヘルニア 304
椎弓切除 305
痛風 251
杖歩行訓練 55

て

テリパラチド 295
デジャヴー 136
デノスマブ 295, 355
デバイス補助療法 180
デブリードマン 389
手
　── の拘縮 391
　── の手術 74
　── の腫脹 391
手すりの設置 291
手続き記憶 176
低周波治療 70
低頻度反復経頭蓋磁気刺激 162
定位的血腫除去術 26
抵抗運動 62
適度な運動 274
転移効果 175
転移性脳腫瘍 261
転倒 283
　── 恐怖 289

　── による骨折 94
　── の危険因子 277
　── の要因 290
　── 予防 95, 287
伝導失語 144, 146
電気刺激 68, 79
電気刺激療法 70

と

トーヌス 66
トシリズマブ 355
トファシチニブ 354
トレッドミル 198, 312
トロミアップ 401
ドネペジル塩酸塩 274
ドパミンアゴニスト 178
ドパミン拮抗薬 162
ドパミン補充療法 178
徒手的マッサージ 389
努力性嚥下 400
島回 137
透析患者の運動療法 224
疼痛過敏症 24
疼痛緩和 309
疼痛対策 363
盗難妄想 270
統覚型視覚失認 132
統合失調症 273
等尺運動 279
糖尿病 28, 204, **241**
　── における運動の効果 242
　── における運動療法の禁忌 246
　── の3大合併症 242
　── のコントロール 242
　── のリハビリテーション 242
糖尿病性壊疽 342
糖尿病性合併症と運動の適否 245
糖尿病性細血管障害 342
糖尿病性神経障害 242, 245
糖尿病性腎症 242, 245
糖尿病性大血管症 245
糖尿病網膜症 242, 245
頭頂間溝 130
頭頂葉 130
頭頂葉性筋萎縮 130
頭頂葉性純粋失書 130
頭頂連合野 130
頭部 CT 100
頭部 MRI 102
頭部外傷 31
橈骨遠位端骨折 283
同時失認 132, 151
動眼神経 107
動眼神経麻痺 25, 32
動作緩慢 178
動作速度 63
動脈硬化 32, 190, 292
動脈閉塞 339
動脈瘤 32

道具の強迫的使用 122
瞳孔左右不同症 26
突進現象 179

な

内・外側ウェッジ 310
内科的全身管理 274
内頸動脈閉塞 146
内言語障害 141
内側型出血 24
内分泌・代謝疾患 5
長柄ブラシ 222

に

ニトラゼパム 235
二次性正常圧水頭症 268
日本版 BADS 126
日常生活動作訓練 83, 364
日光浴 389
入浴動作 91, 275
尿失禁 225, 226, **235**, 334
　── に対する薬物療法 236
　── の原因 236
　── の病態生理 229
尿道感染 334
尿道憩室 334
尿道皮膚瘻 334
尿閉 225, 235
尿路合併症 334
尿路管理法 334
尿路結石 334, 390
尿路疾患のリハビリテーション 225
尿路通過障害 225
認知症 **256**, 337
　── 高齢者と社会資源 276
　── 高齢者のケア 269
　── 対策 273
　── で用いられる評価法 260
　── に伴う尿失禁 234
　── の画像診断 268
　── の症状とその対処法 263
　── を伴うパーキンソン病 124

ね

寝返り 53, 86
寝たきり 255
年齢別の心理的アプローチ 377

の

ノーマライゼーション 374
脳外傷 141
脳回の同定法 117
脳画像各レベルの見かた 104
脳弓 138
脳血管障害 22, **99**, 141, 179, 339
　── の画像診断 99
　── の治療 35
　── リハビリテーション 41
脳血管性認知症 257, **266**

脳血管攣縮 32
脳溝 111
脳梗塞 27, 141
　── 急性期の薬物療法 39
　── の治療 38
　── の頭部 CT 画像 101
　── の頭部 MRI 画像 103
　── のリハビリテーション 47
脳出血の血圧管理 37
脳腫瘍 31, 141, 260
脳静脈血栓症 31
脳髄膜炎 31
脳槽 106
脳卒中 391
　── にみられる固縮 74
　── の外科的治療法 40
　── の再発 95
　── の頭部 CT 所見 100
　── の頭部 MRI 画像 102
　── の分類 22
脳卒中急性期のポジショニング 48
脳卒中集中治療室 36
脳卒中治療の未来と展望 41
脳卒中発症直後の血圧管理 36
脳卒中リハビリテーション 43
脳損傷 120
　── による性格変化 128
脳動静脈奇形 141
脳動静脈奇形破裂 31
脳動脈閉塞症候群 145
脳動脈瘤破裂 31, 141
脳内出血 22, 141
　── の頭部 CT 画像 101
　── の頭部 MRI 画像 103
脳梁 139
脳梁体部のレベル 108
脳梁膨大のレベル 108
脳梁離断症状 139, 170
嚢状動脈瘤 32

は

ハの字のレベル 110
ハバード浴 279
バージャーの体操 344
バイオフィードバック 71
バクロフェン髄腔内投与 70
バス・ステップへの上がりかた 93
バランス機能の変化 289
バリシチニブ 354
バリント症候群 133, 151
バルーン拡張術 35
パーキンソン症候群 159
パーキンソン病 74, **178**, 268
　── の主な治療薬 181
　── のストレッチ体操 187
　── のリハビリテーション 183
パニック呼吸 218
パペッツの回路 176
パラフィンパック 279

パラフィン浴 391
パントマイム障害 169
はさみ歩行 55
把握反射 121, 168
肺炎 95
肺性心 211
肺線維症 208
背臥運動 300
背側注意ネットワーク 159
排泄 90, 189
排尿管理 333
排尿機構 228
排尿訓練 334
排尿困難 225, 235
排尿障害 189, 225
　── をきたす薬剤 237
排尿に関する神経系 226
排尿用装具 334
排便管理 335
排便障害 189
徘徊の理由 264, 271
廃用症候群 371, 383
発芽 42
発語失行 147
発動性障害 123
反響言語 123
反響行為 123, 124
反射弓 66
反射性血管拡張 344
反射性膀胱 231
反対側損傷 132
反張膝 392
反復経頭蓋磁気刺激療法 79
半身知覚障害 24
半側空間無視 25, 130, 139, **152**, 161, 175
半側サングラス 161
半側身体失認 151
半側性低運動症 159
半長下肢装具 59
半膝立ち 53
半盲 152
半卵円中心のレベル 110
半流動物 401

ひ

ヒールレイズ 319
ヒト化抗スクレロスチンモノクローナル抗体 295
ビスホスホネート製剤 295
皮質下出血 25
皮質下神経 110
皮質盲 164
皮質聾 **135**, 151, 164
皮膚疾患 5
肥満・肥満症の運動療法 250
非アルコール性脂肪性肝疾患 252
非細菌性血栓性心内膜炎 31
非侵襲的脳刺激法 79
非ステロイド性抗炎症薬 311, 353

非陳述記憶 176
非弁膜症性心房細動 31
非流暢型，失語症 145
非流暢性失語 129
被殻出血 23
微小アテローム斑 28
微小視 131
鼻腔チューブ 400
膝折れ 54
膝屈筋群の伸張 302
膝装具 310
膝側副靱帯弛緩度の検査 307
膝立ち 53
膝離断 346
膝ロック 54
肘関節の手術 74
左半球角回障害 171
左半球障害 131, 133, **152**, 168
左耳冷水刺激 161
一口量 399
表象障害説 160
標準高次動作性検査 168, 174
病前性格 379
病態失認 130, 133, 151, **164**, 165
病態無関知 165
病的把握現象 121

ふ

ファシリテーション 75, 76
フィルゴチニブ 354
フェノールブロック 68
フェルティ症候群 351
フォーク状変形 283
フランケルの分類 328
フレイル 224, 322
フロントランジ 319
ブローカ失語 145
ブローカ野 119
ブロードマン領野 112
ブロメライン軟膏 389
プール体操 279, 363
プライミング効果 176
プライミング刺激 158
プラスチック製短下肢装具 59
プリズム眼鏡 161
プロカイン 315
プログラム学習法 148
不安定狭心症 96, 204
不潔行為 262
不随意運動 25
不随意閉眼 26
不整脈発作 96
風呂 221
部分性てんかん発作 141
舞踏病 25
深さ知覚の消失 132
副腎皮質ステロイド 296
―― の肩関節内注入 315
復唱障害 143, 150

腹圧性尿失禁 236
腹筋強化 300
腹式呼吸 216
腹側注意ネットワーク 159
複数回嚥下 400
物質誘発性持続性認知症 261
物体失認 132
物体の認知障害 151
物体把握障害 134
物理療法 70, **344**, 363
古い記憶の再生障害 176
分水領域梗塞 146

へ

ヘッシュル回 135
ヘミバリスム 25
ヘルニア摘出術 305
ヘルペス脳炎 141
ベッドへの移乗 87
ペースメーカー 96
ペナンブラ 28
ペニクランプ 334
ペフィシチニブ 354
ペンタゴンのレベル 106
平行棒内歩行 54
閉眼失行 152
閉塞性血栓性動脈炎 340
閉塞性動脈硬化症 339
閉塞性肺疾患 337
壁在血栓 31
片側性身体失認 163
片側性無動症 121
片麻痺（⇨「かたまひ」を見よ）
辺縁系 138
変形視 131
変形性脊椎症 306
変形性膝関節症 306
―― のリハビリテーション 313
変性疾患 141
扁桃体 138
扁平足 392
便タンポン 335

ほ

ホームエクササイズ 319
ホルモン依存性がん 235
ボタン穴変形 350
ボツリヌス毒素 68
ボツリヌス療法 78
ボディメカニクス 220
ポータブルトイレ 91
ポジショニング 327, 385
ポリオ 393
歩行 221, 307, 384
歩行獲得率 337
歩行訓練 50
歩行失行 152, 168
歩行障害 179
補足運動野 121

母指のZ状変形 350
放線冠 109
崩壊現象 154
防衛機制 375
紡錘状変形 350
棒体操 317
膀胱訓練 239
膀胱頸部硬化症 235
膀胱腫瘍 226
膀胱尿管逆流 232, 234, 334
膀胱瘻 334
暴力行為 271
発作性心房細動 31

ま

マジャンディー孔 104
マスター2階段法 198
マット上訓練 53
マンガン中毒 180
まだら認知症 266
麻痺 305
―― の改善 41
―― の評価 328
末梢血管性疾患 339
末梢循環障害の症状 340
末梢神経支配 228
末梢動脈疾患 337
末梢閉塞性動脈疾患 337
慢性型の心不全症 97
慢性期の呼吸理学療法 327
慢性呼吸器疾患 204, 206
―― の治療とリハビリテーション 209
慢性硬膜下血腫 261
慢性腎臓病 224
慢性心不全に対する運動療法 192
慢性閉塞性肺疾患 206

み

ミニメンタルテスト 258
ミラーセラピー 78
三つ這い位訓練 53
右半球症状 167
右半球障害 131, **152**

む

ムチランス様変形 350
むせのない誤嚥 396
無気肺 209
無嗅覚症 129
無菌的間欠導尿法 238, 334
無視空間 156
無症候性脳梗塞 30, 266
無痛性虚血性心疾患 204
無痛性心筋虚血 192
無動 159, 178
無動無言症 159
無抑制膀胱 230

め

メタボリックシンドローム 241
メトトレキサート 354
メマンチン（メマリー） 274
メンケベルグ硬化 339
メンデルソン手技 400

も

モンロー孔のレベル 107
模倣行動 124
妄想 263
物忘れ 12
　──と認知症の比較 260

や

ヤコブの回路 176
ヤヌスキナーゼ阻害薬 354
夜間の異常行動 270
夜間頻尿 235
薬剤性認知症 261
薬物療法 274, 295
薬浴 389

ゆ

ユリドーム 334
夕方たそがれ症候群 271

よ

予備機能 42
要素性視知覚喪失 132
陽性支持反射 54, 66, **76**
腰筋の伸張 302
腰椎牽引 299, 305
腰椎症 326
腰椎装具 299
腰痛体操 300
腰痛の分類 298
腰痛のリハビリテーション 296
腰痛ベルト 299
横上腕靱帯 61
四つ這い位訓練 53
四脚杖 55

ら

ラクナ型脳梗塞症 28, **30**, 44
ラルセン分類 357

り

リーチャー 365
リウマチ結節 351
リウマチ性心内膜炎 31
リウマチ熱 31
リドカイン 315
リハビリテーション 236, 280
　──, 肝硬変の 253
　──, 生活習慣病の 241
　──, 蓄尿障害に対する 239
　──, 糖尿病の 241
　──, 尿失禁に対する 236
　──, 認知症の 255
　──, 排出障害に対する 237
　──, 排尿障害に対する 239
　──の中止基準 97
リハビリテーション看護 82
リハビリテーションチーム 82
リバスチグミン 274
リラックステクニック 218
利用行動 124, 168
立位 50, 51, 86

立体視障害 132
流暢性失語 129, 143
留置カテーテル 239, 334
了解障害 150
両側後頭葉障害 133
両側性障害 135
良肢位保持 385
良性健忘 258
臨床心理士 368

る・れ

ルシュカ孔 104
レクリエーション 275, 384
レジスタンス運動 246, 251
レスピレータ 211
レビー小体型認知症 180, 257, **268**
レミニール 274
連合運動 76
連合型視覚失認 132

ろ

ローランド溝 111
ローランド前枝の閉塞 145
ロキソプロフェンナトリウム 353
ロコトレ 319
ロコモ 25 318
ロコモティブシンドローム 318
ロコモ度テスト 318
ロフストランド杖 55
ロモソズマブ 295
老化の特徴 2
老人症候群 9
老人の尊厳 8
老年期 377
老年期神経症 273

欧文索引

ギリシャ・数字

γ-aminobutyric acid 274
1 型糖尿病 241
1 次嗅覚野 138
1 次視覚中枢 131
1 次体性感覚中枢 130
1 次聴覚中枢 135
1 次味覚皮質 130
1 本杖 55
2 型糖尿病 241
2 次嗅覚野 138
2 次視覚連合中枢 131
2 ステップテスト 318
2 点歩行 56
3 点歩行 55
4 野 120
6 野 121
8 野前方〜9, 10, 11, 12 野 122

A

A 型ボツリヌス毒素によるブロック 68
abasia 26
ABCD² スコア 34
acalculia 172
acidosis 210
ACP 17
ACR コアセット 357
ACR/EULAR 関節リウマチ分類基準 2010 352
active assistive exercise 384
active exercise 384
activities of daily living（ADL） 82, 307, 364, 371
activities parallel to daily living（APDL） 83
advance directives（AD） 17
agnosia 151
agraphia 173
AIMS2（Arthritis Impact Measurement Scales-2） 358
akinesia 178
akinetic mutism 121, 159
alexia with agraphia 150
alexia without agraphia 150
all four exercise 53
all three exercise 53
Alzheimer 病 261
amorphosynthesis 163
amputation 345
amyotrophy 383
angina pectoris 193
ankle foot orthosis（AFO） 59
anosodiaphoria 164
anosognosia 164

anterograde amnesia 176
Anton 症候群 133
Anton 症状 164
Anton-Babinski syndrome 164
aphasia 141
apractognosia 168
apraxia 151
—— of speech 129, **148**
ARAT（Action Research Arm Test） 63
arterialized vein 34
arteriosclerosis obliterans（ASO） 339
Ashworth の痙縮スケール 65
ASIA（American Spinal Injury Association）機能分類表 328
asomatognosia 163
assistive active exercise 49
associated movement 76
astasia 26
asymptomatic cerebral infarction 30
ataxie optique 134
atherothrombotic brain infarction 28
athetosis 25
auditory agnosia 135
autonomous bladder 232
autotopagnosia 167
AWGS2019 の診断基準と基準値 322

B

B 型肝炎 253
Babinski による重症度評価 164
Baillarger-Jackson の法則 169
Balint 症候群 133, 151
ballistic movement 121
behavioural assessment of the dysexecutive syndrome 126
Behavioural Inattention Test 156
Bisiach による病態失認の得点による評価 164
BIT 行動性無視検査 156
blepharospasm 26
BMI（body mass index） 251
bone atrophy 389
Borg 指数 198
brace 71
bradykinesia 178
branch atheromatous disease（BAD） 28, 30
breathing exercise 213, 327
Broca 野 119
Brodmann の脳地図 111
Bruce のプロトコール 198
Brunnstrom stage 63, 64
bucco-facial apraxia 152, 170
buckling 54
Bürger's disease 340

Bürger's exercise 344

C

C 型肝炎 253
Caloric stimulation 161
camptocormia 179
cardiogenic cerebral embolism 30
carpal tunnel syndrome 283
Catherine Bergego Scale（CBS） 154
central knob 110, 111
—— が見えるレベル **111**, 119
cerebral achromatopsia 135
cerebral akinetopsia 134
cerebral infarction 27
cerebral vasospasm 33
cerebro-vascular disease（CVD） 22
Child-Pugh 分類 252
chorea 25
choreo-athetosis 様不随意運動 24
chronic kidney disease（CKD） 224
chronic obstructive pulmonary disease（COPD） 206
CHS（Cardiovascular Health Study）基準 323
CI 療法 78
cingulate hemineglect 129
clasp knife phenomenon 66
closing-in 現象 171
CO_2 産生の抑制 211
CO_2 排泄の増加 211
Codman の治療体操 316
collateral sprouting 43
Colles 骨折 283
color agnosia 133
constraint-induced movement therapy 78
constructional apraxia 170
contracture 384
contralateral reciprocal a.m 76
contralateral symmetrical a.m 76
corpus callosum 139
cortical deafness 135
crab gait 55
crawling 54
creeping 54
Creutzfeldt-Jakob 病 180
critical zone 61
crutch palsy 392
cryotherapy 70
CT 101
curl up exercise 300
Cutting の病態失認に対する質問 164
cytotoxic edema 99

D

DAS28 357

decerebrated rigidity 30
decubitus 387
deep brain stimulation(DBS) 180
Dejerine-Roussy syndrome 24
dementia with Lewy bodies(DLB) 268
denervation hypersensitivity 43
dependent lung disease 211
device aided therapy(DAT) 180
diabetic gangrene 342
diabetic microangiopathy(DM) 342
diagonal spinal irradiation pattern 76
diazepam 235
diffusion tensor imaging(DTI) 99
diffusion weighted image(DWI) 99, 104
dinner fork or silver fork deformity 283
direct application of vibratory stimulation(DAViS) 71
disconnection syndrome 170
disuse syndrome 383
DMARDs(disease-modifying anti-rheumatic drugs) 353
doll's head eye phenomenon 25
donepezil HCl 274
dorsal attentional network(DAN) 159
dressing apraxia 171
dropped head 179
DSM-5 257, 266
dysexecutive syndrome 123

E

early CT signs(ECS) 101
echopraxia 124
ectopic ossification 392
electrical stimulation 70
elementary unformed 131
emotional impersistence 121
environment dependency syndrome 123
equipotentiality 42
errorless leaning 177
ESUS(embolic stroke of undetermined source) 31
extensor thrust 76

F

fanning sign 122
FIM(functional independence measure) 83
finger agnosia 172
FLAIR 画像 99, 102, 104
Fontaine の分類 342
Frailty 322
Frankel の分類 328
free active exercise 49
frontal aslant tract(FAT) 121

frontotemporal dementia(FTD) 268
frontotemporal lobe degeneration (FTLD) 268
frozen gait 179
frozen shoulder 61, 285, 315
Fugl-Meyer 評価法(FMA) 63
functional electrical stimulation(FES) 79, 332
functional substitution 43

G

galantamine 274
gambling task 129
Garden の分類 280
Gegenhalten 現象 122
Gerstmann 症候群 131, 151, 171
Goodman の運動療法 296
grasp reflex 168
Guillain-Barré 症候群 232, 393

H

Hachinski の虚血点数 267
half kneeling 53
Hasegawa's Dementia Scale Revision (HDS-R) 257
HbA1c 242
HCO_3^- 濃度の増加 211
Hecaen らの分類 165
hemiasomatognosia 163
hemiballism 25
home care ventilation(HCV) 328
HRQOL 210
hydrotherapy 70, 279
hyperpathia 24, 25
hypogastric nerve 228

I

IADL 尺度 92
ideational apraxia 168
ideomotor apraxia 169
imitation behavior 124
immobilization 296
impairment of "executive function" 123
impending myocardial infarction 204
instrumental activities of daily living (IADL) 91
insulin dependent diabetes mellitus (IDDM) 241
intermittent catheterization 238
intermittent claudication 340, 343
intermittent positive-pressure breathing(IPPB) 210
intermittent tube feeding(ITF) 400
intracerebral hemorrhage 22
isometric exercise 279

J

JAK 阻害薬 354, **355**

Jensen の分類 280
JOA スコア 307, 312

K

Katz index of ADL 83
Kenny self-care evaluation 83
key muscle 328
Killip 分類 191
kinetic apraxia 168
Klüver-Bucy syndrome 136
knee ankle foot orthosis(KAFO) 58
knee brace 310
kneeling 53
Kottke 法 303

L

L-ドパ持続経腸療法 182
lacunar infarction 30
Lapides の分類 230
lateral type 23
lead pipe phenomenon 74
levodopa-carbidopa continuous infusion gel therapy(LCIG 療法) 182
Lhermitte 124
limb-kinetic apraxia 170
lipohyalinosis 28
locking 54
Lofstrand crutch 55
long-leg brace(LLB) 58
"look to the left" The New York studies 161
LOVE 法手術 305
low frequency currents therapy 70
Lown 分類 96

M

magnetic gait 121
magnetic syndrome 168
MAO-B 阻害薬 178
masked face 179
mat exercise 53
MCI 256
medial type 24
memantine HCl 274
memory dependency syndrome 123
Mendelsohn maneuver 400
metabolic syndrome 241
methotrexate(MTX) 354
mHAQ(Modified Health Assessment Questionnaire) 358
micro-endoscopic discectomy(MED法) 305
microatheroma 28
micrographia 179
mild cognitive impairment 256
mirror sign 262
misuse syndrome 391
ML instability 54

MMSE 258
mobility on stability 68
modified Ashworth scale(MAS) 65
modified total Sharp score 358
monotonous speech 179
motor extinction 159
motor hemineglect 121
motor impersistence 121, 158
motor paralytic bladder 232
MRI 102
multi-infarct dementia(MID) 266
multiple control 42
multiple pinning 280
muscle setting 279
musculoskeletal ambulation disability symptom complex(MADS) 322
myocardial infarction 195

N

Narang の機能分類 337
neck fracture of femur 280
Neer 分類 284
Neglect Alert Device 161
neural stem cell 43
neurogenic bladder 226, 229
neuromuscular facilitation 75
New York Heart Association(NYHA) 191
nitrazepam 235
NMES 79
non-insulin dependent diabetes mellitus(NIDDM) 241
non-invasive brain stimulation(NIBS) 79
nonalcoholic fatty liver disease(NAFLD) 252
nonbacterial thrombotic endocarditis 31
normal pressure hydrocephalus(NPH) 33, **268**
NSAIDs(nonsteroidal anti-inflammatory drugs) 311, 353
NVAF 31
nystagmus 26

O

object agnosia 132
occupational therapy 80
on-and-off 現象 178
optische Ataxie 134
orthostatic hypotension 390
oscillating bed 344
osteoporosis 292
overflow incontinence 232
overuse syndrome 393

P

PAF 31
painless myocardial ischemia 192
paradoxical gait 179
paraffin pack 279
paraplegia inflexion 67
Parkinson 病 178, 268
passive mobilization 384
patella tendon bearing type cast(PTB) 287
PCI 194
pelvic nerve 228
pelvic tilting exercise 300
penumbra 28
percussion 213
peripheral arterial disease(PAD) 337
peripheral arterial occlusive disease(PAOD) 337
periventricular high-intensity(PVH) 266
periventricular lucency(PVL) 266
Peszczynski 173
petit pas 179
Petren's gait 168
phantom limb 167
phenol block 68
picture agnosia 132
pill-rolling 179
pinpoint pupils 25, 30
plastic-AFO 59
plasticity 42
POLST(Physician Orders for Life Sustaining Treatment) 18
pool exercise 287
positive supporting reflex(PSR) 54, 66, **76**
postural drainage 211
postural instability 179
preinfarction syndrome 204
pressure sores 387
programming Aphasics' communicative effectiveness(PACE) 148
progressive non-fluent aphasia(PNFA) 268
prolonged flaccid paralysis 173
prosopagnosia 132
pudendal nerve 228
puffy swelling 391
pulmonary fibrosis 208
PULSES 83
pulsion 179
pure agraphia 150
pure alexia 133
pure anarthria 151
pure word deafness 135, 150
Pusher syndrome 154
pushing exercise 399
putaminal hemorrhage 23

Q

quality of life(QOL) 5, 8
―― の維持・向上 371
―― の低下 290

R

RA の薬物治療の変遷 353
ramp movement 121
Ratschow 式回転訓練 344
receptor activator of nuclear factor-κB ligand(RANKL) 295
recombinant tissue type plasminogen activator 35
redundancy 42
reflex bladder 231
reflex vasodilation 344
regenerative sprouting 42
reorganizational compensation 42
repetitive facilitative exercise(RFE) 77
respiratory physical therapy 327
resting tremor 179
retrograde amnesia 176
retropulsion 179
RFE under cNMES 79
rheumatoid arthritis(RA) 349
right-left disorientation 172
righting reflex 76
rigidity 178
rigospastic 74
rivastigmine 274
rolling over 53
ROM(range of motion) 307
ROM 訓練 49, 309, 384
Rossolimo 反射 122
rotator cuff 61
rt-PA 使用法マニュアル 37
rt-PA 製剤 35
rt-PA 療法 41
rTMS 79

S

saccular aneurysm 32
Sarcopenia 322
selective attention 130
selective estrogen receptor modulator(SERM) 295
semantic dementia(SD) 268
semi-LLB 59
senile dementia of Alzheimer type(SDAT) 261
sensory hemineglect 152
sensory paralytic bladder 232
Shea の褥瘡の分類 388
shoe-horn brace(SHB) 59
short-leg brace(SLB) 59
short-term memory 129, 145
shoulder hand syndrome 316, **391**
shoulder shrugging 61
sick sinus syndrome 96
side cane 55
silent aspiration 396

silent myocardial infarction 205
Singhの分類 294
sit up exercise 300
sitting balance exercise 51
sitting up 51, 53
skew deviation 26
SLTA 142
snapping 54
snapping shoulder 62
somatoparaphrenia 165
sparing 42
spasticity 63
specific activity scale 198
splint 71
sprouting 42
standard performance test for apraxia（SPTA） 168
standing balance 51
standing up exercise 51
Starksteinの評価法 165
Starkstein病態失認の評価項目 165
STEF（Simple Test for Evaluating Hand Function） 63
Steinbrockerのステージ分類 357
Steinbrocker法 358
stimulation approach 147
stooped posture 179
straight leg raise（SLR） 310
straight leg raise（SLR）exercise 300
stress incontinence 232
stretch exercise 186
stretch reflex 66, 76
stretching 71, 77, 302
stroke 22
Stroop課題 123
Strümpellの反射 76
stump exercise 347
subacromial bursa 61
subarachnoid hemorrhage（SAH） 31

successive induction 77
supervisory attentional system（SAS） 126
supraglottic swallow 400
synergy 76

T

T字杖 55
Tストラップ 310
T1強調画像 102, 104
T2強調画像 99, 102, 104
TCS 130
tDCS 79
terminal contraction 77
tetrapod 55
thalamic hand 24
thalamic hemorrhage 24
thalamic tremor 25
thermal stimulation 399
thermotherapy 70, 279
Thomas法 303
thromboarteritis obliterans 340
tonic labyrinthine reflex 76
tonic lumber reflex 76
tonic neck reflex 76
transient ischemic attack（TIA） 34
transurethral resection（TUR） 234
transverse humeral ligament 61
tripod 55
true stress incontinence 236

U

uncurling exercise 300
unilateral akinesia 121
unilateral hypokinesia or akinesia 159
unilateral spatial neglect（USN） 151, 152
uninhibited bladder 230
unmasking 43

unrestricted bladder 230
unstable angina 204
urinary incontinence 235
utilization behavior 124

V

ventral attentional network（VAN） 159
vertigo 26
vesicoureteral reflux（VUR） 232
VF検査 399
vibration 213
vibration therapy 70
visual agnosia 131
visual scanning training 161
Volkmann's ischemic contracture 284
Von Cramonの問題解決訓練 126
Vulpius変法 72
VURの治療法 334
Vygotsky test 123

W

WAB（Western Aphasia Battery） 142
walking apraxia 168
watershed infarction 146
wearing-off現象 178
Wernicke-Mannの肢位 65, 67
Wernicke失語 135, 143
Williams's exercise 300
Wisconsin card sorting test 123
working memory 128

X・Y・Z

X染色体のように側脳室が見えるレベル 108
Yahrの5段階ADL重症度分類 181
Zancolliの分類 329